D1263133

PICASSO
PORTRAITS DE FAMILLE

Olivier Widmaier Picasso

PICASSO
PORTRAITS DE FAMILLE

Éditions Ramsay

Avec la participation d'Élisabeth Marx
pour les recherches documentaires

Sommaire

Les génies extrêmes ne sont pas faits
pour plaire aux âmes timorées.

CHARLES BAUDELAIRE

Avant-propos

Pour moi, Pablo Picasso est né le 8 avril 1973. Oui, mon grand-père est né le jour de sa mort.

Auparavant, il n'existait pas, ni dans mes rêves, ni dans la réalité. Il n'existait que sur les murs, à la fois très présent et très abstrait. Quelqu'un dont on me parlait, parfois, mais que je ne voyais jamais.

Au lycée, tous mes copains avaient un grand-père, qu'ils rencontraient souvent le dimanche. Moi non. Le plus curieux, c'est que ça ne me manquait guère. Ils avaient des photos de famille. Moi, j'avais des portraits de famille : ma mère enfant, ma grand-mère rêveuse – et des objets peints que l'on appelait natures mortes, même si je ne comprenais pas bien comment une cafetière ou un morceau de pain pouvaient vivre ou mourir...

Le 8 avril 1973, tout a changé. Toute cette nature « morte » s'est réveillée !

C'était un dimanche après-midi, et comme la plupart des dimanches, après le repas, ma mère, Maya, ma sœur Diana, encore bébé, et moi, âgé d'une dizaine d'années, regardions le film à la télévision. Mon père, Pierre, était sorti avec Richard, mon frère cadet.

À la fin du film, un flash spécial fut annoncé. Je savais ce que cela signifiait : catastrophe, terrorisme, décès de quelque personnage illustre. Une voix monocorde, sans aucune image, déclara : « Le peintre Pablo Picasso est mort ce matin dans sa maison de la Côte d'Azur, à l'âge de quatre-vingt-douze ans. Il est considéré comme l'artiste qui a inventé l'art du XXe siècle. »

Le programme normal reprit. Mais c'était comme si le son avait été coupé, dans le salon. Pour ma part, je n'eus pas la moindre réaction, sauf le sentiment confus que l'on venait de parler de quelqu'un que j'étais censé bien connaître... sans le connaître. Une impression de chaud et de froid. J'étais au cœur du sujet, et en même temps hors sujet.

Je regardai ma mère qui, sans un mot, se leva de son fauteuil, et se dirigea doucement, mécaniquement, vers le téléphone, dans la pièce voisine. Elle composa le numéro de son frère Paulo à Paris. J'entendis : « Bonjour Paulo, c'est Maya. Dis-moi, tu as des nouvelles de Papa ? »... Il lui répondit, me raconta-t-elle par la suite, qu'il l'avait appelé, la veille, et que leur père lui avait semblé très fatigué. Sans plus.

Paulo, manifestement, ne savait pas encore. Ma mère n'eut pas le courage de lui parler du flash télévisé. Ils échangèrent quelques mots, puis elle raccrocha. J'appris, quelques jours plus tard, que c'était la concierge de l'immeuble qui avait appris la nouvelle à mon oncle, au bas de l'escalier... : « Oh ! Monsieur, votre pauvre papa ! »

Le 8 avril 1973.

Plus rien ne serait comme avant.

Les jours qui suivirent furent pour moi une énigme. Normalement, lors d'un décès, toute la famille se recueille sur la dépouille. Dans le cas de mon grand-père, son corps avait voyagé, dans la nuit, de Mougins, dans les Alpes-Maritimes, à Vauvenargues, à quelques kilomètres d'Aix-en-Provence, où je découvris qu'il possédait un château. Tant mieux, pensai-je : nous habitions Marseille, ce serait plus simple pour ma mère.

Mais, curieusement, il n'y eut pas de funérailles – pas au sens où l'entendaient ceux de mes copains de classe qui avaient perdu un de leurs grands-parents. Est-ce que nous aussi, les petits-enfants, devions aller à l'enterrement ? J'avais un peu peur, car c'était, pour moi, la première fois...

Il ne se passa rien. Ma mère s'absenta une journée. J'appris par la radio que Pablo Picasso avait été inhumé quelques jours après son « arrivée » à Vauvenargues, en présence de Jacqueline, sa dernière femme, et de Paulo. Et ma mère ? Pourquoi n'en parlait-on pas ? Ils placèrent sur la tombe une statue que lui avait inspirée ma grand-mère Marie-Thérèse, ce qui ne manqua pas de me surprendre. Je savais, et cela m'impressionnait fort, que mon grand-père avait eu plusieurs compagnes, et je croyais alors qu'elles avaient toutes été ses épouses. J'ignorais qu'il pût y avoir une telle estime entre elles. Quelle dignité, pour une veuve, que d'accepter de s'effacer devant l'une de celles qui l'avaient précédée... Quel hommage !

Quelques jours de plus suffirent pour m'éveiller à une réalité bien moins romantique et à un pragmatisme de circonstance.

Après les unes des quotidiens qui annonçaient la mort du Grand Maître et rappelaient son parcours artistique exceptionnel, après les révélations sur son enterrement et quelques photos volées de sa sépulture, après les hommages officiels déplorant une telle perte, vinrent immédiatement les supputations sur son héritage. On parlait de centaines de millions de francs, d'héritiers effectifs et d'autres, éventuels ! On parlait des enfants de Picasso, on les montrait en photo – tout en stipulant que certains pourraient ne pas hériter de lui !

À mes yeux d'enfant, tout cela était très compliqué : y avait-il donc un testament caché quelque part ? Pablo aurait donc voulu écarter certains de sa succession ? Qu'est-ce qu'avait bien pu faire ma mère pour être ainsi déshéritée ? Et les autres ?

Peu à peu, les pièces de ce grand puzzle commençaient à s'ajuster dans ma tête... J'appris qu'il y avait un fils légitime, Paul, que ma mère avait toujours appelé Paulo, et puis les autres enfants, Maya, ma mère, Claude et sa sœur Paloma, respectivement mon oncle et ma tante, que je n'avais dû voir qu'une ou deux fois depuis ma naissance. Ces « autres » étaient présentés comme les enfants « naturels » de Picasso, de surcroît non reconnus par lui. Mais alors, pourquoi les avait-il peints ? Étaient-ils ou non ses enfants ? Quel imbroglio ! En tout cas, « non reconnus », selon la presse, signifiait que ce n'étaient pas ses enfants ! Donc, Picasso n'était pas mon grand-père !

Il y avait pourtant toutes ces photos à la maison : Pablo et Maya, Maya et Paulo, tous les enfants ensemble... Et ces nombreux livres que j'avais feuilletés, avec Pablo entouré de ses garçons et filles sur la plage, à Cannes, à Vallauris, photographiés par ses intimes. J'appris, grâce à la presse, le sens du mot « adultérin », utilisé pour qualifier ces fameux trois autres descendants de Pablo Picasso. Un coup d'œil au dictionnaire : « Adultérin, né d'adultère » ! Mais de quel adultère s'agissait-il, puisque mon grand-père avait épousé toutes ses femmes, du moins le pensais-je ? De qui Maya, Claude et Paloma étaient-ils donc les enfants ? Pourquoi Paulo parlait-il à ma mère en évoquant « leur » père commun, en l'appelant « ma » sœur ? Et d'où venaient ces œuvres chez nous ?

Je découvrais ma propre famille par la lecture des articles, je comprenais lentement la complexité de la vie – et de la loi d'alors, bien injuste, dont mon grand-père s'était affranchi.

Par amour.

Son amour face à la loi.

Sa mort épaississait soudain le mystère Picasso. Mon grand-père ne laissait pas seulement en héritage cet art du XXe siècle dont on le disait l'inventeur. L'argent rehaussait curieusement les couleurs de ses toiles. Chaque objet familier avait désormais un prix. Je ne regardais plus les œuvres sur les murs avec la même nonchalance, je les admirais comme si notre appartement était devenu un musée, empli d'objets soudain intouchables.

J'appris surtout que ma mère, ainsi que Claude et Paloma avaient déposé une demande en reconnaissance de filiation quelques mois avant la mort de leur « père ». Pourquoi si tard ? Comment était-il possible que, depuis plus de deux décennies, on ait pu parler publiquement des quatre enfants de Picasso et que, soudain, on dénie à trois d'entre eux cette parenté ? Je lisais les dédicaces de Pablo, « À ma fille chérie, À Maya... », sur les portraits que possédait ma mère. Comment cette réalité pouvait-elle être remise en question ? Et puis tout le monde parlait de la réforme de 1972 ! Mais encore ? Je n'y comprenais rien, sinon qu'apparemment il y avait un avant et un après 1972. Et ça changeait tout. À quelques mois près, Pablo serait devenu officiellement leur père ! Sauf qu'il était mort en ce début d'année 1973.

Le futur père était déjà mort !

L'année qui suivit fut émaillée de ce que la presse appelait les « nécessaires » procédures judiciaires, des reconnaissances « légales » de filiations « naturelles »... Maya, Claude et Paloma étaient officiellement les enfants de leur père ! Que ma mère devienne la fille de son père me paraissait normal, et pourtant... cela semblait si compliqué ! Vinrent ensuite les réunions d'héritiers et de juristes, auxquelles ma mère se rendit régulièrement. Une nouvelle vie commença. Il y eut quelques tensions, que certains journalistes dramatisèrent, mais qui restèrent anecdotiques, à en croire ma mère : je n'avais pas à m'inquiéter. En 1976, puis en 1977, on signa des accords de partage de cet héritage. *L'Express* titra en une : « 1 251 673 200 NF : l'héritage du siècle » – et nous étions encore loin du compte –, avec une photo en noir et blanc de Pablo Picasso, révélant à tout mon lycée que j'appartenais désormais à un autre monde...

Finalement, la compétence des hommes de loi, la collaboration de l'État pour préparer cette fameuse Dation [1] et, d'une façon certaine, la bonne volonté des héritiers, avaient permis un règlement somme toute rapide pour une affaire aussi importante, tant au plan artistique que financier.

1. Paiement des droits de succession par la remise à l'État d'œuvres d'art ou de collection.

Restait désormais à gérer l'aspect moral, tous ensemble. La Succession Picasso faisait place à l'Indivision Picasso.

De cette période, il me reste le souvenir des interminables inventaires dont me parlait ma mère, de calculs, de choix, de sélections. Mon grand-père, cet inconnu facétieux et inventif, avait généré une gigantesque base de données. Chaque œuvre répertoriée était dotée d'un numéro, de numéros... et d'un chiffre d'estimation. Au lycée, j'étais devenu une curiosité – comme si j'avais gagné une médaille ou un prix. Le petit-fils de Picasso ! J'étais à jamais « différent ».

De cette époque aussi est née ma vocation première : le droit. Dès la classe de troisième, mon choix était fait. J'avais observé les us et coutumes des hommes de loi de la Succession – administrateur judiciaire, expert commissaire-priseur, notaires, avocats, conseillers fiscaux ou huissiers. J'avais accompagné ma mère à plusieurs réunions. Je scrutais en silence. J'aimais déjà le jeu intellectuel qui consiste à élaborer un raisonnement fondé sur la loi pour affirmer une position ou contester celle de l'autre. C'était une véritable joute, comme au jeu d'échecs... Je décidai alors d'être un cavalier ! J'aimais aussi la discussion, la recherche de l'information, le consensus nécessaire. Le bon sens général face à l'obstruction individuelle.

L'art, en revanche, me paraissait bien hasardeux et solitaire, loin de mon caractère, et vouloir m'y frotter aurait été malheureusement un peu ridicule, au vu de la comparaison inévitable avec notre illustre aïeul. Le talent artistique ne se transmet pas génétiquement, pensais-je. Je croyais plutôt à l'influence d'un environnement.

Je ne le savais pas alors, l'atavisme artistique, que je me défendais de posséder, se révélerait par d'autres voies...

La vie reprit son cours. La Succession était réglée, la Dation exposée en 1979, l'Indivision[1] en place. Le musée

1. Les cinq héritiers actuels sont organisés en indivision, c'est-à-dire sous forme de propriété collective (celle-ci étant essentiellement constituée des droits de propriété intellectuelle attachés à l'œuvre et au nom de Pablo Picasso comme les droits de reproduction, par exemple). *Cf.* le site www.picasso.fr.

Picasso de Paris fut inauguré en 1985 par François Mitterrand : l'œuvre de Picasso devenait un monument officiel, et Pablo était vénéré comme le dieu éternel de la Patrie reconnaissante...

Jusqu'à ce que, vers le milieu des années quatre-vingt, apparaissent ces fameuses « révélations » !

De mon grand-père, on savait déjà tant de choses, à travers tant de travaux d'experts, de contemporains, de biographes, d'amis et même d'anciennes compagnes, tous et toutes archéologues du continent Picasso, qu'il semblait difficile de découvrir du nouveau. Mais après le temps des célébrations officielles et des décodages savants, d'ouvrages en expositions, vint le temps de la critique – le temps de l'inquisition : l'œuvre ne se suffisait pas à elle-même ; le choc artistique relevait forcément d'une culpabilité ; son créateur ne pouvait pas être innocent. Un homme aussi exceptionnellement atypique ne pouvait être qu'un pervers, qui mettait en scène ses vices dans son art ! Cet art intolérable !

Les nazis avaient déjà fait le procès de l'art dégénéré dont Picasso était à leurs yeux le plus illustre représentant. À présent une nouvelle procédure par contumace était engagée !

Au lieu d'analyser sa différence, on parla de son indifférence – à autrui. On distinguait soudain l'artiste de l'homme – l'un, vêtu de l'habit de lumière, l'autre, d'une sinistre cape noire.

On délaissa l'œuvre, pour confronter le génie à la « normalité ».

Selon moi, ce n'était pas hors propos, c'était hors contexte : on oubliait les contextes.

Et de le « gratifier » d'une méchanceté réfléchie, d'une pingrerie à toute épreuve, d'une propension à contrôler les êtres et à les humilier – d'un sadisme récurrent... Tout cela était si loin des souvenirs heureux de ma mère !

Certes, sa première compagne officielle, Fernande Olivier [1], avait, en 1933, raconté leurs années de bohème. Elle

1. Fernande Olivier, *Picasso et ses amis*, Paris, Stock, 1933, réédité par les éditions Pygmalion en 2001.

décrivait l'homme et ses amis d'un ton léger, nostalgique, reflet de leur incompréhension réciproque. Pablo avait été furieux et avait cherché, en vain, à racheter les droits d'édition. Certes, en 1965, le livre de Françoise Gilot[1], sa compagne de l'après-guerre, la mère de Claude et de Paloma, avait dépeint un Picasso intime fort complexe. Cela fit beaucoup de bruit pour rien – à mon sens. Mais la chronique minutieuse du quotidien de Picasso et de leur intimité amoureuse, pourtant bien édulcorée, fut perçue comme une trahison par le peintre, chauffé à blanc par un entourage survolté. Aux yeux de Pablo, Françoise avait franchi le Rubicon de leurs secrets. Il attenta un procès. Il perdit.

Il aurait dû jouer l'indifférence. L'émotion de l'affaire avait éveillé la suspicion, et créé un précédent. La barrière resta ouverte, laissant la voie libre pour les loups...

Le ton des années quatre-vingt fut beaucoup plus radical, et simpliste : Picasso créateur certes, mais tout autant « destructeur » – en l'occurrence, pas de l'académisme esthétique. L'« affaire » de la Succession n'apportait-elle pas de l'eau au moulin des médisances ? On savait désormais qu'il y avait aussi beaucoup d'argent à la clé. L'Américaine Arianna Stassinopoulos-Huffington[2] ouvrit le bal et créa la surprise en 1988. Tenue pour un auteur « grand public », elle s'était vu proposer d'écrire une biographie de Picasso comme les éditeurs américains les aiment. Elle avait tous les ingrédients, elle connaissait le plan marketing, il lui fallait juste construire autour d'un leitmotiv, marquer le trait en tenant la ligne du sacro-saint *gossip* anglo-saxon – en français, le ragot.

Elle réunit une équipe de documentalistes, réalisa nombre d'interviews – et se servit largement du livre de Françoise Gilot. Elle fouilla plus loin dans la vie privée de Picasso. Elle

1. Françoise Gilot et Carlton Lake, *Vivre avec Picasso*, Paris, Calmann-Lévy, 1965.

2. Arianna Stassinopoulos-Huffington, *Picasso, créateur et destructeur,* Paris, Stock, 1989, traduit de l'américain *Picasso, creator and destroyer* (New York, Simon & Schuster, 1988) par Jean Rosenthal.

s'affranchit de la forme conventionnelle des biographies d'art pour y insuffler une bonne dose de soufre : elle sélectionna les réserves ou les critiques émises au cours des entretiens et les moindres commentaires désobligeants. Elle avait pourtant su mentionner les grandes étapes artistiques de Picasso.

Les années soixante n'avaient pas donné un large écho au livre de Françoise Gilot, parce que les médias n'étaient pas encore à cette époque le « quatrième pouvoir » ; le livre de l'Américaine connut, lui, une formidable promotion mondiale auprès d'un public supposé avide de sujets « people ».

J'étais alors loin de l'univers Picasso, mais le succès du livre me prouva que mon grand-père figurait toujours au sommet du panthéon des célébrités, quinze ans après sa mort. Avant même de me poser la question de la véracité du contenu, je ne pus que constater l'amertume de ma mère, qui s'estima trahie par l'auteur. Officiellement, cette femme était venue en touriste à Paris, et ma mère avait répondu volontiers, au-dessus d'une tasse de thé, à ses questions anodines – sans que son interlocutrice prenne la moindre note... Elle ne se doutait guère que ses réponses s'inscrivaient dans un scénario pré-écrit.

Elle ignorait d'ailleurs que son interlocutrice fût une spécialiste.

Certes, la biographe, en personne ou via ses assistants, avait rencontré un grand nombre de témoins, et, probablement, cherché à corroborer ses informations. Mais elle n'arrivait pas à ces interviews en état d'innocence : elle marchait vers le but qu'elle s'était fixé. En langage informatique, elle procédait à d'ingénieux « copier-coller ». Elle triait les ingrédients en ne retenant que les plus salés, et les coulait dans le moule qu'elle avait confectionné. Quitte à saler davantage la recette... Je dois reconnaître que la plupart des informations artistiques et historiques, reprises d'ouvrages de référence et souvent utilement complétées, témoignent de l'ampleur du travail réalisé.

Picasso le créateur allait de soi. Il fallait, commercialement, imposer un Picasso destructeur. Et tout orienter dans ce sens. Un peu de sang, pas mal de soufre. Sinon, pas de best-seller – juste un livre d'art de plus sur les étagères.

Pari gagné. Arianna obtint un nouveau galon dans sa carrière de biographe, et avec l'assentiment innocent de tous : une biographie « autorisée », comme aime à labelliser l'édition américaine.

La morale de l'histoire changeait. Picasso le génie était aussi un monstre. Celui qui destructurait l'art, devait détruire les êtres.

C'est plus satisfaisant.

Cette « biographie » faisait suite à un livre paru l'année précédente, *Bitter Legacy* (Héritage amer) de l'Américain Gerald McKnight[1]. L'ouvrage, relativement court, tentait de raconter la succession de mon grand-père sans réussir à démêler la complexité juridique de l'affaire. L'auteur s'appuyait sur quelques entretiens rapides obtenus de certains héritiers, des rumeurs glanées auprès de rares proches, puis d'un entourage de plus en plus lointain. Le livre était d'ailleurs truffé d'erreurs dans l'orthographe des noms, les indications de lieux, la fonction des personnes, sans compter que certains avaient raconté n'importe quoi ! Le principal mérite de ce travail, si je puis dire, fut d'offrir à Stassinopoulos-Huffington une source de citations utiles à son propos.

La promotion de ces ouvrages dans la presse internationale encouragea la surenchère. Je découvris alors combien certaines personnes étaient injustes avec mon grand-père. Je pris la juste mesure de cette lâcheté qui s'attaque à un mort qui ne peut plus se défendre. Je conclus que la meilleure réponse était le silence, si difficile à vivre pourtant, car répliquer aurait donné plus de relief aux mensonges...

1. Gerald McKnight, *Bitter Legacy, Picasso's disputed millions*, Londres, Bantam Press, 1987.

Entre le récit très mesuré de Françoise Gilot, et la biographie « scénarisée » à l'américaine, la route était toute tracée pour une version cinématographique. Les producteurs d'Hollywood n'avaient qu'à s'appuyer sur l'un ou l'autre pour concocter deux heures d'un film romanesque à souhait, avec dans le rôle principal un artiste célébrissime, un Don Juan satanique étourdissant ses conquêtes avant de les dévorer.

Sauf qu'il fallait mettre en scène quatre-vingt-douze années d'existence. Dès lors, au diable la réalité historique ! Les scénaristes firent une compilation des moments supputés les plus croustillants de la vie sentimentale de mon grand-père. Mais le trait irascible fut exacerbé, le verbe haut, le geste appuyé, les rencontres entre l'épouse, les compagnes et les maîtresses inventées, pour pimenter l'histoire et poser Picasso en arbitre de catch se délectant des combats de ses femmes ! L'éminent réalisateur américain James Ivory et son associé, le producteur Ismaël Merchant, s'attelèrent à la tâche. Afin d'y faire figurer des reproductions d'œuvres originales de Picasso, ils soumirent leur script à mon oncle Claude Picasso[1]. Il le récusa évidemment, arguant que sa position officielle, au-delà de son sentiment personnel, l'empêchait d'accepter les libertés prises avec la réalité de la vie et de l'œuvre de Picasso. Il leur interdit donc tout au moins de reproduire et de représenter des œuvres de Pablo Picasso dans leur film.

Ce qui aurait dû conduire à l'abandon du projet. Il n'en fut rien. Le film fut réalisé avec des œuvres ressemblantes (!) d'un peintre américain des années cinquante et soixante, et demeura fidèle au scénario originel.

Quel que soit l'immense talent d'acteurs comme Anthony Hopkins (dans le rôle de Pablo) ou Natascha McHelhone (dans celui de Françoise Gilot), l'entreprise tourna à l'échec commercial.

J'ai rencontré Ismaël Merchant en 1995, à l'hôtel *Raphaël*

1. Claude Picasso a été nommé administrateur de l'Indivision Picasso en 1989.

à Paris. Il souhaitait que j'intervienne auprès de mon oncle. J'avais, pour ma part, le projet de le convaincre qu'il avait une obligation de vérité historique – même si je comprenais son excitation à l'idée de porter à l'écran la vie de Picasso.

Je garde de cette rencontre le souvenir d'avoir été impressionné par son charisme et sa volonté de « compromis ».

Je savais cependant combien ce mot, dans la législation américaine, peut engendrer des divergences – particulièrement celles du producteur, en l'occurrence la compagnie major Warner Bros, qui argue de son droit absolu de *final cut* (montage final), toujours plus fort que le droit moral du réalisateur.

Parce qu'il s'inspirait notamment du livre de Françoise Gilot, le scénariste avait présumé de l'accord de son fils Claude. Merchant en fit l'amère expérience : en dépit de ma démarche conciliatrice auprès de Claude, la position de ce dernier ne changea pas – et pour cause. *Surviving Picasso* fut réalisé sans aucune reproduction des toiles du peintre, et sortit sur les écrans en 1996 pour coïncider avec l'exceptionnelle exposition « Picasso et le portrait » (en avril au Museum of Modern Art de New York, en septembre au Grand Palais, à Paris). Mais alors que l'exposition célébrait l'artiste, le film montrait un homme vil et sadique. Picasso y passait bien plus de temps à maugréer contre ses proches, toujours corvéables à merci, qu'à travailler et créer !

Malgré une mise en scène très soignée qui restituait fort bien l'après-guerre sur la Côte d'Azur, le film pâtissait de la médiocrité des caractères. Ni magie, ni génie. Un quotidien ordinaire, des individus sans relief censés camper des personnalités hors du commun !

Un coup de bluff. Le public ne s'y trompa pas, malgré une publicité et un lancement importants dans tous les pays, malgré la distribution prestigieuse et un titre accrocheur. Le box-office ne frémit pas. Anthony Hopkins passa de l'interprétation de Picasso à celle de Nixon, et la vie continua.

Mais l'homme Pablo Picasso avait encore souffert. Une sale réputation s'installait.

Un sentiment d'injustice m'envahit alors. Je me sentais à la croisée des chemins, entre les innombrables visiteurs du Grand Palais, qui attendaient des heures sous la pluie pour quelques minutes d'émotion, et les rares spectateurs de *Surviving Picasso*, étonnés par une réalité si décevante. D'un côté, le film s'efforçait de faire croire à ceux qui sortaient de l'exposition que l'artiste était un mauvais type. De l'autre, ceux qui n'avaient vu que le film sans y apercevoir l'ombre d'une œuvre risquaient d'en déduire qu'elle ne valait pas la peine que l'on s'y attarde.

Je passe sous silence les articles qui confirmèrent que ce Picasso était un vilain manipulateur et qu'on ne l'avait pas assez dit. Certains s'étaient contentés de recopier les dossiers de presse.

Notre famille choisit l'indifférence. Nous nous sommes courbés un peu plus sous l'outrage. Mais il était inutile d'y ajouter un scandale, tant espéré par le plan marketing, ni un procès interminable en Californie. Personnellement, je bouillonnais !

C'est alors qu'intervint la vision de ma cousine Marina, la fille de Paulo (le premier fils de Pablo). Avec son demi-frère Bernard, elle est la cohéritière de leur père, mort en 1975. Marina a choisi de s'isoler, en Suisse, depuis 1980, et de ne jamais se mêler à notre famille, ce qui est son droit. Pourquoi ? Personne ne le sait ! Mais a-t-elle aussi le droit d'en dire du mal, sans aucune justification ?

Ne répète-t-elle pas à l'envi qu'elle est « la seule petite-fille légitime de Picasso » ? Soit. En 1995, pour raconter son expérience personnelle, elle publia un premier livre, *Les Enfants du bout du monde* [1], consacré pour moitié à son parcours personnel et à la longue psychothérapie qu'elle avait dû suivre pour accepter, disait-elle, son statut d'héritière. L'autre partie, d'ailleurs tout à son honneur, racontait la création de

1. Marina Picasso, *Les Enfants du bout du monde*, Paris, Ramsay, 1995.

l'œuvre caritative pour orphelins qu'elle finançait au Vietnam, et son adoption de deux enfants vietnamiens.

Le premier portrait qu'elle dressa alors de notre grand-père ne fut pas des plus flatteurs. J'en fus d'autant plus surpris que Marina, bien que née en 1950, racontait quelques après-midi d'enfance passés avec lui. Malgré son jeune âge, elle se rappelait apparemment quelques anecdotes, source de jugements définitifs très amers.

J'y avais donc lu l'effet de sa thérapie, qui avait dû l'amener à ressasser et ressasser ces quelques brefs moments pour chercher des réponses à son mal-être. Un détail, cependant, m'avait étonné : deux des photos reproduites dans le cahier central étaient légendées « Pablo Picasso et sa petite-fille Marina » et « Pablo Picasso avec Pablito et Marina ». Alors qu'il s'agissait en réalité, de notoriété publique, de « Pablo Picasso et sa fille Paloma » et de « Pablo Picasso avec son fils Claude et son petit-fils Pablito » – le frère aîné de Marina, mort en 1973.

Était-ce une erreur ? Qu'en était-il alors du texte du livre ? Comportait-il aussi des erreurs ?

Malheureusement, comme n'y figurait aucun témoignage de tiers, ni aucune date précise, il m'était alors difficile de corroborer les rares faits relatés. J'en gardai un sentiment confus. J'avais l'intime conviction que, nous, descendants de Pablo Picasso, avions une obligation de précision envers la réalité historique. Dans cette perspective, nous devions nous surpasser, si nous voulions parler de la vie ou de l'œuvre de notre aïeul, même partiellement.

Sinon, autant nous taire.

Lorsque, producteur dans l'audiovisuel, j'ai décidé, fin 1994, de produire le premier CD-Rom consacré à Pablo Picasso, je me suis imposé de suivre cette ligne de conduite. Un tel travail exigeait une volonté d'excellence et, pour ce faire, une équipe ambitieuse.

Je savais où s'arrêtaient mes propres compétences. Je trouvai un coproducteur parfait pour les aspects techniques et la distribution mondiale. En mon oncle Claude Picasso, nous disposions du conseiller éditorial idéal, réunissant à la fois la connaissance et les souvenirs personnels sur l'œuvre et la vie de Pablo Picasso – et passionné, par ailleurs, de nouvelles technologies. Nous nous sommes entourés de collaborateurs émérites et, au terme d'un marathon titanesque, nous avons présenté, en septembre 1996, le catalogue exhaustif d'une œuvre exceptionnelle, le musée idéal, établi sur plus de deux mille pages interactives.

Nous avions décidé de tout centrer sur l'œuvre. C'est elle qui ferait le lien entre les références biographiques et les événements de chaque époque parcourue. Nous cherchions un accord harmonieux : séduire les néophytes et rassurer les aficionados !

Interrogé alors sur mon éventuel désir d'écrire un livre sur mon grand-père pour compléter ce travail, je répondis que je n'en voyais pas la nécessité. Je m'effaçai naturellement devant ma mère, Maya, ou mon oncle Claude. Ils étaient les enfants de Picasso, dotés de surcroît d'une véritable légitimité artistique. Je préférais, pour ma part, en rester à cette seule production multimédia, en accord avec ma génération.

Cette expérience m'avait déjà permis de replacer le génie créatif de Pablo Picasso en perspective, face aux amers propos des livres ou du film évoqués plus haut. Avec un soupçon de manichéisme, je croyais que le bien pouvait l'emporter sur le mal, le juste sur l'injuste – et, en tout cas, la précision sur l'approximatif.

J'allais, en ces matières, connaître une immense désillusion.

À la fin de l'été 2001, parut le deuxième livre de ma cousine Marina, *Grand-Père*[1]. Moi qui pensais qu'elle avait déjà tout dit dans le premier ! Avec un tel titre, on pouvait s'attendre à un récit nostalgique, même si les souvenirs devaient être particulièrement réduits en nombre, à un portrait intime, si tant est qu'il y ait eu intimité entre eux, probablement au moins à une certaine forme de reconnaissance. Mais il n'y

1. Marina Picasso, avec Louis Vallentin, *Grand-Père*, Paris, Denoël, 2001.

eut ni nostalgie ni reconnaissance ! En septembre 2001, dans le contexte de terrorisme aveugle et fanatique qui frappait le monde, Marina se « souvenait » que, pour elle, Picasso était un génie, oui... mais « le génie du mal » ! Mon grand-père, notre grand-père, venait de mourir une deuxième fois.

Interrogé par des journalistes, j'ai parlé alors de « tirer sur le cercueil ». Tellement facile quand on sait que l'accusé ne pourra plus se défendre. Les dommages collatéraux étaient énormes : son défunt père, Paulo, sa mère, Émilienne, en survie, les autres... tous les autres. Et tellement de données inexactes. Forcément plus accrocheuses. Et pourtant ! Malgré une logique rafale d'articles de promotion dans la presse, le livre ne tint pas ses promesses de best-seller. Le problème était sans doute que, après le premier livre de 1995 déjà suffisant sur le sujet, on avait l'impression d'un nouveau travail de copier-coller ; de plus, malgré une déclaration d'intention bienveillante de Marina (« Mon propos n'est pas de dire du mal de Picasso [1] »), il était truffé d'une succession de déclarations, que je juge outrageantes, sur notre grand-père. Il contenait aussi de curieuses retouches... À nouveau, sans aucune date, aucun témoignage de quiconque, aucune preuve de ses dires, et toujours la même photo de Pablo et Paloma mal légendée ! Mis en perspective avec le rappel de cette fameuse analyse de quatorze années, ses propos, pour beaucoup, ne furent pas pris au sérieux et certains en conclurent qu'il fallait peut-être arrêter de « cracher dans la soupe » ! J'ai ressenti alors une véritable compassion pour ma cousine Marina, probablement pour l'isolement qu'elle s'impose inutilement par rapport à notre famille, alors qu'aucun d'entre nous n'a jamais rien tenté à son encontre et que, au contraire, chacun essaye toujours de maintenir un dialogue général. Ce livre m'avait fait découvrir son quotidien difficile auprès de sa mère, Émilienne, et les quelques moments délicats avec son père, Paulo. Je m'en étais expliqué alors : ce livre aurait dû s'intituler *Maman, Papa, Grand-père*, considérant l'im-

1. *Grand-Père, op. cit.*

portance relative des souvenirs et des responsabilités de chacun. C'était l'histoire personnelle de Marina, mais certains acteurs n'y tenaient en réalité qu'un rôle de figurants, et le scénario me paraissait bien léger. Pourquoi ? Rien ne permet de faire de notre grand-père un coupable, un monstre manipulateur passant l'essentiel de son temps à chercher des souffre-douleur !

J'ai peur que ce mauvais objet ne consacre l'échec de cette thérapie tant révélée. Trop de thérapie tue la thérapie.

Sollicité à nouveau un an auparavant, à l'automne 2000, sur un projet de livre, je pensais que ce serait une occasion intéressante de partir à la recherche de ce grand-père et de rencontrer pendant qu'il en était encore temps ceux qui l'avaient réellement connu. De ressusciter son quotidien sous une forme inédite, avec ses grandes et ses petites vicissitudes. Ces privilégiés, rares aujourd'hui, parfois très âgés, m'ont permis en effet de vivre avec Pablo Picasso, l'espace de quelques heures. Ils ont fait renaître devant moi ces moments de travail ou de détente qu'ils avaient connus avec mon grand-père. Beaucoup ne s'étaient jamais exprimés ou, en tout cas, ne s'étaient jamais entretenus avec un membre de sa famille. Fort de ma connaissance du droit pour comprendre toutes les situations juridiques, je souhaitais donner à cette mission la rigueur d'une enquête : l'objectivité journalistique et la perspicacité policière. Oser les questions difficiles, rechercher les informations puis recouper les réponses. Je me mis alors à la tâche. Ce qui m'était apparu comme un travail de documentaliste s'est mué en une recherche passionnante. La recherche d'un disparu. J'espère en livrer ci-après une image conforme à la réalité et poser, autant que faire se peut, une nouvelle pierre sur l'édifice des connaissances sur Picasso. Pas une pelletée de plus sur sa tombe. Je me sens fidèle en cela à un sentiment nécessaire de reconnaissance.

Que nous le voulions ou non, nous sommes, en tant que descendants de Pablo Picasso, unis par un destin. Et responsables d'une mémoire. Parce que nous en avons en partage la fierté et les avantages. Ce qui n'empêche pas d'être nous-mêmes, et respectueux de la réalité, même si elle peut aussi faire mal. On peut sourire tout en grinçant des dents... Voilà en définitive pourquoi j'ai décidé d'écrire ce livre.

J'ai la conviction que mon grand-père n'était pas un homme facile. Son œuvre ne l'est pas. Il me faut avoir l'honnêteté de reconnaître que certains ont pu souffrir de ses choix, ou de ses erreurs. Victimes ou coupables ? Est-on toujours en mesure de s'affranchir ? Mon grand-père fut le chantre de la liberté : auprès de lui, certains l'avaient compris, d'autres non. Picasso les mettait-il en situation de contrainte ? Il n'est plus là pour s'en expliquer. D'autres s'y sont essayés. Voilà aussi pourquoi j'ai décidé d'écrire ce livre.

Je n'ai pas eu la prétention de rédiger une biographie, au sens traditionnel. Ce n'est pas mon propos. J'ai en outre trop de considération pour le travail d'historiens d'art comme Pierre Daix [1], Josep Palau i Fabre [2], William Rubin [3], John

---

1. Pierre Daix a écrit plus d'une dizaine de livres sur Pablo Picasso et de nombreux articles de presse à son sujet. Parmi ses écrits, on peut retenir *Picasso*, Paris, Somogy, 1964 ; « Picasso et l'art nègre » dans *Art nègre et civilisation de l'universel*, Dakar-Abidjan, Les Nouvelles Éditions africaines, 1975 ; *La Vie de peintre de Pablo Picasso*, Paris, Le Seuil, 1977 ; avec Joan Rosselet, *Catalogue raisonné du cubisme de Picasso, 1907-1916,* Neuchâtel, Ides et Calendes, 1979 ; *Picasso créateur*, Paris, Le Seuil, 1987 ; *Picasso, la Provence et Jacqueline,* Arles, Actes Sud, 1991 ; *Picasso Life and Art*, New York, Harper and Row, 1993 ; *Dictionnaire Picasso*, Paris, Robert Laffont, coll. « Bouquins », 1995. Cette liste n'est pas exhaustive.

2. Josep Palau i Fabre, *Picasso vivo, 1881-1907,* Barcelone, Ediciones Polígrafa, 1980, traduit en anglais *Life and Work of the Early Years, 1881-1907*, Oxford, Phaidon, 1981.

3. William Rubin, *Picasso in the Collection of the Museum of Modern Art,* New York, Museum of Modern Art, 1972 ; *Picasso in Primitivism in Twentieth-Century Art*, New York, Museum of Modern Art, 1984 ; « La genèse des *Demoiselles d'Avignon* », dans *Les Demoiselles d'Avignon*, t. II, Paris, musée Picasso, 1988 ; Catalogue de l'exposition « Pablo Picasso, a Retrospective », New York, Museum of Modern Art, 22 mai-16 septembre 1980 ; Catalogue de l'exposition « Picasso and Portraiture : representation and transformation », New York, Museum of Modern Art, 28 avril-17 septembre 1996, et Paris, Galerie nationale du Grand Palais, octobre 1996-janvier 1997.

Richardson [1] ou Christian Zervos [2] qui y ont consacré une partie de leur vie. Je pense aussi à d'autres amis ou passionnés de Picasso, comme Marie-Laure Bernadac et Christine Piot [3], Brassaï [4], Pierre Cabanne [5], Brigitte Léal [6], Jean Leymarie [7], Fernand Mourlot [8], Patrick O'Brian [9], Roland Penrose [10], Werner Spies [11], Antonina Vallentin [12], et j'en oublie quelques-uns, éminents... Qu'ils me pardonnent. Sans oublier des photographes comme Man Ray, David Douglas Duncan, Lucien Clergue, Edward Quinn, André Villers ou Roberto Otero. Leur passion pour mon grand-père et leurs minutieuses recherches forcent le respect. Je ne souhaite pas non plus traiter l'œuvre de Picasso, qui a fait l'objet de milliers de livres et de catalogues d'expositions fort bien documentés. Modestement, et avec l'aide de beaucoup d'enthousiastes, le CD-Rom entièrement consacré à cette œuvre a déjà témoigné, je l'espère, du principe d'objectivité que je me suis fixé.

Je voudrais que ce document explore une troisième voie, celle de l'homme Pablo Picasso. Je ne l'ai pas connu au quo-

---

1. John Richardson, *Picasso, aquarelles et gouaches*, Bâle, Phœbus, 1984 ; *Vie de Picasso*, volume I, *1881-1906,* Paris, Éditions du Chêne, 1992.

2. Christian Zervos, *Catalogue général illustré de l'œuvre de Picasso*, 33 vol., Paris, Éditions Cahiers d'Art, 1932-1975 ; *Les Cahiers d'Art*, nos 7-10, Paris, Éditions Cahiers d'Art, 1935 ; *Dessins de Picasso, 1892-1948*, Paris, Éditions Cahiers d'Art, 1949.

3. Christine Piot et Marie-Laure Bernadac, *Picasso, écrits, Picasso et la pratique de l'écriture*, Paris, Gallimard-Réunion des Musées Nationaux, 1989.

4. Brassaï, *Conversations avec Picasso,* Paris, Gallimard, 1964.

5. Pierre Cabanne, *Le Siècle de Picasso*, Paris, Denoël, 1975, réédité chez Gallimard, collection « Folio », 4 vol., 1992.

6. Brigitte Léal, *Picasso et les enfants*, Paris, Flammarion, 1996.

7. Jean Leymarie, *Picasso, métamorphoses et unité,* Genève, Éditions d'art Albert Skira, 1971.

8. Fernand Mourlot, *Picasso lithographe*, Monaco, Éditions Sauret, 1970.

9. Patrick O'Brian, *Pablo Ruiz Picasso*, Paris, Gallimard, 1979.

10. Roland Penrose, *Picasso, his Life and Work*, Londres, Gollancz, 1958 ; *Picasso*, Paris, Flammarion, 1982.

11. Werner Spies, *Carnet Paris – Carnet Dinard. Sechs Monate im Werk Pablo Picasso*, SMP, 1981 ; Werner Spies et Christine Piot, *Picasso, Das Plastische Werk* (Berlin-Düsseldorf, 1983-1984), Stuttgart, Gerd Hatje Verlag, 1984.

12. Antonina Vallentin, *Picasso*, Paris, Albin Michel, 1957.

tidien mais ce quotidien auquel je n'ai pas eu accès m'intrigue. J'ai le privilège non seulement d'avoir rencontré de nombreux témoins historiques, mais aussi d'avoir bénéficié d'une vision unique comme spectateur à l'intérieur de ma propre famille. Aussi ai-je choisi de me pencher même sur les rumeurs, les souvenirs incertains, partiels ou « reconstitués », quitte à les dénoncer, preuves à l'appui. J'ai remonté le temps avec ceux qui ont réellement connu Pablo, en les rencontrant ou en consultant leurs écrits, s'ils sont vérifiables. Ceux qui ont partagé des moments heureux ou de doute, ceux à qui mon grand-père s'est confié, ceux qui ont assisté à sa vie au jour le jour, voire à sa mort, ou à d'autres événements encore méconnus. Ceux qui avaient la maturité de comprendre, d'en conserver des souvenirs vivaces et des appréciations cohérentes. Ainsi s'est reconstituée devant moi l'histoire vraie d'un homme exceptionnel et de l'héritage qu'il a laissé. L'histoire d'un grand-père, de notre grand-père, de mon grand-père.

Les pages qui suivent dessinent le portrait d'un homme, avec ses qualités et ses défauts. Avec ses rencontres, ses conquêtes, ses compagnes, ses enfants, ses amis, sa famille. Ses interrogations, ses peurs, ses regrets mais aussi ses certitudes, ses engagements, son audace unique, sa fidélité, ses infidélités, ses bonheurs et parfois ses disputes et ses colères. Avec cette insolence d'une remise en question permanente et d'un travail ininterrompu !

Toute cette quête aura constitué une réelle initiation pour moi, et je souhaite la faire partager à tous, spécialement à tous ceux qui n'ont vu en mon grand-père qu'un prétendu « côté obscur de la force »... Je risquais de découvrir des non-dits, des oublis de l'histoire, mais c'est le risque de toute exploration. Et son honneur. Pour le petit-fils que je suis, ce sera comme abolir le temps qui nous sépare. Et si l'on ne peut restaurer la vie, du moins aurais-je travaillé à la mémoire. Accompli mon devoir de mémoire.

Je sais par ailleurs que ma démarche est périlleuse, on ne me pardonnera rien. À exiger une grande rigueur chez les autres, je suis contraint à la plus grande vigilance pour mon propre travail. J'ai parlé d'une obligation de réalité historique. J'espère que ce livre en sera un exemple. J'ai consulté d'innombrables documents juridiques, retrouvé des archives officielles endormies sous la poussière d'un demi-siècle pour faire la lumière. Sur tout et pour tous. Picasso appartient un peu à sa famille, et beaucoup aux autres. Trente ans après sa mort, il ne se passe pas un jour sans que l'on évoque sa vie ou son œuvre, sans qu'une anecdote dans une interview, un record de vente, le succès d'une exposition ne ravive son souvenir... Tout cela me fascine, m'inspire. Si tel n'était pas le cas, je ne serais plus moi-même. Il y a longtemps que j'ai décidé d'être aussi le petit-fils de Picasso. C'est un vrai plus. Merci grand-père !

Allons-nous continuer de garder les œuvres et de brûler l'artiste ? Pour moi, c'en était assez, assez de ces déballages de prétendus souvenirs, de ces détournements, de ces analyses pré-mâchées, de ces spectacles d'opérette, de ces scénarios mal documentés. Je voulais savoir, je voulais comprendre. Pouvais-je croire que mon grand-père, partout célébré dans le monde, soit, aux yeux de quelques-uns, un être malfaisant ? Dans quel but ? Pour attirer sur eux un peu d'attention en trépignant sur son cercueil ? Je n'ose croire qu'il y ait une prime à la méchanceté !

C'est un procès en révision que je souhaite. Je suis juriste, on m'a appris à étudier les cas avec précision et rationalité. Je m'y suis consacré : étudier les documents du dossier, entendre les charges, retrouver et interroger les témoins, exposer les faits, écrire les attendus et demander à la Cour de faire droit à ma requête. J'espère aussi donner du cœur à ma plaidoirie. Car c'est devant la Cour que je fais appel des jugements hâtifs ou infondés. La Cour, ce sera vous. Et s'il vous reste au moins un sentiment positif, j'aurai rempli ma mission. Non que j'aurai seulement exprimé mon intime conviction, mais parce que j'aurai aussi fait entendre la voix de la justice.

Les femmes

Je ne cherche pas, je trouve[1] *!*

PABLO PICASSO

1. Pablo Picasso, « Lettre sur l'Art », dans *Ogoniok*, Moscou, n° 20, 16 mai 1926, traduit du russe par C. Motchoulskky, in *Formes*, n° 2, février 1930.

Mon grand-père était un roi-soleil, un astre dominateur dont les femmes étaient les planètes satellites, tournant complaisamment sur elles-mêmes, s'approchant de l'étoile, s'écartant parfois – quand il ne décidait pas de les envoyer s'éteindre au fond de la galaxie.

La légende a fait de Pablo Picasso l'un des hommes les plus séduisants du XXe siècle. Et pourtant, il ne possédait guère les attributs traditionnels du genre. Il était d'une taille modeste, environ un mètre soixante-cinq, massif et puissant. À la question de savoir s'il lui manquait quelque chose dans la vie, il répondait : « Oui, il me manque cinq centimètres ! » Il se rattrapait par ailleurs. Certes, il avait affiché une grande élégance vestimentaire, tout particulièrement à partir de 1915 quand l'argent rentrait mieux, et au moins pendant les vingt ans qui suivirent – sa « période duchesse », plaisantaient ses vieux amis. Au début des années trente, le photographe Cecil Beaton, qui s'attendait à photographier un bohème farouche dans un atelier en désordre, vit arriver Pablo cravaté de soie, vêtu d'un somptueux costume bleu marine, dans l'appartement immaculé de style Régence de la rue La Boétie. Ce « chic » du « sur mesure », digne du célèbre *Savile Row* londonien, illustrait sa fortune faite et son entrée dans un nouveau monde. Une fois revenu de ces élégances tapageuses, il en conserva tout de même un style personnel (le fameux pull marin et les shorts d'après-guerre), et une certaine coquetterie (les assortiments de matières, comme le velours ou le tweed, et de couleurs ou d'imprimés) jusqu'à la fin de sa vie.

Il écoutait beaucoup et ne parlait pas nécessairement. En

revanche, sitôt qu'il prenait la parole, son enthousiasme et son charisme l'emportaient, suscitant particulièrement l'intérêt de la gent féminine. Un regard pénétrant, quelques mots directs et percutants, et il pouvait obtenir la faveur désirée.

Ses aventures se multiplièrent avec le temps. La grande mèche brune qui barrait son front volontaire avait disparu à l'aube des années quarante. C'est un Picasso auréolé de cheveux gris clairsemés qui éveilla alors les fantasmes féminins et, certainement, les jalousies masculines – même si certains maris offrirent littéralement, souvent en vain, leur épouse à « l'affection » du maître... Le regard restait noir, perçant, attentif, dérangeant de certitude, hypnotisant. Il lui ajoutait le verbe – avec, au début, une certaine timidité, et, plus instinctivement, le trait, la flèche qui faisait mouche.

Le parcours amoureux de Pablo fut la condition *sine qua non* de son œuvre. Même lorsque le seul sens politique dictait sa main, comme dans *Guernica*, c'est toujours la femme ou les influences féminines du moment, fussent-elles concurrentes, qui donnaient forme humaine aux personnages de l'œuvre.

La femme fut à Picasso ce que la peinture est au pinceau. Indissociable. Essentielle. Fatale.

Mon grand-père a offert au siècle les portraits de femmes les plus extraordinaires, passant et repassant du classicisme le plus absolu à la destructuration la plus polémique, n'écoutant que son instinct – et son amour. Amour essentiel, toujours présent, même si, chaque fois, l'objet en était différent. Picasso a aimé, aimé comme un fou, cherchant furieusement celle qui nourrirait son art, sa vie, son rêve d'éternité. À chaque nouvelle compagne il faisait vivre un parcours initiatique, une épreuve affective et artistique, pour la séduire, la rassurer, la contraindre, en tirer une source d'inspiration et de création qu'il épuisait avant de l'abandonner, inéluctablement, recommençant le même jeu avec une autre, et une autre... Bien peu résistèrent.

Elles y gagnèrent l'éternité. Quelle arme que celle du peintre qui sait sublimer sur sa toile le regard de la femme, pour toujours ! Mon grand-père connaissait son aura. Malgré une attitude affable et touchante, il avait l'œil du Minotaure, fort et tendre à la fois, séducteur et implacable, meneur et dompté, capable du meilleur comme du pire...

Artiste touche-à-tout, joueur éternel gagnant, séducteur volage, mari infidèle et amant polygame, connu partout, il tenait entre ses mains bien des rêves des hommes : l'amour, le sexe, la célébrité, l'argent, le pouvoir et le don de l'artiste. Thèmes éternels, qui parcourent ses œuvres. *Pour les siècles des siècles. Amen.* La messe est dite. Dieu s'appelle Picasso. Ses femmes furent des saintes, certaines de simples converties, d'autres de véritables offrandes expiatoires. Mais quel chemin parcourut l'apôtre, si souvent crucifié, avant d'être éternellement sanctifié !

Que je visite une exposition, que je lise un livre d'art sur mon grand-père, je ne peux imaginer qu'une telle œuvre ait été conçue sans amour – sans les autres. À ceux qui verraient dans son œuvre le travail d'un égoïste, je réponds qu'ils se trompent : ce qui faisait de lui un être à part, ce furent ces matières brutes et vivantes qu'étaient l'amour et l'humanité. N'a-t-il pas déclaré, lors de son unique interview télévisée dans les années soixante, que l'essentiel était d'aimer et que, s'il n'y avait eu plus personne à aimer, il aurait aimé n'importe quoi, même un bouton de porte !

Il avait la passion des autres. Sans eux, son œuvre serait vide, vide de traits, de crayon, de peinture... et vide de sens ! Mon grand-père avait un énorme besoin d'affection et il en quémandait, au jour le jour, les preuves effectives, les preuves affectives. S'il voyait le monde à travers sa peinture, il voyait sa peinture à travers les autres. Entouré de sa mère, de ses sœurs, de ses tantes, dans le Málaga de son enfance, dans ce domaine de femmes dévouées, il était l'enfant-roi. L'attention et l'affection allaient de soi. Comprenait-il qu'il faudrait payer en retour d'une attention et d'une affection tout aussi démonstratives ? Rien n'est moins sûr ! Le quotidien de cette enfance choyée n'exigeait rien en ce sens. Même son désintérêt pour l'école ne lui attirait les foudres ni de son père, ni de sa mère. Sa mère, Doña María, l'idolâtrait, son père, Don José, avait compris l'inexplicable.

Pablo avait démontré de précoces dispositions pour le dessin et, fort du soutien inconditionnel de son père, professeur aux beaux-arts, et de son oncle, il n'avait pas à rougir de ses bêtises d'enfant puisqu'il tenait l'absolution de ses fautes dans le génie de sa main. Après avoir observé son entourage, après avoir saisi à la perfection les pigeons et les taureaux des corridas où l'emmenait son père, il découvrit à treize ans, en 1894, son premier émoi amoureux, sa première blessure.

La famille avait quitté Málaga, au sud de la péninsule Ibérique, et s'était installée depuis 1891 à La Corogne, ville de bord de mer balayée par les pluies et les vents, dans le nord de l'Espagne. Pablo y tomba amoureux d'une élève de sa classe, Angeles Mendez Gil, issue d'une famille très bourgeoise. Il mêla ses initiales aux siennes dans les dessins qu'il lui offrait, comme il le ferait beaucoup plus tard avec ma grand-mère Marie-Thérèse, à la fin des années vingt. Il entretint ainsi une liaison secrète au nez et à la barbe de leurs familles respectives. Mais celle d'Angeles approuva si peu cette idylle avec ce garçon d'extraction si ordinaire qu'elle envoya la jeune fille dans une autre ville... C'en fut fini de l'amourette. Le cœur de l'adolescent était brisé, sa fierté blessée au plus haut point !

La famille Ruiz Blasco y Picasso s'installa enfin à Barcelone – le paradis méditerranéen après l'enfer de la côte atlantique. Pablo y eut ses premières aventures avant l'âge de quinze ans. Dès son arrivée à l'Académie des beaux-arts (appelée La Lonja par ses élèves, ou Llotja en catalan), il fit la connaissance d'un camarade, Manuel Pallarés, qui devint l'ami de toute sa vie (Pablo décédera en 1973, Pallarés en 1974).

De cinq ans son aîné, Pallarés entraîna Pablo dans ses tournées de bars et de bordels, l'immergeant bien tôt dans la brusque réalité de la vie. Pablo bascula du romantisme échevelé à la sensualité la plus crue.

De ces premières expériences, rencontres passagères ou

modestement tarifées, subsistera toute sa vie une fascination pour l'amour physique, symbole de vie et de jeunesse, dont son œuvre érotique retrace toute l'énergie – et la fréquence...

En 1897, il part pour Madrid suivre les cours de l'Académie royale de San Fernando. Très rapidement, ses absences au collège et ses virées nocturnes amènent son bienfaiteur, l'oncle Don Salvador, à lui couper les vivres. Son père continue cependant de lui envoyer un petit quelque chose pour subsister et payer sa chambre. Pablo entre dans sa période de survie.

De surcroît, il tombe malade. La scarlatine, ou le résultat de sa vie de bamboche... Les poches vides, les yeux cernés, il rentre à Barcelone retrouver sa famille, puis repart avec son alter ego pour le village de Horta de Ebro (devenu aujourd'hui Horta de Sant Joan) d'où la famille de Pallarés est originaire. Pablo pense y faire sa convalescence et reprendre des forces. Pallarés, lui, s'y réfugie en réalité pour échapper à la mobilisation de l'armée (l'Espagne est alors en guerre contre les États-Unis).

Horta est à cette époque un gros village de plus de deux mille habitants. On y accède par la route, puis par un chemin à pied. Découverte fascinante pour Pablo, qui n'a jamais connu que des univers urbains, de cette vie paisible, agricole, entre champs d'amandiers et d'oliviers, modestes pâturages et paysages désertiques.

Il y rencontre une population habituée à l'effort, aux sacrifices, à la solidarité. Il y forge son rapport aux êtres et aux choses. Quels qu'aient été par la suite son succès et sa fortune, il demeurera fidèle à cette simplicité et n'oubliera jamais qu'elle a contribué au bonheur certain des habitants de Horta au fil des siècles.

Les deux amis y restent près de huit mois, à parcourir les collines et les montagnes environnantes. Ils sont aussi venus là pour peindre. Pablo et Manuel vivent simplement, dormant à la belle étoile ou dans quelque grotte, recevant, tous les deux ou trois jours, les vivres apportés par Salvador, le petit frère de Manuel. Le père de Pablo a fait envoyer des toiles tendues sur châssis et de la peinture pour son fils.

Tous ces détails, et j'en omets, de l'expérience de Horta et de ses environs, ont été racontés de façon exhaustive par l'historien Josep Palau i Fabre, dans un premier livre encyclopédique [1]. Celui-ci a repris le récit de ces moments essentiels de la bouche de Pablo, et surtout de Pallarés lui-même. Selon la biographe américaine Arianna Stassinopoulos-Huffington [2] – et selon elle seule –, qui se réfère à une interview de Françoise Gilot [3] au milieu des années quatre-vingt, un troisième personnage, un jeune gitan, accompagnait Pablo et Manuel. « Le gitan avait deux ans de moins que Pablo et il était peintre aussi : ils passaient tous les trois une grande partie de la journée à peindre... Ensemble [Pablo et le gitan], ils observaient le miracle quotidien de l'aube et faisaient de longues marches... Ce devint bientôt entre eux une amitié brûlante... Pallarés, se sentant soudain déplacé et exclu, prit sa revanche plus tard en omettant toute mention du gitan dans son récit de la vie de Pablo à Horta. D'après le récit de Pallarés, seuls lui et Pablo explorèrent Horta ; d'après le récit de Pablo [à Françoise Gilot], et ce fut la seule occasion où il évoqua son amitié passionnée, c'était toujours lui et le gitan. » Elle ajoute : « Picasso était amoureux : amoureux du gitan et du monde ! »

Délicates allusions à une homosexualité exaltée par la biographe ! Et le plus étonnant, c'est que ces « révélations » rêvées ont un étrange parfum de désapprobation puritaine... On dit les choses ou on ne les dit pas.

Soyons sérieux. Au terme de mes recherches, après avoir croisé toutes les sources biographiques et tous les témoignages, je peux affirmer que cette aventure, que Françoise Gilot, elle-même, n'évoque dans aucun de ses propres ouvrages, n'est corroborée par personne ! John Richardson [4]

---

1. *Picasso vivo, 1881-1907, op. cit.*
2. *Picasso, créateur et destructeur, op. cit.*
3. Françoise Gilot, compagne de Pablo jusqu'à l'automne 1953. Ils se sont rencontrés en mai 1943.
4. *Vie de Picasso, op. cit.*

fait référence à l'influence des gitans en ces termes : « [À Málaga] à l'ombre de l'Alcazaba se trouvait le bidonville de "Chupa y Tira", où mendiants et gitans s'épouillaient mutuellement, assis au soleil, au milieu des effluves de fleurs d'oranger et d'excréments se desséchant, et où les enfants, jusqu'à l'âge de douze ans, couraient tout nus. Ce quartier tenait son nom de "Chupa y Tira" ("suce et jette") de ce que les gens y étaient si pauvres, dit Picasso à Sabartés [1], "qu'ils se nourrissaient seulement de soupe aux coques..." Mais ce n'est pas tout ce qu'il apprit des gitans. À l'insu de sa famille, il s'initia au tabac, mais il apprit aussi à fumer une cigarette par la narine, et les rudiments de la danse flamenca. "Je ne saurais dire tous les tours que m'ont appris les gitans", aimait-il à rappeler mystérieusement. »

À ces divertissements bien innocents s'ajoute le portrait d'un jeune gitan nu assis, peint à Horta en cette année 1898, dont Josep Palau i Fabre a fait l'étude [2] : il est peint dans le plus pur style académique de l'époque, nu comme l'étaient les modèles de l'école, proche, par le sérieux du visage, d'un autre portrait de gitan peint également à Horta. Ce travail s'inscrit nécessairement dans la tradition des élèves de l'Académie de San Fernando.

John Richardson relate également la courte présence au *Bateau-Lavoir* [3] d'un jeune peintre gitan, Fabián de Castro (qui pourrait avoir été le fameux « gitan » de Horta : « Fabián est probablement ce peintre gitan avec lequel on a accusé Picasso d'avoir eu une liaison »), dormant sur le sol dans la même pièce que Pablo mais, comme le dit lui-même le biographe : « Rien ne permet de préjuger que cette rencontre ait donné lieu à des relations sexuelles... »

Une aubaine que cette prétendue expérience homosexuelle dans les collines de Horta, pour une biographe plutôt mal

1. Jaime Sabartés, ami espagnol de Pablo, qui devint son secrétaire en 1935.
2. Josep Palau i Fabre, *Academic and Anti-academic, 1895-1900*, catalogue de l'exposition à la galerie Yoshii, New York, 25 avril-15 juin 1996.
3. Bâtisse délabrée d'ateliers située à Montmartre (Paris) où Pablo s'installa à plusieurs reprises au début du XXe siècle.

intentionnée ! La scène, invérifiable, se passe dans le désert montagneux de l'arrière-pays catalan en 1898 (!), et les deux protagonistes, Pablo et Pallarés, sont décédés... Rien de telle que cette touche « exotique » pour une biographie « sulfureuse » – malgré des recherches exhaustives sur les sujets plus conventionnels.

Loin de moi l'idée de contester l'éventuelle curiosité de Pablo sur son identité sexuelle. C'est, de nos jours, une « recherche » bien ordinaire. Mais de là à en déduire qu'il aurait lutté, sa vie durant, contre une attirance « naturelle »... De la même farine sont les sous-entendus de la biographe sur Braque (« leurs explorations et leur intimité[1] »), la laborieuse évocation des amis homosexuels de Picasso au début du siècle, comme son marchand Manyac ou le poète Max Jacob, ou les interrogations hasardeuses sur « la propre confusion de sa sexualité[2] ». « Les interminables tournées des bordels et la vigoureuse masculinité étaient-elles une expression de ses appétits volcaniques ou bien masquaient-elles un conflit plus profond ? » écrit-elle encore, laissant habilement (?) planer le doute.

Ainsi, Picasso aurait multiplié les aventures hétérosexuelles pour (se) dissimuler son penchant profond pour les hommes. Quel combat ! Passer soixante-dix ans à peindre, dessiner, sculpter des femmes sans arrêt, à des milliers d'exemplaires, quelle douloureuse bataille ! Faire quatre enfants à des femmes très différentes les unes des autres, quelle épreuve surhumaine ! Si l'on trouve quelques hommes nus dans les dessins d'adolescence de Pablo, il n'en est aucun qui échappe à l'académisme, et, comme me l'a dit personnellement Pierre Daix : « Si chaque fois qu'un peintre peint un jeune homme nu, il faut en conclure qu'il est pédéraste... »

Que dire alors des fresques érotiques dessinées sur les murs du petit deux-pièces de son ami Jaime Sabartés à Barcelone en 1904 ? Ces fresques, peintes en dominante bleue, furent inspirées à Pablo par un ouvrage « surréaliste » avant l'heure, *Les Chants de Maldoror*, de Lautréamont, et un roman pornogra-

1. *Picasso, créateur et destructeur*, *op. cit.*
2. *Picasso, créateur et destructeur*, *op. cit.*

phique, *Gamiani*, attribué à Musset. Un couple nu s'y livre à d'ardents ébats, sous un Maure pendu, en érection...

Ces peintures d'un soir furent vite effacées. Sabartés raconta l'anecdote à l'historien américain William Rubin, et aucun n'en conclut pour autant à un attachement plus particulier de Pablo pour le pauvre Maure... Pablo a sans doute voulu se moquer, par le dessin le plus licencieux possible, de la fort rigoriste Académie des beaux-arts, qu'il apercevait de la fenêtre de la pièce.

Dans l'ensemble de l'œuvre érotique de Picasso, on ne retrouve rien qui suggère un quelconque intérêt pour l'homosexualité masculine. Comme beaucoup d'hétérosexuels exclusifs, il appréciait, *a contrario*, le spectacle des ébats de lesbiennes que lui offraient souvent les jeunes pensionnaires des bordels de sa jeunesse, et qu'il reproduisit dans bien des croquis de l'époque.

Picasso était hétérosexuel, c'est un fait. Ce fut bien là le drame pour de nombreuses femmes ! Était-il homosexuel ? Les témoignages dignes de foi manquent. Était-il zoophile parce qu'il aimait une petite chèvre dans les années cinquante ou des moutons à la toute fin de sa vie ?

Cessons là. Picasso avait des amis homosexuels. S'il l'avait fallu, il les aurait défendus, dans ces périodes de bien moindre tolérance. Disons que s'il était homosexuel, c'était sans doute par son côté... lesbien.

Isolé, très pauvre, c'est après Barcelone et sa première installation à Paris, au début du XXe siècle, que son besoin d'affection se fait réellement sentir. Pablo est alors l'archétype du beau ténébreux. Bien charpenté et indéniablement latin, il ne peut laisser indifférent. Il ne dévisage pas seulement une femme, ni ne s'arrête à sa seule apparence : il la pénètre, la viole du regard, et suscite un trouble dont il a su, consciemment ou non, user.

Germaine (1881-1948)

Lors de son premier voyage à Paris en octobre 1900 avec son ami et co-locataire à Barcelone, Carles Casagemas, il visite l'Exposition universelle, et loge chez un de leurs amis, le peintre catalan Isidre Nonell (rencontré au café *Els Quatre Gats* de Barcelone), au 49, rue Gabrielle à Montmartre. Ils rejoignent peu après le *Bateau-Lavoir* au 13, rue Ravignan. Ils y retrouvent toute une communauté de Catalans émigrés comme eux : Casas, Utrillo, Fontbona, Isern, Pidelaserra, Junyent...

Ils y font la connaissance de deux jeunes femmes, Odette et Germaine. Cette dernière devient l'amie de son camarade Casagemas. Blanchisseuse et modèle des peintres montmartrois, elle fréquente cette communauté de jeunes gens et, bien que mariée, elle n'est pas farouche... Casagemas espère beaucoup de cette relation, trop platonique à son gré.

Très vite, les choses tournent mal entre eux. Germaine ne souhaitait pas que leur fréquentation soit prise autrement que pour de la simple camaraderie. Casagemas, de son côté, imaginait une histoire qui n'en était pas une. La réalité le déprimait chaque jour davantage. Un soir, devant Odette, Pallarés et le sculpteur catalan Manolo, Casagemas sort un revolver de sa poche et tire sur Germaine.

John Richardson[1] rapporte ainsi le drame : « Grâce au sang-froid de Pallarés, la balle manqua sa cible, mais la détonation étourdit Germaine qui s'effondra au sol. Concluant qu'il avait tué la femme qu'il aimait, Casagemas tourna le revolver contre sa tête, cria : “Et voilà pour moi” et se logea une balle dans la tempe droite. » Pierre Daix[2] (reprenant l'étude exhaustive de Palau i Fabre) apporte les précisions suivantes, et confirme combien cette Germaine faisait tourner

1. *Vie de Picasso, op. cit.*
2. *Dictionnaire Picasso, op. cit.*

les têtes : « D'après les souvenirs de Pallarés, Germaine, déçue par l'impuissance et l'hystérie de Casagemas, avait décidé, avant son retour à Paris, de rompre avec lui et, pour plus de sûreté, avait même préféré regagner le domicile de son mari Florentin. C'était là la cause du drame. Quand Picasso revint à Paris en juin 1901 et s'installa au 130 ter, boulevard de Clichy, parmi la colonie espagnole, son ami Manolo était devenu l'amant en titre de Germaine, mais Picasso le remplaça rapidement et communiqua la nouvelle par une bande dessinée adressée à Miquel Utrillo à Barcelone, où il montre la jalousie de Manolo et se dessine au lit avec Germaine, face à la colère d'Odette. »

Pablo semblait très fier de cette conquête, bien que Germaine fût l'espoir de son ami désespéré... Était-ce un moyen de se rapprocher de lui, de son âme, que de partager son attirance pour la même femme ? Et d'aboutir là où Casagemas avait essuyé un refus ?

Cette période du *Bateau-Lavoir* est, dans les mœurs comme en peinture, une époque d'échanges et de recherches. La légèreté y est de mise, en marge du puritanisme ambiant. Mon grand-père et ses amis participent à un mouvement artistique dont ils ne peuvent guère prévoir le retentissement mondial, et qui préfigure bien d'autres mouvements de libération. Des années avant toute réelle émancipation morale, ils libèrent leurs désirs.

L'instinct affectif, nécessairement curieux et volage, nourrit chez eux la pulsion créatrice, empreinte de liberté, en rupture avec l'académisme. Pablo multiplie les aventures et les dessine comme autant de victoires. Plusieurs de ses modèles sont ainsi représentés, le temps d'une pose ou d'une passade, comme Jeanne, ou une dénommée Blanche qui resta comme une brève mais déjà intense liaison.

De ces femmes éphémères, il dira plus tard : « Tu ne penses d'abord qu'à les peindre. Puis après, tu passes à autre chose... » Et il passait en effet à autre chose, puis à la suivante.

Madeleine

Encore marqué par son vagabondage sentimental, Pablo revoit Germaine à plusieurs reprises, lors de ses voyages à Paris, en 1902 et 1904, mais il fréquente en même temps un autre modèle, Madeleine, qu'il a connue au fameux cabaret montmartrois *Le Lapin agile*[1]. Il pense même brûler les étapes et avoir avec elle un enfant, en 1904.

On sait peu de choses de cette relation. Pour Pierre Daix[2], « l'ignorance est sans doute due au fait qu'au moment de leur liaison, seul Max Jacob[3] a pu être au courant ; or, il a toujours gardé secrètes les aventures de son ami [Pablo], lesquelles devaient tarauder sa jalousie. Apollinaire[4] et

---

1. Anciennement appelé *Le Lapin à Gill*, du nom d'André Gill qui, en 1872, avait peint un simple lapin sur l'enseigne du cabaret (dit anciennement *des Assassins*), rue des Saules (Paris).

2. *Dictionnaire Picasso, op. cit.*

3. Max Jacob (1876-1944), poète français. L'un des meilleurs amis de Pablo Picasso depuis 1901. Il l'initie à la culture française. À l'arrivée de Pablo à Paris, « compagnons de bohème », ils partagent une chambre. Leurs relations, un peu compliquées, sont ponctuées de périodes de complicité et d'incompréhension. Max Jacob est homosexuel et vit très mal les aventures de Pablo. Celui-ci a illustré le premier livre de Max Jacob, édité chez Kahnweiler, *Saint Matorel,* en 1910. Max Jacob a été le témoin de mariage de Pablo Picasso avec Olga Khokhlova, aux côtés de Guillaume Apollinaire et de Jean Cocteau en 1918. Ils s'éloignent mutuellement vers le début des années vingt même si une grande amitié persista jusqu'à la mort de Max Jacob, déporté à Drancy en 1944.

4. Guillaume Apollinaire (1880-1918), poète et critique d'art français de la modernité. Il avait une très riche culture classique et a été considéré comme « le théoricien de l'esprit nouveau ». Il publie des recueils de poèmes comme *Alcools* ou *Calligrammes.* Agitateur littéraire et artistique, il collabore au *Mercure de France,* à *Paris Journal* et fonde la revue *Les Soirs de Paris.* Il rencontre Picasso fin 1904 au *Bateau-Lavoir.* Selon Sabartés, son arrivée a transformé la vie de Picasso « par l'apport de sa culture, de son imagination, et son intelligence... ». Ils deviennent alors de vrais bons amis, échangeant régulièrement leurs points de vue en peinture et en littérature. Tous deux font partie d'un cercle d'amis parmi lesquels on retrouve Georges Braque, Marie Laurencin, le Douanier Rousseau (en l'honneur duquel Picasso organise un célèbre banquet, fin 1908), et bien d'autres peintres cubistes. Il écrit un article sur Picasso dans *La Plume* à l'occasion d'une exposition de Pablo à la galerie Serrurier (1905) et un essai, *Les Peintres cubistes* (1913). Son amitié avec Pablo perdure pendant la Première Guerre mondiale alors qu'il est au front, grâce à une correspondance importante. Apollinaire meurt de la grippe espagnole le 9 novembre 1918.

Salmon[1] n'étaient pas encore entrés dans l'intimité de Picasso et celui-ci, craignant sans doute l'irritation de Fernande [Olivier] qui prétendait être “Mme Picasso” et aussi sa première maîtresse, ne révéla l'existence de Madeleine qu'après la mort de Fernande, afin d'éviter tout commentaire de sa part. Il est vraisemblable que ses amis de la colonie espagnole étaient au courant mais eux aussi s'entendaient à garder les secrets ».

Sur le plan sentimental, mon grand-père apprit très tôt que la discrétion était sa meilleure alliée. Non qu'il eût décidé de multiplier les aventures et de se jouer de ses conquêtes. Mais, en dépit de séparations explicites, il entretenait toujours un lien, fût-il seulement artistique. Au moment où commençait une nouvelle relation, une autre se poursuivait...

Fernande Olivier (1881-1966)

Née le 6 juin 1881, la même année que Pablo, Fernande Olivier se nommait en réalité Amélie Lang. Elle avait épousé en 1899 un homme brutal, un certain Percheron, employé de commerce. Mariage forcé et malheureux. Exaspérée par cet homme violent, elle le quitta rapidement pour vivre avec un certain Laurent Debienne, sculpteur à Montmartre. Elle y gagna alors sa vie en posant pour divers peintres.

Fernande était une figure connue, et pittoresque, de ce village qu'est encore la Butte, à cette époque.

C'est pendant l'été 1904 qu'elle rencontre Pablo. Elle habite elle aussi le *Bateau-Lavoir* et, un soir de gros orage, elle le croise sous le petit porche d'entrée. Et se réfugie chez lui.

---

1. André Salmon (1881-1969), poète et écrivain français. Introduit par le sculpteur et peintre Manolo dans « la bande à Picasso » au *Bateau-Lavoir*, fin 1904, il partagea avec Pablo une amitié profonde jusqu'en 1937. La rupture de leur amitié eut lieu lorsque André Salmon accepta de devenir journaliste, correspondant de la guerre d'Espagne pour *Le Petit Parisien*, journal ouvertement franquiste. Ils n'eurent par la suite plus jamais l'occasion de se revoir, ce que regretta profondément Pablo, malgré son ressentiment.

Elle est peu farouche, simple et spontanée. Leur liaison commence dès ce premier orage. Mais Fernande a également « une liaison avec le peintre espagnol Joachim Sunyer, qui, à l'en croire, lui révéla l'amour physique. Ces relations intermittentes avec Picasso durent plus d'une année [1] ». Au début, Pablo fréquente encore Madeleine, et rencontre Fernande épisodiquement – sans compter une brève liaison avec Alice Princet, qui deviendra plus tard la femme du peintre Derain...

On a du mal à suivre ces enchevêtrements amoureux, mais ils témoignent d'une réelle joie de vivre, malgré l'indescriptible pauvreté qui est le sort quotidien de leur communauté d'artistes.

Le *Bateau-Lavoir* est une vieille « bâtisse délabrée, faite essentiellement de bois, de zinc, de verre sale, avec des tuyaux de poêle qui se dressaient au hasard [2] ». Un seul sanitaire, avec un unique robinet d'eau froide pour alimenter trente ateliers. Mais on peut toujours s'abreuver à la petite fontaine de la place Ravignan. Il régne dans ce capharnaüm une odeur épouvantable, de moisi, de pipi de chats et de peinture. L'hiver, le lieu est glacial ; l'été, c'est une fournaise. Un peu comme à Madrid.

Pablo vit dans un dénuement absolu, entre un sommier délabré et une vieille malle qui fait office de fauteuil. Ces années de vaches maigres, il ne les a jamais oubliées : même à la tête d'une fortune dont il ignorait lui-même le montant, il demeura un homme simple et économe, qui mesurait à l'aune de ses privations d'autrefois les sollicitations dont il était constamment l'objet.

Et on a osé tirer de cette modération la légende d'une avarice qui jamais n'exista – j'y reviendrai.

Fernande vient habiter avec lui à partir du début 1905. Elle raconte avec nostalgie, dans son livre de souvenirs [3], ces moments heureux mais matériellement abominables.

1. *Dictionnaire Picasso, op. cit.*
2. *Pablo Ruiz Picasso, op. cit.*
3. *Picasso et ses amis, op. cit.*

« Picasso se souvient-il encore de la jeune amie qui si souvent lui servit de modèle et qui, à une époque, ne put sortir pendant des mois parce qu'elle n'avait pas de chaussures ? Se souvient-il des jours d'hiver où elle devait rester couchée, faute d'argent pour acheter le charbon nécessaire au chauffage de l'atelier glacial ? (...) Et les jours de jeûne forcé ? Et les piles de livres achetés chez un bouquiniste de la rue des Martyrs ? Aliments qui m'étaient nécessaires puisque Picasso, par une espèce de jalousie morbide, me tenait recluse. Mais avec du thé, des livres, un divan, peu de ménage à faire, j'étais heureuse, très heureuse. »

Dans cette jalousie possessive dont Pablo accablait Fernande, comment ne pas voir une préfiguration de celle qu'il déploya plus tard à l'égard de ma grand-mère, Marie-Thérèse ? Comment ne pas penser aussi à la proposition que Pablo fit à Françoise Gilot de vivre cachée, à demeure, dans le petit appartement au-dessus de son atelier de la rue des Grands-Augustins, colombe cloîtrée dans un nid d'amour ? Marie-Thérèse, confinée de cage en cage, mais toujours au centre de leur jardin secret, se soumit volontiers. Les ailes de Françoise étaient bien trop grandes pour cette minuscule volière sous les toits...

Était-ce, chez Pablo, un instinct sublimé de collectionneur ? Ou l'inquiétude de l'adolescent à qui l'on avait retiré la petite Angeles, drame injuste qu'il ne voulait plus revivre ? Peut-être même une confusion entre l'image capturée sur la toile et la femme captive dans la vie ?

La situation matérielle de Fernande et Pablo s'améliore à partir de novembre 1905 lorsque le collectionneur américain Léo Stein et sa sœur Gertrude commencent à s'intéresser à ses œuvres, puis en mai 1906 quand le célèbre marchand Ambroise Vollard [1], qui n'a rien acheté à Pablo depuis 1901 (leur première exposition avait eu un succès d'estime, mais Vollard n'avait pas du tout aimé les années suivantes de la période « bleue » du

1. Ambroise Vollard (1868-1939), marchand de tableaux français qui exposait notamment Cézanne et Gauguin.

peintre...), acquiert une vingtaine de toiles, toutes des œuvres majeures. Ce pécule inespéré offre au couple d'amoureux l'occasion de faire un petit voyage en Espagne. D'abord à Barcelone, pour rencontrer les amis catalans restés au pays, puis à Gosol où Pablo, comblé, peint avec fureur.

À Gosol, village catalan très isolé, auquel on accédait alors à dos de mulet, il revit la retraite d'autrefois à Horta de Ebro. Mon grand-père aima d'ailleurs toute sa vie revenir avec ses compagnes sur les lieux de sa jeunesse : à Barcelone avec Olga, puis avec Marie-Thérèse (ce fut d'ailleurs son dernier voyage en Espagne), à Montmartre et rue La Boétie avec Françoise. Il tentait de leur faire admettre qu'il était le produit de son passé, qu'elles devraient l'accepter, et admettre aussi en lui une « zone libre » à laquelle elles n'auraient pas accès...

Pablo se consacre alors essentiellement à son travail et, certainement sous l'influence du fauvisme qui a fait scandale au Salon des Indépendants en 1905 avec l'exposition des toiles de Cézanne, Derain, Matisse ou Braque, il utilise à nouveau amplement la couleur. Il dessine beaucoup de nus : c'est le début de la représentation du désir. Ainsi, au printemps 1906, il peint un *Nu à la chevelure tirée*, et, à l'automne 1907, un *Nu à la draperie.*

De son côté, Fernande s'occupe du quotidien, et paraît peu concernée par les recherches artistiques de son compagnon.

Après avoir découvert la sculpture et l'art tribal, qui provoquent chez lui un véritable traumatisme, Pablo introduit soudain hachures et surfaces cloisonnées dans son œuvre.

Fernande, elle, s'intéresse à un jeune peintre hollandais, Kees Van Dongen, qui vient de s'installer sur la Butte... Elle pose nue pour lui, ce qui attise la jalousie de Pablo, fou furieux. Persuadé d'avoir été trahi, il lui annonce leur rupture. Avertie par Fernande, Gertrude Stein[1] doute de la sincérité

1. Gertrude Stein (1876-1946), écrivain américain. Avec son frère Léo, elle rencontra Picasso en 1905 chez le marchand Sagot. Elle acheta immédiatement plusieurs de ses œuvres. Pendant la période cubiste, elle continua à soutenir Picasso alors que Léo Stein s'intéressait à Matisse. Ils entretinrent une longue correspondance : Picasso la tenait au courant de ses déboires amoureux et de son travail.

théâtrale de cette séparation. Elle a parfaitement raison : trois mois plus tard, le couple a repris sa vie commune.

Tandis que Fernande agite tous les signaux possibles pour attirer le regard de Pablo, celui-ci est totalement absorbé par son travail. Au risque de laisser leur relation s'éteindre inexorablement. Le pli est pris – mais en fut-il jamais autrement ? Le travail avant tout, c'est le credo de l'artiste. Plus rien, ni plus personne, ne pourrait le distraire de son œuvre.

Durant l'absence de Fernande, Pablo synthétise enfin les études qu'il mène depuis l'automne 1906. Il a été inspiré par Gauguin et ses Tahitiennes aux formes massives, et par ses visites au musée de l'Homme, havre de l'art nègre. Le long cheminement de dessins préparatoires le conduit à terminer, en juin 1907, la toile emblématique de l'art moderne, *Les Demoiselles d'Avignon* [1], qui fait de lui le créateur que le nouveau siècle attendait.

Le tableau ne sera pourtant exposé que neuf ans plus tard. Seuls quelques privilégiés voient l'œuvre à l'atelier. La plupart, peu séduits, s'en amusent et ricanent : même Léo Stein, Derain, Apollinaire ou Braque, à qui l'on doit cette fameuse remarque : « Malgré tes explications, ta peinture, c'est comme si tu nous faisais manger de l'étoupe et boire du pétrole pour cracher du feu ! » Fernande ne mentionne même

1. Après avoir travaillé pendant plus de six mois secrètement sur *Les Demoiselles d'Avignon*, Picasso révèle une œuvre monumentale qui remet en cause les fondements de la peinture en jetant à terre les conventions, les genres artistiques et la conception de l'espace. Il s'agit d'un portrait de groupe explicite et provocant jusqu'à la cruauté, et empli de voyeurisme. Le choix du sujet est déjà un bouleversement en lui-même puisqu'il s'agit de la représentation de prostituées attendant le client dans le salon d'un bordel du début du siècle. Outre son aspect impudique et choquant pour l'époque, ce tableau est novateur dans sa composition et la construction de l'espace pictural. Ayant intégré les découvertes récentes de Cézanne et des fauves, Picasso se lance à son tour dans la reconstruction de plans successifs, occultant ainsi toute forme d'académisme et détruisant la perspective traditionnelle. Le canon esthétique est profané ; tout est dit brutalement, sans détour. Le thème du nu, bien souvent traité dans la peinture, revêt alors une forme plus crue (déjà initiée par Courbet et Manet), où toute allégorie est dissimulée et où l'œil du spectateur est face à la frontalité de la vision fixe des prostituées.

pas le grand tableau dans ses mémoires ! Ils passent tous à côté... Gertrude Stein est la seule, ou presque, à s'extasier et à saisir le moment historique.

C'est un certain Daniel-Henry Kahnweiler, un marchand d'art allemand, qui connaît là l'épiphanie de sa jeune carrière. Rencontrant pour la première fois ce Picasso dont un collègue allemand lui a parlé, il découvre simultanément l'artiste et le chef-d'œuvre de l'art moderne. Il deviendra le marchand attitré de Pablo.

Il commence par acheter quelques toiles importantes. Le train de vie de Pablo et de sa compagne s'améliore. Pablo entreprend un travail d'échanges stimulants avec Braque, un dialogue qui durera au moins jusqu'en 1914, autour de ce qui va s'appeler le cubisme.

Fernande possède deux qualités essentielles : elle apprécie les amis artistes et sait organiser la maison pour les recevoir. Malgré la passion dévorante de Pablo pour son travail, qui lui prend de plus en plus de temps et d'espace, malgré son horreur des habitudes, le couple accueille volontiers les bons copains. Les poètes Guillaume Apollinaire, André Salmon, Max Jacob – bien sûr – et beaucoup d'autres peintres sont des habitués de la rue Ravignan. Cette bohème, que Pablo regrettera souvent, fait place peu à peu à une petite société parisienne qui mêle trop formellement artistes, intellectuels, peintres ou écrivains.

Picasso étouffe déjà. Durant l'été 1908, il loue une petite maison à une quarantaine de kilomètres de Paris, à La Rue-des-Bois, près de Creil. Il s'y installe avec Fernande, sa grosse chienne et une chatte prête à mettre bas. Selon Fernande [1], « on mangeait dans une pièce sentant l'étable. On se levait tard, indifférents aux bruits de la ferme éveillée dès quatre heures du matin. Des amis lui rendirent visite. Derain vint là, puis Max Jacob, puis Apollinaire ».

Cet isolement temporaire à la campagne fera plus tard l'objet d'autres illustrations : Fontainebleau avec Olga, le château

1. Fernande Olivier, *Souvenirs intimes,* édité par Gilbert Krill, Paris, Calmann-Lévy, 1988.

de Boisgeloup dans l'Eure ou Le Tremblay-sur-Mauldre avec Marie-Thérèse, Ménerbes avec Françoise.

Pablo rentre à Paris pour le Salon d'automne (créé en 1903 et auquel il prête attention depuis 1905), où il découvre les œuvres que Braque a réalisées au cours de l'été à L'Estaque, près de Marseille. Le critique Louis Vauxcelles[1] décrit bien ces « figurines métalliques distordues, honteusement simplifiées ». Braque, dit-il, « méprise la forme et réduit tout – paysage, lieux, maisons et gens – à des formes géométriques, à des cubes ».

Le cubisme est né. Mais l'acte fondateur reste ces *Demoiselles d'Avignon*, encore secrètes.

En novembre 1908, Pablo fait la connaissance du fameux Douanier Rousseau à qui il offre un mémorable banquet à l'occasion de l'achat, organisé par l'intermédiaire du père Soulié[2], de la toile *Portrait de femme*. Il a conservé ce portrait toute sa vie, à portée de main[3].

Ce banquet est probablement l'événement emblématique du *Bateau-Lavoir*, avec ses artistes et leur joyeuse spontanéité. Le récit de ce banquet témoigne, à mes yeux, de toute la sympathie dont pouvait faire preuve mon grand-père pour quelqu'un qui l'avait sincèrement touché. Pierre Daix rap-

---

1. Critique d'art français, né en 1870, qui introduit les termes de « fauvisme » et de « cubisme » dans la peinture.

2. Le père Soulié (Eugène Soulié), brocanteur et marchand de tableaux. Selon John Richardson (*La Vie de Picasso*, *op. cit.*), « il avait commencé comme lutteur de foire (de ceux qui jettent leur défi à qui veut le relever) et termina sa carrière comme marchand de literie et de toile à matelas sur la rue des Martyrs, juste en face du cirque Médrano » où Pablo Picasso allait souvent. « Soulié ne devint marchand de tableaux que parce que grand nombre de ses clients étaient des peintres impécunieux, réduits à échanger leurs toiles contre des objets utilitaires. Si une œuvre trouvait preneur, Soulié donnait de l'argent au lieu de matériel. Étant donné qu'il était ivre la plupart du temps (...), on pouvait parfois obtenir des conditions exceptionnelles... » Grâce à lui, mon grand-père a pu subsister à ses débuts à Paris, lui vendant quelques toiles pour s'acheter de la nourriture, de la peinture, des toiles, de l'huile pour sa lampe et du charbon pour son poêle. Il lui en fut toujours reconnaissant.

3. Aujourd'hui, ce portrait fait partie de la fameuse Donation Picasso, remise à l'État français par les héritiers de Pablo, selon son vœu, et exposée au musée Picasso de Paris.

pelle que « c'était alors une coutume de donner de telles festivités à l'occasion de multiples événements, dans le milieu littéraire ou artistique (prix, anniversaires, plus tard guérison des blessés de la guerre comme Braque ou Apollinaire, etc.). Le banquet eut lieu dans l'atelier de Pablo au *Bateau-Lavoir*. Fernande avait mis en œuvre ses talents de maîtresse de maison et accueillit toute “la bande à Picasso” ».

Au cours de l'été 1909, Pablo emmène à nouveau Fernande en Espagne. Après un bref séjour à Barcelone pour y voir sa famille, ils passent leurs vacances à la fameuse Horta de Ebro. Les paysages catalans lui inspirent de nouvelles œuvres cubistes – ce qu'on a appelé le cubisme cézannien où les objets et le fond sont traités de la même façon et au même plan, en autant de facettes, prismes et cubes. Les couleurs sont très proches des paysages et des natures mortes de Cézanne, « la » référence affective de Pablo.

À Horta, il retrouve les quelques amis de son premier voyage dont, bien sûr, Manuel Pallarés. Fernande tombe malade. Pablo soudain devient exécrable, premier symptôme de sa phobie de la maladie et de la mort. Fernande se confie ainsi dans une lettre à Gertrude Stein qu'elle a publiée plus tard dans ses *Souvenirs intimes* : « J'ai parfois une douleur intolérable dans les reins et dans les côtes, et qui me prend comme si j'allais mourir toute froide (...) Et Pablo ne m'aide pas. Il ne sait rien, il est trop égoïste pour comprendre (...) que c'est lui, en grande partie, qui m'a rendue ainsi cet hiver. Il m'a complètement désorganisée. Tout cela est nerveux, je le sais (...) Que faut-il faire ? Si je suis triste, il est furieux (...) Pablo me laisserait mourir sans s'apercevoir de mon état [1]. »

Pablo n'accepte pas que Fernande soit malade. Il enrage, par principe, contre la maladie. Il ne peut contrôler cette révulsion. La mort lui a enlevé sa petite sœur Conchita : l'enfant qu'il était alors a-t-il saisi tout le drame ? Pour lui, la

1. *Souvenirs intimes, op. cit.*

maladie, c'est la mort. Ce refus obstiné deviendra vite, sans raison logique, une crainte chronique. Plus tard, plus que la perte des êtres chers, c'est la fuite du temps, associée à la maladie, qui l'a tourmenté. Enfin, les deux se mêleront avec les malaises récurrents de Jacqueline, sa dernière compagne, et l'approche de sa propre mort. La mort n'est-elle pas l'obstacle ultime au temps qui passe ?

Pourquoi a-t-il fallu que Fernande tombe malade, là, à Horta, dans cet éden de plénitude et de bonheur ? Est-ce un mauvais présage ? Tout prend, pour cet homme confit de superstitions, une dimension disproportionnée, et irrationnelle.

De surcroît, cet été-là, Pablo est tracassé par une rumeur d'émeute, à Barcelone. Il aurait voulu y être. La diffusion des nouvelles, à l'époque, est lente. Deux aspects essentiels de sa personnalité prennent forme : la crainte de la maladie, signe avant-coureur du pire, et l'intérêt pour la politique, surpassant tout le reste.

Pablo et Fernande reviennent à Paris dès septembre et déménagent du *Bateau-Lavoir* pour s'installer dans un nouvel appartement confortable au 11, boulevard de Clichy. La bohème a perdu son cadre naturel, les amants s'embourgeoisent : « Nous prenons nos repas, raconte Fernande [1], dans une salle à manger aux vieux meubles en acajou, servis par une bonne en tablier blanc. Nous dormons dans une chambre faite pour le repos, dans un lit bas, aux lourds montants carrés de cuivre. »

Fernande redevient rapidement une vraie petite bourgeoise parisienne, s'émerveillant du confort quotidien auquel elle a enfin accès. Pablo impose qu'on ne nettoie pas son atelier sans son accord. Son besoin de se rassurer lui-même, à travers cette vie « installée », s'oppose à son besoin continuel de création qui l'oblige à transgresser les acquis de son nouveau statut.

Cette soif de recherche novatrice fut perpétuellement le moteur de sa créativité. Alors que Fernande rêve d'enfants

1. *Souvenirs intimes*, *op. cit.*

et d'ordre, son compagnon déstructure méthodiquement l'art classique et persiste à inventer l'art moderne. Fernande comprend parfois difficilement son acharnement au travail et apprécie sa peinture avec réserve.

Les amants trop bien rangés s'éloignent peu à peu l'un de l'autre. Les années 1910 et 1911 sont marquées par cette incompréhension grandissante. Pablo continue de côtoyer l'anticonformisme en fuyant l'ordinaire : il dessine, crée fébrilement, innove, se détache déjà de son époque. Il quitte sa toile à reculons... et ne regarde plus qu'elle.

Il retrouve ceux qui « remuent » leur époque au *Café de l'Ermitage*, boulevard Rochechouart. À l'automne 1909, il y fait la connaissance du peintre polonais Marcoussis et, avec bien plus d'intérêt, de sa compagne, Éva Gouel.

Coup de foudre. Le destin se fige dans un échange de regards. Pablo fait apparaître sa nouvelle conquête dans ses œuvres, substituant peu à peu à l'amour officiel celui qu'il cache encore.

Pourtant, Fernande et Pablo passent l'été 1910 à Céret, dans le sud de la France, où il retrouve quelques accents de son Espagne dans le paysage et les gens de la région. Il prend goût aux charmes des Pyrénées voisines et aux rencontres avec d'autres artistes en villégiature. L'idylle avec Fernande a vécu mais elle demeure « l'officielle ». Fernande s'autorise d'ailleurs quelques aventures, constatant avec amertume que Pablo ne montre plus du tout le même enthousiasme à son égard. Elle retrouve ses habitudes de femme libérée, parfois même en public. Cela n'a déjà plus d'importance pour Pablo. Depuis l'automne, seule compte Éva. L'année qui suit ne fait que confirmer les choses...

En 1912, il loue à nouveau un atelier au *Bateau-Lavoir*, prétextant un travail énorme et un besoin d'espace. En réalité, il y installe sa liaison secrète avec Éva. Fernande le devine et prend enfin les devants : elle quitte bruyamment Pablo pour un autre. « On le sait par un mot de Picasso à Braque », raconte Pierre Daix[1] : « Fernande est partie avec Umbaldo Oppi. La chienne Frika fut recueillie par Germaine Pichot. Kahnweiler fut chargé de récupérer des œuvres et du matériel boulevard de Clichy, d'où Picasso déménagea fin septembre pour aller habiter avec Éva au 228, boulevard Raspail. »

En ce mois de juin 1912, les choses prennent un tour définitif. Marcoussis, abandonné par Éva, fait paraître dans *La Vie parisienne* un dessin satirique – qui représente Pablo traînant Éva avec un boulet au pied, tandis que Marcoussis saute de joie ! – pour mettre un point final à leur histoire.

Éva et Pablo sont déjà loin, à Céret. Germaine et Ramón Pichot s'y rendent avec Fernande, pour convaincre Pablo de quitter Éva. Mais les amants passionnés quittent Céret à temps et s'installent à Sorgues.

Pablo retrouve ainsi la vie d'artiste qui l'inspire tant. Désormais, il vit une passion spontanée, sans artifices ni règles routinières – et sans plus avoir à s'inquiéter du quotidien. L'argent rentre régulièrement. Éva comprend Pablo, le stimule dans son travail au moment même où il explore ce qu'on appellera le cubisme synthétique. Il partage son énergie avec sa maîtresse.

À Sorgues, les « réfugiés » sont rejoints par Braque et Marcelle, la femme qu'il vient d'épouser. La vie est au beau fixe. Le dialogue des deux artistes se renoue, tout particulièrement autour de l'art nègre. Les deux couples visitent Marseille et les alentours.

Une page s'est tournée dans la vie de Pablo.

Son existence est devenue une suite d'allers-retours entre conformisme et bohème, entre académisme et liberté, entre maîtrise et audace. Avec une jubilation réelle à chaque mutation, à chaque « période ». Et un rejet quasi immédiat de toute tentative d'enfermement.

Fernande sort définitivement de sa vie amoureuse. Il n'entendra plus parler d'elle jusqu'au début des années trente, à la publication de ses souvenirs.

1. *Dictionnaire Picasso*, *op. cit.*

Jamais cependant il n'oublia l'aide que Fernande lui a apportée aux moments difficiles et il l'a aidée à son tour, quand elle s'est retrouvée quasiment à la rue, dans les années cinquante.

Par amitié et par courtoisie, il ne révéla sa liaison avec la fameuse Madeleine qu'après la mort de Fernande, le 26 janvier 1966 !

Éva Gouel (1885-1915)

Le véritable nom d'Éva Gouel est Marcelle Humbert. Il semble donc qu'elle ait rencontré mon grand-père dès la fin 1909 au *Café de l'Ermitage* où il allait souvent débattre avec ses amis « futuristes » depuis qu'il habitait boulevard de Clichy avec Fernande.

D'après Pierre Daix [1], « elle était l'antithèse de Fernande au physique comme dans la vie. Menue, fine, sûrement intelligente, elle n'aimait ni la bohème, ni les fantaisies financières et sut apporter à Picasso des habitudes régulières, un talent de cuisinière et la tranquillité d'esprit dont il avait besoin ».

La « période Éva » est très heureuse. Amoureux fou, Pablo exprime joyeusement son bonheur. Symboliquement, elle est partout. Ses initiales, son nom, son surnom, « Ma Jolie », titre d'un air à la mode, toute la joie de cet amour transparaît dans les œuvres qui reprennent des couleurs avant que n'apparaissent les premiers collages. À l'automne 1912, les amoureux habitent ensemble boulevard Raspail, à Montparnasse : Pablo quitte Montmartre et rejoint le quartier de son nouvel amour.

Débute alors pour Pablo un éden, comme il s'en souviendra plus tard.

Braque réalise les premiers papiers collés au cours de l'été suivant. Il intègre des morceaux de papier peint dans des toiles. Pablo, enthousiaste, lui emboîte le pas. Il y ajoute des

1. *Dictionnaire Picasso*, *op. cit.*

matériaux divers : bois, colle, corde ou sable. Il écrit à son ami : « J'emploie tes derniers procédés papéristiques et poussiéreux... » Ils viennent ensemble d'ouvrir la voie aux collages et à toutes les constructions et accumulations si pratiquées de nos jours.

En décembre 1912, fidèle à ses « pèlerinages », Pablo emmène Éva à nouveau à Céret, puis à Barcelone, pour lui faire connaître la ville de ses origines et la présenter fièrement à ses amis catalans. Le rituel recommence.

Au retour, le couple renoue avec son quotidien d'un bonheur sans nuages. Au printemps 1913, ils reviennent à Céret. Juan Gris, ami et aussi concurrent de Pablo (et, de surcroît, représenté par le même Kahnweiler), leur rend visite, tout comme Max Jacob. Le petit monde de Pablo tourne rond...

Pour quelques mois encore.

1913, l'année terrible. Don José, son père, s'éteint début mai. Pablo trouve la mort sur son chemin et perd son seul maître, le seul qu'il avait à cœur de dépasser. Cette mort ajoute sa pierre au pessimisme de Pablo et renforce son fatalisme.

À peine rentré des funérailles à Barcelone, Pablo est atteint d'une typhoïde (ou, plus probablement, d'une dysenterie) qui manque de lui être fatale et le cloue au lit pendant un mois. Puis les premiers symptômes de la maladie d'Éva apparaissent.

Sans parler des signes avant-coureurs d'un conflit général en Europe...

Éva est toujours au cœur de son travail : après *Femme nue « J'aime Éva »* (automne 1912), *Femme en chemise dans un fauteuil* (fin 1913-1914), *Peintre et son modèle* et *Portrait de jeune fille*, à l'été 1914, après un séjour encore paisible à Avignon. À Paris, auprès d'Éva, Pablo entame une nouvelle vie sociale et commence à faire partie des personnalités en vue.

La guerre éclate : Braque et Derain partent au front. Apollinaire s'en va la fleur au fusil, ravi d'être « apte au service ».

L'Espagne, dans ce conflit, est neutre. Pablo reste ainsi avec les épouses des amis partis au combat – et, heureusement, avec Éva.

Celle-ci se plaint de douleurs depuis quelques semaines. La maladie gagne du terrain. On diagnostique un cancer de la gorge. On sait par une lettre de Pablo à Apollinaire, datée de février 1915, qu'Éva est alors dans une maison de santé depuis un mois et qu'elle a subi une première opération. Sa santé se dégrade continûment au printemps, plus encore durant l'été. Comme pour parachever ce sinistre tableau, Braque est gravement blessé à la tête en ce même printemps.

Pablo est accablé de chagrin. Et tellement seul... Pour tenter de sauver Éva, il court d'hôpital en hôpital. Tous les lits sont occupés par les blessés de guerre.

Éva passe ses dernières semaines dans une clinique à Auteuil et s'éteint le 14 décembre 1915.

Dans la plupart des biographies consacrées à mon grand-père, Éva a été décrite comme le « grand amour de sa vie », et elle fut certainement la source de son plus grand désespoir. L'instable Pablo parlait de fonder un foyer avec elle, de se marier, d'avoir des enfants. Il voulait accomplir ce qu'il avait esquissé avec Fernande, la tendresse et la compréhension en plus. La maladie vint bouleverser ce rêve d'éternité et Pablo eut du mal à s'en remettre.

D'un autre côté, la fugacité même de cet amour ajouta à sa sublimation : Pablo n'était pas allé au bout de l'inspiration qu'Éva lui avait offerte et leur histoire, sentimentale et artistique, était destinée à rester un chef-d'œuvre inachevé.

Pablo, désespéré, tente de s'oublier auprès de nouvelles conquêtes, des passades auxquelles, désorienté, il va jusqu'à proposer le mariage, sans conviction et sans succès. Ces liaisons successives s'appellent Gaby Lapeyre (qui devint Mme de Lespinasse), Irène Lagut, sa voisine et sa confidente attentive de la rue Schoelcher – où il s'était installé avec Éva en 1912 – Elvira Paladini (connue sous le diminutif de You-You) ou une certaine Émilienne Pâquerette, le modèle à la mode qui trouve en Pablo le complément idéal à son image de femme en vue. Pablo jongle véritablement avec ces quatre aventures, plus ou moins simultanément, durant toute l'année 1916 et au début de 1917.

En octobre 1916, il déménage de la rue Schoelcher et part à Montrouge fuir le souvenir obsédant d'Éva. Il fréquente alors assidûment *La Rotonde*, le bar à la mode depuis qu'intellectuels et artistes ont migré de Montmartre à Montparnasse. Il se fait de nouveaux amis, comme Marie Vassiliev et surtout Jean Cocteau, jeune poète frénétique et mondain qu'il a rencontré fin 1915, qui ouvre sa vie et son œuvre à de nouveaux horizons. Le futur auteur de *La Machine infernale* est le sésame idéal pour pénétrer le grand monde. Cocteau, enthousiasmé par son nouvel ami et démonstratif au point d'espérer – en vain – être peint en arlequin, le présente à Eugenia Errazuriz.

Née en 1860, d'origine chilienne, Mme Errazuriz est une personnalité en vue de la société parisienne et intervient en mécène dans la vie culturelle, dont Serge de Diaghilev, « l'inventeur » des Ballets russes, est une des figures de proue. Elle sert de guide à Pablo dont elle parle la langue maternelle et l'introduit dans les cercles mondains et cosmopolites. Pablo fait ainsi la connaissance du comte Étienne de Beaumont, figure éminente, avec son épouse, des festivités les plus remarquées de la vie parisienne. Ainsi, en octobre 1916, Pablo est invité à la mémorable soirée *Babel*, organisée par le couple.

Une nouvelle vie commence – sa période « duchesse », selon le mot de son camarade Max Jacob, colporté par les amis d'autrefois...

Olga Khokhlova (1891-1955)

Au début de l'année 1917, Cocteau persuade Pablo de travailler au décor de *Parade*, un ballet en un acte dont il est l'auteur. Il veut réunir sur ce projet les artistes les plus en vue du moment, le compositeur Erik Satie, le chorégraphe Léonide Massine, la troupe des Ballets russes de Serge de Diaghilev, Pablo Picasso pour le décor et les costumes et... lui-même, évidemment.

C'est l'électrochoc qu'attendait Pablo, tombé depuis plusieurs mois dans une vie qu'il juge sans intérêt, ni sentimental, ni artistique. Il rejoint à Rome Diaghilev et ses danseurs. Au sein de la troupe, il fait la connaissance d'une jeune danseuse de vingt-six ans, Olga Khokhlova[1]. Selon Michael C. Fitzgerald[2], « celle-ci n'était pas une néophyte dans le monde théâtral. Entrée dans les Ballets russes en 1911, à l'âge de vingt ans, elle participa aux premiers spectacles montés par Diaghilev sous son propre nom. Fille de Stéphane Khokhlova, colonel de l'armée impériale, et de Lydia Vinchenko, elle avait déjà travaillé à Saint-Pétersbourg dans l'école d'une maîtresse de ballet respectée, Ievguenia Pavlovna Sokolova, mais c'était, en 1911, son premier engagement professionnel. Bien qu'elle ne devînt jamais *prima ballerina*, les chorégraphes de Diaghilev sont loin de l'avoir négligée ».

Arianna Stassinopoulos-Huffington présente Olga d'une façon particulièrement violente. Plus personne ensuite n'a cherché à corriger cette description au vitriol de la femme dont Pablo tombe amoureux : « Elle était partie de chez elle à vingt et un ans pour entrer au Ballet Diaghilev et se consacrer à la danse. Son talent n'était pas assez grand pour compenser le fait que, pour une danseuse, elle avait commencé trop tard, mais Diaghilev aimait avoir dans sa compagnie des filles d'une classe sociale plus élevée, même

1. De très nombreux ouvrages font apparaître l'écriture « Khoklova », plus rarement « Kokhlova » ou même « Koklova » mais l'orthographe exacte est bien Khokhlova, figurant sur tous les documents officiels comme ceux de la procédure de divorce de Pablo et Olga ou de la Succession Picasso. L'erreur est fréquente puisque même sa petite-fille Marina utilise d'ailleurs l'orthographe « Kokhlova » dans les écrits qu'elle a publiés.

2. « Le néoclassicisme et les portraits d'Olga Khokhlova », dans *Picasso et le portrait*, Paris, RMN-Flammarion, 1996.

si elles n'étaient pas très bonnes danseuses. Olga Koklova était avant tout moyenne : ballerine moyenne, de beauté moyenne et d'intelligence moyenne, avec les ambitions moyennes de se marier et de s'installer. Pour Picasso qui avait essayé des prostituées, des modèles bisexuels, de jeunes bohèmes flamboyantes, des beautés tuberculeuses et des filles noires de la Martinique, Olga était si conventionnelle à tous égards qu'elle en était pratiquement exotique[1]. »

D'un biographe à l'autre, les réserves faites sur Olga se sont cumulées, ne rendant de la jeune femme qu'un aspect caricatural. Jamais personne dans le parcours amoureux de Pablo n'a suscité autant de controverses. Et la violence de la séparation, en 1935, renforcée par l'aspect « officiel » de la procédure de divorce, a rétroactivement pesé sur l'image d'Olga, au point de faire oublier tout ce que leur relation eut d'heureux au début.

Étaient-ce donc sa réserve et ses bonnes manières qui attirèrent Pablo ? Était-ce son origine russe, mélange contre nature de révolution bolchevique, si excitante, et de prestige de l'empire tsariste qui sombrait avec fracas ? Olga est un mystère, en elle-même et par ce qu'elle représente. Qu'importe qu'elle ne fût pas la danseuse qu'elle espérait devenir : elle avait bien d'autres aspirations, que seul Pablo lui permettrait d'atteindre. Il avait, lui, des exigences artistiques qu'elle l'aiderait à réaliser. Leur antinomie apparente forgeait une vraie complémentarité.

Pablo suit la troupe à Paris, à Madrid, à Barcelone enfin, où il présente sa nouvelle conquête à sa mère, qui recommande bien à Olga de ne pas épouser son fils. « Je ne crois pas, lui aurait-elle dit, qu'aucune femme puisse être heureuse avec lui. » Et Abuelita (« petite grand-mère ») conseille en écho à son fils tant chéri de ne surtout pas épouser cette femme[2]... De son côté, Diaghilev suggère à Pablo : « Une Russe, on l'épouse ! »

1. *Picasso, créateur et destructeur, op. cit.*

2. Pablo annonça d'ailleurs son mariage avec Olga par un courrier à sa mère Doña María... un mois après la cérémonie du 12 juillet 1918.

Que de pressions autour du couple ! Pablo exerce alors sur Olga le jeu subtil et habituel de sa séduction, dont l'arme suprême est la peinture. À Barcelone, la Russe Olga se fait hispanique, et se pare d'une mantille. Le portrait, de technique pointilliste, semble une demande en mariage... Réalisé pour faire entrer Olga dans la lignée espagnole, la représentation satisfait le modèle – et Doña María, qui conserve l'œuvre à Barcelone.

La « période Olga » marque le retour à un style néoclassique. À Rome, Pablo a été ébloui par la ville historique, l'architecture monumentale et la statuaire. La majesté du cadre et la simplicité de vie des Latins s'harmonisent parfaitement, aux yeux de Pablo. Il s'est aussi passionné pour les ruines de Pompéi. Meurtri par la mort d'Éva, excédé de liaisons sans lendemain, il reprend goût à une vie paisible, propice au repos de l'âme et du cœur. Il est entouré de gens talentueux. Le beau temps et la bonne humeur ambiante favorisent aussi l'inspiration. Le travail de création avec Diaghilev, l'entreprise de séduction auprès d'Olga stimulent son bonheur de vivre. C'est une renaissance – une autre vie !

Son retour à Barcelone, en famille, n'a-t-il pas bouclé son parcours de jeune homme, n'est-il pas temps de fonder une famille ? Olga aspire à une vie bourgeoise et mondaine, dans la droite lignée de son éducation. Picasso n'est-il pas au tout premier plan de la vie culturelle parisienne ? Elle saurait y faire bonne figure.

Quand la compagnie quitte Barcelone, Olga reste avec Pablo, renonçant intelligemment à une carrière déjà accomplie, au mieux de son talent, pour une vie de femme plus prometteuse. Fin novembre 1917, ils s'installent à Montrouge dans l'atelier de Pablo. Olga prend en main le foyer. Désormais règne l'ordre d'une vie policée. Adieu la bohème, cette muse féconde, désormais jugée *non grata*. Voici comment, sous la plume de Stassinopoulos-Huffington [1], cette mutation est narrée : « Olga ne se souciait guère de l'art, elle ne voyait

1. *Picasso, créateur et destructeur*, *op. cit.*

qu'un moyen de décorer un appartement, elle était révoltée par la vie de bohème et bien maîtresse d'elle-même pour se laisser envoûter par ce magnétisme animal. Et puis c'était une artiste et son narcissisme était égal à celui de Picasso. Elle répondit donc à ses avances parce qu'il était important dans son univers immédiat, c'était quelqu'un d'assez valable pour avoir été choisi par le légendaire Diaghilev pour dessiner les décors et les costumes de *Parade*. Et elle répondit avec prudence et calcul. »

Il existe fort peu de témoignages directs sur Olga et ils décrivent, curieusement, soit une personnalité froide, suscitant peu de commentaires, soit un caractère explosif – et alors fort contesté, notamment au moment de la demande de divorce en 1935. Mon sentiment est qu'elle était certainement le produit de son éducation, corsetée de règles et de contraintes. Olga a fondu sa personnalité dans un moule de respectabilité. En un sens, sa vie lui échappait.

Le monde des années vingt a définitivement changé, après la Première Guerre mondiale, après la Révolution russe, avec les révolutions artistiques et, parallèlement, les mutations des mœurs et de la société française. Olga rêvait d'un monde qui n'existait plus et, malheureusement, elle choisit le prétendant le moins assorti à ses rêves, et, surtout, le moins docile. Elle a été conquise par son apparence. À ses yeux, Pablo était cet homme qui rivalisait d'élégance avec Cocteau et Diaghilev. Son accent espagnol excusait son propre accent russe. Il lui fit la cour. L'image était conforme à son code des bonnes manières. Elle ignorait tout le reste, particulièrement la mécanique de son génie créatif et ses souffrances intérieures.

Il faut admettre que Pablo était curieux de connaître le beau monde et il paraissait prêt à faire les mêmes sacrifices que bien d'autres hommes pour conquérir une jeune femme de la meilleure société. En tout cas, il tenta l'expérience. Il aimait que les choses suivent leur cours. Il avait rencontré Cocteau, Eugenia, Diaghilev, et Olga : tout cela devait avoir un sens. Le hasard ne l'avait-il pas déjà heureusement surpris ? Olga avait tout de même fait la preuve de son libre arbitre : elle avait choisi tardivement, contre la volonté des siens, ce métier de danseuse, si mal vu dans son milieu, et suivi un parcours atypique pour une jeune fille de bonne famille.

Dès le début de leur « fréquentation » toute convenable, Pablo prend le parti de dessiner Olga avec tout le respect qu'elle exige : avant tout, elle veut se reconnaître. Les portraits la montrent pensive, presque absente, les traits si réguliers... Picasso a nettoyé sa vie, il a presque nettoyé son art.

Pablo et Olga se marient le 12 juillet 1918, dans les derniers soubresauts meurtriers d'une guerre mondiale, à l'église russe de la rue Daru. Les témoins sont Jean Cocteau, Max Jacob et Guillaume Apollinaire.

L'euphorie du mariage est cependant de courte durée. Dès les premiers jours de leur lune de miel à Biarritz chez sa chère amie, Mme Errazuriz, Pablo ne manifeste pas l'enthousiasme de mise chez un jeune marié. A-t-il fait l'erreur de ne pas rester en tête à tête avec Olga ? Lors de ce séjour réputé nuptial, Eugenia lui présente ses futurs marchands : Georges Wildenstein et Paul Rosenberg (le frère de Léonce, marchand également, avec qui Pablo a déjà « travaillé »). Mais il s'ennuie. Il l'écrit à ses amis, d'une plume en demi-teinte, en décrivant ses activités quotidiennes : il crayonne, il a décoré une chambre de la maison – rien de bien exaltant... À Apollinaire, il avoue dans sa lettre : « Je ne suis pas très malheureux... »

De retour à Paris, Olga et Pablo décident de trouver un nouvel appartement. Olga veut recevoir et le domicile de Montrouge, quoique propre et bien rangé désormais, n'est plus adapté, pas assez présentable. Paul Rosenberg trouve le cadre idéal, au 23, rue La Boétie à Paris dans le VIIIe, juste à côté de sa luxueuse galerie. Ce quartier des Champs-Élysées est déjà prestigieux, avec ses maisons de fourrures, ses galeries d'art et ses hôtels particuliers. Après Montmartre et Montparnasse, Pablo se retrouve à nouveau au milieu de créateurs... mais de créateurs ayant pignon sur rue, et de l'argent en banque.

L'appartement subit de grands travaux, si longs qu'Olga décide Pablo à s'installer à l'hôtel *Lutetia*, boulevard Raspail, dans le VIe – encore proche de Montparnasse et de Saint-Germain-des-Prés mais à la lisière de ces riches hôtels particuliers du VIIe –, pour recevoir convenablement leurs connaissances. Elle désire aussi qu'il mette un peu de distance avec ses amis artistes. « Pablo fréquente les beaux quartiers... », diront ceux-ci avec amertume.

Enfin dans ses murs, Pablo décide de louer l'appartement du dessus, au quatrième étage, pour en faire son atelier. Il se partage ainsi entre l'impeccable appartement de réception, décoré richement par Olga (celui-là même que le photographe Cecil Beaton a découvert avec surprise), et l'atelier où il organise ou plutôt désorganise « sa bohème ». Il concilie ainsi pour un certain temps les contradictions de leurs aspirations respectives. Cependant, la vie mondaine prend lentement le dessus. Dîners, soirées, galas se succèdent, tandis que Pablo tente de poursuivre son travail.

Au début de l'année 1919, il part à Londres avec Olga. Ils y restent près de trois mois, afin que Pablo travaille au rideau de scène d'un nouveau ballet, *Le Tricorne*, avec Diaghilev et Massine. Ils sont encore et toujours invités partout. Pablo ne reste pas insensible ni aux louanges ni aux sirènes de la célébrité. Et Olga accompagne élégamment ce triomphe. Quand les époux partent en vacances, en août à Saint-Raphaël, ils suivent le circuit mondain sur la Côte d'Azur.

En février 1920, Pablo réalise le décor et les costumes de *Pulcinella*, donné par Diaghilev en mai suivant à l'Opéra de Paris. Il expose désormais ses tableaux chez Paul Rosenberg, qui lui assure un revenu des plus confortables. Daniel-Henry Kahnweiler, de retour à Paris après la guerre (la France avait saisi ses collections pendant le conflit comme « biens de l'ennemi » !), ouvre une nouvelle galerie rue d'Astorg et lui propose aussitôt d'exposer ses œuvres. Pablo saisit cette occasion pour mettre en concurrence ses deux marchands. La manœuvre va lui assurer une cote et des revenus toujours en hausse. Rosenberg tient la corde car, avec son associé Wildenstein, il assure la promotion de Pablo aux États-Unis.

Les époux retournent à Saint-Raphaël, l'été suivant. Et Olga tombe alors enceinte.

Enfin ! L'heureux événement donne un nouvel élan au couple. Pablo retrouve sa vigueur, sa créativité. Et son affection pour Olga. La naissance d'un fils, Paul, le 4 février 1921, marque une nouvelle étape pour Pablo, père pour l'année de ses quarante ans. Le visage pensif d'Olga devient, sur les toiles, celui d'une mère attentive à son enfant. Toute la force des recherches artistiques de Picasso est canalisée par la douceur. De nombreuses *Maternités* voient le jour, particulièrement en juillet 1921 lorsque le couple s'installe à Fontainebleau avec le bébé. Lorsqu'il peint des œuvres éclatantes comme les *Trois Femmes à la fontaine* et *Les Trois Musiciens*, il en donne deux versions. D'Olga il suggère une dimension insoupçonnée, déformée mais sublimée. Si les traits de son épouse sont transmués, c'est l'intensité de leurs émotions qu'il imprime sur la toile. L'influence des voyages, de Rome surtout, des danseuses bien charpentées, des baigneuses qu'il avait vues au bord de la mer et qui lui rappelaient celles des cabines de bain de son enfance à La Corogne, s'ajoutant à la grossesse d'Olga, lui inspire des formes monumentales. C'est la « période des géantes ».

Il est d'ailleurs troublé par les œuvres des dernières années de Renoir qu'il a aperçues en nombre chez Rosenberg : ces déviations de formes généreuses, que le peintre impressionniste a explorées, Pablo indirectement les rejoint. Les femmes de Renoir conservent leurs couleurs, celles de Pablo sont austères et pensives. Picasso fait ainsi le lien entre le classicisme et le modernisme. Il s'engage dans une dimension artistique qui clôt déjà la période cubiste et, simultanément, la période bohème de sa vie.

Ne viserait-il pas à entrer au musée ?

En juillet 1922, lors d'un séjour à Dinard avec Olga, son travail évolue vers un « rendu des mouvements » plus affirmé. « Ces figures déformées jouant au ballon ou à la corde à sauter évoluent dans l'atmosphère joyeuse et libre d'une plage [1]. » L'aspect psychologique des portraits se renforce, et les sources d'inspiration se diversifient. Le visage d'Olga s'estompe.

Au retour du couple à Paris à la fin de l'été, Pablo réalise le décor de l'adaptation libre d'*Antigone* par Cocteau, joué au Théâtre de l'Atelier. De son côté, Olga poursuit l'organisation de leur vie sociale en y entraînant plus que jamais son mari. Pablo n'est pas insensible au charme de ces soirées, tout au long des « *roaring twenties* », ces folles années vingt qui voient s'amorcer tout à la fois la reconstruction de l'Europe et la montée des fascismes.

Et les habitués de ces fêtes ébouriffées sont autant de futurs clients...

Les folies, cependant, se répètent, et perdent de leur attrait. La vie du couple n'est plus que façade. Sortir, toujours sortir, paraître... Le futile l'emporte sur l'essentiel... les groupes sur le couple.

Lors de ces mondanités, Pablo rencontre Gerald Murphy et son épouse Sara, des Américains de Boston. Lui est peintre, elle une brillante figure de la société, une *socialite*, comme on dit en anglais. Picasso la trouve très belle et particulièrement distrayante. Les Murphy, qui comptent nombre d'écrivains et d'artistes parmi leurs amis, inscrivent la vie mondaine dans une perspective intellectuelle. Picasso, emballé par cette ronde des esprits, retrouve le couple au Cap-d'Antibes durant l'été 1923, à l'*Hôtel du Cap* désormais ouvert en été. Se joignent à eux les Beaumont, Gertrude Stein et sa compagne Alice Toklas. Doña María, qui y fait son premier voyage en France, constate à l'occasion quelle respectabilité a gagnée son fils.

1. Catalogue de la vente aux enchères *Les Picasso de Dora Maar*, des 27 et 28 octobre 1998, organisée à Paris par l'étude Piasa et Me Mathias, succession de Mme Markovitch (dite Dora Maar), à la Maison de la Chimie à Paris.

L'originalité de Pablo plaît sans doute à la belle Mrs Murphy, mais fut-elle sensible à l'homme ? Cet été-là, Pablo travaille sur différentes études des *Baigneuses*, réalise *La Flûte de Pan* et représente encore Olga, pensive, distante... À quoi songe-t-elle d'ailleurs ? À ce dont elle rêvait et n'a pas eu, ou à ce qu'elle espère encore recevoir ? Regrets ou espoirs ? Les époux parlent peu...

Il renforce par ailleurs son travail sur la photographie. Depuis plusieurs années, Pablo s'y intéresse, analysant la façon dont un tirage reproduit la réalité, entre les variations des dégradés de gris et l'impression recréée des profondeurs de champ. Olga, Paulo, Diaghilev ou, quelques années auparavant, Apollinaire, sont ainsi immortalisés sur sels d'argent, puis reproduits, d'après leur photo, sur des peintures ou des dessins.

Pendant l'année 1924, Pablo travaille au ballet de Léonide Massine, *Mercure,* puis à celui de Serge de Diaghilev, *Train bleu*. Au total, depuis 1916, il a participé à huit productions de théâtre ou de danse. Olga n'est pas absolument ravie de voir surgir régulièrement ce passé auquel elle avait renoncé. C'est chez elle une obsession. Elle tente aussi d'effacer le passé de Pablo, déchire les lettres d'Apollinaire parce qu'il parle de Fernande, ou fait un esclandre devant Gertrude Stein médusée.

Mercure fait encore scandale, comme l'avait fait *Parade*. Pablo, même « rangé », est un subversif permanent, pour la plus grande joie des mouvements intellectuels les plus radicaux – au premier rang desquels, dès 1920, les dadaïstes.

Ces anarchistes du geste créateur, ce seul mot séduit Pablo, lui rappellent ses propres audaces de jeunesse à Barcelone. Le groupe Dada, emmené par le poète Tristan Tzara, compte d'éminents activistes comme Paul Éluard, Louis Aragon et André Breton ou les peintres Francis Picabia ou Max Ernst. Cependant, pour admiratifs qu'ils soient des papiers collés de Picasso, ils croient à tort qu'il fait du cubisme « commercial », alors qu'il en est déjà bien loin. Leur méprise vient sans doute du décalage temporel avec lequel le marchand

Kahnweiler présensait les œuvres aux acheteurs. Le public a un train de retard...

Pourtant le ballet *Mercure*, cette fois, provoque les vigoureuses protestations des surréalistes, nouvellement détachés de Dada et conduits par Breton – non sur le décor de Picasso, en accord avec leurs conceptions artistiques, mais sur la soirée donnée par le comte de Beaumont au profit des réfugiés russes, ennemis de la révolution bolchevique.

Il se trouve que Pablo connaissait Breton depuis 1918. En juin 1924, les surréalistes en bloc lui rendent hommage pour le dissocier du scandale de *Mercure*. Picasso n'était-il pas le précurseur, celui qui s'était affranchi le premier, par le cubisme ou les collages, le premier qui s'était libéré des mécanismes académiques ? N'était-il pas curieux du hasard ?

Durant l'été, à Juan-les-Pins, Pablo s'amuse encore à peindre son fils Paul, dit désormais Paulo, dans différents costumes, en une ultime tentation classique. Mais la vague surréaliste l'a séduit. Ou peut-être l'a-t-elle rassuré sur son propre parcours. Pablo, plus âgé que ses disciples reconnaissants, ne veut pas être en reste. Pour André Breton, « le but le plus cher des surréalistes, maintenant et dans l'avenir, doit être la reproduction artificielle du moment idéal où un homme est la proie d'une émotion particulière ». Pablo, qui partage ce point de vue, le met en pratique dans la nouvelle approche de son travail. L'apparence des choses et des êtres s'efface. Il y retrouve la pensée de son ami tant regretté, Apollinaire – l'inventeur du mot « surréaliste ».

Pendant ce temps, Olga songe à la soirée suivante...

En 1925, Olga, Paulo et Pablo repartent pour la Côte d'Azur, en un rituel devenu lassant. Même Olga semble se forcer. Les soirées reprennent, comme inexorablement, le plus souvent à Monte-Carlo. Le conflit intérieur de Pablo s'exacerbe. Il a fait le tour du sujet et se rend bien compte qu'il perd son temps en ronds de jambe, alors qu'une révolution artistique et intellectuelle a lieu, ailleurs, sans lui.

Les discussions de convenance (le *small talking* en anglais) génèrent chez Pablo une vraie hantise. D'où son goût, plus tard, pour les déclarations abruptes. Olga, constate-t-il, est désormais prisonnière de ce système mondain. Pablo n'en est déjà plus partie prenante. Il veut participer au combat des idées. Il doit reprendre la main.

La vie avec Olga se dégrade irrémédiablement. Elle se rend bien compte qu'elle perd son mari. Elle voudrait, à nouveau, qu'il s'intéresse à elle... N'a-t-elle pas compris trop tard ? Les disputes sont quotidiennes. Au lieu de chercher les raisons de leurs dissensions, Olga les refuse en bloc. Elles échappent à son entendement. Elle renonce déjà à exiger une explication aux absences de Pablo, puisqu'il revient toujours à la maison. Elle s'opposera plus tard aussi au divorce, par tous les moyens, au point de sacrifier à cette obstination sa santé physique et mentale. Mais elle ne voulait pas être une femme divorcée. Cela ne se faisait pas !

À l'automne 1925, malgré sa décision antérieure de ne jamais participer à des expositions collectives, Pablo accepte de figurer dans la première exposition surréaliste à la galerie Pierre à Paris. Le couturier et collectionneur Jacques Doucet[1] prête ses *Demoiselles d'Avignon*, désormais mères de tout l'art moderne, alors qu'elles ont été réalisées en 1907 ! Picasso y rencontre nombre de nouveaux artistes – il redevient un « contemporain ». Coup d'éclat, il achève *La Danse*, toile de grandes dimensions, qui marque une rupture définitive avec sa période néoclassique. Suit *Le Baiser*, œuvre éro-

1. Conseillé par André Breton fin 1921, Jacques Doucet acheta immédiatement la toile à crédit à Picasso. *Les Demoiselles d'Avignon* furent cédées en 1937 par sa veuve à Jacques Seligman pour 150 000 francs (450 000 francs réévalués, soit environ 68 500 euros), puis acquises, pour 28 000 $, par le Museum of Modern Art de New York grâce à un don privé de 10 000 $ et à la vente d'une toile de Degas, *Le Champ de course*. C'était la première fois que le musée se dessaisissait d'une œuvre (la décision d'achat ne fut officielle qu'en avril 1937 après la vente du Degas) ! En 1990, à l'occasion de l'exposition « Picasso and Braque, pioneering Cubism », l'œuvre fut estimée alors à « au moins » 500 millions de francs (plus de 75 millions d'euros). Elle est aujourd'hui inestimable.

tique scandaleuse et jusqu'au-boutiste, indéchiffrable et pourtant sans équivoque, qu'il conservera toute sa vie.

Il tire ainsi un trait sur ses années de représentation sociale, non parce qu'il ne les a pas appréciées en son temps, mais parce qu'elles l'ont affaibli, presque castré.

En janvier 1925, un jeune homme, Christian Zervos, crée une revue confidentielle sur l'art moderne, *Les Cahiers d'Art*, consacrant à Pablo ses premières études. Il lui propose de réaliser un catalogue raisonné de son œuvre. Commence alors un dialogue permanent entre eux, avec travail presque hebdomadaire de prises de vue des œuvres du passé et du « *work in progress* ». Zervos photographie sans relâche jusqu'à sa propre mort en 1970. De ce travail fastidieux, souvent trop onéreux pour lui, demeurent trente-trois volumes d'une importance capitale, sans précédent dans l'histoire de l'art. Et pourtant, toute l'œuvre de Picasso ne s'y trouve pas !

Pour l'été 1926, Pablo, Olga et Paulo s'installent avec cuisinière et gouvernante à Juan-les-Pins. Ils y ont loué une villa, *La Haie blanche*. Le couple en perdition répond encore aux sollicitations mondaines de la Riviera.

En octobre suivant, la petite famille Picasso repart pour Barcelone. Mais ces quelques semaines catalanes en vase clos convainquent Pablo qu'un changement de vie est nécessaire.

Dans le contexte politique de l'époque, entre la dictature militaire espagnole, le fascisme européen qui couve et le communisme qui s'étend, Pablo n'est plus un révolutionnaire, mais un bourgeois assoupi de quarante-cinq ans.

Quelques mois encore le séparent d'une solution inattendue : Pablo trouve un refuge inespéré, Olga un sursis miraculeux.

Marie-Thérèse Walter (1909-1977)

Elle est celle qui va indubitablement réveiller la force créatrice qui était en Pablo. Elle réveille aussi l'amant. Le samedi 8 janvier 1927, en fin d'après-midi, Pablo aperçoit une jeune fille, au travers des vitrines des Galeries Lafayette. Il la suit du regard, attend qu'elle sorte et l'aborde avec un grand sourire. « Mademoiselle, vous avez un visage intéressant. Je voudrais faire votre portrait. » Il ajoute : « Je sens que nous ferons de grandes choses ensemble. » « Je suis Picasso », dit-il en guise de présentation, désignant un gros livre en chinois ou en japonais qui parle de lui. « Je voudrais vous revoir. Je vous donne rendez-vous lundi à 11 heures dans le métro Saint-Lazare [1]. »

Marie-Thérèse Walter, ma future grand-mère, venait de rencontrer l'homme de sa vie. Picasso naissait une seconde fois.

Elle ignore totalement qui peut bien être ce Picasso, mais elle a remarqué sa superbe cravate rouge et noir – qu'elle conservera ensuite toute sa vie : « Les jeunes filles, autrefois, ne lisaient pas les journaux. Picasso, ça ne m'a rien dit. C'était sa cravate qui m'intéressait. Et puis, il m'a charmée... » Marie-Thérèse gardera également précieusement un petit calendrier de 1927 dans un étui en cuir rouge Hermès, accompagné de cheveux de Pablo et d'un portrait de lui-même sur une petite feuille de papier, ce qui confirme la valeur hautement symbolique qu'il accordait à l'année 1927 [2].

Marie-Thérèse va au rendez-vous. Le « monsieur » bizarre est bien là. « J'y suis arrivée comme ça, par hasard, parce que son sourire était gentil », racontera Marie-Thérèse un demi-siècle plus tard. « Il m'a emmenée au café, déjeuner, puis dans son atelier, il m'a regardée, il a regardé ma silhouette, il m'a regardé le visage, et puis après je suis sortie. Il m'a dit : "Revenez demain." Et puis après, c'était toujours demain ; je faisais croire à ma mère que je travaillais. »

---

1. Interview de Marie-Thérèse Walter par Pierre Cabanne, dans l'émission radiophonique *Présence des Arts* sur France-Inter le 13 avril 1974.

2. *Cf.* la note de Diana Widmaier Picasso dans le catalogue de l'exposition « Picasso et les femmes », Chemnitz (Allemagne), Kunstsammlungen Chemnitz, 2002. « Toute hypothèse d'une rencontre [avec Marie-Thérèse] en 1926, voire 1925, développée depuis quelques années, est définitivement infirmée, en dépit des changements stylistiques apparus [dans son œuvre] en 1925. Mon grand-père avait rêvé celle qu'il attendait. »

Ils entament une conversation qui se renouvelle chaque jour. Mon futur grand-père vient prudemment chercher Marie-Thérèse, à Maisons-Alfort. Il bénéficie très vite de l'assentiment de Marguerite, la mère de Marie-Thérèse, rassurée par les manières courtoises de ce monsieur.

Elle pose simplement dans l'atelier de la rue La Boétie, le *no man's land* où personne ne pénètre jamais. Olga même n'y monte pas. Comme le répétera Marie-Thérèse : « Je ne me permettais pas de regarder, mais il y avait un tel fouillis... » Pablo la représente d'abord de façon classique. Il lui assure qu'elle lui « a sauvé la vie », ce que Marie-Thérèse ne comprend guère. Elle n'a pas encore atteint la majorité. Pablo doit cacher de son mieux une liaison qui est pénalement un « détournement de mineure » ! Malgré leur passion naissante, ils attendent ainsi le jour de son dix-huitième anniversaire (première étape de la majorité légale) pour « consommer » leur liaison.

Pablo rentre tous les soirs rue La Boétie retrouver son foyer conjugal. Olga ne demande rien et, bien que les absences de son mari se fassent plus fréquentes et les retours bien tardifs, Olga se satisfait d'un « je sors ! » ou d'un simple « bonsoir ». Puisqu'il revient, l'honneur est sauf.

Ces parenthèses de bonheur permettent à mon futur grand-père de supporter l'enfermement de sa vie d'époux. Olga et lui repoussent – bien inutilement – l'explication. Olga s'enlise dans l'amertume, Pablo dans l'indifférence.

L'écart d'âge joue en la défaveur d'Olga. Entre une grande adolescente et une mère de famille, Pablo fait un choix instinctif. Si injuste pour l'épouse, en apparence.

Marie-Thérèse vivra elle-même dix ans plus tard cette expérience en s'effaçant peu à peu devant Dora Maar, puis devant Françoise Gilot, tandis que Pablo continuera à lui déclarer qu'il n'y a qu'elle, malgré toutes les autres...

En attendant, il dessine frénétiquement la douce et tendre Marie-Thérèse. Dessins somptueux, mais encore anonymes, comme ceux qui illustrent *Le Chef-d'œuvre inconnu*[1], fruit de l'amour qu'il lui porte mais qu'Olga doit absolument ignorer. Est-ce du respect pour son épouse ? Le divorce n'existe pas en Espagne : de nationalité espagnole, Pablo n'a aucun espoir de ce côté-là. Peut-être qu'un arrangement...

Pablo croise tendrement ses initiales et celles de Marie-Thérèse, comme il l'a fait, adolescent, avec celles de la jeune Angeles, puis avec celles d'Éva. Ce jeu de lettres, qui prend souvent la forme d'une guitare, l'amuse énormément. Il retrouve la spontanéité et l'insouciance perdues, il redevient un jeune amoureux au contact de Marie-Thérèse.

La vie avec Pablo « était tout à fait exaltante », se souvint toujours ma grand-mère. « Couverte d'amour, de baisers, de jalousie et d'admiration[2] », Marie-Thérèse est différente des autres jeunes filles parce qu'elle est innocente et parce que, d'autre part, elle ne touche en rien au milieu artistique. Elle est si jeune, face à l'expérience de Pablo... Fabuleux destin que celui de cette jeune fille arrachée à ses jeux de gamine et plongée dans un monde incohérent où la fièvre amoureuse d'un homme le dispute à la passion fascinée d'un artiste ! Comment ne pas succomber à l'artiste, comment ne pas être intriguée ?

Ma grand-mère n'avait pas d'ambition sociale, elle n'en avait même pas l'idée. Mince et sportive, ce qui était exceptionnel à l'époque, elle faisait de l'aviron (du skiff, plus précisément), du vélo et du ballon (le fameux ballon lesté, dit *medecine ball*, qui inspira tant mon grand-père) ; plus tard, elle fit même régulièrement de l'équitation, puis de l'alpinisme à Chamonix. Elle était fraîche et spontanée, trop gentille aussi – et si jeune ! Elle n'était pas timide, mais réservée ; bien élevée, mais pas « éduquée », au sens où l'on dressait alors les jeunes filles à leurs devoirs sociaux. Et,

1. Édition en treize eaux-fortes et soixante-sept dessins gravés du roman de Balzac interprété librement par Picasso, selon un contrat passé avec le marchand Ambroise Vollard. Le tirage comprit quatre cent cinq épreuves en tout.
2. Interview de Marie-Thérèse Walter par Pierre Cabanne, *op. cit.*

enfin, elle était totalement désintéressée. Elle incarnait ainsi une pureté à laquelle Pablo fut immédiatement sensible. Pablo, enfin, est lui-même. Il ne triche plus.

Ses sœurs aînées, Jeanne et Geneviève, qui avaient eu la chance de poursuivre des études supérieures, sont ophtalmologistes. Marie-Thérèse, elle, n'a pas eu le temps de penser à son avenir. Comment reprocher à l'entourage de Picasso, quand il découvrira son existence, de s'étonner de sa naïveté, voire de son absence de culture artistique ?

C'est dans la sérénité que mon grand-père construit discrètement le nid tant rêvé. « Ma vie a toujours été secrète avec lui », raconte Marie-Thérèse. « Calme et tranquille. On ne disait rien à personne. Nous étions heureux comme ça et ça nous suffisait[1]. » L'artiste peut s'adonner à son art, sans soucis matériels, avec un modèle tout à lui. Les amants sont coupés du monde dans une tour d'ivoire où Pablo, en vérité, contrôle tout. Il aliène sa muse insouciante, qui en paiera le prix. Pablo avait recréé son fameux paradis perdu. Malheureusement, il ne put s'abstraire tout à fait du réel alors que Marie-Thérèse resta prisonnière, toute sa vie, de sa cage dorée. Si bien que, son geôlier disparu en 1973, la porte demeurée ouverte, elle ne put vivre seule et libre à l'extérieur. Et en mourut, inconsolable, quatre ans plus tard.

Les experts s'accordent à dire que cette « période Marie-Thérèse » a vu naître des dessins et des gravures exceptionnels, tant par la force des sujets que par l'émotion qui les inspirait. Pablo vit un nouveau départ, dont l'impulsion est donnée – en était-il tout à fait conscient ? – par Marie-Thérèse. Suivra Dora, dans une nouvelle direction, avant que Françoise ne lui apporte l'équilibre, en lui opposant une résistance insoupçonnée...

Ce n'est pas le caractère de Marie-Thérèse qu'il mit sur le papier ou la toile. Ma grand-mère suggérait plutôt l'apaise-

1. Interview de Marie-Thérèse Walter par Pierre Cabanne, *op. cit.*

ment et le repos. « Ne ris pas, ferme les yeux », lui demandait Pablo. « Il ne voulait pas que je sois gaie, se rappelait-elle. À la grande exposition chez Georges Petit en 1932, les gens lui disaient : “Dis donc, la femme que tu nous montres, elle est tout le temps en train de dormir !” Il y a des femmes qu'il aimait d'une autre manière ; moi, il m'aimait de cette façon. Quand il arrivait de Paris où il bataillait tout le temps avec Olga, avec les marchands, il me disait : “Reste là, ne bouge pas pendant une demi-heure.” Alors, pendant une demi-heure, il retrouvait ses esprits [1]. »

Marie-Thérèse offrait un visage et des courbes à Pablo. Comme elle l'avoua en toute simplicité, le rituel était immuable, entre l'homme, la femme, le modèle et l'artiste : « Il violait d'abord la femme, comme Renoir disait, et après on travaillait. » Amante complaisante, elle offre sa plastique à l'œuvre, se mue à volonté en enfant, en jeune fille discrète, en femme convulsée, abandonnée aux ardeurs d'un dieu tantôt humain, tantôt bestial. Conquise par l'inspiration qu'elle suscite, Marie-Thérèse n'en est pas moins détachée. Elle n'a jamais entendu parler de Picasso avant leur rencontre. Tout cela lui paraît quelque peu irréel. Et le restera.... Elle n'a jamais entendu le mot « cubisme ». Elle l'avouait encore spontanément à la fin de sa vie. Le monde des artistes de Montmartre ou de Montparnasse, les cubistes, les surréalistes, ce tout petit monde de privilégiés, d'intellectuels ou de mondains fortunés, Marie-Thérèse n'en fait pas partie. Elle a une admiration absolue pour Pablo. Elle ignore Picasso.

Tandis que Marie-Thérèse émerge doucement du secret, entre 1927 et 1931, Olga, l'épouse sereine des premiers portraits, se mue en Didon hurlant sa colère. Elle provoque ainsi une autre forme d'inspiration pour Pablo, l'espace de quelques œuvres, dans lesquelles il traduit la violence de leurs affrontements ! Mais si ces querelles le stimulent enfin, au niveau artistique, il n'en a plus que faire au plan affectif. Passionnément, il est ailleurs.

1. Interview de Marie-Thérèse Walter par Pierre Cabanne, *op. cit.*

Été 1927, Dinard. Olga et Paulo jouent près de la cabine de plage familiale, non loin d'une autre cabine louée pour Marie-Thérèse qui loge dans une pension de famille. Il suffit à Pablo de se promener nonchalamment sur la grève pour passer d'un monde à l'autre... Ils y reviendront tous, les deux étés suivants !

En 1928, à l'occasion d'un projet de monument, conçu en hommage à son ami Apollinaire mort dix ans plus tôt, Pablo se remet enfin à la sculpture, qu'il avait abandonnée en 1914. Il profite des conseils et de l'atelier que lui offre à Montparnasse le sculpteur Julio González, rencontré aux *Quatre Gats* à Barcelone. Ces quatre petits projets d'une « statue en vide, en rien », comme l'avait lui-même suggéré Apollinaire, réveillent en lui l'envie de travailler la matière. Ses essais de peintures monumentales après son voyage en Italie trouvent, dans les courbes puissantes de Marie-Thérèse et dans l'ovale de son visage, l'aliment d'une nouvelle expérience plastique.

En mai 1930, mon grand-père achète le château de Boisgeloup, pour les volumes de travail qu'il y voit dans les écuries et les bâtiments annexes, et dans l'idée d'en faire, à terme, la résidence de Marie-Thérèse.

Le destin en décidera autrement.

Il peut désormais s'adonner à la sculpture monumentale et à la peinture, passant de l'une à l'autre pour en explorer toutes les relations possibles. Naissent ainsi des bustes, d'imposantes têtes de femmes, et une série de portraits (dont le célébrissime *Rêve*[1]), que Marie-Thérèse irradie de sa blondeur et de ses contours apaisants. Il passe juillet en famille, avec Olga et Paulo, à Cannes, selon leur triste routine. En août, il quitte Cannes, seul, et passe prendre Marie-Thérèse, installée en secret à Juan-les-Pins, pour l'emmener dans son

1. Autrefois dans la collection Ganz, *Le Rêve* est aujourd'hui la propriété très médiatisée de Steve Wynn, roi des casinos de Las Vegas et possesseur de nombreux autres Picasso, dont une partie constitue l'originalité exemplaire du prestigieux restaurant *Picasso* de l'hôtel-casino *Bellagio*, créé par Wynn et son groupe Mirage, revendu depuis à MGM Grand.

pays natal, à bord de la belle Hispano-Suiza [1] achetée en 1927 au Salon de l'automobile.

L'Espagne est sur la voie de la République, cependant il n'en a cure, pour l'instant. Sa conscience politique n'a pas encore été réveillée... Les journalistes espagnols le repèrent mais, curieusement, ne notent pas la présence de Marie-Thérèse.

De retour à Paris, il franchit le pas. À l'automne, il loue un grand appartement au 40, rue La Boétie, où il installe Marie-Thérèse, tout près de l'appartement conjugal... Marie-Thérèse est majeure, et il ne risque plus rien au plan pénal.

Arrive, inexorablement, la nécessaire mise au point. Pour Pablo, l'année 1931, l'année de la grande dépression économique qui touche désormais l'Europe, après le krach boursier de 1929, n'est marquée par aucun événement particulier, sinon par la lente et triste désagrégation de son couple, et l'emprise de plus en plus grande de Marie-Thérèse sur son inspiration, dans toutes les disciplines artistiques. Comme l'a écrit Pierre Daix [2], « jamais Picasso n'a pareillement chanté une femme ». Et, curieusement, personne ne semble prendre conscience de cette polarisation de l'artiste sur une muse unique. Toujours le fameux décalage commercial poursuivi par les marchands Rosenberg et Wildenstein...

L'été, à nouveau... À nouveau, une énième saison à Juan-les-Pins.

À l'automne, il s'attelle à la préparation fébrile d'une grande exposition pour l'année suivante, qu'il attend comme une reconnaissance méritée et, plus probablement, une revanche sur son ami Matisse parvenu au faîte de la gloire, surtout aux États-Unis. L'année 1932 voit en effet la plus

1. Pablo avait acheté la voiture exposée sur le stand de la marque distribuée alors en France par la famille Poniatowski. Il s'agissait d'un « coupé de ville » très luxueux à quatre portes dont la partie séparée avant du chauffeur était découvrable. C'était un véhicule parfait pour le standing d'Olga. Auparavant, Pablo avait possédé une Panhard-Levassor (marque de prestige « fusionnée » ensuite par Citroën en 1953).

2. *Dictionnaire Picasso*, *op. cit.*

grande rétrospective jamais consacrée à l'œuvre de Picasso. Organisée notamment par les frères Bernheim[1], elle a lieu cependant à la galerie Georges Petit, entre février et août. Pablo y réunit deux cent vingt-cinq toiles, de toutes ses « époques », depuis la période bleue, et même avant, jusqu'aux portraits les plus récents de Marie-Thérèse qu'il n'a encore montrés à personne. Il y fait figurer également sept sculptures, et six livres illustrés. Les grands collectionneurs ont prêté leurs œuvres sans hésiter. Ils constituent désormais l'avant-garde de l'art moderne, disciples fidèles dont Rosenberg et Wildenstein sont les prophètes, et Picasso la divinité.

C'est l'événement de la saison culturelle à Paris et un événement mondain sans précédent. Pablo ne se montre pas à la soirée d'inauguration. Il sera, à jamais, là où on ne l'attend pas.

Il fait à cette époque la connaissance de Brassaï. Le photographe hongrois vient prendre des clichés de l'atelier de la rue La Boétie, et surtout de l'incroyable production, totalement inattendue, des sculptures réalisées à Boisgeloup[2]. Hormis à l'occasion de ces prises de vue historiques, la plupart des sculptures ne réapparaîtront pas avant l'inventaire de la Succession en 1974 (à l'exception illustre d'une sélection présentée lors de la rétrospective de Paris en 1966 au Petit Palais).

Le début de l'été 1932 se déroule à Boisgeloup, sommairement aménagé pour Olga et Paulo, afin d'éviter la grande transhumance traditionnelle sur la Côte, avec armes, bagages et matériel de peinture. Pablo ne veut plus se contraindre, ni abandonner son atelier. Olga, par ce « miracle » artistique, retrouve, pour quelques semaines, une intimité de circonstance mais, malheureusement, sans lendemain. Loin de ses

1. La galerie Frères Bernheim (dits Bernheim-Jeune), établie en 1877, fut le haut-lieu des marchands parisiens des peintres impressionnistes.

2. Photographies destinées l'année suivante à la revue des surréalistes, *Le Minotaure*.

habitudes parisiennes ou des divertissements de la Côte d'Azur, elle se jure bien de ne pas recommencer l'expérience : en août, elle part, seule avec Paulo, pour Juan-les-Pins. Pablo, de son côté, fait des allers et retours à Paris. Sa double vie est bien organisée.

Elle ne durera pas...

Olga, Paulo et Pablo repartent à Cannes à l'été 1933, puis à Barcelone en août. Ce voyage en famille ressemble à une visite officielle : Pablo est une célébrité, honorée par la ville tout entière. En tout cas, les apparences, mieux l'apparat, font plaisir à Olga, célébrée auprès de son désormais illustre époux.

Ce sont les ultimes vacances en famille. Pablo a fait venir Marie-Thérèse en cachette et l'a installée dans un hôtel à proximité, invisible et essentielle. La presse, miraculeusement, ne remarque toujours rien au jeu de va-et-vient de Pablo dans les rues de Barcelone.

L'orage gronde...

À l'automne 1933, Pablo étudie pour la première fois la possibilité de divorcer, auprès d'un grand avocat parisien, Me Henri Robert. Désormais, le divorce est autorisé par la République espagnole, fraîchement instaurée, et il peut en profiter en France. Reste à en comprendre le principe, la procédure et ses conséquences.

Olga a complètement disparu des œuvres de Pablo. Marie-Thérèse est partout, dans les dessins, les gravures, les peintures, les sculptures – dont *La Femme au vase*, dite aussi *Femme au flambeau*, montrée à l'Exposition universelle de Paris en 1937, et qui veille aujourd'hui sur la tombe de Pablo à Vauvenargues.

Pablo repart pour un long périple en Espagne, durant l'été 1934, avec Olga et Paulo. Marie-Thérèse suit. Elle consent encore aux stratagèmes. Le divorce n'approche-t-il pas ? Mais il faut rester prudent.

Il ressort des correspondances[1] entre mes futurs grands-

1. Pablo se faisait adresser les lettres de Marie-Thérèse à une adresse fictive, loin du foyer conjugal...

parents qu'ils ne furent jamais aussi proches qu'en cette période de 1933 et 1934 – justement parce que le rythme effrené des lettres échangées s'atténue. Pablo présente même sa jeune maîtresse à sa sœur Lola, et lui montre ses œuvres de jeunesse.

À l'automne, dans le désarroi de son foyer en décomposition, plein des colères d'Olga enragée par les absences et, pire, les silences, Pablo travaille à des illustrations et à des gravures où l'image de la petite fille prend curieusement une importance grandissante, sous les traits de Marie-Thérèse guidant un Minotaure blessé – autoportrait obsessionnel, prélude à la célèbre *Minotauromachie*. Ces images ne reflètent-elles pas les angoisses de Pablo, acculé dans une impasse ?

La souffrance d'Olga n'est plus tolérable.

« Et puis un jour, je me suis retrouvée enceinte, racontera plus tard Marie-Thérèse ; il s'est mis à genoux, il a pleuré et il m'a dit que c'était le plus grand bonheur de sa vie. »

Nous sommes le 24 décembre 1934. Que faire ? « Demain, je divorce », promet-il. Il veut épouser Marie-Thérèse, il le peut à présent.

Il entame immédiatement la procédure, au désespoir d'Olga qui, malgré le naufrage de leur couple, ne veut pas divorcer. Ils se sont mariés sans contrat et se retrouvent donc soumis par défaut au régime de la communauté des biens meubles (dont font partie les œuvres d'art) et acquêts : ils doivent donc s'astreindre à un partage des biens.

Marie-Thérèse et Pablo passent des après-midi ensemble au parc Montsouris, dans l'attente des nouvelles de Me Robert, en charge officielle du divorce. Fébriles, inquiets aussi, car la grossesse avance...

Une ordonnance de non-conciliation, première étape de la procédure, est rendue le 29 juin 1935. Elle autorise Pablo à poursuivre sa demande de divorce et confie Paulo à la garde d'Olga. Un huissier vient immédiatement au domicile conjugal opérer l'inventaire des biens [1] ordonné par le juge.

1. On retrouve la trace de ce début d'inventaire au dos de nombreux tableaux, par l'apposition par l'huissier d'un numéro encore visible aujourd'hui.

Olga s'évanouit.

Elle part s'installer avec Paulo à l'hôtel *California* voisin, rue de Berri. L'appartement du 23 est à présent silencieux. Pablo est seul. Marie-Thérèse accouche dans moins de trois mois. « Tu sais, j'ai ma liberté ! » lui annonce-t-il. Elle ne demandait rien.

Le 3 juillet, Pablo officialise la demande de divorce. Il veut croire à une procédure rapide.

En fait, les choses traînent, Olga contestant tous les faits rapportés par Pablo pour justifier sa demande.

Marie-Thérèse donne naissance à Maya, le 5 septembre 1935. Pablo n'a pas le droit de la reconnaître, la loi l'en empêche[1]. La procédure de divorce s'enlise. Pablo ne peint plus ; il reste auprès de Marie-Thérèse et de leur fille : « Toute la journée, il était chez moi, raconta ma grand-mère, c'était lui qui faisait la lessive, les repas, il s'occupait de Maya, il faisait tout, excepté les lits peut-être[2]. » Il lave même les couches du bébé.

Une enquête officielle est accordée à Pablo en avril 1937 pour constater légalement le bien-fondé de ses griefs envers Olga. Les événements politiques en Espagne n'allègent en rien l'atmosphère. Le 20 décembre, Pablo installe sa nouvelle petite famille chez Ambroise Vollard, au Tremblay-sur-Mauldre : « La vie parisienne me rendait enragée, se souvint Marie-Thérèse, je ne la supportais pas, je n'avais pas de jardin, je n'avais plus rien. Je voyais que Picasso sortait un peu... Je le comprenais. Alors j'ai pensé qu'il faudrait peut-être mieux que je sois à la campagne[3]. »

---

1. Avant la réforme du 3 janvier 1972, promulguée en août 1972, un homme ou une femme marié(e) ne pouvait pas reconnaître un enfant né hors des liens de son mariage, quelle que soit sa situation personnelle. En ce cas d'« adultère », aucune recherche de filiation ultérieure n'était autorisée par la loi à l'initiative de quiconque, le père, la mère ou l'enfant. La réforme de 1972, surtout, et les lois de 1993 et 2001 ont effacé toute différenciation entre enfants légitimes, naturels et adoptés.
2. Interview de Marie-Thérèse Walter par Pierre Cabanne, *op. cit.*
3. Interview de Marie-Thérèse Walter par Pierre Cabanne, *op. cit.*

L'enquête accordée à Pablo et la contre-enquête qu'Olga réclame s'enchaînent en mai 1938. Entre-temps, le divorce légal en Espagne (et donc applicable en France par assimilation) est abrogé en mars 1938 par un décret du caudillo Franco, parvenu au pouvoir, confirmé par un autre décret de septembre 1939.

Il semble bien, pour incroyable que la chose paraisse, qu'à cette date Olga ignorait toujours l'existence de Marie-Thérèse et de Maya.

Pablo requalifie immédiatement sa demande de divorce, devenu impossible, en demande de séparation de corps. Le 15 février 1940, cette séparation judiciaire est accordée par le tribunal qui confie maintenant à Pablo la garde de leur fils Paulo, et commet un notaire pour effectuer le partage des biens, en condamnant Olga à tous les dépens.

Au même moment, en pleine guerre, alors qu'il bénéficie d'un statut de neutralité grâce à sa nationalité espagnole, Pablo sollicite sa naturalisation auprès des autorités françaises. En devenant français, il pourrait divorcer !

La demande est rejetée : il existait un dossier à la préfecture de police qui signalait Pablo comme proche du milieu anarchiste – en 1905 ! Il restera espagnol...

Le drame est à son paroxysme. Olga fait appel du jugement de séparation de corps ; la Cour de Paris juge sa manœuvre purement dilatoire, et confirme la séparation des époux, à nouveau au profit de Pablo, prenant acte qu'Olga « faisait de fréquentes scènes de violence à son mari et lui rendait ainsi la vie impossible au point de l'empêcher de travailler et de voir ses amis » ! L'épouse délaissée dépose encore un pourvoi en cassation, mais la Cour suprême confirme l'arrêt, le 5 janvier 1943.

Devant le caractère si volcanique d'Olga, on n'ose imaginer le drame, si elle avait eu connaissance de la vie parallèle de Pablo !

Ce qui est certain, c'est que, jusqu'à leur séparation définitive en 1935, jamais Pablo n'imposa à Olga une autre femme.

Nous pouvons lui reconnaître cette marque de respect. Même sa liaison avec Dora Maar ne fut connue que d'un petit groupe d'intimes, appartenant tous au milieu artistique qu'Olga ne fréquentait pas. Ce fut seulement après 1945, soit dix ans après leur séparation, qu'elle fut informée, par leur fils Paulo, de l'existence de Marie-Thérèse, de sa longue relation avec Pablo et de leur fille, ma mère Maya.

Elle sut sans doute gré à Pablo de cette discrétion qui lui permettait, dans le milieu qui était le sien, de garder la tête haute : elle n'attaqua jamais l'une ou l'autre. Olga était une femme d'honneur.

Plus curieusement, elle n'exigea à aucune reprise l'exécution de la décision de séparation de corps, et ne fit pas procéder au partage des biens du couple auquel elle avait droit – et auquel Pablo, d'ailleurs, ne s'opposait pas officiellement. Elle refusait la fortune. Elle gardait la qualité de femme mariée. Et une respectabilité de façade.

Mon grand-père dira plus tard que ce fut la pire période de sa vie...

Dora Maar (1907-1997)

Fin 1935, Picasso est présenté à une jeune photographe, Dora Maar. D'origine yougoslave par son père, française par sa mère, elle a surtout vécu en Argentine, et parle ainsi espagnol. Elle s'est initiée à la technique du cinéma, puis à la photographie. Elle a participé aux manifestations surréalistes. D'un caractère orageux, elle est une intellectuelle, une femme indépendante, moderne qui l'intrigue bien avant de le séduire, aux antipodes d'Olga ou de Marie-Thérèse.

Pour l'instant, c'est à Marie-Thérèse et à Maya que Pablo se consacre. C'est avec elles qu'il part, toujours en secret, passer trois mois de vacances à Juan-les-Pins, au printemps 1936, à l'hôtel, puis à la villa *Sainte-Geneviève*. Me Robert, dans le souci de la procédure de divorce en cours, télégraphie aussitôt : « Surtout, n'habitez pas ensemble ! »

L'été suivant, Pablo envoie Marie-Thérèse et Maya à Franceville, près de Cabourg. La mode est d'offrir du bon air aux petits enfants. De son côté, il rejoint à Mougins ses amis Paul et Nusch Éluard. Ils lui proposent une escapade à Saint-Tropez, alors simple petit port de pêche. Là, chez des relations communes, il rencontre à nouveau Dora à la *Villa des Salins*.

Pablo lui raconte Olga, Marie-Thérèse et Maya. Il joue cartes sur table.

Dora, elle, joue avec le feu : ils aiment tous deux le danger et ses récompenses.

Dora est le complément idéal à Marie-Thérèse. Celle-ci était douce et soumise, petite fille à protéger. Dora apporte la contradiction, les remises en question permanentes. L'une fait écho à la douceur sentimentale de Pablo, l'autre à sa violence. Pablo, Scorpion ascendant Scorpion, cherchera toujours à assouvir les deux extrêmes de son signe.

Sa vie sentimentale s'organise, entre Marie-Thérèse, compagne secrète et sans complications, de surcroît fort occupée par leur bébé, et Dora, la maîtresse avertie, qui a l'impression d'exalter ainsi sa vocation de femme affranchie. Elle pense que personne ne viendra jouer sur son terrain d'avant-gardiste militante. Mais elle ne sait pas qu'elle forge ainsi pour elle-même une forme d'aliénation.

Dora contribue à l'engagement de Pablo, qui s'était détaché de la politique depuis de nombreuses années. Leurs amours s'inscrivent dans une période agitée par des tourmentes au plan international. La guerre civile fait rage en Espagne, le Front populaire en France se heurte à une opposition féroce, Mussolini contrôle l'Italie et porte la guerre en Afrique, Hitler n'en est plus à faire ses preuves.

Dualité de l'homme : Pablo persiste à cacher ma grand-mère, préserve la respectabilité d'Olga, et s'affiche publiquement à Saint-Germain-des-Prés avec Dora. Dans son œuvre cependant, Marie-Thérèse et Dora cohabitent sans problème. À la chevelure blonde qui avait le monopole depuis de nombreuses années s'ajoute désormais la noirceur de coiffures plus élaborées. À la douceur complaisante des courbes de nombreuses *Marie-Thérèse dans un fauteuil* répondent les crispations de *La Femme qui pleure*. La duplicité se satisfait de cette complémentarité : ne les a-t-il pas peintes, l'une après l'autre, dans la même position allongée, sur deux toiles datées du même jour, le 21 janvier 1939 ? D'un côté, Dora Maar, intellectuellement proche de lui, convaincue de la nécessité d'un art engagé, de l'autre, l'incarnation de l'insouciance intemporelle, Marie-Thérèse.

Dora pense un temps s'installer avec Pablo, mais elle comprend vite qu'il lui serait impossible de vivre dans le mausolée déserté d'Olga. D'ailleurs, Pablo a demandé à son vieil ami Jaime Sabartés de le rejoindre à Paris, et celui-ci s'est installé avec sa femme rue La Boétie. Secrétaire et confident, il sait tout, les drames et les chicanes judiciaires avec Olga, l'existence de Marie-Thérèse et de Maya – il est le seul à être au courant. Lui qui a appris à connaître Marie-Thérèse, l'apprécie, et ne peut cacher sa désapprobation devant Dora. Sans doute espère-t-il qu'il s'agit d'une passade...

Dora vit encore chez ses parents, rue de Savoie, dans le VIe arrondissement. Il lui faut un territoire à elle ! Elle repère un atelier en location à deux pas de chez elle, rue des Grands-Augustins – là même où Balzac aurait situé l'intrigue du *Chef-d'œuvre inconnu*, que Pablo avait justement illustré librement. Quel hasard « objectif », diraient les surréalistes ! Un escalier monumental conduit à une grande pièce au plafond orné de poutres, relié par un escalier plus modeste à un petit appartement adjacent. Elle le fait visiter à Pablo, qui le prend immédiatement. Elle a désormais un lieu pour leurs ébats et, surtout, un cadre pour de bien plus exaltantes expériences artistiques.

Le 17 juillet 1936, la guerre civile éclate en Espagne. L'armée commandée par le général Franco au Maroc s'est soulevée contre l'autorité du gouvernement républicain de Madrid. Le putsch militaire embrase dès le lendemain toute l'Espagne, et force le gouvernement à organiser la résistance.

Franco dispose du soutien de l'Italie de Mussolini et de l'Allemagne nazie. La France et l'Angleterre se déclarent vaillamment neutres.

La guerre civile, qui durera jusqu'en mars 1939, fera plus d'un million et demi de victimes, pour l'essentiel civiles.

Assisté de Dora, Pablo apporte immédiatement son soutien au gouvernement républicain. Qui le nomme en retour directeur du musée du Prado à Madrid, premier musée national espagnol ! Titre purement honorifique, car le gouvernement républicain en déroute déplace les collections du musée. « Je suis le directeur d'un musée vide ! » s'amuse Pablo.

En août, il emmène Dora à Mougins, chez les Éluard. Pour Marie-Thérèse, il part officiellement travailler en province. Ma grand-mère ne posait jamais de questions, satisfaite de leur entente. Mais mon grand-père a ajouté une inconnue dans cette équation peut-être un peu simpliste. Marie-Thérèse ne doit pas sortir du nid, Dora ne peut y entrer... Et lui se balade.

Olga s'installe très provisoirement au château de Boisgeloup, que la justice lui a accordé au titre de résidence. Marie-Thérèse et Maya vivent désormais dans la coquette maison de Vollard au Tremblay-sur-Mauldre, tout près de Versailles. Pablo y photographie sans relâche sa petite Maya, saisissant ses premiers pas, dans le jardin anglais aux milliers de fleurs.

Mais, depuis le printemps 1937, il s'est donc installé au 7 de la rue des Grands-Augustins, tout en conservant sa retraite de la rue La Boétie, occupée désormais par Sabartés. Olga oubliée à Boisgeloup, Marie-Thérèse isolée près de Paris, Dora Maar devient le témoin privilégié des années sombres de l'avant-guerre et de la naissance de ce qui deviendra *Guernica*, commande de la jeune et éphémère République espagnole. Chance pour l'Histoire, Dora Maar saisit dans son objectif les différents états de la création. Elle réussit ainsi à trouver sa place, côte à côte avec Pablo, face à sa seule vraie compagne – la toile.

Une période « politique » commence qui ne finira jamais.

Pablo désormais accorde une primauté absolue à l'acte politique et solidaire sur sa vie familiale.

J'ai lu avec intérêt le roman original de Nicole Avril qui a étudié les nombreuses archives sur l'héroïne[1]. Le vrai nom de Dora Maar était Theodora Markovitch. Son père, d'origine croate, ex-sujet de l'empereur d'Autriche, architecte, aurait construit l'ambassade d'Autriche-Hongrie à Buenos Aires, ce qui lui aurait valu d'être décoré au nom de l'empereur François-Joseph. La mère de Dora, d'origine orthodoxe, très mystique, s'était convertie par la suite au catholicisme. Dora possédait, par atavisme, une personnalité affirmée. À la différence d'Olga, contrainte à émigrer, Dora, l'étrangère, était une errante avide d'inconnu.

Elle était « compagne de route » des surréalistes depuis la fin de 1933, mais compagne marginale : elle est l'amie de Georges Bataille, jusqu'à sa rencontre avec Picasso. Avec Bataille, elle a participé au groupe Contre-Attaque[2]. Elle a fait la connaissance de Breton et d'Éluard. C'est dans leur sillage que, tout naturellement, elle a rencontré Picasso au café des *Deux Magots*, à Saint-Germain-des-Prés.

Françoise Gilot[3] racontera plus tard cette première rencontre de Pablo avec Dora à l'automne 1935 : « Elle portait des gants noirs brodés de petites fleurs roses. Elle avait enlevé ses gants et pris un long couteau pointu qu'elle plantait dans la table, entre ses doigts écartés. De temps à autre, elle manquait le but d'une fraction de millimètre et sa main était couverte de sang. Pablo était fasciné. C'est ce qui l'avait incité à s'intéresser à elle. Il avait demandé à Dora de lui donner ses gants, et il les conservait dans une vitrine, rue des Grands-Augustins, parmi d'autres souvenirs[4]. »

Il la revoit brièvement au château de Boisgeloup, en

1. Nicole Avril, *Moi, Dora Maar*, Paris, Plon, 2001.
2. Groupe politique d'ultra-gauche qui réunit des surréalistes.
3. Françoise Gilot a publié un livre sur sa vie avec Pablo Picasso en 1964 aux États-Unis, traduit en français l'année suivante sous le titre *Vivre avec Picasso*.
4. *Vivre avec Picasso, op. cit.*

mars 1936, lors d'une visite de groupe guidée par Éluard qui veut lui présenter Roland Penrose, peintre et écrivain anglais désireux d'acheter des œuvres. Lors de la fameuse rencontre de Saint-Tropez, à l'été 1936, Penrose est à nouveau présent.

Dora a vingt-neuf ans et Pablo cinquante-cinq, mais ils s'entendent à merveille. Elle est follement amoureuse de lui. Il est, disons, « intéressé ». Elle rejoint le Minotaure et offre à Pablo ce visage de dureté qui manquait à son équilibre esthétique.

Toutes les représentations de Dora Maar sont l'écho des événements politiques : elle apparaît sous des traits marqués, avec des ongles rouges, un regard aux yeux noirs, une chevelure brune – reflets de sa personnalité rebelle, pasionaria des drames qui se nouent autour d'eux.

La puissance des portraits de Dora ouvre la voie à une nouvelle forme d'art. Brigitte Léal[1] a nettement cerné la place de Dora : « La fascination qu'exerce sur nous l'image de ce visage admirable, mais souffrant et aliéné, découle incontestablement de sa coïncidence avec notre conscience moderne du corps, dans sa triple dimension de précarité, d'ambiguïté et de monstruosité. Il n'y a pas de doute qu'en signant ces portraits, Picasso a sonné le glas définitif du règne du beau idéal et ouvert la voie à la tyrannie esthétique d'une sorte de Beauté terrible et tragique, fruit de notre histoire contemporaine. »

On sait que le 26 avril 1937, au cœur de la guerre civile, le petit village de Guernica, dans le Pays basque, fut rasé par les forces aériennes cumulées de l'Espagne, de l'Italie et de l'Allemagne, lors d'un bombardement ininterrompu de trois heures durant lesquelles furent testées de nouvelles bombes mises au point par les nazis. Pablo découvre ce carnage par les photos de la presse que lui apporte Dora. Bouleversé, il change le thème de la fresque commandé par les Républi-

1. « *Per Dora Maar tan rebufon*, Les portraits de Dora Maar », dans *Picasso et le portrait,* Paris, RMN-Flammarion, 1996.

cains, déjà largement esquissée. Il en fait le symbole de la terreur et de l'innocence massacrée.

Entre le 1er mai et le 4 juin suivants, il réalise les quarante-cinq études préliminaires, et les différentes étapes de l'œuvre monumentale (trois mètres cinquante sur huit mètres environ), sous l'éclairage et l'objectif attentif de Dora, témoin privilégié et précieux.

L'existence de Dora Maar ne reste pas longtemps un secret pour Marie-Thérèse mais, compte tenu de l'activité de photographe de Dora, Pablo peut encore expliquer sa présence de manière vraisemblable. D'ailleurs, Dora vient le matin, ou très tard le soir. Marie-Thérèse passe à l'atelier l'après-midi, souvent avec Maya.

Dora photographiait *Guernica* en cours d'achèvement, quand Marie-Thérèse arriva avec Maya. Nicole Avril[1] imagine ainsi cette rencontre : « Quelle surprise ! s'est-il [Pablo] exclamé sans quitter son fauteuil » tandis que Dora Maar s'efforçait de poursuivre l'étalonnage de la lumière comme si de rien n'était. Il paraît certain que Picasso n'a pas prévu l'arrivée de Marie-Thérèse. D'habitude il se débrouille mieux avec ce genre de difficultés de la circulation. Marie-Thérèse tient à montrer [à Dora Maar] qu'elle ne vient pas rue des Grands-Augustins pour la première fois et qu'elle se moque de respecter les règles du partage de territoire. Elle répète : « Tiens, c'est encore changé ici. Pour un peu, je me sentirais étrangère. » Picasso s'est levé et tente mollement d'éviter la catastrophe : « Voyons, ma chérie, tu es chez toi ici. Et tout est à toi, *Guernica* est à toi ! Si tu ne vas pas à *Guernica*, *Guernica* ira à toi ! »

Les deux femmes se seraient néanmoins adressé la parole, chacune cherchant à légitimer sa présence aux côtés du maître, Marie-Thérèse évoquant leur fille Maya et leur liaison, Dora Maar revendiquant son travail de photographe.

Ma grand-mère Marie-Thérèse a elle-même raconté, lors de sa seule interview radiophonique en avril 1974, sa ren-

1. *Moi, Dora Maar*, *op. cit.*

contre avec Dora Maar en présence de Pablo : « Le monstre nous faisait porter les mêmes robes de chez [Jacques] Heim (...) Comme il y avait eu une erreur de livraison de combinaisons en soie rose pâle et de chemisiers de chez Nina Ricci, j'avais appelé chez Pablo et c'est Inès, la femme de chambre, qui répondit que monsieur n'était pas là (...) J'avais l'adresse sur le paquet du 6, rue de Savoie où habitait Dora. Je m'y suis rendue. » Dora ouvre. Une conversation aigre-douce s'engage. Dora lui reproche immédiatement « d'avoir fait exprès d'avoir eu un enfant » ! Marie-Thérèse lui rappelle la situation, et son avantage de jeune mère... Pablo, qui se trouve sans doute dans une pièce contiguë, n'ose pas se montrer : Marie-Thérèse préfère ne pas forcer la porte, et le laisse s'expliquer avec Dora.

La scène rebondit en vaudeville. L'après-midi, Marie-Thérèse va à l'atelier des Grands-Augustins pour clarifier les choses. Pablo la remercie de l'avoir sorti des griffes de « l'affreuse » (c'est son mot). On sonne à la porte : Dora ! Pablo, dans ses petits souliers, la fait entrer. Elle lui lance : « Pablo Picasso, vous m'aimez, vous m'aimez ? » Pablo prend Marie-Thérèse par le cou, puis par la main et répond, d'une voix tendre : « Dora Maar, vous savez que la seule que j'aime, c'est Marie-Thérèse Walter et la voilà, c'est celle-ci. Nous nous comprenons. »

Marie-Thérèse empoigne vigoureusement Dora par les épaules et la met à la porte. Tout en sachant que cette victoire apparente ne changera rien. Pablo était un sacré diable.

La séduction de Dora Maar s'inscrivait dans un schéma plus intellectuel que physique. Pour féminine qu'elle fût, son allure était avant tout nette, droite, aux antipodes d'une démarche suggestive. Elle ne pouvait pas avoir d'enfants, et vivait tout entière dans son amour pour Picasso, jusqu'à sacraliser ses moindres faits et gestes. Orgueilleuse sans être jalouse, elle acceptait tout, ou presque, de ce qu'il lui faisait endurer. Elle subissait le cours instable de son humeur. Pablo savait à qui il infligeait ce traitement brutal. Après tout, ne lui en avait-elle pas offert la possibilité elle-même ?

Marie-Thérèse et Maya ne connaissaient que le côté affable et disponible du compagnon et du père – les jeudis et les fins de semaine dès que Maya eut entamé sa scolarité. D'après Françoise Gilot, dans les années qui suivirent, « [Dora] venait rarement rue des Grands-Augustins. Il lui téléphonait quand il voulait la voir. Elle ne savait jamais, d'un jour à l'autre, si elle devait déjeuner ou dîner avec lui, mais elle devait toujours être prête à sortir s'il téléphonait, et présente s'il passait la voir [1] ».

Dévouée à son amant, soumise à ses caprices, Dora se plie aux rituels qu'il lui impose. Plus elle se soumet, plus l'expérience tend vers les limites du supportable. Mais Dora trouve une satisfaction évidente à poursuivre le jeu, entre soumission et domination, où elle est l'esclave consentante. Pour Pablo, l'hystérie de Dora est source d'inspiration : « Pour moi, dit-il, c'est une femme qui pleure. Pendant des années, je l'ai peinte en formes torturées, non par sadisme ou par plaisir. Je ne pouvais que donner la vision qui s'imposait à moi. C'était la réalité profonde de Dora [2]. »

Lorsque la guerre est déclarée en France au début du mois de septembre 1939, Marie-Thérèse, sa mère Marguerite et Maya se trouvent en vacances à Royan. Pablo s'y installe avec elles, au premier étage de la villa *Gerbier-de-Jonc* [3], y loue, à l'hiver 1940, une chambre à l'hôtel *Les Voiliers* qui lui servira d'atelier, et organise les visites régulières de Dora à l'*Hôtel du Tigre*... Quand il est à Royan, Pablo dort toujours à la villa « familiale ». Dora a le reste de la journée. À son tour désormais de vivre dans la « clandestinité » absolue : Pablo ne

1. *Vivre avec Picasso*, *op. cit.*
2. *Vivre avec Picasso*, *op. cit.*
3. La villa *Gerbier-de-Jonc* appartenait à Mme Hélène Raphanaud. Après la destruction de la ville de Royan à la fin de la guerre, elle vint s'installer à Paris, chez Marie-Thérèse, dont elle devint l'employée de maison pendant cinq ans.

se montre pas en public avec elle dans la petite station balnéaire !

Le manège bien huilé dure, sans que Marie-Thérèse ne se rende jamais compte de rien, jusqu'au printemps 1941. L'armistice est signé depuis un an, l'Occupation insoutenable est devenue « organisée ». Dora est rentrée depuis longtemps à Paris. Entre rationnement et marché noir, la vie se déroule tant bien que mal. Ma grand-mère quitte alors Royan et s'installe avec Maya boulevard Henri-IV, au bout de l'île Saint-Louis, dans un grand appartement dont Pablo a aménagé une pièce en atelier.

Mon grand-père continue d'aimer ces deux femmes qui se complètent à merveille pour son inspiration artistique. Dora, l'égérie ; Marie-Thérèse, le modèle. Comme le déclara ma grand-mère au sujet de *Guernica* : « Moi, j'étais un peu ange pour lui... L'autre, Dora Maar, elle était la guerre, la pauvre [1]... » Pour William Rubin [2], « si Picasso était plus souvent avec Dora qu'avec Marie-Thérèse à cette époque, cela tenait moins à sa passion pour Dora, semble-t-il, qu'à la facilité avec laquelle cette artiste à la vie intellectuelle intense s'intégrait dans son cercle d'amis et, surtout, aux stimulations qu'elle apportait par son comportement et par ses opinions politiques. Pendant ce temps, Marie-Thérèse (et Maya à qui Picasso était profondément attaché) est restée au centre de cet univers intime, secret qu'elle a toujours incarné pour lui ».

Mais la France subissait la guerre. Rationnement et files d'attente, risques d'attentats, rafles de la Gestapo ou interrogatoires, tant par les militaires allemands que par la police de Vichy, absence de carburants, couvre-feu, dénonciations calomnieuses, tout le monde était soumis à une menace permanente. Hormis les « collaborateurs », dont la situation pouvait sembler privilégiée, la population était astreinte à de réelles privations.

1. Interview de Marie-Thérèse Walter par Pierre Cabanne, *op. cit.*

2. « Réflexions sur Picasso et le portrait », dans *Picasso et le portrait*, Paris, RMN-Flammarion, 1996.

Pablo ne sera jamais suspect de la moindre concession et, au péril de sa situation de peintre espagnol engagé « dans le mauvais sens » (selon les fascistes), il essaye comme il peut d'apporter son soutien à la Résistance. Sa situation d'émigré ne rend pas les choses faciles. Désormais sous surveillance, il risque sans cesse d'être expulsé vers l'Espagne où l'attend impatiemment le général Franco... Seules son immense notoriété et quelques amitiés de fonctionnaires admiratifs lui permettent de garder la tête haute et de s'autoriser de petits dérapages verbaux. Ainsi, il distribue des cartes postales de *Guernica* à tous les Allemands qui viennent le surveiller en leur disant : « Souvenir, souvenir ». N'aurait-il pas répondu à l'un des officiers qui lui demandait si c'était bien lui qui avait fait « ça » [*Guernica*] : « Non, c'est vous ! »

Si la situation se maintient avec Marie-Thérèse et Dora, c'est aussi parce que son univers géographique est fort restreint. Saint-Germain est redevenu le centre de Paris. Même la rue La Boétie est déjà excentrée, presque en périphérie – trop éloignée, les déplacements se faisant presque toujours à pied. Il n'est guère possible d'espérer héler un taxi, ou même d'utiliser un véhicule, en ces temps de rationnement des carburants. Malgré des moyens financiers importants, Pablo partage les préoccupations quotidiennes des Français : manger et se chauffer. Le marché noir lui procure de quoi alimenter la cuisinière en fonte, pas assez pour le chauffage qu'il avait fait installer.

Tout cela n'offre pas une source d'inspiration très exaltante. J'avais jadis été surpris d'une remarque de ma grand-mère Marie-Thérèse sur le Pablo de cette époque : « Il avait si froid, le pauvre chou ! » Aujourd'hui, je comprends que cette lutte était essentielle.

Cette obsession de la survie alimentaire lui inspire, en janvier 1941, une petite pièce tragi-comique en six actes. Les personnages sont burlesques (La Tarte, Gros-Pied, L'Oignon, Le Silence, Angoisse, Maigre...), et le titre évocateur : *Le*

Désir attrapé par la queue[1]. Sa lecture, le 19 mars 1944, fait la joie de ses amis devenus acteurs : Michel et Louise Leiris, Simone de Beauvoir et Jean-Paul Sartre, Raymond Queneau... et Dora Maar. Albert Camus à la mise en scène, Braque et Lacan en spectateurs. Brassaï fige l'instant grandiose sur sa pellicule ! Quel casting !

Depuis plusieurs années, Pablo s'était mis à l'écriture et, tout particulièrement, à la poésie. Gertrude Stein lui avait déconseillé de se disperser. En vain. Ma mère Maya possède nombre des poèmes que son père lui a dédiés : outre la sincérité des formules, la magie des « enluminures » est particulièrement touchante. Là au moins, il y a des couleurs. Dehors, tout est gris, interminablement.

En 1939, le Museum of Modern Art de New York (fondé en 1929) a organisé, sous l'impulsion de son légendaire directeur Alfred Barr, une première rétrospective des œuvres de Pablo qui a fait une tournée triomphale dans dix grandes villes américaines. L'Amérique, qui aime les couronnes, a sacré Pablo l'artiste le plus important au monde, en ce XXe siècle. Mais, à Paris, il n'est jamais qu'un émigré espagnol, bénéficiant d'un statut particulier de neutralité, certes connu dans son milieu, mais contraint à ne plus exister officiellement sur le plan artistique.

Il vit l'Occupation. Son œuvre en témoigne : natures mortes, couleurs sombres, crânes d'humains ou d'animaux... En janvier 1943, il se rend chez Dora et lui remet un exemplaire de l'*Histoire naturelle* de Buffon qu'il a illustrée pour Vollard[2]. Il le lui dédicace *« Per Dora Maar tan rebufon »*

---

1. D'après Pierre Daix (*Dictionnaire Picasso, op. cit.*) : « Comme les poèmes de Picasso, cette pièce est rédigée à la limite de l'écriture automatique et c'est probablement un des meilleurs exemples d'un théâtre onirique proprement surréaliste. » L'histoire burlesque est plus proche du surréalisme que du théâtre de boulevard. La scène 2 de l'acte V, par exemple « se passe dans l'égout chambre à coucher cuisine et salle de bains de la villa des Angoisses ».

2. Picasso avait passé un accord de dix ans (1927-1937) avec le marchand Ambroise Vollard au terme duquel il devait lui fournir cent illustrations (gravures et eaux-fortes). Cet ensemble de dessins « classiques », fortement inspirés de la mythologie, constitua la fameuse *Suite Vollard.*

– jeu de mots en catalan : « Pour Dora Maar si *bufona* (mignonne) et si *rebufant* (soufflant de colère) ».

Tout au long de leur liaison, il lui a offert ainsi, comme à Marie-Thérèse, des centaines de témoignages de son affection, peintures, dessins, et surtout des petits objets de toutes sortes, insignifiants d'apparence, mais que Dora conserva toute sa vie.

Quelques mois plus tard en mai 1943, alors qu'il dîne avec Dora et des amis au *Catalan*, le petit restaurant du marché noir en face de l'atelier des Grands-Augustins, Pablo fait la connaissance d'une jeune et très jolie jeune fille qui immanquablement a attiré son regard. Elle est attablée avec une connaissance commune, l'acteur Alain Cuny, qui triomphe au cinéma dans *Les Visiteurs du soir*. Pablo s'approche et se fait présenter : elle s'appelle Françoise Gilot.

En février 1944, Dora Maar assiste encore avec Pablo à la cérémonie religieuse en l'honneur de leur vieil ami Max Jacob, mort en internement à Drancy, puis à la fameuse lecture du *Désir attrapé par la queue*. Mais elle s'éloigne pourtant, inexorablement, malgré elle, de la vie de Picasso...

En août 1944, au plus fort des événements de la libération de Paris, mon grand-père rejoint Marie-Thérèse et Maya, boulevard Henri-IV. Il vient de traverser Paris à pied, au péril de sa vie. Une balle d'un franc-tireur l'a même effleuré. Il a fait son choix, abandonnant Dora Maar sur la rive gauche, à ses tourments indéchiffrables. Quant à Olga et leur fils Paulo, il les avait confiés à la surveillance de son ami Bernhard Geiser[1] en suisse.

Dora est en pleine dépression. De constitution nerveuse,

1. Bernhard Geiser (1981-1967), historien d'art suisse, commença en 1928 le catalogue raisonné des gravures et lithographies de Picasso qu'il poursuivit jusqu'en 1964, réalisant les deux tomes qui couvrent l'œuvre gravée de Picasso de 1899 à 1934. Brigitte Baer, qui participa à l'inventaire de la Succession Picasso, a prolongé ce minutieux travail d'expertise.

empreinte de mysticisme, elle délire en public. Elle demande à Pablo de se repentir ! Elle est même emmenée par la police à l'hôpital Sainte-Anne pour y subir un traitement psychiatrique lourd, à base d'électrochocs.

On a attribué à mon grand-père la responsabilité de cette descente dans la folie. Qu'en est-il en réalité ?

Outre qu'il a pris des dispositions pour arrêter immédiatement l'internement à Sainte-Anne, en la confiant à son ami le psychanalyste Jacques Lacan, il organise une séparation « en douceur ».

Nous pouvons supposer que la dégradation progressive de l'état psychique de Dora est liée à une responsabilité collective. Un esprit déjà enclin aux délires les plus audacieux, un goût pour l'aventure réassuré par les surréalistes qui la confortent dans une quête de l'irrationnel, à leurs yeux source de vérité ; la relation complexe et douloureuse avec Pablo, les amants exploitant sans cesse dans de nouvelles expériences une sexualité très cérébralisée...

Son histoire avec Picasso ne fut peut-être que le catalyseur d'une déstabilisation générale.

En août 1945, Pablo part cependant avec elle, pour quelques jours, à Antibes, puis lui achète une maison à Ménerbes, qu'elle conservera toute sa vie. C'est sûrement plus une convalescence que la poursuite d'une liaison, qui a déjà pris fin. Dora profite indirectement du fait que Françoise Gilot reste encore sur ses gardes, et que Pablo s'éloigne de Marie-Thérèse : de ce côté, la passion a cédé la place à l'affection...

Dora tentera de maintenir encore un contact. Nicole Avril laisse même entendre que Pablo aurait continué le jeu. En 1953 par exemple, il lui aurait fait parvenir une « misérable » chaise. Elle lui aurait répondu en lui envoyant une « horrible » pelle, totalement inutile, et il se serait arrangé pour qu'ils se rencontrent (le fait est avéré) chez un ami commun, Douglas Cooper, dans son château de Castille, près du pont du Gard. Pablo l'y aurait humiliée, selon elle, en la séduisant à nouveau en présence de l'Américain – ce dernier pourtant ne s'en souvient guère...

Françoise Gilot (1921)

Françoise était une jeune peintre, enthousiaste et énergique, très informée du monde des artistes. Contre l'avis de son père, elle avait abandonné ses études juridiques pour se consacrer à la peinture. Lorsqu'elle rencontre Picasso en 1943, elle a connaissance qu'il est un dieu vivant de l'art moderne, et elle rêve de lui montrer ses œuvres.

Les premières relations de Françoise et Pablo sont timides. Françoise sait se faire désirer et elle a à cœur de préserver son indépendance. Elle s'impose un vouvoiement qui est sans doute un peu plus que le respect de l'élève pour le maître. Il persistera tout au long de leur relation. La distance ne messied pas à certaines amours.

L'intelligence et la curiosité de Françoise ne laissaient personne indifférent. En outre, la modernité de sa beauté la distinguait. Avant même que ne commence réellement leur liaison, elle apparaît donc très vite dans la peinture de Pablo, qui persiste pourtant à représenter Marie-Thérèse. Toujours il procéda ainsi : continuant de dessiner sa précédente compagne, il faisait apparaître quelques caractères de sa nouvelle conquête. Était-ce la peur de la solitude, ou son besoin insatiable de séduction, qui le poussait à ces arrangements polygames ? L'art y a au moins trouvé son compte.

Françoise a dès le départ une parfaite compréhension de la situation. « Avec Picasso, déclarera-t-elle plus tard, il faut être en garde[1]. » L'attachement de Pablo, âgé de soixante-trois ans, à la blonde Marie-Thérèse s'est mué doucement en habitude, en une immuable et reconnaissante routine. Maya

1. Déclaration de Françoise Gilot, en 1990, incluse dans le DVD *Treize journées dans la vie de Pablo Picasso*, édité par Arte Vidéo et la Réunion des Musées Nationaux, 2000.

seule échappait à ces refroidissements du cœur : ne lui a-t-il pas consacré un carnet d'innombrables dessins entre 1942 et 1945 ? Le fameux « carnet bleu » !

Marie-Thérèse comprend, instinctivement, que leur relation vit ses derniers jours. Le 13 juillet 1944, parmi tant de lettres échangées, Pablo lui écrit : « (...) Tu as toujours été la meilleure des femmes. Je t'aime et je t'embrasse de tout mon cœur. » Ainsi s'expriment à la fois la reconnaissance et l'achèvement d'une époque.

À l'automne suivant, la « période Marie-Thérèse » s'achève dans une ultime célébration publique, au Salon d'automne. Le monde découvre une femme sublimée, déjà évanouie.

Quant à Dora, elle a écrit son propre sort.

Dès leur première rencontre, à l'atelier des Grands-Augustins où Pablo l'a invitée pour lui « apprendre », prétexte-t-il, la gravure, Françoise met les choses au point. Comme Pablo s'étonne de l'élégance de son invitée en la circonstance, elle explique clairement : « Comme je pense que vous n'avez pas la moindre intention de m'apprendre la gravure, j'ai mis le costume qui me semble le plus approprié aux circonstances. En d'autres termes, j'ai seulement essayé d'être belle[1]. » S'ensuivent de longues conversations intimes, au cours desquelles Pablo souffle le chaud et le froid. Françoise s'accorde avec prudence le temps de la réflexion.

Pablo, qui aurait voulu aller plus vite, lui propose même de la confiner dans le petit appartement au-dessus de l'atelier des Grands-Augustins. Françoise se dérobe sans lui manquer de respect. Courageuse sans être téméraire. Pablo croyait-il pouvoir renouveler avec elle l'expérience Marie-Thérèse ? Françoise est autrement moins innocente, et l'époque a changé. Elle sait, elle, qui est Picasso ! Comme tout le monde. Comme Pablo lui-même, conscient que bien d'autres charmes enrichissent son charisme naturel.

1. *Vivre avec Picasso*, *op. cit.*

Devant cette résistance, Pablo, frustré, s'emballe pour une jeune lycéenne venue l'interviewer. Sabartés l'a reçue et le zélé secrétaire, séduit par sa franchise, lui a organisé un rendez-vous avec le maître. La jeune fille, âgée de dix-sept ans à peine (comme autrefois Marie-Thérèse), s'appelle Geneviève Laporte. Elle se dit poète, communiste et, malgré sa jeunesse, prétend être en contact avec la Résistance. Elle a des atouts pour séduire immédiatement Pablo dont le cœur est entre deux ports. Geneviève rougit devant les déclarations de Pablo sur l'art. Vrai pédagogue, il convie cette presque enfant à venir, le mercredi après-midi, pour discuter – et leur amitié grandit peu à peu [1].

Au même moment, Françoise accorde souverainement à Pablo quelques plages de son temps, l'ignorant complètement pendant plusieurs jours, quelques semaines, parfois des mois... « De temps en temps, raconte-t-elle, il me disait : “Il ne faudrait pas croire que je pourrais m'attacher à vous de façon permanente.” Je pensais, moi, que nous n'avions qu'à continuer sans nous demander où nous allions, puisque je ne demandais rien, il n'avait pas besoin de se défendre. Je ne voulais pas qu'il me prenne en charge (...). J'appris à ne pas lui donner signe de vie pendant une semaine ou deux. Lorsque je revenais, il était tout miel [2]. »

Pablo a recours à son arme favorite : Françoise devient l'unique objet de son œuvre ! C'en est assez pour la jeune femme... qui se jette à l'eau.

Le début de leur vie commune coïncide avec l'achèvement de *La Femme Fleur* (datée du 5 mai 1945), œuvre de renouveau faite de peinture et de collages. Il l'a créée sous ses yeux, elle l'a questionné sur son inspiration.

Leur relation fut ainsi toujours empreinte de respect et

---

1. Ils devinrent des amants très épisodiques en se revoyant en 1950, en l'absence de Françoise, à Paris, puis à Saint-Tropez chez Paul Éluard, très gêné de la situation.
2. *Vivre avec Picasso*, *op. cit.*

d'intellectualité. Marie-Thérèse n'osait l'interroger, Françoise ne s'impose pas de barrières.

L'amant se mue en Pygmalion-patriarche. Françoise se passionne pour les diverses techniques qu'il utilise. Dora n'avait été que l'inspiratrice, Françoise est aussi le témoin privilégié des explorations techniques, céramique, sculpture, gravure... Muse, maîtresse, compagne, elle est également l'interlocutrice idéale pour glaner les bribes du passé de la bouche même de Pablo – au risque d'être parfois blessée par des souvenirs encore brûlants. Elle s'efforce de concilier plusieurs époques et plusieurs femmes, dans ce monde moderne où Picasso n'est plus un inconnu et où, à la différence des autres compagnes, elle apparaîtra nécessairement au grand jour.

Picasso trouve en cette jeune femme cultivée un être propre à comprendre son âme et ses besoins. Il en oublie presque les exigences de leur propre histoire. Il lui fait visiter les lieux de ses amours avec Fernande, Éva, Olga et Dora, lui raconte sa passion pour Marie-Thérèse : la lecture de ses lettres enflammées la fait même, un temps, s'esquiver.

Une telle attitude aurait fait fuir plus d'une femme. Fidèle à son caractère entier – et à son amour-propre –, Françoise décide en effet de quitter ce grand Picasso. Vaincu, il la rattrape in extremis et lui propose de lui faire un enfant parce que, selon lui, elle en a besoin !

Françoise éclabousse de jeunesse la renaissance de Pablo en cet après-guerre. Il retrouve le plaisir de la gravure et de la lithographie avec l'éminent Fernand Mourlot à Paris, et délaisse la capitale pour la Côte d'Azur. Dans cet univers joyeux de couleurs vives, il parcourt avec Françoise la Provence et la Côte. Plus question désormais de suivre le rituel des mondanités estivales comme à l'époque d'Olga. Il va y travailler complètement. Il va y vivre.

En 1946 il installe son atelier au magnifique château Grimaldi, à Antibes, et Françoise, enceinte, à Golfe-Juan, en face. Il y peint sa nouvelle vie, symbolisée par la fameuse toile *La Joie de vivre* (réalisée en octobre et novembre 1946).

Claude vient au monde à Paris le 15 mai 1947. Pablo est à nouveau un père comblé – un jeune père. À soixante-cinq ans passés, il mène une vie active, entre son art et la politique. Membre du Parti communiste depuis octobre 1944, il a, du fait de sa notoriété, une stature de militant international.

Sa vie amoureuse est désormais publique. Olga, mise au courant par Paulo de l'existence de Maya et de sa mère, découvre Françoise dans la presse ! Folle de rage, elle s'installe dans leur voisinage le plus proche (le plus souvent à Cannes, à l'hôtel *Miramar*, ou à Juan-les-Pins, aux *Belles Rives* dont Pablo règle les notes sans sourciller) et les harcèle quotidiennement à Golfe-Juan.

Françoise lutte pour ne pas déprimer. Pablo fait celui qui n'entend pas – jusqu'au jour où il doit demander à un commissaire de police de ramener Olga à la raison. Il est vrai que l'ordonnance de 1935 lui interdit de « troubler » son conjoint, sous peine de voir intervenir les forces de l'ordre.

Pablo a découvert brièvement le petit village de Vallauris en 1937. Il y revient en 1946 avec Françoise. Il y retourne l'année suivante pour y apprendre l'art de la céramique chez Georges et Suzanne Ramié, à la galerie Madoura.

Commence alors une grande histoire d'amour entre lui et le petit village de l'arrière-pays cannois, au-dessus de Golfe-Juan. Il s'y installe avec Françoise et Claude, au printemps 1948, dans la petite villa *La Galloise*. La maison appartient officiellement à Françoise car elle lui a été achetée par sa grand-mère, Anne, qui refusait que sa petite-fille habite chez quelqu'un... On comprend l'atavisme familial qui dicte l'esprit d'indépendance de Françoise. Touché dans son orgueil, Pablo fait l'acquisition au nom de la jeune femme, en 1949, d'un ancien dépôt de parfumerie, *Le Fournas*, pour y installer son propre atelier. Lors de leur séparation, Françoise le revendra à Pablo pour le même prix ; Pablo l'aura donc payé deux fois !

C'est dans ces grandes pièces, rénovées par ma mère Maya (qui avait demandé à recevoir *Le Fournas* dans sa part d'héritage) que j'ai moi-même passé de nombreux étés en famille. La simplicité du lieu, son immersion au cœur du village me donnaient, je crois, une idée assez juste de ce qu'avait dû être cette nouvelle vie de l'après-guerre. J'ai aussi pu mesurer l'effet énorme de la présence de mon grand-père dans la petite cité, devenue par le truchement d'un seul homme un centre de tourisme envahi par les cars de l'Europe entière ! Entre la statue de *L'Homme au mouton* sur la place du marché, les fresques de *La Guerre et la Paix*, et les centaines de potiers et céramistes travaillant dans l'ombre de Pablo – sans parler des fêtes organisées en son honneur –, Vallauris pourrait s'appeler Picasso-Ville...

La relation entre Françoise et Pablo se fonde sur un rapport de force très particulier. Leur grande différence d'âge a donné à leur amour une dimension spirituelle très intense. Pablo, qui a l'expérience d'un homme mûr, fait toujours preuve, cependant, d'un fatalisme presque désobligeant : arrivera ce qu'il arrivera. Françoise a un tempérament de visionnaire, tant dans la recherche artistique que dans l'organisation de sa propre vie. Elle attend des réponses, et Pablo se dérobe souvent. Il s'autorise des plages de temps libre, souvent consacrées à la politique, auxquelles Françoise ne participe pas.

A-t-elle le sentiment de cette distance, dont le vouvoiement de rigueur serait devenu le symbole ? Elle est pourtant, au physique, le miroir de la jeunesse d'esprit de Pablo.

Devant les inquiétudes de la jeune femme, Pablo lui suggère de faire un autre enfant. La famille est pour lui une source d'apaisement, quand la force créatrice le torture.

Paloma naît le 19 avril 1949. Voici Pablo père de quatre enfants, Paulo, Maya, Claude et Paloma : il les présente au monde entier. Il dessine avec Claude et Paloma, se nourrit de leur spontanéité. Cette famille recomposée, comme on ne disait pas encore, c'est la sienne. Il pose volontiers pour les photographes sur la plage. Dans un sens, ce qu'il avait présenté à Françoise comme une solution, semble être pour lui-même un remède !

L'environnement du couple et de leurs deux enfants est tumultueux. Ils sont cernés par la presse, les solliciteurs, les importuns, les courtisans souvent, les amis aussi. Dans le courrier de cette époque, dont une immense partie est conservée aujourd'hui dans les archives du musée Picasso à Paris, de très nombreuses lettres d'inconnus sont restées non décachetées par simple manque de temps !

Le temps... Voilà ce dont Pablo, justement, commence à manquer. Un phénomène lié à sa notoriété se fait jour : des femmes s'offrent à lui, tentent de le séduire, pour toucher un mythe vivant et, pourquoi pas, emporter un souvenir. N'a-t-il pas tous les charmes ?

La vie du couple s'en ressent. Geneviève Laporte réapparaît. Elle racontera ses souvenirs [1] en 1973. Très récemment, elle s'est confiée à Henry Gidel [2], qui lui prête une bien plus grande importance dans la vie de mon grand-père que celle qui lui a été reconnue par les biographes précédents. Énigme d'alcôve...

L'ambiance est à la confusion des corps et des esprits. Françoise n'en peut plus. Elle part, avec les enfants.

Fin septembre 1953, la rupture est définitive. Pour la première fois, une femme a résisté à Picasso, lui a survécu. « En y réfléchissant, raconte-t-elle, je compris que Picasso n'avait jamais pu supporter longtemps la compagnie d'une femme. Je savais qu'il avait été attiré au premier abord par le côté intellectuel de nos relations (...) Il avait cependant insisté pour que j'aie des enfants afin que je puisse m'épanouir. Et maintenant que j'étais devenue une femme, une mère, une épouse, il était clair que cela ne lui plaisait pas [3]. »

---

1. Geneviève Laporte, *Si tard le soir, le soleil brille,* Paris, Plon, 1973. Édition revue et augmentée sous le titre, *Un amour secret de Picasso*, Monaco, Éditions du Rocher, 1989.
2. Henry Gidel, *Picasso,* Paris, Flammarion, 2002.
3. *Vivre avec Picasso, op. cit.*

Elle a sans doute perçu que Pablo aurait voulu la « ranger » et la conserver, exactement comme il l'avait fait avec Marie-Thérèse qui avait compris le manège : « Il aurait aimé avoir un grand château, avec chacune de ses femmes dans une pièce. Comme les Arabes. Avec les enfants naturellement... Un diable, je vous dis. C'était un diable[1]... »

Pablo vit alors une période troublée. Claude et Paloma, scolarisés à l'École alsacienne à Paris, reviennent pour les vacances. Maya part à Madrid pendant l'été 1954. Pablo revoit Françoise à l'occasion d'une grande parade pour la corrida, à Vallauris, où elle pénètre à cheval dans les arènes ! Il est fasciné – au grand dam d'une autre femme qui vient d'entrer dans le cercle, Jacqueline Roque. Mais Françoise repart le soir même. La courtoisie s'est substituée à la tension amoureuse.

Dans les années qui suivent, Françoise fait en sorte que la situation de leurs enfants soit confortée au mieux de ce que permettait la loi. Pablo y consent volontiers : toujours officiellement marié à Olga, il n'avait pas pu les reconnaître, il devient spontanément leur subrogé-tuteur en 1955, puis dépose une demande en 1959 pour qu'ils puissent porter son nom, ce qui fut autorisé par le garde des Sceaux en 1961.

Au cours de l'année 1963, Françoise annonce elle-même à Pablo qu'elle écrit (avec Carlton Lake) un livre sur leur histoire... Il s'inquiète. La publication de *Life with Picasso*[2] en 1964 provoque la colère de Pablo, âgé alors de plus de quatre-vingts ans, et très sensible à la moindre contrariété. Il se pense victime d'une offense, et ce sentiment est vivement encouragé par la pression qu'exerce sur lui Jacqueline Roque, et l'insistance de son avocat Me Bacqué de Sariac.

Consulté, un jeune avocat, Roland Dumas, conseille de laisser passer l'orage. Il n'est pas écouté. Pablo fait un procès. Une protestation en sa faveur, signée d'artistes, d'intel-

1. Interview de Marie-Thérèse Walter par Pierre Cabanne, *op. cit.*
2. Édité aux États-Unis par McGraw-Hill Inc.

lectuels et de militants communistes, est publiée dans *Les Lettres françaises*[1]. Même Fernande Olivier participe à ce manifeste, elle qui a publié, en 1933[2], un livre de souvenirs, auquel Picasso s'était opposé.

Les révélations sur l'intimité de Françoise et Pablo sont des souvenirs communs, affirmèrent les juges. Monsieur Picasso n'en a pas la propriété exclusive.

Pablo perdit le procès, et le livre bénéficia d'une publicité significative.

Le peintre s'enferme dans un isolement toujours plus grand. Ses amis Georges Braque et Jean Cocteau sont morts en 1963. Claude et Paloma, qui venaient toujours voir leur père pour toutes les vacances scolaires, le rencontrent à Noël de cette année-là pour la dernière fois : inexorablement, Pablo se détache de la chair de sa chair pour ne faire plus qu'un avec son art. Et puis, il redoute l'influence de leur mère, Françoise, et leur reproche déjà de ne pas intervenir auprès d'elle pour lui faire abandonner son projet d'écriture... Mais que peuvent-ils faire ? Lâcherait-il lui-même ses pinceaux s'ils le lui demandaient ?

Il y eut encore une entrevue, tendue, quelques années plus

1. Journal de la Résistance créé par des écrivains français dans la clandestinité pendant la guerre. Le premier numéro devait sortir en février 1942 à l'initiative de Jacques Decour. Mais, celui-ci est arrêté en février 1942 et fusillé le 30 mai suivant. Finalement le premier numéro sort le 20 septembre 1942 sous la direction de Claude Morgan, assisté de Jean Paulhan, Jacques Debu-Bridel, Charles Vildrac, Jean Guéhenno, Jean Blanzat, le révérend père Maydieu. Le journal cesse d'être clandestin à la libération de Paris. En effet, le premier numéro paru hors clandestinité est distribué dans les rues de Paris en août 1944. Aragon en devient le directeur à partir de mars 1952 jusqu'à la fin du journal, en 1972. Pierre Daix en est le rédacteur en chef de façon discontinue. Bien qu'appartenant au même Parti communiste, Aragon (qui collaborait au journal) et Picasso avaient rarement la même conception de l'art et de la politique, ce qui suscitait souvent des polémiques entre eux. Lorsque le Parti communiste coupa les vivres du journal, Aragon se tourna naturellement vers Picasso pour lui demander de l'aide. Ironique, Picasso dédicaça simplement une photo de lui avec le violoncelliste dissident Mstislav Rostropovitch, qui parut dans le dernier numéro des *Lettres françaises*, en 1972.

2. *Picasso et ses amis*, *op. cit.*

tard, dans une rue de Cannes : Claude et son père ne se parlèrent pas plus que quelques minutes, sous le regard absent de Jacqueline.

En 1968, Claude et Paloma tentèrent, en vain, une première action en « reconnaissance de filiation ». Ce n'était pas une attaque contre leur père, c'était simplement vouloir établir un fait. Mais ce « fait » était encore ignoré par la loi. Et l'entourage de Pablo prenait la chose comme une agression. Et puis, Jacqueline...

Il est difficile de se mettre à la place d'une femme qui doit composer avec l'influence de celle qui l'a précédée. Le livre de Françoise était la meilleure des justifications pour Jacqueline, soucieuse de protéger totalement leur univers. Et Pablo voulait la paix !

Personne de sa famille n'eut plus accès au maître, à part Paulo. Lui-même se plaignit, les dernières années, de devoir presque « faire le mur »... Les intermédiaires, gardien, chauffeur, secrétaire – sans parler de Jacqueline –, déclaraient sans sourciller que « Monsieur » travaillait et ne pouvait être dérangé...

Jacqueline Roque (1926-1986)

Décembre 1953. Peu après le départ officiel de Françoise, Pablo rencontre une jeune femme, Jacqueline Roque. Elle a presque vingt-huit ans.

Elle est la cousine de Suzanne Ramié, de la galerie Madoura, à Vallauris. Jacqueline aide à la vente et croise régulièrement Pablo.

Ils ne restèrent pas longtemps insensibles l'un à l'autre. Leurs conversations se firent plus fréquentes. Réservée par nature, Jacqueline prit de l'assurance. Ils partageaient les mêmes déchirures : elle venait de se séparer de son premier mari, André Hutin, dont elle avait une petite fille prénommée Catherine. Ils avaient tous deux le cœur solitaire...

Pablo remarque son profil de sphinx : elle l'inspire immédiatement. À la différence de toutes celles qu'il a peintes auparavant, cette fois, il ne croise pas les visages ou les couleurs de cheveux des femmes de son existence. La toile est vierge. Comme si, à l'automne de sa vie, il recommençait une carrière d'artiste. Et une nouvelle vie d'homme...

À l'initiative de Paulo, Marie-Thérèse vient à Vallauris passer un moment avec Pablo. C'est à *La Galloise*, en cette fin 1954, que ma grand-mère croise Jacqueline. Pablo lui présente « Mme Walter », ce qui eut le don d'irriter quelque peu Marie-Thérèse. Jacqueline bredouille son propre nom, encore intimidée par l'ouragan Picasso qui s'abat sur elle.

Jacqueline prend doucement sa place, toute la place. *La Galloise* – qui appartient à Françoise – est vidée[1], et elle accueille provisoirement Pablo chez elle. Il achète la grande maison de Cannes, *La Californie*, et récupère tous ses biens entreposés dans ses appartements ou dans des garde-meubles parisiens. Avec la complicité de Jacqueline, il recrée un atelier gigantesque, une véritable caverne où il entrepose toute sa production, soit une bonne partie de sa vie.

En 1955, chassé-croisé des générations : Paulo, Maya, Claude et Paloma sont réunis, le temps d'un été, par Pablo, sous le regard de Jacqueline, laquelle doit affronter presque quarante années d'un passé prodigieux qui lui est étranger.

Olga est morte en février, Marie-Thérèse vient de refuser le mariage jadis promis, aujourd'hui impossible, Françoise a choisi de survivre ailleurs.

À l'automne 1955, chacun reprend sa route, sauf Jacqueline et Pablo.

Le corps du vieil homme est peut-être fatigué, mais il a retrouvé toute sa fougue pour célébrer sa nouvelle conquête. Elle est de toutes les œuvres.

Il s'inspire des maîtres du passé, il en a désormais le

1. Même les œuvres que Françoise a réalisées sont enlevées. Elle ne les récupérera qu'au moment de l'inventaire de la succession de Pablo, à partir de 1974 !

temps. Jacqueline leur apporte sa modernité : une quinzaine de *Femmes d'Alger*, d'après Delacroix (il en avait commencé l'étude dès 1940) entre décembre 1954 et février 1955, une cinquantaine de *Ménines*, d'après Velázquez, au second semestre 1957, près d'une trentaine de *Déjeuner sur l'herbe*, d'après Manet, entre l'été 1959 et Noël 1961. Ou *L'Enlèvement des Sabines*, en 1962, d'après David.

Ces œuvres s'inscrivent dans un dialogue permanent avec ses aînés, comme d'autres œuvres précédentes, inspirées par le Greco, Cranach, Courbet, Cézanne, Rembrandt pour la période finale des *Mousquetaires*, ou encore par Nicolas Poussin, l'une de ses références absolues, dont il fit plus tard le portrait [1].

C'est dans cette perspective historique qu'a lieu l'acquisition, à l'automne 1958, du château de Vauvenargues, qu'a signalé à son attention l'historien, collectionneur et ami, Douglas Cooper, châtelain lui-même. « Regarde, Jacqueline et moi, nous avons eu le coup de foudre quand nous y sommes retournés avec Jean [Cocteau] : c'était le matin, le marché était encore sur la place du village, les paysans parlaient catalan [probablement le provençal] ! Et les étalages de fruits, de légumes, ressemblaient à ceux des marchés de chez nous ! » confie-t-il à son ami, le journaliste Georges Tabaraud [2].

C'est une cure de jouvence. Pablo, selon sa fameuse expression, rachète en quelque sorte la *Sainte-Victoire* de Cézanne et renoue avec de nombreux souvenirs de sa vie. Jacqueline et lui prennent possession des lieux, muant peu à peu les immenses pièces du château en ateliers, en décorant

1. *Le Jeune Nicolas Poussin*, Pablo Picasso, huile sur toile, 73 × 60 cm, daté du 31 juillet 1971. Il découvre Poussin au Prado en 1897, puis au Louvre en 1900. L'autoportrait *Yo Picasso* (1902) reprend la pose de l'autoportrait de Poussin vu au Louvre. Le portrait du *Jeune Nicolas Poussin* achève, en 1971, cette exploration. Cette peinture est l'emblème de l'exposition du palais des Papes à Avignon en 1973, la dernière à laquelle Pablo Picasso a apporté son concours dans le choix des œuvres de la dernière période de sa vie. Il meurt le 8 avril, l'exposition s'ouvre le 23 mai. *Le Jeune Nicolas Poussin* figure sur l'affiche et le catalogue officiels de l'exposition. René Char en signe la préface.

2. Georges Tabaraud, *Mes années Picasso*, Paris, Plon, 2002.

certaines de ses propres œuvres et de sa collection personnelle : Matisse, Cézanne, Courbet, Braque, Modigliani, Corot... Ils trouvent mieux leur place, juge-t-il, dans cet univers chargé d'histoire qu'à Cannes ou à Mougins.

Pablo peint les murs nus de la salle de bains au premier : désormais, un faune et une végétation luxuriante accompagneront ses ablutions matinales.

L'enthousiasme dure près de trois années. Puis Vauvenargues, finalement trop austère pour lui, avec ses hivers glacés de mistral et ses étés calcinés, ne devient plus qu'une simple halte sur le chemin des corridas de Nîmes ou d'Arles.

Le 2 mars 1961, dans le plus grand secret, à presque quatre-vingts ans, Pablo épouse Jacqueline. Quarante-cinq années les séparent. Certains se plurent à dire que la persévérance de Jacqueline l'avait emporté : une épouse avait de meilleures garanties d'avenir qu'une simple compagne. Mais cette persévérance dont parle leur amie Hélène Parmelin[1] tient plus probablement au besoin d'une femme de voir son compagnon s'engager à ses côtés plutôt qu'à un intérêt financier.

De surcroît, rappelons que mon grand-père avait horreur de tout ce qui pouvait évoquer la mort. Son mariage était un acte de vie. Et d'amour.

Le seul fait que cette union ait été célébrée sans qu'il soit passé de contrat est la preuve que, pour Pablo, la spontanéité l'emporte. Le fatalisme aussi...

Quelque temps auparavant, à l'occasion du baptême de Miguel, le fils du torero Dominguin et de sa femme Lucia Bosé, Pablo avait été exaspéré par l'émeute des journalistes. Avec ce mariage secret, il faisait un pied de nez à ceux qui se croyaient autorisés à tout savoir de lui et, plus particulièrement, à la presse. Une nouvelle fois, il menait la danse.

Il n'était pas question d'organiser un quelconque devenir. Arriverait ce qui arriverait ! Quelles qu'en fussent les consé-

1. Hélène Parmelin, *Voyage en Picasso,* Paris, Christian Bourgois, 1994.

quences. D'ailleurs, quel intérêt de savoir qui seraient ses héritiers, puisqu'il avait, selon son mot à Pierre Daix, « assez travaillé pour tout le monde » ?

Quant à Jacqueline, issue d'un milieu bourgeois et chrétien, entrée dans le monde de l'art par la boutique de la galerie Madoura, elle avait dû s'adapter à de nouvelles mœurs, bien libérales, et confronter ses propres valeurs à l'anticonformisme de Pablo. Elle pensait qu'un mariage avait une signification officielle, qu'il était un engagement aux yeux de tous. En janvier 1961, elle avait exprimé publiquement, et en larmes, son agacement devant la promesse non tenue par Pablo de l'épouser. Elle avait affaire à un défilé de visiteurs – hommes mariés et leurs maîtresses, homosexuels et leurs petits amis, épouses libertines, prétendantes en tout genre... Elle voulait marquer sa différence !

Quelques semaines plus tard, c'était fait.

Jacqueline et Pablo s'installent dans une nouvelle demeure, *Notre-Dame-de-Vie*, à Mougins, pour fuir Cannes et la villa *La Californie* dont la vue sur la baie est bouchée par la construction d'un grand immeuble. Jacqueline organise leur vie de « jeunes » mariés. Plus encore que *La Californie*, lieu de passage pour tout le monde, ou le château de Vauvenargues, bien trop marqué par l'histoire, la maison de Mougins est « sa » maison, « leur » maison. Elle y réinvente une jeunesse enfuie, et filtre les visites.

Il me reste de cette époque comme une lumière de fin d'après-midi, rougeoyante, sous la douce chaleur du soleil à travers les feuillages. À l'image des photos de David Duncan (qui avait déjà saisi Jacqueline et Pablo à *La Californie* et à *Vauvenargues*) ou de Roberto Otero, qui témoignent d'une plénitude sereine. Les jours passent, tranquillement.

Après la célébration du quatre-vingtième anniversaire de Pablo à Vallauris, le peintre se consacre prioritairement à son atelier. Les années à *La Californie* avaient été illustrées par les scènes d'intérieur et la Côte d'Azur. La dernière période marque le retour du peintre à son modèle. *Notre-Dame-de-*

Vie, située sur le flanc d'une colline, se composait d'un corps de bâtiment principal très large faisant face au versant. L'architecture n'avait rien de remarquable, mais les très grandes pièces lumineuses étaient parfaites pour accueillir des œuvres. Au second étage se trouvait une terrasse qui devint l'atelier ultime de Pablo, surtout après que fut installé un ascenseur intérieur. C'est là que, par privilège, certains étaient conduits par Pablo et lui seul, pour découvrir ses œuvres les plus récentes.

J'ai ainsi recueilli le témoignage de Mstislav Rostropovitch, qui fut le visiteur, le témoin et le complice d'une soirée absolument unique. Au cours de l'été 1972, il rendit visite à Pablo. Le violoncelliste russe était devenu *persona non grata* en URSS, à la suite de son soutien à l'écrivain dissident Soljenitsyne. Exilé (avant d'être déchu de sa nationalité soviétique quelques années plus tard), Rostropovitch était le protégé de l'Occident, en ce temps de guerre froide. Pablo, qui avait toujours sa carte de militant communiste depuis 1944 (il en payait le droit de timbre comme tout adhérent), n'en conservait pas moins son indépendance critique vis-à-vis du Parti et de l'URSS.

Il avait souhaité rencontrer le musicien, aussi le reçut-il avec enthousiasme à *Notre-Dame-de-Vie*. Il lui offrit immédiatement un exemplaire du livre regroupant les gravures consacrées à *La Célestine* [1], avec cette dédicace au crayon : « Pour Slava, mon ami. Pablo », sous laquelle il dessina un lion.

Mstislav (surnommé Slava) est venu avec son violoncelle

1. Selon le *Dictionnaire Picasso* de Pierre Daix, « cette toile célèbre de Picasso marque le début de sa sortie de la période bleue ; on le vérifie d'autant mieux qu'elle a été nettoyée. C'est à cause de sa taie sur l'œil que Picasso conçut d'en faire *La Célestine*, telle qu'il l'a dessinée avec un portrait-charge de Sebastià Junyer et une dame de petite vertu (...) Parmi les trois cent quarante-sept gravures, soixante-six ont été consacrées à *La Célestine*. Elles ont été imprimées sur une seule feuille et aussi tirées séparément à quatre cents exemplaires pour l'édition en livre (éditions de l'atelier Crommelynck) ».

et un carton de vodka russe ! Il est saisi par le regard de Pablo : « Ses yeux étaient comme un rayon X. J'eus l'impression que quelque chose n'allait pas et, machinalement, j'ai vérifié que mon pantalon était mis correctement... »

Ils parlent, longtemps, puis Mstislav joue du Bach. Pablo est très impressionné. Jacqueline, qui apprécie la musique classique [1], fait des photos de cet instant magique.

Pablo emmène ensuite son ami dans l'atelier au-dessus, car selon lui toute discussion politique requiert un tête-à-tête. Il souhaite également lui montrer des gravures qui ont été réalisées, en 1968, avec les fameux imprimeurs Aldo et Piero Crommelynck, désormais ses voisins de Mougins, qui vinrent d'ailleurs rejoindre Pablo et son invité.

Rostropovitch m'a confié que Pablo insistait pour lui montrer combien il travaillait et lui présenter le thème de sa recherche dans une suite de portraits d'un même visage, saisi dans différents états d'esprit : « Pendant deux heures, sur deux chevalets, il fit se succéder les œuvres récentes, aidé par un des frères Crommelynck. » Pablo précisa qu'à une œuvre heureuse succédait une œuvre tragique, et qu'il ne montrait cela à personne, sauf à Jacqueline et à ses assistants.

C'était un jour exceptionnel à plus d'un titre. Il ouvrait son cœur et son âme à un homme qui refusait Brejnev, tout comme lui-même s'était opposé quarante années plus tôt à Franco. Ils étaient du même camp. Celui des opprimés.

Ils décident de célébrer cette rencontre. Autour de la table en forme de banjo qu'apprécie tant Pablo, les petits verres de vodka se remplissent sans arrêt... Si bien que, au moment où Pablo se propose, honneur suprême, de graver sur la partie de bois noir de l'archer de Mstislav, celui-ci le lui retire des mains ! Il refuse que Pablo y touche, trop inquiet de voir le maître, visiblement gris, inscrire quelque signe indéchiffrable et un nom illisible. Il décide donc de graver lui-même :

1. Elle revit souvent le violoncelliste et sa femme après la mort de Pablo, notamment à l'occasion du fameux festival de Menton.

« Pour Pablo, Slava », alors qu'il n'était absolument pas dans son intention d'offrir à quiconque son plus bel archer.

N'est-elle pas magnifique et désopilante, cette rencontre d'un grand-père, ordinairement strict buveur d'eau, parvenu à un âge très avancé, et d'un violoncelliste prodige, vidant ensemble de petits verres de vodka ? D'autant que l'histoire n'est pas finie...

Trop fatigué pour repartir, Slava resta dormir sur place. En allant se coucher, Jacqueline lui souhaita une bonne nuit et ôta de son cou un médaillon[1] qu'elle passa autour de celui du violoncelliste. « Je me souviens des deux dernières phrases que se sont échangées Jacqueline et Pablo ce soir-là, m'a confié le maestro : "Comment peux-tu offrir le premier cadeau que je t'ai fait lorsque nous étions fiancés !" déclara Pablo avec une tendre jalousie irrépressible. Jacqueline prit un air arrogant : "Eh bien, je l'aime !" » Au matin, il chercha fébrilement son précieux archer. En vain, malgré les efforts de toute la maisonnée. Et sous le regard malicieux d'un Pablo vraiment navré. De nombreuses années après la mort de Pablo, Rostropovitch revint au mas après un concert et trouva l'archer exposé dans une vitrine sur un placard avec... deux verres à vodka ! Pablo avait voulu conserver le souvenir de cette soirée arrosée et, malgré son ami, l'indispensable archer qu'il lui avait dédicacé !

Jacqueline et Pablo, au fil des ans, ont établi une relation de couple toute particulière. Ils ont dépassé le stade de la relation physique. Nombre de ceux que j'ai rencontrés se sont amusés de la timidité certaine de Pablo à l'égard de Jacqueline, de la rareté de ses gestes affectueux. Prendre la main de sa femme, la caresser, n'a rien pour lui d'ordinaire ni de spontané. Dérive un peu « machiste » d'un roi-soleil rarement contraint au moindre effort ? Reste d'une époque conventionnelle faite de retenue en public, malgré sa volonté farouche

1. Il s'agissait d'un pentagone irrégulier en or, sur la face duquel se profilait, au fil d'or, un visage, signé par Picasso.

de transgresser les règles ? Jamais personne n'a décrit Pablo comme un amoureux démonstratif en public – ni Olga, ni Marie-Thérèse, Dora ou Françoise. Avec ces trois dernières se posait en outre l'inquiétante question de l'adultère incontournable... Jacqueline n'échappait pas à cette réserve. Mais elle savait prendre l'initiative, et devancer probablement l'envie.

La vitalité de Pablo s'exprime au travers de sa création. À la fin 1965 et pendant une année entière, il se consacre au dessin et à la gravure, se détournant totalement de la peinture. Il est épuisé par l'incroyable quantité de portraits de Jacqueline qu'il a réalisés depuis plusieurs années, épuisé aussi par une œuvre érotique grandissante, que la galerie de Louise Leiris[1] a du mal à présenter sans s'attirer les foudres de la censure... Ainsi reçoit-elle un jour la visite du commissaire de police de l'arrondissement.

Physiquement, Pablo a subi une intervention sur la vésicule biliaire, dans le plus grand secret – par coquetterie et par souci d'éviter les supputations des journalistes sur sa santé. Jacqueline et lui sont partis discrètement en train jusqu'à Paris, puis se sont rendus à l'Hôpital américain de Neuilly, où il a été inscrit sous le seul nom de Ruiz. La rumeur a voulu qu'il ait été également opéré de la prostate – un drame pour l'homme inépuisable qu'il avait été, mais que, à l'égal de tous les hommes de son âge, il ne pouvait plus être... quoi

1. Louise Leiris, bien souvent appelée Zette, est la fille d'une première union de Lucie, la femme de Daniel-Henry Kahnweiler. En fait, elles se faisaient passer pour sœurs pour éviter un scandale à l'époque, surtout aux yeux des parents de Daniel-Henry Kahnweiler. Pendant la période trouble de la Seconde Guerre mondiale, Kahnweiler fit racheter sa propre galerie par Louise pour éviter qu'elle ne soit spoliée et « aryanisée ». Selon Pierre Daix (*Dictionnaire Picasso, op. cit.*), Louise Leiris « se présente donc au commissariat des questions juives pour poser sa candidature et, malgré une lettre anonyme révélant qu'elle est la "belle-sœur" de Kahnweiler, obtient le droit au rachat ». Après la Libération, elle accueillit Kahnweiler (veuf après la mort de Lucie) dans la galerie qu'elle venait d'ouvrir avec Michel Leiris, son mari. Cette prestigieuse galerie est toujours en activité.

qu'il ait pu tenter pour faire croire le contraire ! Il reconnaissait seulement perdre un peu l'ouïe.

Il est expulsé au printemps 1967 de ses ateliers de la rue des Grands-Augustins, qu'il n'avait pas revus depuis une douzaine d'années, mais qui demeuraient pour lui la trace vivante de sa vie à Paris, et des sombres années. Malgré l'amitié qu'affiche André Malraux, alors ministre d'État chargé des Affaires culturelles, malgré l'hommage national, l'année précédente, organisé par le conservateur Jean Leymarie [1], il ne peut échapper à la politique de libération des logements vides...

Il paye en réalité le prix de son engagement communiste. En retour, il refuse la Légion d'honneur, qui lui est attribuée d'office, non sans maladresse, quelque temps après ! Tout cela finalement, c'est le passé. Il se veut un homme d'avenir, encore et toujours.

Et, pour démontrer qu'il est toujours un artiste vivant et contemporain, il enchaîne les toiles des *Mousquetaires*, puis des œuvres sur les gens du cirque, avec des clowns vibrant de couleurs et de joie. Entre début 1969 et début 1970, il réalise environ cent soixante-cinq peintures de taille imposante. Pour confirmer son ardeur laborieuse et la permanence de son audace, à l'initiative d'Yvonne Zervos [2], l'exposition de cette production est inaugurée, en mai 1970, à Avignon

1. Jean Leymarie, conservateur et écrivain d'art français, né en 1919. Il entra dans la vie de Picasso au titre de conservateur au musée de Grenoble et professeur d'histoire de l'art à Genève, au cours des années cinquante. Selon Pierre Daix, « il a été, après Georges Salles et Jean Cassou, le conservateur qui a le plus lutté contre l'indifférence des musées français à l'égard de Picasso, en même temps qu'il faisait entrer son art à l'École du Louvre quand il en a été le directeur ».

2. Yvonne et son mari Christian Zervos ouvrirent une galerie en 1929 à Paris. Ils réunirent au musée du Jeu de Paume, en 1937, un ensemble d'œuvres de la plupart des chefs de file de l'art contemporain. Cette exposition, pionnière dans son genre, était constituée d'œuvres fauves, cubistes, dadaïstes, surréalistes. Leur galerie jouxtant *Les Cahiers d'Art*, maison d'édition créée par Christian en 1926, ils purent préserver clandestinement pendant la guerre de nombreuses œuvres jugées « subversives » par les autorités politiques.

au sein du majestueux et ancestral palais des Papes. Quel choc ! Picasso est toujours là ! Entre détracteurs indispensables et *aficionados* fidèles, Pablo alimente les conversations et braque sur lui les projecteurs. Il est vivant ! N'a-t-il pas confié à ma mère, Maya : « En bien ou en mal, mais qu'on en parle ! »

En octobre 1971, célébrant les quatre-vingt-dix ans de l'artiste, et surpassant l'hommage national de 1966, qui avait occupé tout le Grand Palais, le Petit Palais, la Bibliothèque nationale et bien d'autres galeries en une gigantesque rétrospective [1], le président de la République Georges Pompidou fait installer au musée du Louvre huit peintures de Picasso dans la Grande Galerie, face aux chefs-d'œuvre classiques de la peinture française. C'est un événement historique. Pour la première fois on accroche au Louvre les œuvres d'un artiste vivant ! *L'Arlequin, La Femme assise, Le Nu assis* côtoient Watteau et les maîtres du passé.

Pablo et Jacqueline ne se déplacèrent pas. Conscient que son état ne le permettait pas, que sa santé était fragile, Pablo a naturellement renoncé à se montrer, mais il s'est vivement intéressé à cette rétrospective. Jacqueline n'en fut pas moins fière, mais dissimula discrètement son excitation.

Pablo interrogea donc longuement ceux qui y étaient allés. Son ami Jean Leymarie avait activement participé à l'organisation de cet hommage, n'ayant cessé d'alerter les autorités culturelles sur le rendez-vous manqué de la France avec Picasso. À défaut de lui offrir un musée, la patrie reconnaissante était enfin à la hauteur – de son vivant. Plus tard, trop tard, l'heureuse et providentielle Dation que le président Pompidou avait en vue depuis plusieurs années se chargea de rattraper le temps perdu...

Pour l'heure, Pablo questionne Roland Dumas qui faisait partie des invités à l'inauguration, pour s'assurer de l'harmonie générale entre ses œuvres et celles de ses maîtres d'autre-

1. Elle accueillit plus de huit cent cinquante mille visiteurs.

fois, qu'il rejoint enfin. « “Votre *Arlequin*, comme vous dites, déclara Dumas, défend très bien vos couleurs.” Mais Picasso voulait en savoir davantage. Je lui décrivis les emplacements, les éclairages, les effets d'un tableau par rapport à un autre. Les deux toiles[1] n'étaient pas côte à côte, mais elles étaient suffisamment proches pour que la tentation de les comparer saisisse chaque visiteur[2]... »

Pablo pose les mêmes questions à ses amis présents : Michel et Zette Leiris, Daniel-Henry Kahnweiler (qui avait toujours été convaincu que l'œuvre de Picasso irait au Louvre), Hélène Parmelin et son mari Édouard Pignon ... Sa garde rapprochée.

L'embellie fut de courte durée. Le président Pompidou avait dit de Picasso qu'il était « un volcan jamais éteint ». Mais, en cet automne 1972, Pablo s'affaiblit. Une mauvaise grippe, aggravée en bronchite, le cloue au lit plusieurs semaines : il vit avec un respirateur artificiel à portée de main au cas où... Il ne travaille plus. À Noël, il est toujours alité. Il dîne régulièrement dans son lit, entouré de Jacqueline et de quelques visiteurs. Pour le réveillon à *Notre-Dame-de-Vie*, Jacqueline a convié Hélène Parmelin et Édouard Pignon, le fidèle avoué de Cannes, Armand Antébi, et son épouse, l'éditeur espagnol Gustavo Gili et sa femme. Tout le monde sait Pablo couché à l'étage du dessus, la fête menace d'être morose. « Quelque chose a bougé dans la maison. Des pas, des voix. Pignon dit : “C'est Picasso !” La porte s'est ouverte avec son bruit habituel de clochettes accrochées dessus et qui tintinnabulent dès qu'on y touche. Et Picasso et Jacqueline ont fait leur entrée. Bras dessus, bras dessous. Rayonnants. Superbes : ils s'étaient faits beaux. Entrant et nous surpre-

1. Pablo Picasso, *Paulo en Arlequin*, 1923 et Jean-Antoine Watteau, *Gilles*, vers 1718-1719. Gilles est un personnage du théâtre de foire, un type de garçon naïf et poltron que Watteau immortalisa dans son habit blanc traditionnel. Aujourd'hui, cette œuvre s'appelle *Pierrot* et se trouve toujours au musée du Louvre, dans la salle des peintures françaises du XVIIIe siècle.

2. Roland Dumas, *Le Fil et la Pelote, Mémoires*, Paris, Plon, 1996.

nant, ravis comme d'une bonne farce. Embrassant, parlant à la fois... Il était de plus en plus gai. Il a même bu un peu de champagne, et il lui arrivait rarement de boire quoi que ce soit. Il a ri aux larmes. Il y avait des fleurs partout. Des cadeaux. Une véritable fête. Minuit a traversé ce moment en fanfare, avec tous ses baisers, ses vœux, ses folies [1]. » Hélène Parmelin n'en revient pas. Le lendemain, 1er janvier 1973, Jacqueline soupire : « Merci, mon Dieu, nous avons franchi l'année. »

En ce mois de janvier, Pablo paraît reprendre des forces. Les quelques visiteurs qui ne l'ont pas vu depuis quelques mois notent pourtant un changement considérable : sa voix a « dépassé le cap de l'âge », dit Georges Tabaraud [2]. Pourtant, sa production considérable témoigne d'une énergie intarissable. Une autre exposition à Avignon est suggérée par Jacqueline pour donner suite à l'énorme succès de celle de 1970 et témoigner de l'important travail de l'année écoulée.

Plus il s'approche de l'inéluctable, plus il le refuse. Et Jacqueline avec lui. « Qu'on me foute la paix », répéte-t-il en permanence. « Il n'obéissait plus qu'à un seul impératif : la peinture [3]. » Jacqueline s'occupe de tout le reste.

Les témoignages de cette époque sont rares parce que les visiteurs le sont tout autant. Jacqueline et Pablo forment un tout, qui se suffit à lui-même : « Elle l'appelait mon seigneur, mon maître, et ne le tutoyait pas en public (...) amante, modèle, assistante, infirmière, interlocutrice permanente, elle fut tout cela ! Elle sut le protéger contre le raz de marée de visiteurs qui sans cesse battait sa porte. C'était cela l'essentiel. Elle fut la gardienne intransigeante de l'espace de liberté et de création indispensable au travail de Picasso... Mais elle était en même temps d'une jalousie impitoyable de tout et de tous ceux qu'elle aurait pu soupçonner de mettre en cause sa

1. Hélène Parmelin, *Voyage en Picasso*, *op. cit.*
2. *Mes années Picasso*, *op. cit.*
3. *Voyage en Picasso*, *op. cit.*

souveraineté sur cet espace et son exclusivité sur l'homme-dieu dont elle se posait en vestale[1]. »

Dans le long couloir qui relie les grandes pièces et mène à l'ascenseur, une banquette, appelée le « quai de gare », sert à attendre ou à se reposer : attendre, quand Pablo converse avec quelqu'un dans un salon ; se reposer, pour Pablo lui-même, trop faible pour marcher de longues distances.

Attendre sur le « quai de gare » représente déjà un privilège quand certains patientent, en vain, à la grille de la propriété.

Paulo, le fils aîné, qui est son secrétaire à Paris, a une dernière conversation avec Pablo à la fin du mois de février, avant de repartir vers la capitale. Peu à peu, tout un chacun cherche un entretien avec Pablo, sans savoir, ou sans vouloir s'avouer, que c'est le dernier...

La frénésie artistique de Pablo ne lui laisse plus le temps de s'intéresser à autre chose qu'à son œuvre, ni à qui que ce soit en dehors de Jacqueline. Personne ne songe d'ailleurs à le distraire. Il a probablement déjà quitté le monde des vivants pour rejoindre le monde magique de son art, le monde de l'immortalité. L'année précédente, il a réalisé plusieurs autoportraits – un visage émacié, encore coloré de vie, mais envahi par deux grandes orbites noires, fixant le spectateur avec force et angoisse. Entre la vie et la mort... Pablo a dit à l'époque qu'il avait touché quelque chose ! Tous ces autoportraits sont exposés en décembre 1972 à la galerie Leiris, à Paris, mais Pablo n'en conserve aucun.

Jacqueline le veille. Jusqu'au 7 avril.

Au moment de commencer une journée de « travail[2] », comme il s'est toujours plu avec raison à le dire, il se sent

1. *Mes années Picasso*, *op. cit.*

2. Ma mère Maya possède un de ces dessins de la dernière journée de travail, tout comme elle a réussi à retrouver et racheter le premier tableau de Pablo, peint en 1889, sur le couvercle en bois d'une petite boîte, reproduisant le grand tableau d'une vue du port de Málaga avec son phare, qui était accroché dans la salle à manger familiale.

mal. Son médecin, le docteur Rance, vient immédiatement. On appelle un pneumologue parisien, le docteur Bernal, qui arrive dans la soirée.

Après avoir dîné, Pablo se sent étouffer. Dans le couloir, Catherine, la fille de Jacqueline, a compris que la fin approche. « Il ne peut pas me faire ça ! se révolte sa mère. Il ne peut pas me laisser ! » Au matin, Pablo se réveille, très affaibli. Me Antébi a été appelé, au cas où Pablo voudrait lui confier quelque chose d'officiel. Le malade est lucide, mais son corps le lâche peu à peu. Il demande au spécialiste de Paris s'il est marié. Celui-ci lui répond que non. Pablo regarde Jacqueline, il lui prend la main, geste si inhabituel, et ajoute : « Vous devriez vous marier. C'est utile ! » Puis, d'un ton sérieux, il ajoute : « Jacqueline, tu diras à Antébi... » Et il s'éteint, en cette matinée grise.

Presque quatre-vingt-douze années d'une vie, exceptionnelle à tous les points de vue, viennent de prendre fin.

Sans que je le sache encore, un grand-père vient de naître pour moi.

La politique

Les autres parlent, moi, je travaille[1] *!*

PABLO PICASSO

1. Cité dans *Picasso à Antibes* de Jules Dor de La Souchère, Paris, Éditions Fernand Hazan, 1960.

L'œuvre de Pablo Picasso s'inscrit tout entière dans une dynamique unique : le refus des règles. De l'académisme originel à la récupération de son propre génie, mon grand-père refusa tout. Il imposa sa norme, créa un langage, éventuellement repris par d'autres – qu'il remit aussitôt en cause. Il honnissait aussi bien l'enfermement dans un cadre préexistant que la tyrannie d'un ordre nouveau. Par-dessus tout, il haïssait et redoutait le mot « fin ». Quel autre artiste a pu bâtir tant de « périodes » si clairement définies, et les quitter méthodiquement, là où d'autres s'y sont enfermés à jamais ? Mon grand-père savait rebondir, à tout instant, au moment même où on le pensait fini. Artiste traditionnel et, simultanément, éternel révolutionnaire : est-ce cela, le génie ?

Révolutionnaire, dis-je : le mot évoque irrésistiblement la politique. Picasso adhère au Parti communiste français en 1944. D'autres artistes et intellectuels ont déjà rejoint ses rangs. Mais avant d'être le militant célèbre et actif du Parti, Pablo a pris des engagements tout aussi déterminés – sans consigne. Il aurait été un mauvais communiste uniquement parce qu'il était réputé milliardaire ? L'essentiel des critiques se concentre sur ce sujet, et c'est faire peu de cas de tout ce qui a précédé comme de tout ce qui a suivi son adhésion.

Le parcours politique de mon grand-père fut autant une expression artistique qu'un engagement personnel. Il est très réducteur de lier son inspiration au seul « sujet » d'une œuvre et, en même temps, il serait absurde de nier que « l'idée » fut toujours la cause première. Les êtres l'ont inspiré tout autant que les événements. Son œuvre ne procède pas uniquement de modèles, *a fortiori* « politiques », mais, malgré ses engagements sentimentaux multiples, mon grand-père a toujours su faire prévaloir sa conscience.

Cette quête du sens, que les spécialistes de son œuvre connaissent bien, il me paraît essentiel aujourd'hui de la présenter à un public plus large.

L'analyse de cette œuvre n'est pas chose facile. D'un côté, il faut se préserver de chercher mille explications à ce qui s'impose au simple regard sur une toile ; d'autre part, il faut nécessairement dépasser la simple apparence de facilité, que certains ont jugée, et condamnée, hâtivement...

La peinture de Picasso n'est pas un « gribouillage » dénué de sens ! Le moindre trait répondait à une question, problème intellectuel ou « simple » recherche sur une matière ou un procédé, voire un jeu de tracés et de perspectives. Jamais aucun de ceux que j'ai rencontrés n'a entendu Picasso parler de sa peinture comme d'un prétexte, qui serait abus de confiance, d'un moyen et non d'une fin. Rien ne permet de dissocier l'intention de l'œuvre.

Pures fantaisies, ou purs fantasmes, ces tentatives de réduire Picasso à un amuseur, ses détracteurs évoquant avec désinvolture son talent d'alchimiste, transformant la peinture en or, puis cette alchimie miraculeuse en une vaste escroquerie ! Pablo a enduré ces critiques faciles, à toutes les époques, mais il n'a jamais complètement réussi à rester indifférent aux sarcasmes des imbéciles. Il était meurtri, mais persévérait. C'est le destin des grands hommes. Sans jamais s'être senti investi d'une mission divine, il avait parfaitement conscience de posséder un talent hors du commun, et qu'il était de son devoir de l'utiliser.

Sa peinture est à la fois réinscription de la réalité, et révélation de ce que nos yeux profanes ne distinguent pas. Hélène Parmelin, son amie et interlocutrice des dernières années, écrit avec pertinence : « Le brûlant de sa passion prenait une telle intensité, la vérité de son personnage peignant apparaissait avec une telle force, qu'on avait envie de prendre les gens par la peau du cou et de leur dire : voilà celui dont vous avez fait “un homme qui se fout du monde”, un “fumiste”, un homme de poudre aux yeux et de rapine d’argent. Éventuellement un bouffon et un clown. Il en a souffert cruellement, plus qu’on ne le croit. Car l’entrée dans son œuvre lui paraissait devoir être, comme à tout créateur, aussi naturelle que cette œuvre [1]. »

Pablo comprenait la critique quand elle prolongeait son travail, quand elle agissait, vis-à-vis du public, comme un révélateur chimique. Sinon, il concluait philosophiquement que le temps s’en chargerait... N’avait-il pas entendu des professeurs d’académies de beaux-arts vitupérer les impressionnistes ou les fauves ? Il ne comprenait pas la critique quand elle s’arrêtait aux seules apparences, ou lui reprochait de s’écarter des chemins balisés.

Il avait vécu la politique xénophobe française de la Première Guerre mondiale, qui faisait des « émigrés » cubistes les tenants d’un art boche, à la solde de l’ennemi. Il avait enduré la propagande nazie contre l’art dégénéré dont il était le chef de file ! À défaut de l’aider, la critique le confortait dans sa persévérance. Au fond, si tous les critiques l’avaient compris, cela l’aurait probablement inquiété ! « Ils ne savent pas ce qu’ils écrivent ! » aurait-il pu s’exclamer. Sauf qu’il ne s’est jamais laissé crucifier. Il vivait, par son œuvre, une passion continue, au sens esthétique *et* au sens politique.

Chaque réalisation était un chaînon nécessaire de son impulsion créatrice ; simple étude ou œuvre finale, chaque œuvre avait sa place, et sa fonction.

La valeur marchande de son travail passait après, bien après. Sa production massive résultait d’un besoin qui, depuis très longtemps, n’était plus d’ordre financier. Le succès lui avait permis de se dégager de toute pression matérielle, et d’agir selon son désir. Son héritage gigantesque en est la preuve éclatante. Il n’y a pas de rebuts. Pas de « laissés-pour-compte ».

1. *Voyage en Picasso, op. cit.*

L'incompréhension était (et demeure encore, parfois, même si le temps s'est heureusement chargé de la dissiper) la réponse facile de ceux qui voyaient en sa peinture une impasse, parce que c'était la solution immédiate à leur paresse intellectuelle ou à leur absence d'émotion : ils sont, eux, les laissés-pour-compte... Il n'est peut-être pas aisé de comprendre un artiste et son œuvre. Aussi le critique, fût-il profane, doit-il admettre ses propres faiblesses, parfois passagères, avant de conclure que c'est l'artiste qui échappe à l'entendement.

La vision politique de mon grand-père était un préalable : un acte réfléchi face à une réalité donnée. Que cet acte soit révolutionnaire ou non, l'engagement a un sens. Il induit une prise de décision, un acte volontaire. Paraphrasant le chorégraphe américain Bob Wilson selon lequel « dans un sens, tout est danse : chaque mouvement correspond à une chorégraphie... », pour Picasso, tout est politique, ou n'est rien !

D'où l'importance des origines, pour comprendre son cheminement, sa pensée, ses réactions et ses révoltes.

Après une enfance « migrante », de Málaga à La Corogne puis à Barcelone, Pablo, encore adolescent, a déjà choisi sa voie : il sera peintre, comme son père. Mais surtout, à la différence de celui-ci, il sera un artiste. Il réussit le concours d'entrée, avec une facilité insolente, et intègre donc la prestigieuse Académie des beaux-arts de Barcelone. Troublé, mais fasciné, par le talent hors normes de son fils, son père lui loue alors un atelier dans la calle de la Plata, tout près de l'appartement familial.

Très jeune, Pablo affiche déjà un caractère anticonformiste et nourrit sa peinture bien davantage de ce qui l'entoure que de l'enseignement académique. Il ne se satisfait guère de ce qu'on tente méthodiquement de lui inculquer à l'école : ces techniques, il les possède déjà. Il décide de partir pour Madrid, seul – et il n'a que seize ans.

Son père l'a inscrit au cours de l'Académie royale de San

Fernando. Pablo préfère cependant étudier, *in situ*, les chefs-d'œuvre du musée du Prado, et se distraire en courant les plaisirs des quartiers louches de la capitale...

J'ai déjà parlé de sa retraite à Horta de Ebro avec son ami de l'Académie, Manuel Pallarés. Après ces années de « formation » à l'humain et à la solidarité, période initiatique s'il en fut, Pablo comprit toute la difficulté de la vie en société, les contraintes où une partie de cette société enferme l'autre, et cette simplicité du bonheur qui réside en un mot : liberté. Il fréquente les cafés, alors les seuls havres de libération de l'esprit. La tendance est plutôt à la promotion de l'anarchisme – provocation journalière, et fort dangereuse, dans une Espagne monarchiste, rigoriste et peu encline à toute déviance moderniste. Pablo y fait l'essai de sa liberté, et y gagne un courage à toute épreuve.

Barcelone, au tournant du XIXe siècle qui s'achève, s'industrialise. Naît, sous les yeux du jeune peintre, un important prolétariat urbain. Pablo se trouve en même temps témoin du marasme agricole chronique dont souffre l'Espagne, et dont les victimes traînent dans les bouges de la capitale catalane.

Cette situation provoque de puissants mouvements sociaux, déjà révolutionnaires, et des grèves fréquentes. L'anarchisme y trouve une base solide. Et connaît une répression sanglante. La République, mot tabou, est encore très loin. Pablo doit se satisfaire d'un roi – ou s'exiler, comme tant d'autres. Au fil des discussions au café *Els Quatre Gats*, émerge chez lui une conscience politique.

Il suit alors la tendance de gauche prônée par ses camarades, qui s'opposent radicalement au cercle artistique de Sant Lluc, « havre respectable des peintres académiques, des bons catholiques patronnés par l'Église, l'État, et les hommes d'affaires importants », souligne à juste titre Patrick O'Brian[1]. Les habitués du *Quatre Gats* « s'adonnaient au mysticisme. Il s'agissait d'une religiosité importée, fumeuse, panthéiste, cotonneuse ; en somme, un produit douteux du

1. *Pablo Ruiz Picasso, op. cit.*

territoire. Comme il s'y ajoutait un vigoureux élément anarchiste, un franc athéisme venait parfois rejoindre l'anticléricalisme de gauche. Tout cela formait un contraste frappant ; pour un jeune homme qui venait d'être confronté avec la piété rurale et séculaire de La Horta de Ebro. »

Les idées se bousculent dans sa tête. Cela n'en rendra que plus violente la réaction qu'il se prépare à exprimer sur la toile.

Si Pablo admet les postulats anarchistes, il n'en est pas moins conscient de la réalité, parfois fort éloignée des chimères des discussions de café. Loin de l'action politique, au sens ordinaire du terme, il sait que l'art est une arme redoutable. Pour O'Brian, il « prenait de plus en plus conscience de la misère que provoquaient le système et son injustice, la preuve en était partout présente autour de lui à Barcelone, et cette prise de conscience s'intensifia sous l'influence de Nonell ».

Le « système » : là est la clé du problème. Le système et ses règles. Un système en générant un autre, par contagion. L'art doit être l'antidote libérateur !

Isidre Nonell est un peintre catalan qui s'intéresse aux marginaux, aux gitans, aux mendiants. Il a une influence politique certaine sur le jeune Pablo. Ensemble, ils participent en 1900 à la revue *Pel y Ploma*, créée par Miquel Utrillo. Son objectif est de suivre l'évolution de la peinture et de la littérature en ce tournant du siècle. Cette revue avant-gardiste espagnole s'inspire de la revue parisienne *La Plume*, combat toute forme d'académisme, et tient ses lecteurs au courant des différents courants de l'art moderne. De l'académisme, Picasso retient la technique, mais ni l'esprit castrateur, ni l'absence de but. L'académisme est pour lui la perversion du système. Il est le système.

Les discussions du *Quatre Gats* aident Pablo à se forger une opinion politique. Il n'a pas lu les écrits des philosophes mais, à travers les propos des autres, il s'en imprègne abondamment. Cet anarchisme par environnement, si je puis dire, est alors encouragé par sa haine de l'autorité, antérieure à toute opinion politique raisonnée, et par ce refus des règles imposées dont témoignera son œuvre.

Autre sujet brûlant, l'indépendance catalane. Or, ses amis catalans prêchent aussi le mépris de l'art bourgeois. Tout cela est encore virtuel, mais le verbe va se faire action. Barcelone n'est pas seulement une ville en plein essor industriel, où se focalisent les tensions sociales ; elle est aussi la capitale des idées nouvelles en matière de littérature, de philosophie, de musique, de peinture, d'architecture ou de politique – le lieu d'une répétition générale avant le Grand Soir.

Les intellectuels « modernistes » du *Quatre Gats* adoptent le jeune prodige, si bien que, comme le souligne Raymond Bachollet, « pendant une dizaine d'années, la ville [va] lui servir de terrain de formation et d'expériences mais aussi de cocon protecteur, de camp de base en quelque sorte, à partir duquel il allait lancer ses diverses expéditions vers Madrid et Paris, et où il pourrait se replier en cas de difficulté [1]... »

C'est à Paris, pense-t-il, que tout naît et se joue. La Révolution française est à peine centenaire, mais c'est au moins un siècle d'avance sur l'Espagne... Au *Quatre Gats*, l'autorité de ceux qui reviennent de Paris est manifeste. Ils ont vu l'autre côté !

Pablo part pour la capitale française en octobre 1900 avec ses amis Casagemas et Pallarés, à l'occasion de l'Exposition universelle. Selon Raymond Bachollet, « il se devait d'aller découvrir Paris avant la fin de l'Exposition universelle, où l'un de ses tableaux était accroché sur les cimaises du pavillon espagnol ». Il fait partie des envoyés « académiques » de l'Espagne : mais il retrouve à Paris une communauté de Catalans – Casas, Utrillo, Fontbona, Isern, Pidelaserra, Junyent... C'est aussi l'occasion des premières rencontres avec le marché de l'art « moderne » et ses nouveaux prêcheurs,

1. Raymond Bachollet, « Picasso à ses débuts », dans *Picasso et la presse, Un peintre dans l'histoire*, Paris, *L'Humanité*-Éditions Cercle d'Art, 2000.

comme le Catalan Manyac [1], intermédiaire et traducteur bien utile, et Berthe Weill [2], la principale cliente de celui-ci.

Après ce court séjour parisien, Picasso rentre à Barcelone, pour fêter Noël en famille. Puis il s'installe à Madrid. Il a un projet de nouvelle revue, dont l'allure générale s'inspirerait de *Pel y Ploma* : il la baptise *Arte Joven*.

Il a compris tout l'intérêt d'un média pour faire circuler les idées beaucoup plus rapidement, et y véhiculer sa propre vision de la modernité. Bachollet raconte que « Francisco Soler était le directeur littéraire et Picasso le directeur artistique de la nouvelle revue madrilène. Les deux amis avaient pour objectif de jeter les bases d'une révolution artistique, d'importer dans une capitale quelque peu rétrograde "le modernisme catalan", mais les difficultés de la tâche eurent vite raison de l'enthousiasme initial, et la revue cessa de paraître après son cinquième numéro [3] ».

Quels sont les buts affichés de cette revue ? « Le refus des modèles traditionnels, le rejet de la bourgeoisie, de son hypocrisie et de son goût des apparences, la volonté d'utiliser la dérision, de choisir des sujets populaires, de peindre la misère, le sordide et le grotesque ». La démarche est généreuse, mais, en même temps, elle risque fort de s'aliéner la sympathie des bourgeois, seuls acheteurs potentiels de revues. À *Arte Joven* (littéralement, *Art jeune*) collaborent

1. Fils de famille d'industriels de Barcelone, Manyac s'installa à Paris et fut le contact des Espagnols en visite, dont le jeune Picasso lorsqu'il arriva à Paris. Il servait d'intermédiaire et de marchand. Il avait, avant tout le monde, parlé de Picasso au célèbre marchand Ambroise Vollard, et le présenta à Berthe Weill. Il fut le premier à signer un contrat exclusif avec Pablo qui, une fois libéré de cet accord, fera preuve d'une grande prudence pour ce genre d'accord exclusif.

2. Célèbre marchande de tableaux française de la première partie du XXe siècle. Dès sa première rencontre avec Picasso, elle lui acheta *Le Moulin de la Galette*, via Manyac, qu'elle revendit avec succès pour 250 francs (soit 5 155 francs réévalués ou 786 euros). Elle écoula ensuite, difficilement, les œuvres de la période bleue « récupérées » par Manyac.

3. « Picasso à ses débuts », dans *Picasso et la presse, Un peintre dans l'histoire, op. cit.*

l'écrivain Miguel de Unamuno, le poète Cornuti, le sculpteur poète Alberto Lozano, l'essayiste Azorín (qui a inventé l'expression « génération de 98 [1] ») et quelques autres audacieux. Selon Pierre Daix, « la revue participait de la volonté de changement de ladite génération de 98 après l'ébranlement politique et social dû à la défaite de l'Espagne dans sa guerre contre les États-Unis, avec une certaine fascination pour l'anarchisme. Elle essayait de jeter le pont entre cette génération et le modernisme catalan [2] ».

Pablo a l'ambition de libérer la Catalogne. Il ignore encore qu'il va libérer le monde !

Dans ces années essentielles, il se construit une dialectique d'homme de gauche, qui conduira à jamais son parcours politique. D'un idéalisme de jeune homme avide de refaire le monde, il glissera vers le réalisme qui lui permettra de rebâtir ce monde par l'art.

On a voulu simplifier son engagement politique en décidant qu'il avait été « convaincu » par les idées communistes au sortir de la Deuxième Guerre mondiale. C'est une erreur. Son long cheminement intellectuel prouve assez que les thèses communistes étaient les plus proches de son idéal politique, mais qu'elles n'en étaient pas le préalable.

Définitivement de retour à Paris en avril 1904, Pablo y connaît, nous l'avons vu, les pires difficultés matérielles de sa vie. Ses tableaux de la période bleue reflètent logiquement cette souffrance et constituent, au-delà de leurs sujets, une représentation fidèle de son quotidien. Il vit la misère du peuple. Elle est en lui. Même la période qui suit, plus heureuse, plus « rose », ne l'éloigne pas de cette simplicité des gens ordinaires.

Le soir, tout est beau dans le Paris des revues à grand spectacle ; au matin, Pablo retrouve la grisaille. Dans son

---

1. Génération des intellectuels espagnols marquée par la défaite de leur pays dans la guerre contre les États-Unis.

2. *Dictionnaire Picasso*, *op. cit.*

livre de *Souvenirs*[1], son ami Max Jacob décrit ainsi cette vie brinquebalante : « À son arrivée à Paris, il y a mené la vie très turbulente des apprentis. Il fréquentait le Moulin-Rouge, le Casino de Paris, et autres music-halls alors à la mode. Il connaissait les dames à la mode : Liane Pougy, Otero, Jeanne Bloc, et faisait d'elles des portraits très ressemblants. Il y avait aussi le cirque Médrano, à Montmartre, et la Commedia dell'Arte qui lui inspirèrent nombre de peintures sur le thème des saltimbanques et des arlequins... »

Émerge aussi à cette époque cet art érotique, inspiré par ses expériences comme par ses fantasmes – loin des « bonnes mœurs » dont Pablo se joua toujours avec ironie et audace.

Avec sa première compagne, Fernande Olivier, Pablo fréquente le milieu artistique parisien. Il fait la connaissance de collectionneurs, côtoie les avant-gardistes. Il apprécie *Le Lapin agile* et les bistrots de Montmartre. Il se lie ainsi avec Guillaume Apollinaire, André Salmon, Juan Gris, Marie Laurencin, Léo Stein.

Ce foisonnement de talents, cette latitude d'être différent dans le groupe, et de s'accorder tout de même, dans une joyeuse alchimie, apportent une réponse « humaine » à ses inquiétudes. Il se forge une conscience personnelle dans cette multitude d'influences, dont la liberté est le dénominateur commun.

Gertrude Stein, sœur de Léo, le présente à Matisse. Rencontre essentielle, qui déterminera deux vies, faites d'allers-retours, de compétition et d'adhésion à leurs différences. Pablo entame des dialogues féconds avec tous, mais reste facilement maître du sujet. Force est de constater qu'il a une présence qui en impose à son entourage, en un mélange intense d'intimité dans l'échange, et d'indifférence – une indifférence parfois incompréhensible. Il passe de l'un à l'autre sans ménagement, mais sans méchanceté.

---

1. *Souvenirs sur Picasso contés par Max Jacob*, Paris, Les Cahiers d'Art, 1927.

Le combat politique n'est certes pas sa priorité à ce moment-là. Il se préoccupe davantage du quotidien : manger, dormir, peindre. Survivre. Moralement et physiquement.

Il y a là, à Montmartre, tous ces « cubistes en devenir » qui attendent le signal du départ : Derain, Braque, Gleizes, Herbin, Le Fauconnier, Léger, Metzinger, Picabia, Juan Gris, Delaunay...

Y eut-il jamais un tel creuset d'idées et de talents ! A-t-on connu, depuis, une telle révolution des esprits ? La pensée artistique réveillait la société, la libérait du carcan bourgeois d'alors. Picasso mis à part, je ne vois pas d'autre dynamiteur des consciences et des inhibitions – sinon Freud, un peu plus tard.

Pablo commence à gagner sa vie. On n'ose même pas dire « mieux gagner » sa vie, tant les difficultés de son quotidien sont aujourd'hui difficilement concevables en France. Les quelques photographies du *Bateau-Lavoir* semblent pittoresques. Ce pittoresque, c'est le froid, et la faim. Le *Bateau-Lavoir*, fait de bric et de broc, n'est que le reflet de la précarité des existences. Pourtant, ils y croient, tous ensemble, chacun à leur manière. L'espoir est la première forme de courage.

Au plus fort de son succès, mon grand-père est resté un homme simple, un homme de solidarité. Même très riche, il est resté un homme du peuple. Pour le peuple, dans un esprit d'universalité. Le communisme se présentera à lui dans son intention affichée de faire le bonheur des peuples. Il le croira, comme tant d'autres.

Son « embourgeoisement » ne fut jamais que matériel. À l'aube des années 1910, il peut désormais acheter l'essentiel, et s'offrir un peu de superflu... Mais il se défie vite des sirènes bourgeoises. Très tôt, il impose ses méthodes aux marchands. Il supporte très mal d'être séparé de ses œuvres et, quitte à en souffrir pour en vivre, il préfère sonder lui-même cette blessure. Très rapidement, il vend non pas ce qu'il peut, mais ce qu'il veut ! Et il bouleverse ici encore toutes les règles, en fixant des prix minima.

Pablo n'abandonne pas pour autant ses idéaux anarchistes. Tout comme il avait apporté son soutien au peuple cubain qui luttait pour se libérer du joug espagnol[1], il participe, en 1909, à une manifestation en faveur de Francisco Ferrer, « révolutionnaire espagnol, ardent défenseur de la laïcité, fusillé après un simulacre de procès[2] ». Protester contre l'exécution de Ferrer est pour Pablo le symbole du combat contre « l'Espagne noire ».

Lorsqu'il fréquente, en 1912, le *Café de l'Ermitage*, sur le boulevard Rochechouart, tout près de son nouvel atelier, il s'intègre rapidement au mouvement futuriste. Ce groupe d'écrivains et de peintres italiens qui annoncent, depuis 1909, la révolution dans l'art, le séduit. Il y rencontre aussi sa future compagne, Éva Gouel. Mais la légitimité des futuristes n'est pas politique, elle se fonde uniquement sur l'art. Pablo y trouve un artifice de style plus qu'une conviction.

Parce qu'il est espagnol, mon grand-père ne participe pas à la guerre de 1914. L'Espagne est neutre. Il voit partir ses amis français, pleins d'héroïsme et d'espoir.

Certains ne reviennent pas. D'autres sont gravement blessés, comme Apollinaire qui doit être trépané. Pablo se sent inutile. Il déambule dans ce Paris désert, loin de l'action militaire – par ailleurs vaine et assassine.

Dans cet exceptionnel documentaire audiovisuel que sont les *Treize journées dans la vie de Pablo Picasso*[3], se trouve une interview de Daniel-Henry Kahnweiler, le marchand d'art « historique » de Pablo dès 1907, datant des années soixante. Sur la Première Guerre mondiale, il rappelle que

---

1. Il signa un *Manifeste de la colonie espagnole à Paris* en 1901, en faveur des anarchistes emprisonnés pour leur opposition à la guerre de 1889 contre les Cubains.
2. Gérard Gosselin, « Picasso, la politique et la presse », dans *Picasso et la presse, Un peintre dans l'histoire, op. cit.*
3. *Treize journées dans la vie de Pablo Picasso, op. cit.*

les cubistes ont posé des questions essentielles « en ne faisant rien » – et il y voit un acte de résistance. Continuer à créer, c'était bien, en un sens, « mépriser » l'ennemi. Entre 1914 et 1918, les peintres n'exposent plus dans les salons officiels, les marchands ne vendent plus. La galerie de Kahnweiler, immigré d'origine allemande, est saisie, et l'essentiel de sa collection dispersée, aux prix les plus bas, pour détruire la réputation de ces peintres modernes, complices « par défaut » de l'ennemi.

Perdu dans ce Paris qui accueille les premiers blessés de retour du front, Pablo assiste, impuissant, à la mort d'Éva. C'est alors que Cocteau lui propose de travailler avec lui et les ballets de Diaghilev, et qu'il rencontre Olga.

Comme je l'ai souligné plus haut, Olga Khokhlova est une « Russe blanche ». Mais elle est aussi une émigrée. Elle n'a aucune démarche politique, rien que la volonté d'accéder au grand monde. Tant pis pour Moscou ou Saint-Pétersbourg, ce sera à Paris.

Dans un sens, pour Pablo, cette démarche est révolutionnaire. Changer la donne d'un univers inaccessible. Faire imploser le grand monde en le pénétrant. Encore faut-il en saisir les usages : Olga a été formée pour cela. Et y durer : Pablo en a maintenant les moyens.

Il met alors son talent au service de la cause de sa future femme. Il combine, avec une certaine ruse, un néoclassicisme relativement spontané, et l'entregent des nouveaux marchands, Rosenberg et Wildenstein. La forme rejoint les fonds...

Mais, en Picasso, l'animal politique ne dort que d'un œil : sous l'apparence d'une vie rangée et bourgeoise sommeille le rebelle de la peinture, le matador des idéaux pacifistes dans un monde en ébullition. Olga lui impose, un temps, un « assoupissement » social. Puis il reprend le flambeau.

À l'aube de 1925, il oscille entre le réveil intellectuel du militant et l'audace artistique de l'amoureux adultère. Il ne tardera pas à adopter les deux voies. Il est sauvé !

Ses nouveaux amis sont maintenant ces surréalistes dont André Breton est le chef de file. L'auteur de *Clair de terre* devient un interlocuteur stimulant, un guide spirituel. Patrick O'Brian décrit le surréalisme comme un état d'esprit « anarchiste, turbulent, juvénile, optimiste, iconoclaste ; et en cela il s'accordait bien avec celui de Picasso [1] » !

Tout au long de son parcours politique, à Barcelone, à Madrid ou à Paris lorsqu'il fréquenta les cubistes, les futuristes et enfin les surréalistes, Pablo a eu besoin de se rattacher à des idéaux. Ce désir d'appartenir à un groupe, sans jamais l'avouer réellement, de faire partie d'une communauté artistique et en même temps politique, reflète sans doute le besoin de (re)créer une famille. L'éternel marginal aime sentir les autres autour de lui, mais aussi s'en détacher pour aller de l'avant.

Ainsi que le souligne Gérard Gosselin [2], « les événements internationaux des années trente, en Espagne puis dans l'Europe tout entière, vont profondément marquer Picasso ». Pablo le pacifiste, l'homme de gauche, ne supporte pas que l'Espagne puisse tomber aux mains des fascistes. Il signe, en 1932, « la protestation contre l'inculpation d'Aragon pour "provocation au meurtre dans un but de propagande anarchiste" après la publication de *Front Rouge* ». En « avril 1935, comme l'atteste une lettre de la rédaction du journal *Monde* d'Henri Barbusse, il envoie un télégramme à Hitler lui demandant la vie sauve pour Albert Kayser et Rudolf Klauss, deux antifascistes allemands condamnés à mort ». Mais, selon Gosselin, chez Picasso, qui avait toujours vécu pour l'art, qui avait essentiellement fréquenté les milieux intellectuels et artistiques de création littéraire, de peinture et de sculpture, de musique et de danse, la préoccupation dominante, était celle de sa recherche picturale... ».

1. *Pablo Ruiz Picasso, op. cit.*

2. « Picasso, la politique et la presse », dans *Picasso et la presse, Un peintre dans l'histoire, op. cit.*

Pablo et ses contemporains, en effet, vivent au jour le jour ces événements qu'il nous semble aujourd'hui si facile à mettre en perspective. Comment faire la différence, alors, entre propagande et réalité, faute d'informations vérifiables ? L'idéalisme politique de Pablo se heurte à des forces d'une rigueur insoupçonnée, à des méthodes d'une violence inconnue, et qui le restèrent longtemps...

La guerre civile espagnole, déclenchée par le général Franco durant l'été 1936, amène Pablo à s'engager bien plus qu'il ne l'avait jamais fait. Sa nomination à la direction du musée du Prado, le 19 septembre 1936, prouve assez l'intérêt que les républicains espagnols portent alors à son œuvre et à son rayonnement. Picasso est un prescripteur. C'est sans doute aussi une manœuvre, dont Pablo ne saisit pas encore l'importance, pas plus qu'il ne comprend sa propre importance – et l'arme, et l'enjeu, que sont désormais les intellectuels ou les artistes dans le débat politique.

Picasso a instinctivement réagi aux événements en Espagne. Gosselin décrit parfaitement son action dans l'urgence : « Président d'honneur du comité France-Espagne, il vient en aide aux républicains espagnols, signe des pétitions, lance des appels, verse aux souscriptions, vend des œuvres à leur profit. Les photos des combats, notamment celles de Robert Capa publiées dans *L'Humanité*, *Ce soir*, *Vu* ou *Regards*, les récits des bombardements de civils et les atrocités commises par les partisans de Franco influencent sa création[1]. » Appuyé par Dora Maar, Pablo prend toute la mesure de l'engagement actif.

Il publie alors *Songe et mensonge de Franco*, sorte de bande dessinée des événements tragiques, appuyant la République espagnole sans mesurer le danger réel qu'il peut encourir.

Songe et mensonge de Franco est un poème surréaliste illustré d'eaux-fortes sur les horreurs de la guerre – femmes tuées, maisons en flammes, et une forme monstrueuse qui

1. *Ibid.*

doit représenter Franco. D'après Patrick O'Brian, « le déroulement des scènes n'est pas clair, mais ce n'est pas nécessaire : l'ensemble des gravures, avec le poème qui y est intégré, exprime le chaos hideux, la folie, et la cruauté absurde de la guerre, et le refus total, et le dégoût que Picasso éprouvait de la guerre mais aussi des valeurs de la droite [1]... ». C'est sa dénonciation la plus explicite des horreurs de la guerre d'Espagne. Il déclarera d'ailleurs à Georges Sadoul [2] qu'il avait fait cet album « bien volontiers » pour le peuple espagnol.

Pourtant, lorsque Kahnweiler évoque les opinions politiques de Picasso dans ses *Entretiens* [3], il rappelle que le peintre clamait haut et fort : « Je suis royaliste. En Espagne, il y a un roi, je suis royaliste. » Pour son marchand, Picasso fut l'homme le plus apolitique qu'il ait connu. « Il n'avait jamais pensé à la politique ni de près ni de loin, mais le soulèvement franquiste a été un événement qui l'a arraché à cette quiétude, et a fait de lui un défenseur de la liberté et de la paix. »

Mon grand-père, un « royaliste » ? J'ai interrogé moi-même Pierre Daix, qui m'a confirmé que Pablo répondait ainsi aux questions idiotes. De la même façon, lorsqu'on lui parlait de l'art nègre, il jetait un : « Connais pas ! » définitif. Pour Daix, « c'était souvent dramatique, parce que c'était sa manière de couper court. Or, les gens notaient ses propos, en ne comprenant pas que c'était pour mettre fin à la discussion ». Cette stratégie répondait essentiellement à une volonté de ne pas perdre son temps. Mon grand-père ne rêvait pas, il agissait.

Malgré la réserve que lui imposait en théorie sa situation d'émigré à Paris, Pablo prit sincèrement parti pour le peuple

1. Patrick O'Brian, *Pablo Ruiz Picasso*, *op. cit.*
2. Magazine *Regards* n° 187 du 29 juillet 1937, interview à Georges Sadoul.
3. Daniel-Henry Kahnweiler, *Entretiens avec Francis Crémieux, Mes galeries et mes peintres,* Paris, Gallimard, 1961.

opprimé d'Espagne. Au cours de mes recherches, j'ai pu retrouver la preuve de nombreux versements d'argent au Comité national d'aide à l'Espagne, particulièrement à la fin de l'année 1938, avec un don de 100 000 francs (288 000 francs réévalués, ou 44 000 euros environ) en novembre, puis 300 000 francs (plus de 850 000 francs réévalués, ou 130 000 euros environ) au début de l'année 1939. S'y ajoute l'organisation de deux centres de ravitaillement pour les enfants, à Barcelone et à Madrid, dont il fut l'initiateur, avec encore 200 000 francs (576 000 francs réévalués, ou 88 000 euros environ).

Il me semble important d'insister sur ces chiffres : pour réunir ces sommes, mon grand-père, qui avait tant de mal à se séparer de ses créations, vendit des œuvres tout spécialement. Voilà un engagement réel, fruit de son travail et de sacrifices. « Comme les réfugiés, rajoute O'Brian [1], se déversaient en France [près de cinq cent mille personnes au total], bon nombre d'entre eux se tournèrent vers lui, et je n'ai pas entendu parler d'un seul cas où ils écrivirent ou vinrent le voir en vain. »

Dont acte.

Plus tard, bien plus tard, il offrit certains tableaux à ceux qui avaient aidé les Républicains : en 1940, à l'hôpital Ducuing de Toulouse, qui avait accueilli de nombreux réfugiés ; en 1971, une magnifique période bleue (*La Jeune Morte à l'hôpital*, de 1902) est remise à la fondation en mémoire de son ami de jeunesse, le docteur Jacint Reventós, éminent phtisiologue, qui avait beaucoup œuvré pendant la guerre civile à Barcelone.

En fait, Pablo est apolitique dans le sens où il n'appartient, à l'époque, à aucun parti, et n'a aucune envie de se mêler de politique politicienne. Il est désormais un humaniste, partisan de l'Espagne républicaine. En outre, ses choix se situent, de 1936 à 1938, tant sur le plan politique qu'au niveau affectif :

1. *Pablo Ruiz Picasso, op. cit.*

faut-il rappeler que sa mère, sa sœur, son beau-frère, ses neveux et sa nièce vivent toujours dans la péninsule ? Pablo est partagé entre révolte et inquiétude. Entre action et prudence.

Une femme encore a bousculé les choses : Dora Maar.

Leur amour est une liaison « militante ». Entre eux bouillonnent les idées. Comment échapper à la politique ? Tout alors est engagement : à droite, à gauche, xénophobie des uns et des autres, communisme à l'Est, fascisme à l'Ouest...

Au moment du terrible bombardement de la petite ville basque de Guernica, le 26 avril 1937, elle est auprès de Pablo. Ils sont solidaires face à cette tragédie.

À ceux qui font courir le bruit qu'il est un artiste réactionnaire, engagé à droite, il répond, avec le soutien « rédactionnel » de Dora : « La guerre d'Espagne est la bataille de la réaction contre le peuple, contre la liberté. Toute ma vie d'artiste n'a été qu'une lutte continuelle contre la réaction et la mort de l'art. Dans le panneau auquel je travaille et que j'appellerai *Guernica*, j'exprime clairement mon horreur de la caste militaire qui a fait sombrer l'Espagne dans un océan de douleur et de mort. »

C'est l'acte fondateur d'un engagement qui désormais croîtra sans cesse. *Guernica* est présenté au pavillon espagnol de l'Exposition universelle à Paris le 12 juillet 1937 (aux côtés d'une sculpture monumentale et déformée à l'extrême, *Tête de Marie-Thérèse*). L'Exposition s'est ouverte le 24 mai précédent, avec ces pavillons allemand et soviétique, opposés et curieusement similaires dans leur « monumentalisme » et leur sévérité militaires. *Guernica* crée un contraste saisissant, pourtant presque ignoré. De façon incroyable, les républicains espagnols déplorent son manque de « réalisme » populaire !

La fresque sera ensuite exposée en Suède (1938), à Londres, à Manchester (1939) et à la galerie Valentine à New York, en mai 1939, avant de rejoindre la grande rétrospective du Museum of Modern Art, qui la conservera en dépôt à la demande de Pablo [1].

Simultanément, les événements internationaux se précipitent. L'Allemagne annexe l'Autriche en mars 1938. La France joue l'attentisme. Málaga est assiégée. Barcelone, bombardée par les Allemands et les Italiens, tombe finalement aux mains des franquistes en janvier 1939. Puis Madrid, en mars suivant – au moment même où Hitler entre dans Prague.

Pablo est tiraillé entre sa raison « française », puisqu'il vit en France depuis bientôt quarante ans, et son cœur espagnol. Mais, dans l'orage qui balaie l'Europe, qu'importent les origines géographiques ? L'essentiel est que des voix s'élèvent. Dont la sienne. Patrick O'Brian [2] note qu'on a reproché à Picasso d'avoir fait entrer, avec *Guernica*, une œuvre de propagande dans la peinture, et que la propagande ne saurait être un art – l'art n'aurait rien à voir avec la politique, ni avec la morale... Mon sentiment, comme le sien, est qu'à cette prétendue propagande artistique répond alors une critique de propagande. L'art fait peur...

Toute communication est propagande. L'Allemagne nazie a un talent certain en la matière. Dans le cas de Picasso, même si le premier réflexe a été un parti pris de prosélytisme, l'humaniste a dominé le politique : plus qu'un militant républicain, il est un militant de la paix. « En raison des propres paroles de Picasso, affirme O'Brian, il est impossible de nier que la propagande faisait partie de ses intentions. Dans sa fureur première, il avait pu envisager une attaque contre les fascistes aussi directe que celle qu'il avait naguère lancée contre Franco, mais à mesure qu'il peignait, il en vint à sublimer toute particularité et toute référence aux événements immédiats. »

Antonina Vallentin [3] rappelle avec justesse les propos de

1. Plusieurs autres chefs-d'œuvre y demeurèrent jusqu'en 1954, à l'exception de *Guernica* qui y resta jusqu'en 1982.

2. *Pablo Ruiz Picasso, op. cit.*

3. *Picasso*, *op. cit.*

mon grand-père : « Les artistes qui vivent et travaillent avec des valeurs spirituelles ne peuvent pas, ne doivent pas rester indifférents en face d'un conflit dont les enjeux sont les plus hautes valeurs de l'humanité et de la civilisation ». Le bombardement de Guernica est un électrochoc, le « massacre des innocents » de notre temps. La nécessité d'affirmer ses convictions pacifistes prend la forme d'un manifeste de peinture contre les franquistes et leurs alliés. Une réponse appropriée aux circonstances.

Dora est à la fois témoin et actrice de *Guernica*. Témoin en photographiant les différents états de sa création, entre le 1er mai et la fin juin, après que Pablo a réalisé plus d'une quarantaine de dessins préparatoires. Elle est aussi partie prenante dans sa création. Elle soutient, de toute la force de sa pensée, la ligne politique d'un Pablo reclus, de manière presque hystérique, dans son désir d'accomplir sa mission.

Son témoignage photographique, aujourd'hui conservé avec l'œuvre elle-même et les études préalables au Centro cultural de la Reina Sofia à Madrid, est une inestimable source d'informations sur la genèse de l'œuvre et son processus créatif. C'est à la fois un grand moment de l'histoire de l'art, et la saisie sur le vif d'une réflexion inédite.

Ma mère Maya s'est souvenue de Pablo et de Marie-Thérèse à cette époque et de ce qu'ils lui ont raconté. Lors des visites qu'elle rendit alors rue des Grands-Augustins, Maya, reconnaissant les profils de sa mère sur les portraits qu'elle voyait journellement dans l'atelier de la maison du Tremblay-sur-Mauldre, où elles vivaient, s'écriait alors « Maman, Maman... ». Elle posa même un jour ses mains d'enfant sur la peinture fraîche de *Guernica* – une petite trace d'innocence sur la fresque barbare.

La guerre d'Espagne fut une répétition de la Seconde Guerre mondiale avant l'heure. Les temps étaient à la défiance ou à la soumission. Pierre Daix m'a confié que Pablo avait pardonné à ceux qui, comme Jean Cocteau, avaient quelque peu « traîné » avec les Allemands ; mais il n'a jamais pardonné à ceux de ses amis qui avaient activement collaboré avec les franquistes – ainsi André Salmon ou Max Jacob. Ce dernier, qui avait écrit des poèmes très ambigus, s'est, selon Daix, « fait engueuler par [mon] grand-père comme jamais de sa vie, et celui-ci ne pardonna jamais à Salmon, à Dalí non plus. Les gens qui étaient du côté de Franco, c'était définitif ! »

En mars 1939, Pablo signe avec Jean Cassou, Louis Aragon, José Bergamín et Georges Bloch, un appel pour sauver les intellectuels espagnols prisonniers dans le camp français de Saint-Cyprien. Et, après la chute de Barcelone, les neveux de Picasso, qui combattaient aux côtés des républicains, ont fui l'Espagne pour trouver de l'aide auprès de leur oncle. Il les accueillera ainsi qu'un grand nombre de réfugiés espagnols.

En septembre 1939, on se rappelle que Pablo part à Royan rejoindre Marie-Thérèse et leur petite fille. Et qu'il y installe aussi Dora. Il organise en quelque sorte son agenda de guerre. Avec Marie-Thérèse et Maya, il vit l'inquiétude du conflit ; avec Dora, il vit la Résistance.

Doña María meurt à Barcelone, en janvier 1939, à l'âge de quatre-vingt-trois ans. Malgré son attachement indéfectible à sa mère, Pablo ne se rend pas à son enterrement, en raison de l'entrée simultanée des franquistes dans la ville. Il a décidé, irrévocablement, qu'il ne mettrait plus les pieds en Espagne tant que Franco serait au pouvoir. Et, fidèle à sa parole, il n'y retournera jamais, puisqu'il mourut deux ans avant le Caudillo.

Mon grand-père avait la hantise de ce qu'il appelait « l'Espagne noire », l'Espagne des curés, l'Espagne arriérée. Il dit un jour à Daix : « Cézanne, on l'aurait brûlé vif en Espagne. » Si Franco était mort avant lui, peut-être serait-il rentré, parce que, malgré tout, il se sentait espagnol jusqu'au bout des ongles ! Comme l'affirme mon oncle Claude, son deuxième fils : « Avec sa passion pour les corridas, à Arles, à Nîmes ou à Vallauris, et toute l'influence de l'Espagne dans son œuvre d'après guerre, il avait récupéré l'*hispanidad* du bon côté des Pyrénées[1] » !

Selon Daix, il y avait « toujours deux Espagne pour lui : l'Espagne qu'il aimait, qui était la sienne, celle de ses copains, d'Alberti[2], de tous les autres ; puis "l'Espagne noire", l'Espagne des propriétaires fonciers, de l'Église ». Pablo aimait profondément son pays natal, témoigna toujours une profonde solidarité à l'égard de son peuple tout au long de sa vie. Et cela, je mets quiconque au défi de le contester.

La grande rétrospective du Museum of Modern Art, à New York, qui tourne ensuite dans les plus grandes villes américaines, a apporté à mon grand-père une renommée internationale extraordinaire. Son engagement politique est dorénavant aussi célèbre que sa révolution esthétique. Dans un sens, l'un explique l'autre, et le décodage devient familier à ses admirateurs. Picasso reçoit des invitations d'outre-Atlantique, Mexique, Argentine, États-Unis.

Malgré de multiples incitations à fuir à l'étranger, Pablo reste dans le Paris lugubre de l'Occupation, dans le petit appartement jouxtant l'atelier, rue des Grands-Augustins. Dans le climat général d'insécurité et de famine, il se remet au travail, notamment à la sculpture, bien que tous les matériaux de base, l'argile, le plâtre, *a fortiori* le bronze, manquent cruellement. Quelques mois auparavant, il a croisé Matisse qui pensait s'embarquer pour le Brésil. Et il a eu cette phrase superbe sur les responsables de la défaite de 1940 : « Nos généraux, c'est l'École des beaux-arts ! »

1. Interview de Claude Picasso dans le DVD intitulé *Treize journées dans la vie de Pablo Picasso*, *op. cit.*

2. Rafael Alberti, poète et peintre espagnol. D'après Pierre Daix (*Dictionnaire Picasso, op. cit.*), « ses relations avec Picasso commencèrent en 1936 (...) En compagnie de Federico García Lorca et de José Bergamín, [il] apporta à Picasso l'hommage de la jeune poésie espagnole. Engagé aux côtés de la République, dans la guerre civile, il lui fallut s'exiler dans la défaite et s'installer à Paris en 1939 où ses liens avec Picasso se resserrèrent. Parti ensuite pour l'Argentine, il revint s'établir à Rome après la guerre. Il reprit alors contact avec Picasso dont il devint un familier et lui dédia de nombreux livres. Il préfaça les albums consacrés aux expositions d'Avignon de 1970 et 1973 ».

Les deux peintres évoquent la situation générale. Matisse, résolu ou inspiré, reste en France, à Vence, dans les Alpes-Maritimes.

L'Espagne affiche une neutralité prudente dans le conflit européen, ce qui en fait l'alliée objective des nazis. Pablo est alors le plus emblématique et le plus gênant des opposants à Franco. Enfin, le propriétaire de l'appartement des Grands-Augustins était un Juif, du nom de Lipchitz, beau prétexte pour la Gestapo pour venir régulièrement interroger Picasso sur son bailleur, réputé vivre aux États-Unis.

Pablo a des papiers en règle. Légalement, il ne craint rien – sinon que Vichy peut à tout moment organiser, de façon « discrétionnaire », son rapatriement en Espagne... Il vit donc dans l'angoisse d'être reconduit à la frontière. Et comme je l'ai déjà mentionné, depuis l'épisode de Barcelone, où il a côtoyé des anarchistes, un dossier de police est conservé à la préfecture : il y est accusé d'avoir été anarchiste de 1901 à 1905 !

Ce dossier a été confisqué par les Allemands pendant la guerre (il sera ultérieurement volé aux Allemands par les Russes). Et en 1940, lorsque Pablo souhaite se faire naturaliser français, il est la raison suffisante du refus qu'on lui oppose.

On se rappelle que c'est alors la seule possibilité (devenir français) qu'a Pablo pour divorcer d'Olga et épouser enfin Marie-Thérèse. Cette demande de naturalisation est également significative de son engagement au niveau politique : Espagnol, il reste en marge de la Seconde Guerre mondiale ; en renonçant à son statut d'émigré pour devenir français, un peintre français décadent et subversif, il court un grand risque d'être livré aux Allemands ! Cette démarche tient, à mon sens, tant à son désespoir d'être espagnol sous Franco, qu'à son envie de crier librement son opposition. Mais la France qui l'a accueilli lui refuse sa naturalisation pour mieux le garder.

Lors des derniers jours à Royan, un peintre lui a demandé : « Qu'allons-nous faire avec les Allemands sur nos talons ? » Et mon grand-père de répondre : « Des expositions ! »

En fait, compromis comme il l'est aux yeux des Allemands, il lui est formellement interdit d'exposer à Paris. Il a mis en sécurité la plupart de ses tableaux dans deux caves blindées de la BNCI (future BNP), Banque nationale pour le Commerce et l'Industrie, boulevard des Italiens, à Paris. Matisse y possède un coffre contigu. Dans un jeu subtil de manipulations, devant les officiers allemands chargés de contrôler tous les coffres de banque, Pablo réussit à berner leur vigilance : il fait passer ses œuvres dans le coffre de Matisse – et réciproquement –, de sorte qu'au contrôle les coffres paraissent, l'un et l'autre, ne contenir que des broutilles – quelques toiles, tout au plus, de cet art « dégénéré », auxquelles les Allemands n'attachèrent aucune importance.

Reclus, frigorifié, manquant de tout pour travailler, Pablo garde la tête haute : « Ce n'était pas le moment pour un créateur d'échouer, de reculer, de s'arrêter dans le travail », dira-t-il plus tard. Reste à travailler sérieusement, lutter pour la nourriture et le charbon, rencontrer tranquillement ses amis et espérer la liberté. Mon grand-père se lance dans la résistance artistique « organisée », nécessairement pleine de contradictions pour l'Espagnol qu'il demeure, mais qui est tout à son honneur. Il a déjà quitté une fois son pays d'origine, et ne veut pas déserter la France au moment où elle a besoin de soutien. Matisse a résumé leur sentiment commun : « Que deviendrait la France si le pays perdait tous ses éléments de valeur... ? »

Pablo est à la fois libre et prisonnier : surveillé par la police française, émigré nécessairement muselé par un « devoir de réserve » avec lequel il est difficile de transiger, tant les autorités semblent guetter le moindre prétexte pour le renvoyer de l'autre côté des Pyrénées, il ne sympathise ni avec les Allemands, ni avec les pétainistes. Il est un « attentiste engagé ». Et compte tenu des méthodes de chantage de la Gestapo ou de la Milice, il veille à protéger ses deux « familles », qui comptent sur lui – Olga et Paulo, Marie-Thérèse et Maya. Il ne peut les mettre en danger, ni même en jeu.

Il se consacre à son travail, seul moyen de lutter contre l'oppresseur allemand. Pour laisser une trace : femmes décharnées, natures mortes de repas dérisoires, crânes sculptés. La *Nature morte au crâne de taureau* ou l'audacieuse *Aubade* (transposition d'une œuvre romantique du Titien dans le système carcéral nazi) en 1942, *La Tête de mort, La Cruche* et le célèbre *Homme au mouton* l'année suivante. L'art est un outil de la résistance. Ses œuvres de l'Occupation sont le reflet de son quotidien, dures, morbides, témoignages d'une réalité dont il ne peut s'affranchir.

En novembre 1942, lorsqu'il renouvelle sa carte d'identité d'étranger, le gouvernement de Vichy lui fait signer une déclaration de non-appartenance à la race juive ! Le mois suivant, Hitler ordonne l'arrestation et la déportation de tous les Juifs et « autres ennemis » du Reich – communistes, francs-maçons ou tziganes. On aryanise à tout-va. Max Jacob est envoyé à Drancy, où il mourra en 1944 ; Kahnweiler, recherché par la Gestapo, se cache en « zone libre ». Dans *Picasso and the War Years, 1937-1945* [1], il est fait mention d'une lettre envoyée à mon grand-père, pendant l'automne 1943, par les autorités allemandes (l'Office de placement allemand). Elle lui ordonne de se présenter pour la visite d'aptitude physique en vue d'un départ à Essen pour le Service du travail obligatoire. L'administration allemande a trouvé une faille pour se débarrasser de Picasso, âgé de soixante-deux ans tout de même, mais reconnu apte ! On ne sait quel miracle lui a permis d'en réchapper – probablement l'intervention du sculpteur allemand Breker, idole des nazis.

Les autorités d'occupation ne perdent pas une occasion de lui rendre visite. Pierre Daix [2] raconte : « Alerté par Dora

1. *Picasso and the War Years 1937-1945*, édité par Steven A. Nash avec Robert Rosenblum, Londres, Thames and Hudson, 1999.

2. *Dictionnaire Picasso, op. cit.*

Maar en janvier 1943, qui lui annonce que la Gestapo est chez lui, il [Picasso] se rend rue des Grands-Augustins au moment où les Allemands en sortent. “Ils m’ont insulté, lui dit Picasso, ils m’ont traité de dégénéré, de communiste, de juif. Ils ont donné des coups de pieds dans mes toiles.” » Pablo est sans doute à l’abri, au plan financier, pendant la guerre, mais il reste sans cesse sur le fil du rasoir.

À plusieurs reprises, l’ancien directeur adjoint à la Sûreté nationale, André-Louis Dubois, l’aide à surmonter les difficultés administratives que lui vaut son statut d’étranger. Il peut ainsi renouveler sa carte d’étranger sans passer par l’ambassade d’Espagne. Dans ses mémoires, Dubois [1] raconte que Picasso ne reste ni indifférent ni inactif face aux menaces : « Ils [les fascistes] nous ont foutu la vérole, déclare Pablo. Il y en a beaucoup qui sont atteints, même sans le savoir. Ils nous le feront bien voir ! Et ces pauvres gens, tous ces pauvres gens ! On va les leur livrer en pâture, peut-être ? Eh bien, ils ne supporteront pas n’importe qui et n’importe quoi. Ils se défendront. Il y aura des grèves et vous voulez que pendant ce temps-là, je reste au balcon, comme au spectacle ? Non, ce n’est pas possible. Je serai avec eux dans la rue... »

Et il est dans la rue pour la libération de Paris ! Le 25 août 1944, les troupes du général Leclerc entrent dans la capitale. Pablo se trouve avec ma grand-mère Marie-Thérèse boulevard Henri-IV. Dès le début des affrontements dans la ville, il a quitté Saint-Germain-des-Prés pour rejoindre l’île Saint-Louis, malgré la menace permanente des francs-tireurs. Maya, qui n’a alors que neuf ans, se souvient très bien de ces jours de chaos, et me les a racontés avec émotion. « Pendant la libération de Paris, nous avions le dangereux avantage d’avoir les “tireurs des toits”. Époque charmante : les barricades en bas, pour empêcher les Allemands d’aller à gauche ou à droite. Les mêmes barricades qui empêchaient d’ailleurs quiconque de se déplacer rapidement dans la rue. Les “tireurs des toits” pouvaient être des FFI (Forces françaises de l’inté-

1. André Louis Dubois, *Sous le signe de l’amitié*, 1972.

rieur) ou, le plus souvent, des francs-tireurs allemands, acculés, qui essayaient de se défendre et tiraient sur tout ce qui bougeait. Donc, nous avions interdiction de sortir même pour aller chercher du pain, tous terrés à la maison, plutôt à plat ventre dans les couloirs. J'étais petite fille et devant chez moi, il y avait un jardin public où j'avais l'habitude de passer les récréations de mon collège qui se trouvait juste derrière notre immeuble. J'aurais beaucoup voulu aller jouer au ballon-prisonnier, mais papa ne voulait pas que j'y aille. Papa m'a lui-même "internée" dans son atelier et il m'a dit : "Tu vas travailler, tu vas faire comme moi, des natures mortes !". »

Ma mère se rappelle leur complicité « artistique » : « Comme la peinture à l'eau est longue à sécher, papa avait installé un système tout autour du salon avec des clous et des ficelles, et nous accrochions nos œuvres les unes à côté des autres à l'aide de pinces à linge. »

Ils firent aussi des guirlandes de papier découpées qu'ils installèrent ensuite, quand les fusillades cessèrent, sur le balcon de l'appartement, pour saluer les soldats libérateurs. Pablo et Marie-Thérèse ont pris des photos de ce jour historique : on y voit Pablo et Maya, complices et rayonnants, comme rayonnait Paris ce jour-là !

En ce jour historique, le plus étonnant est que de très nombreux soldats américains veulent absolument rencontrer Picasso. En Amérique, il est un symbole. Certains ont trouvé son adresse du boulevard Henri-IV. « Quand les Américains sont arrivés, m'a raconté ma mère – qui garde tout frais en sa mémoire les images de cet autre « débarquement » – ils ont commencé par photographier la dernière œuvre de Picasso. On a mis un grand tableau qui me représentait moi avec mon petit tablier rouge et blanc sur une chaise espagnole avec un casque américain [ce même tableau qui trônait dans la salle à manger de mon enfance, à Marseille]. Les Américains ont trouvé que c'était une très belle photo : le casque américain sur la chaise et derrière le tableau de Picasso. Comme ils avaient envie de faire plus de photographies, ils ont photographié un peu toutes les œuvres qu'il y avait, accrochées côte à côte dans le salon sur le fil tendu... Le plus terrible, c'est que papa et moi avions mélangé nos œuvres pour les faire sécher : papa, Maya, papa, papa, Maya... Ils ont photographié sans rien demander et envoyé les photos aux États-Unis. Et les journaux ont publié les dernières œuvres de Picasso... Là, ça a été le fou rire à la maison parce qu'ils avaient photographié mes œuvres et les avaient attribuées à Picasso ! »

O'Brian[1] ajoute que « la Libération combla la France entière de joie, et Picasso était aussi heureux que tous ses autres amis. Néanmoins, c'était pour lui le début d'un emprisonnement dans son propre mythe, et son bannissement hors de la société des hommes ordinaires, peine qui devait se perpétuer jusqu'à la fin de ses jours ».

Picasso échappe à Pablo ! Sa notoriété ne tarde pas à prendre une dimension incontrôlable. Françoise Gilot, qu'il a rencontrée en 1943, est le témoin, et la partenaire médiatisée, de cette nouvelle gloire. Pour elle, « d'un seul coup, Picasso devint l'"homme du jour". Pendant les semaines qui suivirent la Libération, on ne pouvait traverser son atelier sans trébucher sur le corps allongé de quelques jeunes GI. Ils allaient tous voir Picasso, mais ils étaient si fatigués qu'ils arrivaient à peine à gagner l'atelier avant de tomber endormis. Une fois, j'en ai compté vingt, assoupis à divers endroits de l'atelier. Au début, c'étaient surtout des jeunes écrivains, des artistes, des intellectuels : après, ce furent des touristes. Tout en haut de leur liste, au même titre que la tour Eiffel, il devait y avoir l'atelier de Picasso[2]. »

Mon grand-père est très vite sollicité par les communistes pour adhérer au Parti. Après tout, la fin de la guerre a été aussi amenée par les Soviétiques, et la déroute des nazis dans l'est de l'Europe. Le communisme prospère, en ces jours de

1. *Pablo Ruiz Picasso*, *op. cit.*
2. *Vivre avec Picasso, op. cit.*

Libération, grâce à une propagande pacifiste menée tambour battant. L'expérience collectiviste, dit-on, apporte le bonheur au peuple. Bon nombre des amis de Pablo, anciens résistants pour la plupart, viennent d'adhérer. Le Front populaire de 1936 a laissé un goût de nostalgie.

Picasso se tourne donc vers les communistes : ils incarnent au mieux les idéaux qu'il a toujours défendus : liberté, égalité et solidarité. « Je suis venu au Parti communiste comme on va à la fontaine », dit-il. Le 4 octobre 1944, il adhère officiellement au Parti communiste français. Marcel Cachin, directeur de *L'Humanité*, et Jacques Duclos, secrétaire du Parti communiste, se réjouissent hautement de ce ralliement. Aragon, Éluard, Fougeron ou Camus sont alors également membres du PCF[1]. Pablo retrouve en quelque sorte une famille intellectuelle.

Dans *Picasso et la presse, Un peintre dans l'histoire*[2], le chroniqueur rapporte que « *L'Humanité* consacra la moitié de la une à l'adhésion de Picasso au Parti communiste avec plusieurs photos et textes ». Le 6 octobre, le journal *Ce soir* reproduit une déclaration de Picasso : « Nous venons d'interroger Pablo Picasso sur les motifs qui l'ont incité à rejoindre le *parti des fusillés*. Voici ce qu'il nous a répondu : "Pendant les jours de la Libération, j'étais à mon balcon au moment où crépitaient les coups de feu. Il y avait des hommes qui tiraient du haut des toits, il y en avait d'autres qui tiraient de la rue. Et comme je ne voulais pas être au milieu, j'ai choisi." »

L'Humanité du 21 octobre 1944 publie une longue interview de Pablo sur cette adhésion. Il est alors un artiste reconnu, présent dans les grands musées du monde, particulièrement célèbre et apprécié aux États-Unis : ce dernier point est, à lui seul, un inestimable atout de propagande pour le communisme soviétique.

---

1. C'est au congrès de Tours (25-31 décembre 1920) que, à la suite d'une scission avec le Parti socialiste, la Section française de l'Internationale communiste (SFIC) a été fondée. Deux ans plus tard elle deviendra le PCF.
2. *Op. cit.*

Pablo restera toute sa vie membre du PCF, recevant chaque année sa carte d'adhérent, militant sous toutes les formes : participation à des manifestations et congrès, dons, réalisation d'affiches, de foulards, appels pour la libération d'emprisonnés politiques, dessins dans la presse communiste. Il est le « compagnon de route » du Parti.

Une rétrospective Picasso, constituée de soixante-dix-neuf œuvres exécutées pendant la guerre [1], a lieu lors de ce Salon d'automne appelé aussi le Salon de la Libération, car il est consacré aux œuvres « dégénérées », interdites par les nazis. Le moins que l'on puisse dire, c'est que cette exposition suscite de violentes manifestations, visant à la fois son œuvre et son engagement politique déclaré : de jeunes nationalistes projettent de la peinture sur des toiles.

C'est aussi la première apparition publique, en France, des nombreuses œuvres « destructurées » inspirées par Marie-Thérèse. « Beaucoup de gens, rappelle O'Brian [2], furent stupéfaits de le voir se joindre à eux [les communistes]. Ce geste était totalement opposé à ses intérêts, selon les marchands de tableaux : il était évident que quelques collectionneurs américains cesseraient d'acheter les œuvres d'un communiste – et on lui demanda bientôt pourquoi il était devenu membre du PC. Picasso répondit dans une interview qu'il accorda à Pol Gaillard pour *New Masses* de New York, et qui fut aussi publiée dans *L'Humanité* : "J'aimerais beaucoup mieux vous répondre par un tableau, car je ne suis pas écrivain, mais comme il n'est pas très facile d'envoyer mes couleurs par câble, je vais essayer de vous le dire avec des mots. Mon adhésion au Parti communiste est la suite logique de toute ma vie, de toute mon œuvre. Car, je suis fier de le dire, je n'ai jamais considéré la peinture comme un art de simple agrément, de distraction ; j'ai voulu, par le dessin et par la couleur, puisque c'étaient là mes armes, pénétrer toujours

1. Soixante-quatorze peintures, dont de nombreux portraits inconnus de Marie-Thérèse et de Dora ainsi que cinq sculptures.
2. *Pablo Ruiz Picasso*, *op. cit.*

plus loin dans la connaissance du monde et des hommes, afin que cette connaissance nous libère tous chaque jour davantage. J'ai essayé de dire, à ma façon, ce que je considérais comme le plus vrai, le plus juste, le meilleur, et c'était naturellement toujours le plus beau : les plus grands artistes le savent bien. Oui, j'ai conscience d'avoir toujours lutté, par ma peinture, en véritable révolutionnaire, mais j'ai compris maintenant que cela même ne suffit pas ; ces années d'oppression terrible m'ont démontré que je devais combattre non seulement par mon art mais de tout moi-même, et alors je suis allé vers le Parti communiste sans la moindre hésitation, car, au fond, j'étais avec lui depuis longtemps... Je suis de nouveau avec mes frères." »

Au sortir de la guerre, les communistes sont perçus par les intellectuels comme les défenseurs de la liberté (la plupart d'entre eux ont été des résistants actifs pendant la guerre) et incarnent les idéaux de gauche que Picasso a toujours eu à cœur de défendre. Par cette adhésion, mon grand-père avait sans doute le sentiment – illusoire et transitoire – d'échapper à son statut d'étranger permanent, d'appartenir à un corps plus vaste, de faire partie d'un groupe, comme autrefois, quand il discutait avec ses amis au *Quatre Gats*... Il n'ignorait pas que sa personnalité, son œuvre, sa célébrité l'isolaient physiquement et moralement. Sans compter le rêve utopique, largement répandu, d'un nouvel ordre mondial, avec des peuples affranchis des frontières étatiques. Le communisme était une forme d'*esperanto*.

En tout cas, à la Libération, il reçoit le soutien du Comité national des écrivains, et de bon nombre d'intellectuels qui comprennent son humanisme fondamental. Et, à la fin de l'année 1944, il est nommé président du Comité des amis de l'Espagne, qui rassemble des réfugiés espagnols et des antifranquistes.

Il est revenu à plusieurs reprises sur sa déclaration enthousiaste lors de son adhésion au Parti communiste, et il l'a nuancée, de peur qu'elle ne soit récupérée. Selon Patrick O'Brian [1], « Picasso proposa une explication plus simple, plus personnelle, et peut-être plus convaincante : "Vous voyez, je ne suis pas français, mais espagnol, dit-il. Je suis contre Franco. Le seul moyen de le faire savoir, c'était d'entrer au Parti communiste, en prouvant ainsi que j'étais de l'autre bord." »

Sur le plan artistique, souligne Gérard Gosselin [2], « il donne à voir sa création à une majorité de personnes, privées souvent de la connaissance de la peinture et pour lesquelles ce sera le premier contact avec l'art de leur temps. Il le fait toujours sans démagogie, restant fidèle à lui-même. Une nouvelle période de dessins de presse commence ; les journaux qui vont en bénéficier s'autofinancent souvent grâce à la vente militante et aux souscriptions. Un dessin de Picasso à la une du *Patriote* [journal communiste de la Côte d'Azur], de *L'Humanité Dimanche* ou des *Lettres françaises* fait aussitôt augmenter la vente. Des lithographies tirées de ces dessins signées par lui et vendues au profit de cette presse sont des soutiens financiers importants. »

En juin 1945, Pablo participe au XXe congrès du PCF. Il y affirme son engagement en réalisant plusieurs portraits de Maurice Thorez, le chef du Parti. Simultanément, son œuvre se ponctue de symboles des convictions politiques qu'il défend.

À vrai dire, ses toiles ne sont guère en accord avec l'esthétique du Parti qui, officiellement, préfère l'art réaliste prêché par Moscou. Mais Pablo s'arrogea toujours la liberté de dire et de faire ce que bon lui semblait, et comme il l'entendait. Il réalise ainsi trois œuvres politiques majeures : *Charnier* au printemps 1945, *Monument aux Espagnols morts pour la France* en décembre 1945 (exposé, avec *L'Aubade,* au salon

1. *Ibid.*
2. « Picasso, la politique et la presse », dans *Picasso et la presse, Un peintre dans l'histoire*, *op. cit.*

Art et Résistance de 1946) et, en 1951, *Massacre en Corée*[1]. Enfin, entre 1952 et 1958, il peint *La Guerre et la Paix*[2], dénonciation des ravages de la guerre.

Selon Gosselin[3], « dans ses interventions publiques, Picasso s'associe aux grands moments de l'Histoire. Dès 1948, et pendant toute la période de la guerre froide, il se dépense sans compter pour rassembler les partisans de la paix (...) Picasso lutte par ses dessins et par sa participation aux actions pour sauver les militants injustement emprisonnés : Beloyannis, les Rosenberg, Djamila Boupacha, Manolis Glezos, les condamnés espagnols... Il célèbre les grands moments d'espoir : la fin des guerres, les rassemblements internationaux des jeunes, la victoire de la science avec le succès de Gagarine, la conquête de l'espace, il participe aux fêtes, Carnaval, Noël, Nouvel An... »

Installé sur la Côte d'Azur depuis 1946 avec sa nouvelle compagne, Françoise Gilot, et leurs enfants Claude et Paloma, Pablo fournit très régulièrement des dessins au journal *Le Patriote*[4], un quotidien communiste dirigé par Georges

1. Peinture d'ailleurs assez mal perçue cette année-là au Salon de mai puisque les soldats peints n'étaient pas américains, comme l'auraient souhaité les « camarades », mais de simples robots apatrides...

2. Panneaux installés à Vallauris dans un « temple » et inaugurés avec un retard ridicule au gré des changements politiques en France.

3. « Picasso, la politique et la presse », dans *Picasso et la presse, Un peintre dans l'histoire, op. cit.*

4. « Picasso et *Le Patriote* », dans *Picasso et la presse, Un peintre dans l'histoire, op. cit.* : « Depuis la Libération, l'artiste était déjà intervenu dans ce qu'il était convenu alors d'appeler par euphémisme la presse communiste et démocratique. L'*Avant-Garde*, *L'Humanité* et *L'Humanité Dimanche*, avec *La Colombe de la paix*. *Europe*, la *Nouvelle Critique*, *Femmes du monde*, avaient bénéficié de ses dessins. En novembre 1948, *Les Lettres françaises* publiaient un portrait de Guillaume Apollinaire, l'ami jamais oublié.

« Ces dessins répondaient tantôt à un événement de société – rencontre franco-italienne de la jeunesse, création du mouvement de la paix, Journée internationale des Femmes –, tantôt à un anniversaire.

« Cette page du *Roi carnaval* était tout autre chose. Elle marquait le caractère ludique d'une fête, populaire certes, mais que rien ne rattachait de près ou de loin au Parti et à ses luttes. Sans doute était-ce toujours avec le peuple, sans connotation politique, mais dans la joie. »

Tabaraud. Le premier paraît à l'occasion du carnaval de Nice, en 1951. Il y aura un dessin chaque année. Pleinement intégré à la vie locale, il avait reçu, en février 1950, des mains du maire communiste de Vallauris, Paul Derigon, le diplôme de citoyen d'honneur [1]. Faut-il rappeler que la Côte d'Azur vote alors massivement pour le Parti communiste, comme toute la France ? Les accords de Yalta avaient officialisé le régime soviétique, la Résistance l'avait dédouané de ses erreurs comme de ses horreurs. Voter communiste est alors un acte très ordinaire.

Pablo est aussi très présent sur la scène internationale. En septembre 1948, il avait accompagné Paul Éluard à Wroclaw, en Pologne, pour le Congrès des intellectuels pour la paix, et intervient pour demander la liberté de Pablo Neruda, persécuté au Chili : « Toujours, déclare-t-il, Neruda a pris le parti des malheureux qui réclament justice. Aujourd'hui, c'est un homme traqué. Exigeons que Pablo Neruda ait le droit de s'exprimer librement là où il lui plaît [2]. » Il effectue ensuite une visite du ghetto de Varsovie, puis de celui de Cracovie, avant de se rendre à Auschwitz et Birkenau. « Il fallait venir ici pour comprendre [3]... »

De ce voyage, il ne rentre pas indemne. Il reprend le très ancien symbole de la colombe, nourrice de Jupiter, oiseau favori de Vénus, celle-là même qui a annoncé la fin du Déluge. Il en fait le symbole laïque universel de la paix, de l'amitié et de la liberté. En rentrant de son douloureux périple dans les camps de la mort, il réalise d'innombrables *Colombes pour la paix* – dont l'affiche choisie par Aragon pour le Congrès de la paix, à Paris, salle Pleyel, en avril

1. *Picasso, documents iconographiques,* préface et notes de Jaime Sabartés, Genève, Pierre Cailler Éditeur, 1954. Il n'y a pas d'auteur, c'est Sabartés qui a réuni des documents iconographiques auxquels il a ajouté des notes.

2. Intervention de Pablo Picasso à la tribune du Congrès des intellectuels pour la paix, congrès fondateur du Mouvement pour la paix, à Wroclaw, en Pologne le 27 août 1948 publiée dans *L'Humanité* du 28 août 1948. Pierre Hervé est le journaliste envoyé spécialement là-bas pour relater les faits.

3. « Picasso at Auschwitz », *Art News*, septembre 1993.

1949. Et, lorsque Françoise Gilot met au monde la deuxième fille de Pablo, il la prénomme Paloma (« colombe » en espagnol).

Convaincu comme tant d'autres de la perfection du Petit Père des peuples, il dessine le célèbre *À ta santé, Staline* – au moment où Éluard et Aragon encensent dans leurs poèmes le chef de l'Union soviétique. Un an plus tard, en octobre, Pablo se rend à la deuxième conférence de la Paix, en Angleterre. L'affiche reprend encore l'image d'une colombe – en vol. En novembre 1950, il reçoit le prix Lénine de la paix.

Il faut la mort de Staline pour que sa position vis-à-vis du Parti communiste se modifie radicalement. Et pourtant, l'initiative malheureuse vient du Parti...

Ce jour-là, le 5 mars 1953, *L'Humanité* demande à Picasso un portrait en l'hommage du disparu, pour sa une du lendemain. Gérard Gosselin [1] a raconté, une fois de plus, « l'affaire du portrait » dans un ouvrage récent consacré à *Picasso et la presse*. Il rappelle que mon grand-père n'avait jamais rencontré Staline, connaissait à peine ses photos, et continue : « Françoise Gilot, compagne de Picasso, raconte qu'elle a "fouillé l'atelier et déniché une photo dans un vieux journal, qui représentait Staline, âgé d'une quarantaine d'années. Je [Françoise] la donnai à Picasso. 'Bon, bon, dit-il, puisque c'est Aragon qui en a besoin, je vais au moins essayer.'" »

Pablo n'a aucune idée préconçue, et réalise, dit Gosselin, « un portrait où la psychologie est mise à nu. Les traits du visage, cheveux, yeux, moustaches, cou, viennent d'époques différentes de la vie de Staline et s'organisent en une recréation sculpturale. Picasso a dessiné au fusain, effacé partiellement, retravaillé avec un fusain plus appuyé pour apporter des ombres soutenues ou dégradées, souligné d'un trait fort et noir les formes principales, traduisant ainsi la complexité du personnage. »

Le résultat est plutôt fidèle, plutôt flatteur même, puisqu'il

1. « Picasso, la politique et la presse », dans *Picasso et la presse, Un peintre dans l'histoire, op. cit.*

rajeunit Staline. Les réactions sont nombreuses. « J'eus la révélation, m'a rapporté Pierre Daix, d'un portrait de Staline jeune, très ressemblant à une photo de 1903 ou 1904... C'était d'une facture à la fois naïve et étonnamment décidée. » « J'ai vu Staline jeune, dit Aragon, avec le caractère national géorgien très marqué. » « Il n'a pas déformé le visage de Staline, ajouta Elsa Triolet, il l'a même respecté. Mais, il a osé y toucher, il a osé... »

Tout le problème est là : il a osé ! N'en déplaise aux dirigeants du Parti, il a osé une interprétation du visage du dieu. Et révélé un aspect inattendu de Staline, plus amical sans doute, moins officiel, et impressionnant tout de même. Mais bien peu « réaliste ». Les lecteurs communistes des *Lettres françaises* le lui reprochent. « Où se trouvent exprimés, dans ce dessin, la bonté, l'amour des hommes, expression que l'on retrouve dans chaque photographie du camarade Staline ? » « Un tel portrait n'est pas aux dimensions du génie immortel de celui que nous aimons le plus. » Bien sûr, le recul du temps nous permet de sourire, devant tant de dévotion – d'autant que la démarche de Picasso était sans malice aucune. N'empêche que, à la une de *L'Humanité* du 18 mars, le secrétariat du Parti communiste « désapprouve catégoriquement la publication dans *Les Lettres françaises* du 12 mars, du portrait du grand Staline dessiné par le camarade Picasso ». Et les instances dirigeantes n'oublient pas de tancer sévèrement Aragon, « qui par ailleurs lutte courageusement pour le développement de l'art réaliste ».

« L'affaire du portrait devint une question politique qui remettait en cause le réalisme socialiste tel qu'il a été défini, pour la France, aux congrès de 1947 et 1950 (...) Intronisé pendant la guerre froide, le réalisme socialiste français est la résultante du partage du monde en deux blocs antagonistes et ennemis. Cela explique partiellement la raison pour laquelle la tendance réaliste encouragée dès l'époque du Front populaire va devenir l'esthétique officielle du PCF (...) L'art réaliste authentique, c'est-à-dire socialiste, se distingue donc par la clarté de son contenu ainsi que par la limpidité de la forme, garantissant de ce fait sa compréhension par les masses[1]. »

En prônant lourdement le réalisme officiel, la direction du Parti communiste français ne pouvait que blesser Pablo. L'affaire prit fin avec la publication à la une de *L'Humanité* d'une photo de Maurice Thorez avec Aragon et Picasso le 27 janvier 1954. Pour calmer le jeu.

Mais Pablo n'oublierait pas.

L'affaire du portrait a créé un précédent. Elle est aussi un réveil. Un jour qu'Aragon, m'a confié le photographe André Villers, reprochait à Picasso que sa peinture ne symbolisât pas assez son adhésion aux thèses du Parti, mon grand-père répondit vertement : « Toi, tu prends des culottes courtes, tu prends un cerceau, et tu vas jouer au Luxembourg, mais tu ne parles pas de peinture, la peinture c'est mon affaire, pas la tienne ! » Réponse cinglante qui prouve assez que l'engagement de Pablo ne se limitait pas à la phraséologie communiste. Car s'il aimait se sentir membre d'un groupe, il avait aussi la hantise d'être lié aux discours ou aux décisions d'un autre.

Il prend dès lors du recul par rapport au Parti – d'autant que la situation internationale est chaotique. Le pacte de Varsovie, signé en mai 1955, est davantage une légalisation de la présence militaire soviétique dans les démocraties populaires de l'Est qu'une riposte aux accords de l'OTAN. Ce « traité d'amitié, de coopération et d'assistance mutuelle » se révèle pour ce qu'il est avec l'intervention en Hongrie.

À l'occasion du XXe congrès du Parti en URSS, Khrouchtchev dénonce les excès du Petit Père des peuples. Le Parti communiste français préfère rester stalinien, ce qui amène Pablo à cosigner une lettre (avec des intellectuels français, dont ses amis Hélène Parmelin et Édouard Pignon) au comité central du PCF qui met en lumière les silences du Parti et du

1. Georges Tabaraud, « Picasso et *Le Patriote* », dans *Picasso et la presse, Un peintre dans l'histoire, op. cit.*

quotidien *L'Humanité* sur la répression en Hongrie et appelle à un congrès extraordinaire.

Le comité préféra ne pas répondre. Pablo comprit qu'il avait atteint les limites du système.

Dans les années suivantes, Pablo continue d'apporter son soutien à la cause communiste, mais au seul plan local, via le quotidien *Le Patriote*, dont le directeur, Georges Tabaraud, devient son ami intime. Les conversations politiques avec Paul Éluard, Pierre Daix ou Yvonne et Christian Zervos se font plus rares. Le marchand d'art et collectionneur Heinz Berggruen m'a confirmé combien Pablo avait été préoccupé par les événements de Budapest en 1956. Il ne lui reste plus que l'idéal de la cause. La structure même d'un parti, l'obligation de suivre la « ligne » officielle, lui sont un carcan, très loin de la liberté rêvée. Tant pis si Aragon respecte la prééminence du Parti !

Il avait exprimé, lors de son adhésion au PCF, sa hâte de retrouver une patrie : « J'ai toujours été un exilé ; maintenant, je ne le suis plus. » Il n'avait pas oublié sa véritable famille espagnole. Il conserverait par fidélité sa carte et son lien avec cette famille politique, avec ses bons et ses mauvais jours... Mais il s'en éloignerait doucement.

Au début des années soixante, Pablo se contente de voir ses amis membres du Parti pour se tenir au courant. Il participe toujours activement à diverses causes en faisant don de ses œuvres à la section locale du Parti, aux corridas de Vallauris ou au *Patriote*. Il n'est plus du tout le communiste engagé jusqu'à son dernier souffle qu'on a voulu faire de lui, pour décrédibiliser aux yeux du public ce « milliardaire rouge », peu solidaire de « l'espoir du genre humain ». Après avoir été l'atout du PCF, il est devenu à son corps défendant l'instrument de son dénigrement.

Quelle importance ? Pablo ne consacre plus son temps qu'à sa peinture. Après les désillusions inavouées, il a, de lui-même, donné un tour anecdotique à son engagement, réduit à des illustrations en couleurs. Il est à nouveau libre, et plus que jamais.

La liberté a toujours été le vrai ferment de son art. À Kahnweiler qui lui disait de temps en temps : « Vous savez, les dernières natures mortes, ça a bien marché ! », Picasso a toujours répondu, furieux, qu'il faisait ce qu'il voulait. Mais cela ne l'empêchait pas, quelque temps après, de se remettre aux natures mortes. Et si la politique a souvent nourri sa création, elle ne l'a jamais enfermé, ni contraint.

En mai 1962, il reçoit la médaille d'or des prix Lénine, accordée par un comité présidé par... Aragon. C'est la seconde fois que Pablo est couronné par ce prix : il a déjà eu, pour sa « colombe », le prix Lénine de la paix. Cet hommage est tout à la fois une tentative de récupération par le Parti et de réconciliation pour le pauvre Aragon.

Il est déjà trop tard. Pablo n'attache plus guère d'attention aux bruits du dehors. Et encore moins à celui des médailles.

L'année 1961 est l'occasion d'un grand nombre de cérémonies, pour fêter ses quatre-vingts ans. Ce sont, à Vallauris, les dernières auxquelles il accepte de participer. Le village communiste s'est mis en quatre pour honorer son plus illustre concitoyen d'autrefois, et a invité plus de six mille personnes, les 28 et 29 octobre. Mais le grand hommage a lieu cinq ans plus tard à Paris. On le fête ce 19 novembre 1966 avec une exposition au Grand Palais (pour les peintures), une autre au Petit Palais (pour les dessins, et surtout pour les sculptures, vraies révélations de cet événement), et une troisième à la Bibliothèque nationale (pour les gravures). Malraux, alors ministre des Affaires culturelles, avec qui Pablo a toujours entretenu des rapports délicats, en a confié l'organisation à Jean Leymarie, conservateur au musée de Grenoble et ami intime de Pablo.

Le « communisme » de Pablo a quelque peu irrité la droite au pouvoir, et tout particulièrement de Gaulle, très éloigné de l'art moderne. Mon grand-père prêta donc quelque cinq cents œuvres inédites au Petit Palais, parce qu'il dépendait de la Ville de Paris, et non de la Direction centrale des Affaires culturelles. Il ne voulait pas avoir l'air de faire des concessions à un gouvernement qui n'avait jamais pensé à exposer ses œuvres dans un musée national. C'était une distinction byzantine, mais qui avait un sens.

À part avec quelques privilégiés – dont Georges Salles, directeur des musées de France après la guerre, qui tentera de combler ce « divorce entre le génie et l'État », selon son expression, et Jean Cassou, directeur du musée d'Art moderne, écrivain et ancien héros de la Résistance –, Picasso n'avait pas de très bons rapports avec l'administration culturelle française. Jean Leymarie se souvient que « bien souvent, les fonctionnaires ne comprenaient pas grand-chose à l'art contemporain ». Fait symptomatique, on oublia d'adresser un carton d'invitation à Picasso. Il télégraphia, furieux, à Malraux : « Croyez-vous que je sois mort ? » Et le futur auteur de *La Tête d'obsidienne* répondit en retour : « Croyez-vous que je sois ministre ? »

La grande rétrospective parisienne dura jusqu'en février 1967 attirant près d'un million de visiteurs.

Malgré tous ces honneurs, Pablo fut contraint de vider l'appartement et l'atelier historique de la rue des Grands-Augusins. La fidèle Inès Sassier et son fils Gérard s'occupèrent de déménager, via Mougins, près de quarante années de vie parisienne. Pablo était à la fois fou de rage et empli d'une tristesse inconsolable. L'administration, en appliquant sans discernement une directive générale sur les logements inoccupés, fut très maladroite, et Pablo ne le pardonna jamais à Malraux. Ce dernier, qui s'était en tout et pour tout entretenu deux fois, et brièvement, avec Picasso, publiera en 1974 [1] des dialogues avec l'artiste qui font parfois davantage honneur à son lyrisme qu'à la mémoire de leurs conversations.

Maladresse supplémentaire, on tente d'attribuer d'office la Légion d'honneur à Pablo en cette année 1967. Il ne l'a jamais demandée, et la refuse poliment. En 1971, Jacques

1. André Malraux, *La Tête d'obsidienne*, Paris, Gallimard, 1974.

Duhamel, nouveau ministre des Affaires culturelles, vient spécialement à Mougins pour tenter de le décorer à nouveau. Et mon grand-père de refuser derechef : il n'avait pas oublié l'expulsion...

J'ai consulté l'historien Werner Spies sur cette affaire. Il m'a raconté qu'il avait lui-même interrogé Pablo à ce sujet, mais celui-ci avait brusquement éludé la question : « Il y avait un titre de *Nice-Matin* pour la Pentecôte : 111 morts sur les routes. Pablo était consterné : "Vous avez vu ça ? Cent onze morts !" » À vrai dire, les choses de la vie le préoccupaient plus que tel ou tel honneur de circonstance.

Ainsi de ce qui se passe en 1967 à Bâle, en Suisse. Deux chefs-d'œuvre, *L'Arlequin assis* et *Les Deux Frères*, se trouvent alors en dépôt au musée de la ville. À l'automne 1967, leur propriétaire décide de les vendre. Le conservateur du musée, Franz Meyer, obtient de faire jouer un droit de préemption par le conseil municipal, sur la base du prix fixé de 8 400 000 francs suisses (soit environ 90 millions de francs réévalués ou 13 700 000 euros). Six millions de francs suisses seraient financés par la ville de Bâle, le reste devant faire l'objet d'une recherche de financement par le musée lui-même.

Des collectes ont lieu, une fête est organisée dans toute la ville pour récupérer des fonds. L'argent est réuni. Mais une pétition a circulé, refusant le vote par le conseil municipal d'un budget exceptionnel de six millions, et appelant à l'organisation d'un référendum.

Une première ! Le 22 décembre, le « oui » l'emporte par 55 % des suffrages. Pablo, averti immédiatement, fou de bonheur devant cette adhésion populaire, invite le conservateur à Mougins. Et il lui offre quatre peintures importantes, pour remercier la population. Les Bâlois avaient obtenu en réalité six tableaux !

L'engouement suisse ne fit pas grand bruit dans la presse française, ni à droite, ni, plus curieusement, à gauche...

Il faut attendre Georges et Claude Pompidou pour que la France rattrape son immense retard en matière d'art contemporain. La pénurie d'œuvres de Picasso sur le marché et l'absence des crédits nécessaires rendaient impensables des achats massifs. Mais, dès 1969, le président de la République a en vue la probable Dation qui résulterait de la Succession de Pablo Picasso. La loi Malraux de 1968 avait institué ce principe d'un règlement des droits d'une succession par la remise à l'État d'œuvres d'art ou de collection. Elle trouverait en Picasso son illustration la plus éclatante. D'ici là, il fallait cependant rendre à Picasso un hommage politique à la démesure du personnage : c'est Pompidou qui suggéra le musée du Louvre – pour les quatre-vingt-dix ans de Picasso.

L'événement, que j'ai raconté dans le chapitre précédent, réconcilie Pablo avec la République française. De son côté, le musée d'Art moderne expose vingt-cinq peintures majeures prêtées exceptionnellement par les musées de l'Ermitage, à Leningrad, et Pouchkine, à Moscou. La Ville de Paris le nomme citoyen d'honneur. Officiellement, Pablo s'abstient de tout commentaire. Il est tout de même particulièrement heureux.

Werner Spies se trouve un jour chez mon grand-père à Mougins, quand le téléphone sonne : un ministre aimerait lui parler. « Je n'ai pas besoin de parler à un ministre », a-t-il lancé.

Il était trop tard. Son indépendance vis-à-vis du monde politique était totale, et sincère. Il y a la politique et les politiques : il n'avait besoin ni de l'administration ni des politiciens pour exister. Pas plus que des communistes : par l'intermédiaire de Roland Dumas, il a remercié ses camarades pour l'hommage que lui avait rendu solennellement le Parti, avec la lecture d'un poème[1] par un Aragon très âgé, tout empreint de regrets officiels.

1. « Discours pour les grands jours d'un jeune homme appelé Pablo Picasso », publié dans *Les Lettres françaises*, nº 1407, 27 octobre 1971.

Il est l'un des principaux acteurs des mutations contemporaines, ainsi que l'a souligné Jean-Pierre Jouffroy[1]. « Il n'a jamais accepté de mettre entre nos mains les objets dans l'état où il les recevait. Le passage, par ses propres mains, consistait toujours en une transformation. C'est la leçon de morale qu'il nous donne : ne jamais rien laisser en l'état, essayer de voir ce qu'on pourrait en faire. »

Transformer le monde, le rendre plus accessible aux autres, le décrypter et en renvoyer une image personnelle à ses contemporains – en définitive, décupler la beauté ou l'horreur pour saisir notre attention, n'est-ce pas cela, au fond, être un artiste « engagé » ?

Novembre 1969. Pablo appelle Roland Dumas[2]. Il vient de recevoir deux lettres de son marchand Kahnweiler « qui ont mis le feu aux poudres. L'une émanait du docteur Luis Gonzáles Robles, directeur du musée d'Art contemporain de Madrid, l'autre d'un Espagnol de Paris qui servait d'intermédiaire. Toutes étaient datées du 25 octobre 1969. [Sa date d'anniversaire... Quel malheureux hasard !] Le directeur du musée se prévalait de ce que Picasso aurait déclaré : "*Guernica* appartient à la jeunesse espagnole" pour réclamer la venue à Madrid du tableau qui serait placé "là où le maître le souhaiterait[3]". »

Or, jamais Picasso n'admettra que *Guernica* aille en Espagne tant que Franco sera vivant. Inquiet, il demande à son avocat d'empêcher à tout prix ce qui lui apparaît comme une « opération politique sous le couvert d'une initiative culturelle », une manœuvre du vieux dictateur.

---

1. Jean-Pierre Jouffroy, « Un fondateur de la deuxième renaissance », dans *Picasso et la presse, Un peintre dans l'histoire, op. cit.*

Jean-Pierre Jouffroy, peintre et historien de l'art, est l'auteur de plusieurs livres sur des peintres. Il a publié avec Édouard Ruiz, *Picasso de l'image à la lettre*, Paris, Éditions Messidor, 1981.

2. Roland Dumas, *Le Fil et la Pelote*, *Mémoires, op. cit.*

3. Le tableau se trouvait depuis 1939 à New York, en dépôt au Museum of Modern Art (MoMA).

En effet, un courrier antérieur, adressé à Florentino Pérez Embid, à l'ambassade d'Espagne à Paris, par le vice-président du gouvernement et daté du 6 décembre 1968, ne laisse place à aucune équivoque : « Suite à notre conversation de l'autre jour, j'ai convenu avec le Caudillo de la manière de procéder pour récupérer le tableau *Guernica* de Pablo Picasso et il m'a donné son accord pour que nous menions cette opération à terme. »

Suivent des détails sur la façon de s'y prendre pour réaliser cette opération. C'en est trop pour Pablo Picasso. Il n'a pas légué *Guernica* à la jeunesse espagnole, mais à la République espagnole. Hors de question que le tableau soit ramené en Espagne.

Roland Dumas s'inquiète cependant du devenir de la fresque : il faudra bien prévoir quelqu'un pour décider après Pablo... Celui-ci réplique : « Après moi, ce sera vous ! » Il précise sa volonté à l'avocat le 15 décembre 1969 : « Je vous confirme qu'il faut mettre au point avec le Museum of Modern Art les documents qui concernent le tableau *Guernica* et les travaux (dessins et études) qui l'accompagnaient lors du dépôt que j'ai effectué entre les mains de ce musée (...) Ce tableau doit revenir à l'Espagne, mais seulement au jour où le gouvernement républicain aura été réinstallé dans mon pays d'origine. D'ici là, ce tableau et les études qui y sont jointes resteront en dépôt et sous la garde du Museum of Modern Art. »

On prend contact avec le musée new-yorkais pour prévenir tout accroc diplomatique. Roland Dumas prépare un texte qui vaudrait dispositions testamentaires – sans le dire surtout ! –, le désignant lui-même comme exécuteur selon sa propre appréciation du régime politique espagnol.

Pablo transmet le 14 novembre 1970 au MoMA : « (...) Depuis de longues années, j'ai également fait donation de ce tableau, des études et des dessins à votre musée. Parallèlement, vous avez accepté de remettre le tableau, les études et dessins aux représentants qualifiés du gouvernement espagnol lorsque les libertés publiques seront rétablies en

Espagne (...) C'est au musée qu'il appartiendra de se dessaisir de *Guernica* (...) L'unique condition mise par moi à ce retour (du tableau) concerne l'avis d'un juriste. Le musée devra donc, préalablement à toute initiative, demander l'avis de Me Roland Dumas, avocat à la Cour, 2, avenue Hoche, à Paris et le musée devra se conformer à l'avis qu'il donnera. »

Après la mort de Pablo, le 8 avril 1973, et l'ouverture de la Succession, « un texte fut signé par tous les ayants droit reconnaissant que le tableau ne faisait pas partie de la Succession (...). Cette attitude ne manquait pas de dignité », note Me Dumas.

William Rubin, directeur du MoMA, se déplaça à Madrid pour étudier l'affaire. Franco était toujours au pouvoir. Il meurt le 20 novembre 1975. Adolfo Suárez devient chef du gouvernement. La pression monte, et au plus haut niveau. Les Républicains réfugiés en France écrivent chaque semaine à Roland Dumas pour lui rappeler l'exigence morale qui lui incombait de ne pas confondre République et monarchie constitutionnelle. Les Cortes, le Parlement espagnol, votent une loi à l'automne 1977 qui exige la remise du tableau, en se prévalant de la démocratisation du nouvel État redevenu monarchie. Le 15 avril 1978, le Sénat américain adopte une résolution, « constatant le retour de la démocratie en Espagne et exigeant que dans un avenir très bref, le tableau soit rendu au peuple et au gouvernement de l'Espagne démocratique ». De nombreux maires de grandes villes espagnoles réclament de leur côté la venue de *Guernica* dans leur cité. Roland Dumas obtient une entrevue avec Adolfo Suárez, le 19 février 1979. Y assistent également le ministre des Affaires étrangères et l'ambassadeur Quintanilla. Les relations officielles se stabilisent.

C'est surtout le roi Juan Carlos qui a su inspirer confiance à Dumas, en lui parlant très librement des rénovations démocratiques en cours. Il a envisagé d'abord que le tableau aille au Pays basque, car les victimes du bombardement de Guernica étaient basques. Roland Dumas suggère alors au roi une solution fédératrice : « Je ne crois pas qu'il faille songer à satisfaire une fraction de l'opinion plutôt qu'une autre, à l'occasion d'un événement d'une portée historique. Il est vrai que les Basques ont des droits, mais l'œuvre elle-même va bien au-delà du massacre de 1937. »

Jacqueline Picasso, la veuve de Pablo, en mars 1980, rappelle que Pablo avait été nommé directeur du musée du Prado à Madrid (en septembre 1936), et confirme que le peintre avait choisi Madrid pour accueillir *Guernica.* Le problème était ainsi résolu sur le papier.

Le 23 février 1981, la tentative de putsch initiée par le colonel Tejero (qui fait irruption aux Cortes les armes à la main) freine un temps le processus. Roland Dumas le premier, la famille Picasso, bien sûr, le MoMA et l'État américain s'inquiètent, comme autrefois Pablo ! Mais les putschistes sont rapidement arrêtés : l'incident a démontré l'engagement infaillible du roi auprès des institutions démocratiques, et sa détermination à préserver l'unité nationale et à garantir les droits du peuple. En un sens, cette péripétie a permis de juger de la solidité du nouvel État espagnol. Le 10 septembre 1981, après quarante années d'exil, *Guernica* trouve en Espagne la place que mon grand-père lui avait destinée. À ses côtés, la sculpture de la *Femme au vase* (ou *Femme tenant un flambeau*), inspirée par ma grand-mère Marie-Thérèse, complète la toile. L'autre exemplaire du bronze veille sur sa tombe à Vauvenargues.

Dans un sens, avec cette entrée si officielle, Pablo rejoint ce jour-là l'Espagne qu'il chérissait tant. À Werner Spies qui revenait de Barcelone, après l'inauguration en 1970 du deuxième bâtiment du musée Picasso, n'a-t-il pas montré un tableau de la période bleue, *Les Toits de Barcelone*, en lui demandant : « Est-ce que vous avez vu ça ? » Il en rêvait...

Si le dénouement de l'aventure de *Guernica* fut posthume, je crois que l'ultime action politique de Pablo lui fut inspirée par cette soirée avec Mstislav Rostropovitch, en 1972 à *Notre-Dame-de-Vie*. Pablo tint absolument à ce que fût publiée une photo de lui en compagnie du violoncelliste poursuivi par l'URSS. Tant pis...

La photo parut dans *Les Lettres françaises*, le 10 octobre 1972. Pablo allait avoir quatre-vingt-onze ans ! Il témoignait, une fois encore, de son engagement aux côtés de la liberté, en manifestant « explicitement » pour l'hebdomadaire, récemment privé de l'aide financière du Parti pour avoir soutenu des intellectuels inquiétés en URSS.

Peu après, le journal cessa de paraître. Pierre Daix vint en avertir Pablo. Le PCF coupait les vivres... Mon grand-père ne déchira même pas sa carte du Parti, devenue inutile. Mais il lui restait l'idéal.

La famille

Au fond, il n'y a que l'amour[1].

Pablo Picasso

1. Cité dans « En causant avec Picasso », Efstratios Tériade, dans *L'Intransigeant*, 15 juin 1932.

L'enfance de Pablo

Dès sa naissance, le 25 octobre 1881, à Málaga, au sud de l'Andalousie, Pablo est le petit trésor familial. Son père, Don José Ruiz Blasco, âgé alors de quarante et un ans, professeur de dessin, mais aussi conservateur du petit musée régional, sa mère, Doña María Picasso y López, âgée de vingt-six ans, sa grand-mère maternelle, Doña Inés Picasso, tous s'extasient. De même que ses deux tantes, Eladia et Heliodora. Elles ont vu leurs vignes ravagées par le phylloxéra, et sont venues s'installer chez Don José. Elles brodent des galons pour les employés des chemins de fer.

En 1884, la famille s'agrandit avec la naissance d'une première sœur, María de los Dolores, dite Lola, puis en 1887, d'une seconde, María de la Concepción, dite Conchita, qui meurt de diphtérie en 1895, pour le plus grand chagrin de Pablo.

C'est dans cette tribu que mon grand-père a acquis ce sens de la solidarité, du groupe, qu'il recherchera toute sa vie, et saura manifester à ses proches. Les « familles » qu'il créera autour de lui ne seront guère traditionnelles, mais il conservera au fond de son cœur la nostalgie de cette « famille d'Espagne », qui toujours sera le refuge et, d'une certaine façon, l'absolution de ses audaces. Pablo était très superstitieux, comme nous le verrons plus loin. L'Espagne de son enfance était un terroir à superstitions, et pour lui, seul le respect des traditions familiales était un rempart efficace contre le mauvais œil. Cette attitude lui permettait de se faire pardonner ses « mauvaises » actions...

Quittant le chaud climat d'Andalousie, toute la famille Ruiz Picasso déménage en 1891 pour le nord, à La Corogne. Don José y est nommé professeur de dessin dans un établissement secondaire. Il a perdu son poste de conservateur à Málaga (d'un musée vide, au demeurant) et son traitement assez confortable.

Peu à peu, les conditions matérielles s'améliorent. Mais le climat atlantique, très humide, venteux, ne convient à personne et, en 1896, la famille déménage à nouveau – à Barcelone : Don José a l'occasion inespérée de permuter avec un collègue qui veut justement s'installer à La Corogne.

Patrick O'Brian[1] a parfaitement décrit cette enfance heureuse de Pablo : « Ces premières années furent relativement gaies pour un enfant qui ignorait presque tout de la lutte pour la vie, et pour qui l'appartement surpeuplé et assez sordide était aussi naturel que le soleil éclatant et quasi perpétuel dont la place était baignée. » Hormis son père, Pablo est le seul mâle de l'entourage familial. Dorloté par ses tantes et ses cousines, il est un enfant-roi. « Entre mère et fils, il existait un amour réciproque sans complications, avec, du côté de la mère, un soupçon d'adoration : il n'est point inutile, peut-être, de rappeler la formule de Freud concernant Goethe qu'on a souvent comparé à Picasso : "Les fils qui réussissent dans la vie ont été les enfants préférés des bonnes mères[2]." »

Avec son père, les relations sont plus difficiles. « Cet homme autour duquel gravitait toute la maisonnée, l'unique source de puissance, de revenus et de prestige, la raison d'être des femmes, avait comme symbole un pinceau. Bien qu'il ne fît jamais plus de peinture à la maison, Don José avait coutume d'y rapporter ses pinceaux pour les faire nettoyer et, dès sa première enfance, Pablo les observait avec une crainte

1. *Pablo Ruiz Picasso, op. cit.*
2. *Ibidem.*

respectueuse qui bientôt devait se mêler d'ambition. Jamais il n'éprouva le moindre doute sur la suprême importance de la peinture[1]. » En grandissant, Pablo se rend compte que son père a de grandes difficultés pour tirer de sa peinture de quoi faire vivre toute la maisonnée. De surcroît, Don José, à près de cinquante ans, a perdu foi en son talent. « Les portraits que Picasso fit de son père nous dévoilent un homme fatigué, épuisé, à bout de forces, gorgé de désappointement, souvent au bord du désespoir[2]. »

« Les rapports entre père et fils sont, à l'évidence, très importants pour cerner la personnalité de Picasso ; mais, comme tout ce qui a trait à Picasso, ces rapports sont d'une immense complexité et pleins d'apparentes contradictions[3]. » Dès 1901, Pablo signe indifféremment « P. Ruiz Picasso », « P. R. Picasso » ou seulement « R. Picasso ». À partir de 1902, n'apparaît plus que « Picasso » : il abandonne le nom de son père, décision très rare en Espagne.

Mais il parlera toujours de lui avec affection et respect. Dans ses « conversations » avec Brassaï[4], Pablo fait de son père un archétype. « Chaque fois que je dessine un homme, je pense automatiquement à mon père. Pour moi, Don José est l'homme par excellence et il en sera ainsi tant que je vivrai... Il portait la barbe... Tous les hommes que je dessine, je les vois avec ses traits, plus ou moins... »

Pablo, qui aime beaucoup ses parents, leur doit des éléments importants de sa personnalité. Comme l'a souligné Jaime Sabartés[5], son ami d'enfance devenu plus tard son secrétaire, « nous devons reconnaître que pour ses qualités, du moins, il ressemble plus à sa mère qu'à son père, car c'est d'elle, sans aucun doute, qu'il tient cette bonne humeur, cette

1. *Ibidem.*
2. *Ibidem.*
3. *Ibidem.*
4. *Conversations avec Picasso, op. cit.*
5. *Picasso, documents iconographiques, op. cit.*

grâce naturelle qui le caractérise ; mais, si nous le considérons maintenant à travers ses gestes involontaires quand il est énervé, impatient, fatigué ou contrarié, quand on l'ennuie, quand quelque chose l'interrompt dans son travail, nous retrouvons en lui Don José (...) ; à cette différence près, toutefois, que lui, à l'inverse de son fils, ce qui l'irritait, c'était de s'être mis à peindre ! »

À quinze ans, Pablo entre aux Beaux-Arts de Barcelone, La Lonja ou Llotja (en catalan), disent les élèves. Son père lui loue une petite chambre près de l'appartement familial. Au premier jour d'école, il rencontre Manuel Pallarés, son aîné de six ans, guide de son passage prématuré à l'âge adulte.

Très rapidement, et comme tout adolescent impatient, Pablo se détache de sa famille. Il explore avec avidité d'autres univers, celui des cafés où il fréquente artistes et intellectuels, celui des bordels où il perd très vite son innocence, et celui des musées, où il contemple enfin les toiles de ses maîtres. C'est chaque fois l'occasion fébrile de se recréer une nouvelle famille autour d'une communauté d'idées originales.

Picasso et les premiers désirs de paternité

L'exposition « Picasso érotique [1] » au musée du Jeu de Paume à Paris a révélé à tous les vigoureux souvenirs des joies physiques et des filles qui les lui procuraient... La propension de Pablo à se contenter d'amours tarifées se poursuit plus tard à Madrid. Ce n'est qu'à partir de son second voyage à Paris, et de son installation, en 1904, qu'il commence, à presque vingt-trois ans, une vraie vie sentimentale.

1. Exposition « Picasso érotique » au musée du Jeu de Paume à Paris, France (19 février-20 mai 2001), au musée des Beaux-Arts de Montréal, Canada (14 juin-16 septembre 2001) et au museo Picasso de Barcelone, Espagne (15 octobre 2001-27 janvier 2002).

À Paris, sa vie est difficile. Le cocon familial qu'il avait toujours connu a disparu. Les illusions sont perdues. Les amours débouchent sur le vide. Dès la première de ses conquêtes parisiennes, il songe sérieusement à la paternité : c'est au cours de l'année 1904, avec Madeleine, un modèle, plutôt volage. Cette première liaison « sérieuse », malgré son aspect très libertin, menée avec discrétion pendant plusieurs mois, débouche sur une grossesse qui finit en fausse couche. De cet épisode somme toute banal jaillissent de splendides *Maternités* de la période « rose », autour d'un enfant qui n'est jamais né... « C'était sa manière de créer les choses », m'a confié Pierre Daix. À défaut d'être un père naturel, il sera un père pictural qui ne pourra s'empêcher de conserver nombre de ses « enfants ».

En août de la même année, il rencontre Fernande Olivier. Ils ont le même âge. Leur aventure intermittente dure près d'un an, sans que jamais Fernande n'ait vent de l'existence de Madeleine.

La liaison passionnelle se transformant peu à peu en vie commune, à partir de septembre 1905, Pablo envisage de nouveau d'avoir un enfant. Malheureusement, Fernande a subi un avortement qui l'a laissée stérile, comme souvent alors, l'interruption de grossesse se déroulant dans des conditions déplorables, avec des conséquences désastreuses.

Ce désir d'enfant, malgré les temps difficiles, se mue en un timide désir d'adoption. Selon Pierre Daix, Pablo avait été très frappé par tous les nourrissons qu'il avait observés en France, par la façon de les emmailloter ou de les promener, si différente des coutumes espagnoles.

Quand Daix reconstituera, en 1966, la première exposition chez le marchand Ambroise Vollard[1], il sera « sidéré » par le nombre de toiles de petits bébés et de petits enfants. « C'est vrai qu'il aurait voulu avoir des enfants. D'abord, il avait un truc pour la paternité, comme d'autres ont autre

1. Pour son catalogue de l'œuvre de jeunesse de Picasso des périodes 1900-1906 et 1907-1917.

chose... Fernande était là, solide, et il aurait voulu avoir un enfant avec elle. »

C'est Fernande qui a l'idée, en avril 1907, d'adopter une petite fille. Elle se rend à l'orphelinat de la rue Caulaincourt et ramène une véritable adolescente de douze ou treize ans, Raymonde, dont la présence sera vite encombrante. Consciente de son erreur d'appréciation, Fernande reconduit la jeune fille à l'orphelinat en juillet.

Pablo est profondément choqué par cette attitude désinvolte, qui précipite leur première séparation, entre juin et septembre 1907. De surcroît, alors qu'il travaille aux *Demoiselles d'Avignon*, l'indifférence de Fernande à son œuvre le conforte dans sa décision.

André Salmon et Max Jacob, poètes amis de Pablo, ont donné sur cette adoption des indications très aléatoires – tant sur le nom ou l'âge de la jeune fille que sur la réaction de Pablo. La seule certitude, c'est que cet épisode le marquera réellement. Il est certain que, pendant cette difficile période, mon grand-père vivait et créait dans un univers d'émotions mêlées où sentiment, compassion et souffrance constituaient le carburant de son inspiration. Les Américains donnent à *inspiration* un sens bien plus fort qu'en français, rassemblant en un concept l'impression et la motivation que peuvent procurer une personne ou une chose. Pablo sut toujours, et parfois avec rigueur, se détacher de ceux qui ne l'inspiraient pas et lui faisaient perdre un temps précieux.

Lorsque je parcours une exposition ou relis un livre d'art sur Picasso, je ne peux imaginer qu'une telle œuvre ait pu se concevoir sans amour et sans une réelle attention aux autres. Pablo avait un énorme besoin d'affection. Entouré de sa mère et de sa sœur, de ses tantes, dans le Málaga de son enfance, il était le chef d'orchestre. À Paris, il lui fallait composer lui-même une autre mélodie, exprimer ses émotions, échanger des sentiments, faire l'apprentissage des bonheurs et des échecs. Et nourrir ainsi son œuvre. Du donné, il passait à l'expérience de l'acquis.

Autoportrait *Yo Picasso*, Paris, printemps 1901.
(Huile sur toile 73,5 x 60,5 cm. Collection particulière, Zervos XXI, 192.)

Autoportrait de Picasso au *Bateau-Lavoir*, Paris, 1908.

Olga pensive, 1923.
(Pastel et crayon noir 104 x 71 cm.
Musée Picasso, Paris, Zervos V, 38.)

Olga Khokhlova, Pablo Picasso
et Jean Cocteau à Rome, 1917

Paul dessinant, 1923.
(Huile sur toile 130 x 197 cm.
Musée Picasso, Paris, Zervos V, 177.)

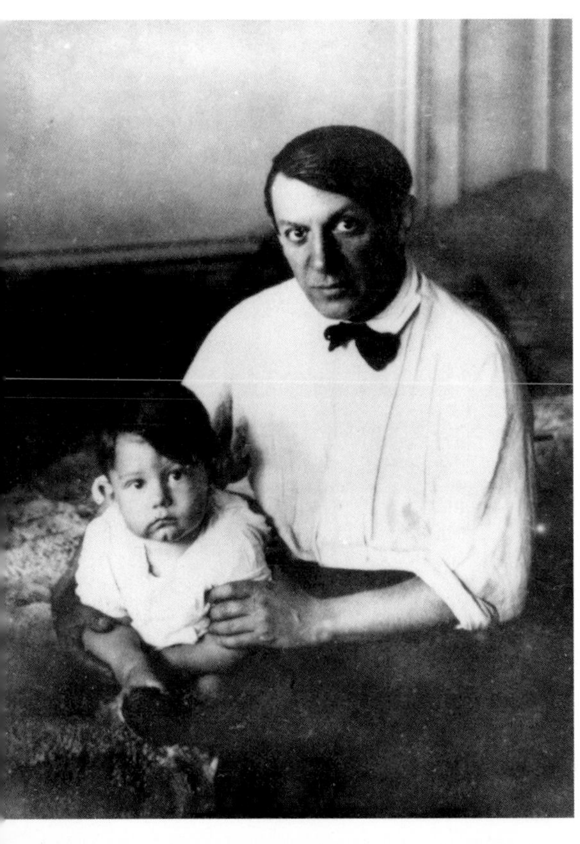

Paul, dit Paulo, dans les bras
de son père Pablo, 1922.
(Photo de Man Ray)

Portrait de Marie-Thérèse au béret rouge,
15 janvier 1937.
(Huile sur toile et fusain
55 x 46 cm.
Collection particulière,
Duncan 288.)

Marie-Thérèse sur la plage
de Dinard, août 1928.

Marie-Thérèse
Pablo et leur fille Maya
sur le balcon du boulevard
Henri-IV, Île Saint-Louis
Paris, été 1942

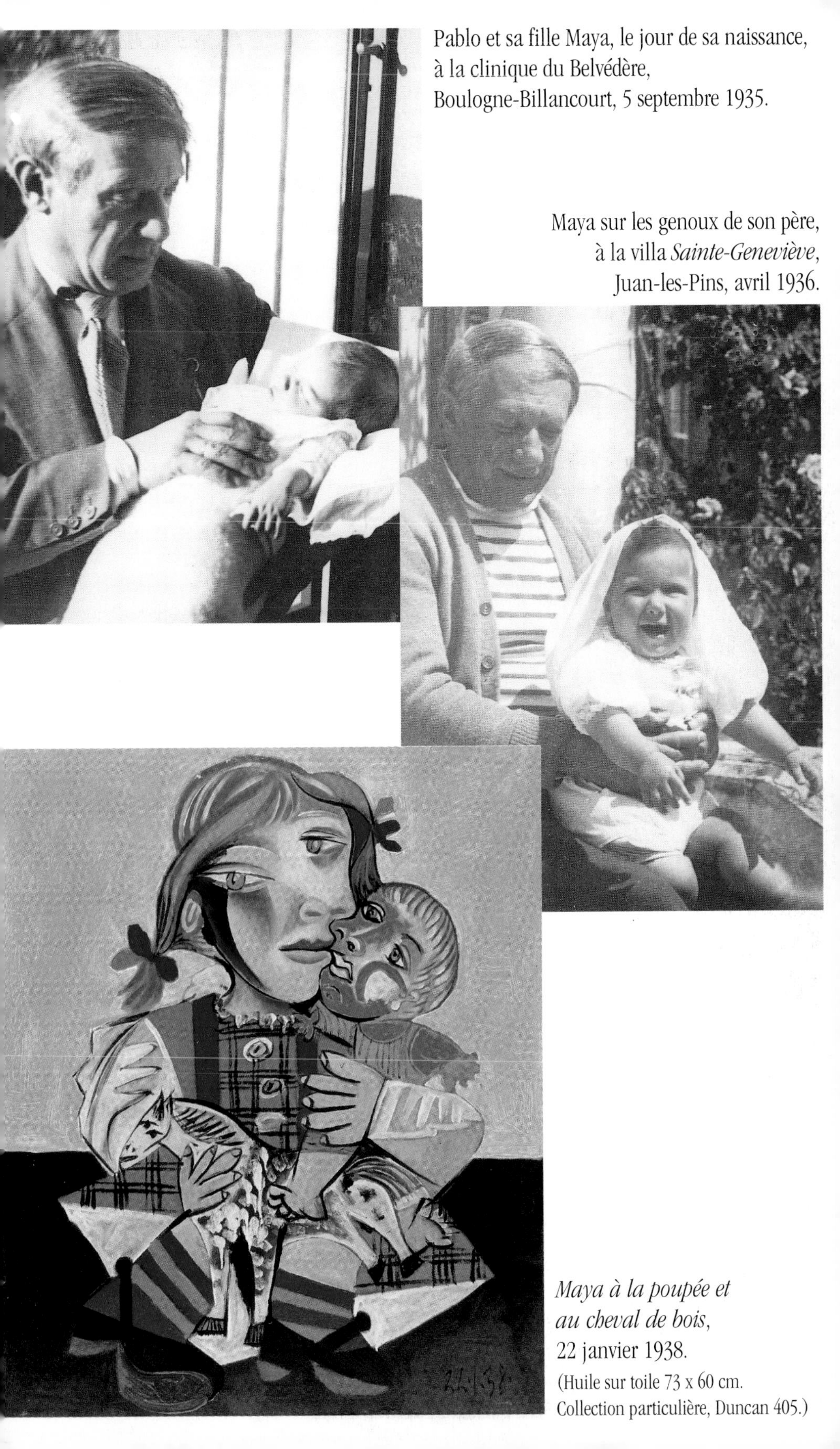

Pablo et sa fille Maya, le jour de sa naissance, à la clinique du Belvédère, Boulogne-Billancourt, 5 septembre 1935.

Maya sur les genoux de son père, à la villa *Sainte-Geneviève*, Juan-les-Pins, avril 1936.

Maya à la poupée et au cheval de bois, 22 janvier 1938.
(Huile sur toile 73 x 60 cm. Collection particulière, Duncan 405.)

Pablo, sa fille Maya et leur chien Ricky
sur le balcon du boulevard Henri-IV,
le 25 août 1944,
à la libération de Paris.

À la libération de Paris,
dans le salon du boulevard Henri-IV,
un GI met en situation son casque
et son fusil sous un portrait de
Maya au tablier rouge…
(1938, Collection particulière)

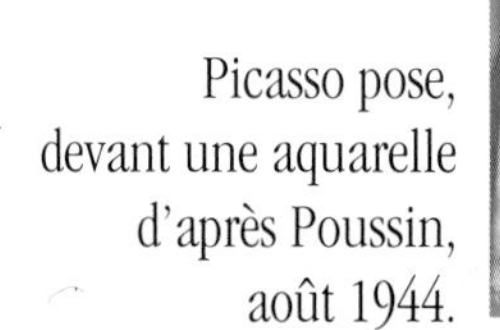

Picasso pose,
devant une aquarelle
d'après Poussin,
août 1944.

Paulo et Maya en 1945. Leur père vient de les présenter l'un à l'autre. Paulo insista pour immortaliser cette rencontre inattendue.

Marie-Thérèse et Maya, le même jour.

Portrait de Dora Maar, 1937.
(Huile sur toile 92 x 65 cm. Musée Picasso, Paris, Zervos VIII, 331.)

La séparation ne dure pas. Pablo renoue avec Fernande – une seconde tentative plutôt morose, car finalement très longue, de 1907 à 1912. Pendant cette période Pablo se consacre avant tout au dialogue du cubisme, dans de véritables joutes artistiques avec son ami Georges Braque. Fernande gère la routine... Pablo regarde ailleurs !

Un an avant leur séparation définitive, Pablo rencontre Éva Gouel, alors l'amie du peintre Marcoussis. Si ce n'est le coup de foudre, ça y ressemble... Leur aventure qui a commencé dans une grande débauche de sensualité restera à jamais un paradis perdu pour Pablo. La maladie d'Éva vient tout interrompre de leurs projets. Celle qui fut peut-être son plus grand amour, peut-être parce qu'il fut si éphémère, ne lui donnera pas la joie d'être père. Elle meurt d'un cancer en décembre 1915.

Paulo

La violente tristesse qui suit cette disparition, la fébrilité désespérée avec laquelle Pablo multiplie les aventures sans lendemain, le replongent dans l'exploration de la mécanique des femmes – aux antipodes d'un projet familial.

C'est l'époque des Ballets russes, de *Parade*, d'Erik Satie et de Cocteau. On sait que Pablo rejoint la troupe de Serge de Diaghilev à Rome, en janvier 1917, et qu'il y rencontre Olga Khokhlova. C'est avec elle qu'il connaît la paternité, en 1921. Son caractère tardif, à près de quarante ans, s'explique plutôt par ses échecs précédents que par une quelconque volonté de célibat ou une suffisance égoïste, comme certains l'auraient suggéré. Selon les historiens, Pablo ne se souciait pas d'être marié ou non, pour avoir un enfant. L'incident de l'adoption de la jeune Raymonde avait refroidi sa relation avec Fernande. Quand celle-ci divorça enfin, il ne lui proposa pas de l'épouser. De toute façon, elle était stérile. Le mariage l'aurait été aussi ! La magie de leur relation appartenait déjà au passé. Avec Éva, la guerre et la maladie furent des obstacles dramatiques à son désir de famille. Avec la dérive affective qui suivit, le spleen de Pablo ne pouvait se résoudre positivement que dans un « establishment », au propre comme au figuré. Olga fut un signe pour Pablo, un antidote à l'infortune : elle était la représentation idéalisée d'un monde lui-même aseptisé et, par opposition, si tentant.

Dans le respect des préambules et des formes, Pablo épouse Olga en juillet 1918. Après avoir organisé méthodiquement la maison du couple, vient le temps d'y faire résonner des cris d'enfant... Olga tombe enceinte à l'été 1920, et le petit Paul, Paulo, naît le 4 février 1921.

Toute la tendresse paternelle si longtemps refoulée peut enfin s'exprimer, au travers des plus jolis dessins et aquarelles, en rupture avec ses recherches précédentes. Non seulement Pablo revient à la sérénité des formes, mais ce style néoclassique convient parfaitement à ses nouveaux marchands, Paul Rosenberg et Georges Wildenstein, qui font enfin gagner beaucoup d'argent à Pablo, et l'encouragent à exploiter son talent de portraitiste. D'où les « Paulo » multiples et évocateurs : *Paulo au bonnet blanc* (1922), *Paul sur son âne* (1923), *Paul dessinant* (1923), *Paulo en Arlequin* (1924), *Paulo en Pierrot* (1925), *Paulo sur son cheval à bascule* (1926)... Paulo devient le support de toute une imagerie traditionnelle. Avec Paulo, Pablo transpose enfin l'inspiration de sa jeunesse – l'académisme, les saltimbanques, les thèmes naïfs – dans un être de sa chair.

C'est durant leur séjour à Fontainebleau, pendant l'été 1921, que Pablo partage l'intimité apaisante d'Olga et du bébé. Dans la grande maison, peu à peu, le figuratif évolue vers d'extraordinaires formes monumentales, presque statuaires. La petite taille d'Olga et ses toilettes raffinées disparaissent au profit d'impressionnantes figures aux corps trapus et aux traits épais, aux vêtements simples, dans un univers presque monochrome, hors du temps.

Mais très vite, la détérioration des relations avec Olga détourne inexorablement Pablo de Paulo. Celui-ci, gardé par une nourrice, est éloigné de ses parents. Olga, de son côté, entraîne Pablo dans un calendrier mondain, peu compatible avec la vie familiale.

Il y a comme une exploration avortée de l'observation et de l'analyse. De son bébé devenu bambin, puis petit garçon, Pablo ne vivra jamais l'adolescence : Paulo, au fur et à mesure qu'il grandit, *a fortiori* quand il sera adulte, n'est plus source d'inspiration. Les autres enfants de Pablo s'y substitueront.

Paulo s'estompe peu à peu de la toile et gagne une indépendance de garçonnet. Bousculé entre son père passionné par son travail, et sa mère qui n'a pas vraiment le temps, il se « débrouille »... Certains n'ont vu en lui qu'un prétexte à peinture, sans caractère ! Pire, on aurait souhaité qu'il fût un rival artistique de Pablo, en lui imposant ainsi une ambition surhumaine au destin inévitablement funeste. Paulo n'avait dès lors qu'une solution : fuir. Mais comment faire ?

Or, Pablo était fier de son premier fils, il s'amusait avec lui, se nourrissait de la spontanéité de sa jeunesse. Paulo enfant ne pouvait que constituer un sujet exemplaire d'inspiration pour un artiste dont c'était le premier-né. Sa paternité s'écrivait en actes d'amour, et en actes de peinture, ce qui pour lui était une seule et même chose.

En réalité, si Paulo cesse effectivement d'être un modèle pour l'artiste, c'est qu'il faut compter avec un éloignement géographique réel entre eux à compter de 1935 (date de la séparation officielle d'Olga et Pablo), et parce que les thèmes ultérieurs, minotaures, peintres, soldats ou mousquetaires, diffèrent radicalement de la réalité de la vie de Paulo. *A contrario*, reproduire Paulo adulte dans d'originales mises en scène l'aurait effectivement réduit à un pictural « prétexte ». De surcroît, depuis 1927, un autre modèle occupe l'esprit de Pablo : Marie-Thérèse. Pablo est un père, mais avant tout un homme. Et un amant très inspiré.

Olga avait planifié un quotidien selon ses rêves et son sens de la respectabilité. L'éducation de son fils en était le reflet.

« Olga, écrit Pierre Daix[1], poussa Picasso à mener grand train, avec nurse, femme de chambre, cuisinier, chauffeur, à accepter toutes les invitations mondaines... » Pablo semblait se plier aux desiderata de son épouse, mais ses pulsions d'indépendance le tenaillaient. Et la société d'alors ne permettait pas à Olga d'adoucir les règles d'un protocole dont elle rêvait, ni à Pablo de lui imposer ses adaptations toutes personnelles ! L'élégant costume sur mesure, choisi avec Olga, gênait l'artiste aux entournures, même si Pablo y trouvait un complément à son charme naturel et une revanche sur ses jeunes années. Olga et le luxe ostentatoire et voluptueux qu'elle déployait étaient une expérience nécessaire, mais nécessairement brève – comme le néoclassicisme monumental de sa peinture, qui trouva rapidement ses limites d'exploration.

Le petit Paulo reçoit pendant ce temps une éducation stylée. Olga a décidé qu'il aurait un précepteur. Il est vêtu comme un petit prince, et doit se tenir loin de l'atelier de son père et des taches de peinture. Sur les clichés de Man Ray, on découvre le regard droit et la mèche bien gominée du jeune Paulo, un peu engoncé dans son costume croisé, impeccable, implacable. Malgré tout le talent du photographe, toute l'amitié qu'il avait pour Pablo, ces clichés ne témoignent que de l'emprise de la grande bourgeoisie sur une avant-garde à la mode.

Il a beau être le fils de Picasso, Paulo a une enfance en tout point comparable à celle d'un fils de banquier ou de grand industriel. Le malheur, c'est qu'aucune usine, aucun bureau présidentiel ne l'attend ! Être le fils d'un artiste peintre l'isole dès le départ de la classe sociale dont sa mère a rêvé pour lui. De surcroît, l'enseignement d'un précepteur le prive de tout environnement, et contribue à le marginaliser.

Ce n'est que lorsqu'il eut environ dix ans qu'Olga consent à l'inscrire au collège, au cours Hattemer, à Paris. En retard sur le niveau général de ses camarades, il ne s'y adaptera jamais. Présenté à sa demi-sœur Maya, après la Seconde

1. *Dictionnaire Picasso, op. cit.*

Guerre mondiale, il lui déclare tristement : « Quelle chance tu as d'aller à l'école ! »

Je suis certain que mon grand-père se sentit responsable, à défaut d'en être coupable, de l'enfance qu'il avait contribué à donner à son fils. Il en assuma la charge, de gré ou de force, et ne cessa jamais de subvenir à tous ses besoins. Un dialogue particulier, fait de non-dits pudiques, s'installa entre eux.

L'autorité d'Olga dans le fonctionnement de la maison, de la vie sociale et de l'éducation de Paulo, se heurte souvent au contre-exemple de Pablo. Celui-ci, très occupé à la création artistique dans son atelier à l'étage du dessus, voit essentiellement son fils lors des repas – l'occasion pour le père de transgresser les règles de bienséance fixées par Olga, et d'initier son fils à la désobéissance. Olga s'en irrite, le petit garçon s'en ravit. Le père se rapproche du fils, le temps d'une bêtise, d'une entorse au protocole !

Pablo installe même un petit train électrique pour Paulo dans son atelier – fouillis indescriptible et véritable « pousse-au-crime », en opposition totale aux préceptes d'Olga. C'est probablement là que leur relation se forge, dans ces infractions au règlement. Malgré la rigueur de son quotidien millimétré, Paulo y acquiert cette désinvolture qui fera son charme, plus tard.

Mais ce conflit de caractères ne lui permet guère d'acquérir son indépendance : d'un côté un isolement irréaliste et sans avenir, de l'autre une dépendance castratrice. De quoi l'empêcher de trouver sa voie. Un fils Rothschild est un Rothschild. Le fils de Picasso ne deviendrait pas un Picasso... Il est, dès le départ, un héritier sans héritage.

En 1923, les portraits d'Olga, y compris les maternités, révèlent déjà un visage transformé, selon l'habitude maintes fois reprise ensuite par Picasso d'y inclure l'inspiration féminine du moment. Cette inspiration, certes séduisante, s'appelle donc Sara Murphy. C'est cette fameuse amie américaine installée à Paris, fille d'un industriel millionnaire et épouse d'un peintre à la mode.

Pablo réalise quantité d'œuvres où l'on identifie de mieux en mieux le visage de Sara ou celui de son fils à elle, mais il se garde bien d'y faire référence dans les titres attribués aux œuvres avec l'aide des marchands. Déjà harcelé par la jalousie d'Olga, il persiste à donner à ses dessins le nom de son épouse, contre l'évidence même.

L'année 1923 marque l'apogée de l'inspiration due à Sara, et la fin de celle d'Olga. Il est pourtant probable que la liaison entre Pablo et la riche Américaine ne fut jamais qu'une hypothèse – en dépit de l'intérêt que Pablo lui témoignait de manière démonstrative.

J'ai raconté comment Pablo rencontra ma (future) grand-mère, Marie-Thérèse Walter, en janvier 1927. Il était temps de retrouver une liberté propice à la création. L'idéal de perfection bourgeoise d'Olga, certes sincère, et qu'il avait apprécié un temps comme une véritable découverte, avait étouffé ses instincts d'indépendance. Pour mon grand-père, il fallait recréer un équilibre. Il s'installe dans une double vie.

Pablo demande le divorce. Marie-Thérèse vient de tomber enceinte.

L'argument principal de la demande de séparation de Pablo est que Olga, « par son caractère difficile et en lui faisant de fréquentes scènes de violence, lui rend la vie impossible au point de l'empêcher de travailler et de voir ses amis ». Il s'appuie sur de nombreux témoignages. Par lettres d'avocats quasi quotidiennes en missives par huissier, Olga nie tous les faits rapportés par Pablo dans sa demande, et ralentit la procédure par tous les moyens. Pablo est fou de rage, notamment quand des scellés sont posés sur ses ateliers, à l'initiative d'Olga, pour éviter officiellement que des œuvres n'échappent à un hypothétique inventaire. En fait, il s'agit davantage d'une pression morale : en l'empêchant de travailler, Olga croit encore qu'elle peut le forcer à rentrer au foyer.

Une enquête officielle est ordonnée sur la situation du couple, selon un second jugement du tribunal de la Seine en date du 15 avril 1937, rendu à la suite des contestations d'Olga sur les allégations de Pablo. L'enquête et la contre-enquête ne seront réalisées qu'au printemps 1938.

Parmi les témoignages ainsi recueillis à cette occasion, celui de Georges Braque en faveur de Pablo révèle bien des tensions : « Venu voir son ami Picasso peu après son [propre] mariage, il fut reçu par sa femme d'une façon telle qu'il prit le parti de ne plus revenir. » Quant à Jaime Sabartés, il rappelle qu'Olga « venait fréquemment relancer son mari à son domicile pour l'injurier en termes grossiers de vive voix ou par téléphone ». L'ordonnance de non-conciliation de 1935 le lui a pourtant formellement interdit, et Olga, en agissant de la sorte, en proférant des menaces en public, ne peut qu'aggraver sa situation et renforcer, sans le savoir, la place de Marie-Thérèse, paisible refuge de Pablo.

Peut-être, si Olga avait rapidement accepté ce divorce inéluctable, aurait-elle mieux vécu les années suivantes. Pablo détestait les problèmes : or, Olga lui créait des problèmes grandissants. Son opposition farouche au divorce et, en même temps, les scènes permanentes qu'elle inflige à son entourage donnent à penser alors à tout le monde qu'elle s'accroche, non à un amour qu'on juge improbable, mais à son statut de « Mme Picasso ». Et ce statut seul l'emportait sur tous les avantages matériels qu'elle tirerait d'une séparation en bonne et due forme. Olga sait qu'il faudrait partager les biens du ménage, et donc les tableaux – ou tout au moins leur valeur commerciale. Ni l'un ni l'autre n'évoquent d'ailleurs ce point dans la procédure. Olga veut rester mariée, Pablo veut la liberté.

L'ironie est qu'ils obtinrent l'un et l'autre ce qu'ils désiraient.

Je m'élève donc aujourd'hui pour dénoncer l'opinion selon

laquelle Pablo voulait éviter le divorce pour une sordide question d'argent ou de partage de ses œuvres.

Le 25 octobre 1941, malgré toutes les manœuvres dilatoires d'Olga, et en conclusion d'un feuilleton dramatique sur lequel je ne reviendrai pas, la cour d'appel de Paris confirme le jugement de séparation de corps. C'était le jour anniversaire de Pablo : il obtenait le cadeau de la liberté. Olga s'enferme, en pleine guerre mondiale, dans une cage dont elle a jeté la clé. En retardant inutilement le divorce, devenu désormais légalement impossible, elle n'a même plus la possibilité de divorcer au cas où elle aurait été séduite par un autre homme... Elle s'est littéralement emmurée vivante.

Cette obstination d'Olga n'est pas sans conséquences : Pablo, toujours légalement marié, ne peut épouser Marie-Thérèse, ni reconnaître leur fille Maya. Plus tard, il ne pourra pas davantage épouser Françoise Gilot (qu'il rencontre en 1943), ni reconnaître leurs enfants, Claude et Paloma.

Quant au jeune Paulo, l'adolescent a fait l'apprentissage de la vie dans la rue, pour s'échapper de cette maison où la colère s'exprimait sans cesse entre ses parents jusqu'à la séparation de 1935. Jacques Prévert, le poète ami de son père, le recueille souvent à ses retours de balades à Pigalle ou après ses virées à Saint-Germain-des-Prés. Cela lui évite une énième réprimande de sa mère. Paulo est grand, il trompe son monde et fréquente des gens plus âgés que lui. Même Braque se prend d'affection pour lui et ils resteront amis. Ils partagent la même passion pour les voitures.

Paulo est celui qui se trouva le plus exposé, dans ce maelström de désirs antagonistes. Il est tiraillé entre ses parents, surtout lorsque Olga, après la guerre, se mit en tête de poursuivre Pablo en tous lieux et de l'insulter publiquement devant leur fils. « Pendant l'été 1947, raconte Françoise Gilot[1], chaque fois que nous allions à la plage (son fils Paulo

1. *Vivre avec Picasso*, *op. cit.*

nous accompagnait souvent), elle [Olga] venait s'asseoir tout près de nous... Dès que je sortais Claude, Olga n'était jamais loin, menaçante, m'accusant de lui avoir volé son mari. [Ce qui n'était absolument pas le cas !] » Pablo recevait en outre, presque quotidiennement, des lettres de reproches et d'insultes, litanies monotones au refrain lancinant : « Tu n'es plus ce que tu étais. Ton fils ne vaut pas grand-chose non plus, et agit de mal en pis. Comme toi. »

Les scandales d'Olga en public ne pouvaient qu'éloigner Paulo de sa mère. Lui aussi devait supporter les scènes d'Olga : « Elle [Olga] haranguait Pablo, se souvient encore Françoise Gilot, qui faisait semblant de ne pas l'entendre et lui tournait même le dos. Elle s'adressait alors à Paulo : “Écoute, tu sais très bien que je suis là et que je veux parler à ton père. Il faut que je lui parle. J'ai quelque chose de très important à lui dire...” Paulo faisait comme s'il n'entendait pas. Alors, elle se rapprochait de Pablo : “Il faut que je te parle de ton fils”... De nouveau vers Paulo : “Il faut que je te parle de ton père[1].” »

Pablo et Olga sont alors séparés officiellement depuis douze ans !

C'est ainsi, du seul fait de sa mère, que Paulo vit se prolonger durablement le drame du déchirement de son enfance. En 1949, il lui donna un petit-fils, Pablito, avec sa compagne Émilienne qu'il épousa un an plus tard. Ce faisant, Olga gagnait un nouveau statut : à la fois grand-mère et belle-mère. Marina naquit en 1950. Olga mourut en février 1955, alors que ses petits-enfants étaient encore très jeunes.

La procédure de divorce entre Paulo et Émilienne, entamée dès le printemps 1951, fut difficile, et cassa toute chance de rapprochement entre Olga et Pablo, qui avaient tout de même en commun les mêmes premiers petits-enfants et la même (ex-)belle-fille. À nouveau, d'autres auraient à souffrir d'une trop longue et inutile bataille.

Curieusement, et sans que personne ne se l'explique, les

1. *Ibidem.*

opérations de partage des biens de Pablo et Olga n'eurent jamais lieu, après l'arrêt de la Cour de cassation de 1943. Certes, la guerre ne favorisait pas les choses, ajouté au fait qu'Olga résida en Suisse jusqu'à la fin du conflit. Mais elle n'entreprit aucun recours pour y contraindre Pablo. Procéder au partage, c'était valider leur séparation. Ne prétendait-elle pas, en 1948, être toujours en ménage avec son époux ?

En réalité, à cette époque, Pablo, sa compagne Françoise et leur fils Claude (né en mai 1947) habitent un petit appartement à Golfe-Juan. Olga vient régulièrement au bas de la petite maison pour insulter Pablo. Parfois, en son absence, Françoise fait face à des scènes inimaginables : « [Olga] attendait mon retour devant la porte de la maison. Pendant que je cherchais mes clés pour ouvrir en tenant Claude dans mes bras, Olga se mettait à m'égratigner, à me pincer, à me tirer, et finissait par se frayer un passage devant moi, en criant : "C'est ma maison. Mon mari y habite !" Et elle tentait de m'empêcher d'entrer. » Elle raconte encore : « Un jour, entendant devant la porte une de ces scènes coutumières, elle [Mme Fort, la propriétaire] regarda par sa fenêtre et cria à l'intention d'Olga : "Je me souviens de vous. Vous êtes la femme de Picasso, n'est-ce pas ? Nous nous sommes rencontrées il y a des années, quand mon mari était l'imprimeur de Vollard." Olga, ravie de l'aubaine, s'écria : "Bien sûr. Je viens prendre le thé avec vous." À partir de ce jour, Olga revint quotidiennement prendre le thé avec Mme Fort. Elle s'asseyait près de la fenêtre et répondait à quiconque venait s'enquérir de Pablo : "Non, mon mari n'est pas là. Il est sorti pour l'après-midi. Et je vis de nouveau avec lui, comme vous pouvez le voir[1]." » Cette fantasmagorie désolante suffisait encore à Olga, qui la préférait à l'inacceptable réalité.

Ironie du sort : si Olga avait réclamé sa moitié des biens du couple (en fait, pour l'essentiel, la moitié des œuvres de Pablo), c'est Paulo qui en aurait hérité « directement » à la mort de sa mère en 1955. Les rapports entre Pablo, son fils

1. *Vivre avec Picasso, op. cit.*

Paulo et les enfants de celui-ci, Pablito (qui se suicida en 1973) et Marina, en auraient été bouleversés. À défaut, en 1955, Paulo, héritier de sa mère, aurait dû réclamer légalement la part des biens de sa mère dans le couple (séparé mais non divorcé). Il n'effectua aucune démarche en ce sens. Il est vrai que Paulo aimait particulièrement son père, et ne s'imaginait pas le dépouiller de la moitié de son œuvre. En tout cas, mon grand-père est étranger à ces décisions d'Olga ou de son fils.

Si Olga demeura à jamais Mme Picasso, elle avait définitivement perdu Pablo. Seules les apparences étaient sauves. Pablo conserva toutes ses œuvres, même si, en décidant de divorcer, il avait tacitement accepté par avance d'en être séparé. Il paya mécaniquement la pension d'Olga – et maintes autres de ses dépenses épisodiques. Olga ne s'installa pas au château de Boisgeloup dont elle avait la jouissance, et vécut d'hôtel en hôtel, à sa guise, toujours aux frais de Pablo. À la fin de sa vie, elle s'établit à Cannes, à la clinique Beau-Soleil (au 76, boulevard Carnot), d'où elle écrivit régulièrement à Pablo, souvent par télégrammes, comme s'ils s'étaient quittés la veille et en le priant de veiller scrupuleusement au paiement des frais médicaux... Il ne répondait jamais mais réglait les factures.

Mon grand-père conservait une vision très traditionaliste de la famille, preuve s'il en fut que son indépendance d'esprit n'avait pas balayé toute son éducation ibérique et rigoriste. Le mariage était un fondement, et un sacrement.

Il avait voulu divorcer d'Olga pour épouser Marie-Thérèse et se conformer aux usages, mais la loi espagnole l'en avait empêché. Face à cette impasse, il devait réorganiser sa vie selon de nouvelles règles, bien éloignées des traditions mais, finalement, bien plus conformes à ses talents révolutionnaires. Il lui fallait triompher de la loi des hommes et imposer sa liberté ! Même en amour. Surtout en amour.

Maya

Ma mère Maya naît le 5 septembre 1935, à la clinique du Belvédère, à Boulogne-Billancourt. Sur les registres, elle est María de la Concepción, en souvenir de la petite sœur défunte de son père. Le diminutif canonique en est Conchita mais, rapidement, María devient Maya – à l'initiative de la petite fille incapable de bien articuler son prénom.

Olga a la garde de son fils. Pablo s'en console par la passion qu'il voue à sa fille. Si Maya n'avait pas existé, il est certain que Pablo aurait souffert de l'absence de Paulo. Par bonheur, par malheur, Maya le remplace. Avec elle, chaque instant est un émerveillement. Pour mon grand-père, âgé de cinquante-quatre ans en 1935, la vie avec Marie-Thérèse et Maya est une véritable cure de jouvence, un retour à un quotidien simple, sans contraintes, sans bals ni mondanités.

Depuis le milieu des années vingt, il a vécu sa participation au mouvement surréaliste dans l'inconfort d'une vie conjugale en contradiction avec son milieu artistique. La « période Marie-Thérèse », à partir de 1931, marque le grand retour de Pablo dans les champs contigus de l'émotionnel et de la création. Il avait probablement lui-même trop accepté la vie mondaine dans laquelle l'entraînait Olga. Il en avait été flatté, un temps – avant de perdre le contact avec le réel. Il était seul responsable de cette déréalité. Il avait vécu dans l'apparence ; il n'était plus le prisme, il était un reflet.

Tout comme il avait habillé de peinture son petit garçon quatorze ans plus tôt, sa tendresse envers la petite Maya se reflète tant dans ses toiles que dans ses poèmes ou ses lettres. L'écriture a remplacé la peinture pendant les quelques mois de 1935 où on l'a empêché d'accéder à son atelier. Ma mère possède ces innombrables écrits intimes, qui suffisent à contredire cette réputation de sans-cœur qu'on a voulu lui faire. Brigitte Léal[1] décrit Maya, auprès de Pablo, comme

1. *Picasso et les enfants, op. cit.*

une « enfant épanouie et débordante de vitalité, qui a les cheveux blonds et les yeux bleus de sa mère mais qui lui ressemble de façon frappante, [et] restera sa plus fidèle complice. Et, de même qu'il avait incarné les débuts de sa relation clandestine avec Marie-Thérèse par des natures mortes marquées du sceau de leurs initiales croisées, il saluera la présence de sa fille à ses côtés par des petits signes évocateurs de sa tendresse partagée (...) Au cours de la petite enfance de Maya, il ne cessera de tenir à travers ses carnets de dessins une sorte de journal, décrivant au jour le jour, au fil des heures parfois, et au plus près, les métamorphoses de la fillette. Leurs pages déroulent une succession de gros plans étonnants, sortes de flashes où Picasso cherche à attraper les instantanés d'une vie qui pousse et se dérobe et se transforme, de seconde en seconde. On la voit dans son sommeil, suçant son pouce, rêvant, ou riant aux éclats, dans toute son intimité physique et émotionnelle ; petite tornade blonde qui tient de ses parents... ».

Pablo réalise une quantité impressionnante de dessins de Marie-Thérèse et de leur fille, puis de Maya toute seule, bébé allaitant ou petite fille joyeuse : somptueuses *Maternités* (1935-1936), puis chronique d'une enfance heureuse : *Maya et la première neige* (1936), *Maya au tablier rouge* (1937), *Maya et sa poupée* (1938), *Maya au bateau* (1938)...

Pourtant, dans le visage de ma mère tel qu'il le fixe sur la toile, j'ai toujours décelé son inquiétude et ses propres craintes – ce divorce qui traîne, cette réclusion forcée d'une compagne et d'une enfant qu'il ne peut dévoiler, et pour lesquelles il s'inquiète, l'Europe fascisante, bref, ce monde qui va basculer et dont il se sent l'otage involontaire. On m'excusera ici de parler de moi. Après tout, il s'agit de ma grand-mère et de ma mère, et d'œuvres qui font presque corps, physiquement, avec moi, quand j'y porte mon regard. J'ai l'impression d'appartenir à ces toiles, d'y voir plus loin que leur seule apparence. C'est comme une double ascendance. Une envie et un besoin. Merci, grand-père...

À la soudaine déclaration de guerre, en septembre 1939, Marie-Thérèse et Maya, alors en vacances à Royan, y restent – jusqu'au printemps 1941. Pablo tient Marie-Thérèse dans l'ignorance de Dora (sa maîtresse depuis l'été 1936), et maintient cette dernière dans une soumission absolue à la situation générale (y compris au sujet d'Olga). Pablo a besoin des deux femmes.

Sur la plage, Maya joue avec Aube, la petite fille de Jacqueline Lamba et d'André Breton, à qui Pablo a recommandé Royan. Après l'armistice de juin 1940, la situation générale se stabilise dans la débâcle... Mon grand-père organise le retour de ma grand-mère et de leur fille à Paris, au nouvel appartement du 1, boulevard Henri-IV, à la pointe de l'île Saint-Louis. La relation de mes grands-parents dure maintenant depuis quatorze années. Marie-Thérèse a tout de même de l'instinct. Pablo ne peut lui mentir sur la nouvelle situation. Elle connaît enfin le détail des amours de Pablo : elle sait qu'elle doit le partager désormais, mais qu'elle est prioritaire. Elle a son territoire. Elle peut de surcroît, quand elle le désire, rendre visite à Pablo à l'atelier, rue des Grands-Augustins. Dora sait, elle, que, malgré tout l'amour qu'elle pense recevoir de Pablo, sa vraie passion est pour une autre.

Maya est élevée dans la « fiction que son père travaillait loin », comme le rappellera plus tard Françoise Gilot. J'ai noté combien l'existence de Marie-Thérèse et de Maya est alors secrète. Mon grand-père a créé un monde à lui et à Marie-Thérèse ; il en a gommé toute difficulté, et ma grand-mère s'y enferme, de peur qu'il ne s'évanouisse. Pablo est le moteur de sa vie, tout comme elle est le moteur de son art. L'innocence naturelle se mue peu à peu en irresponsabilité, aberrante en ces temps de guerre. Marie-Thérèse ne cherche pas plus loin : « On était heureux, voilà ! » déclarera-t-elle à Pierre Cabanne[1].

C'est à vingt-quatre ans que Paulo fait la connaissance de

1. Interview de Marie-Thérèse Walter par Pierre Cabanne, *op. cit.*

sa demi-sœur Maya. Il en éprouve une joie indescriptible. Avait-il été dupe tout ce temps ? Ma mère Maya m'a raconté cette anecdote troublante : « Ce qui est étonnant, c'est que le jour de ma naissance, le 5 septembre 1935, Paulo a offert un bouquet de fleurs à notre père alors qu'*a priori* il n'était pas au courant que celui-ci avait une liaison avec maman, et encore moins qu'elle attendait un enfant ! Ne sachant pas trop quoi faire du bouquet de fleurs, mon père l'a offert à ma mère en lui disant : "Tiens, c'est drôle. Paulo ne sait rien. Maya vient de naître et il m'a offert ces fleurs !" On n'a jamais compris. » Paulo avait peut-être compris...

En Suisse où Pablo l'a envoyé pendant la guerre, Paulo travaille au Bureau de coordination des œuvres en faveur de la France à l'ambassade de France à Genève. Il habite rue de la Cité. Il fréquente une certaine Erica (le troisième prénom de naissance qu'il donnera à sa fille Marina). Il y reste jusqu'à la dissolution du service au mois d'octobre 1946. Durant cette période, il s'offre à maintes reprises de longs allers-retours en moto vers Paris, après la libération de la capitale. C'est à cette occasion qu'il sera présenté à Maya. Il est ensuite affecté à un poste administratif au Quai d'Orsay, où il travaille jusqu'au début des années cinquante.

« Officiellement, continue ma mère, Paulo et moi nous sommes connus à la toute fin de la guerre en 1945. J'avais presque dix ans. Et j'étais très fière d'avoir un très grand frère ! Subitement, à lui, on annonçait qu'il avait une petite sœur. Il était très content d'avoir une petite sœur et n'arrêtait pas de me féliciter d'être la première de l'école... » Selon elle, si Pablo a décidé que ses deux enfants devaient se rencontrer, c'est parce que c'était la fin de la guerre, que les gens étaient heureux. « On gomme tout et les enfants doivent se connaître. Paulo l'a très bien pris. Il était très content d'avoir enfin quelque chose à lui. Avec sa moto, il me baladait partout », se souvient-elle encore.

Paulo lui écrit désormais des cartes postales, au gré de ses virées en France, signant toujours « Ton frère Paulo ». Il découvre ce mot, « frère », à vingt-quatre ans, et s'en repaît !

Maya fait sa première communion dans ce qui ressemble à une famille parfaite : son père Pablo, sa mère Marie-Thérèse et sa grand-mère Mémé, son frère Paulo, sa tante maternelle Geneviève, et les cousins germains espagnols, Javier et Josefín Vilato. C'est un jour gai, et Pablo semble respirer, enfin...

Contrairement à l'une des scènes de *Surviving Picasso*, où Olga gifle Marie-Thérèse, il n'y a jamais eu aucun drame entre elles puisqu'elles ne se sont jamais rencontrées ! Ni Paulo, ni Maya n'en ont donc souffert, ce qui explique leur très grande affection réciproque et spontanée. Aucun journal ne publie alors de photo de la deuxième vie de Picasso. Quand Olga l'apprend par son propre fils, cela n'a rien de public ni d'humiliant. Elle reste d'ailleurs indifférente : n'est-elle pas toujours « Mme Picasso » ? Mon grand-père n'a jamais eu la volonté de blesser ni Olga, ni Paulo, ni Maya.

En 1997, le talentueux Robert Hossein accepte de mettre en scène un spectacle musical intitulé *La Vie en bleu*, inspiré de la vie de Picasso. L'auteur et le compositeur du livret avaient, quelques années auparavant, demandé à mon oncle Claude, l'administrateur de l'Indivision Picasso, l'autorisation de reproduire des œuvres de Picasso sur scène. L'histoire, romancée, étant conçue autour de ses passions amoureuses, annonçant elles-mêmes les grandes périodes de sa création artistique, beaucoup de libertés ont été prises avec les faits réels, afin de justifier l'enchaînement des circonstances et l'apparition des personnages sur scène. Mais le sujet se prête mal à la comédie ou à l'opérette. Claude s'oppose fermement au projet : il ne pouvait, d'un côté, être le gardien du temple et, simultanément, autoriser qu'on chante et danse sur scène une adaptation si libre de la vie de l'artiste.

Robert Hossein me contacte alors. On lui a appris que j'ai écouté les bandes musicales, par l'entremise d'un producteur de spectacles. Je connais le dossier. Il veut que j'agisse en intercesseur. Je sais mon intervention auprès de Claude vouée à l'échec. Le tableau musical où l'on montre Marie-Thérèse se jetant dans les bras d'Olga semble, entre autres, particulièrement ridicule. Accepter un tel scénario serait offensant pour le souvenir d'Olga, et pour les membres de notre famille, héritiers de cette mémoire collective. Claude est sensible au caractère enthousiasmant du projet, mais il maintient logiquement son principe : aucune reproduction d'œuvre originale ne pourra y figurer.

Le public ne fait pas un succès au spectacle : il n'a pas cru à Pablo sur scène, pas davantage que sur écran. Pourtant ma cousine Marina déclara à un magazine[1] que c'était « très bien. Il y a déjà eu beaucoup de biographies horribles... Quand j'ai vu la scène, forcément perturbante pour moi, où Marie-Thérèse se jette dans les bras d'Olga, ma grand-mère, alors qu'on sait qu'Olga est presque morte de cette histoire... Ça m'a énormément touchée... ». Sauf que ce n'était jamais arrivé... Malheureusement, la petite-fille d'Olga illustrait ainsi une méconnaissance de la réalité historique et familiale (lui avait-on menti ?). Elle émailla d'ailleurs cette même interview d'autres déclarations – évoquant notamment la faillite de Picasso Administration, mais j'y reviendrai.

Notre famille préféra alors se taire, par pudeur. Les experts aficionados de Picasso aussi.

Si le silence a toujours entouré Marie-Thérèse et Maya, il n'en sera pas de même pour la nouvelle liaison de Pablo et de Françoise Gilot, apparue au grand jour après la guerre.

Le temps des médias est venu. Les magazines du monde entier montrent Pablo Picasso en photo au bras d'une très belle jeune femme enceinte, puis se présentant aux journalistes comme l'heureux père d'un fils, Claude, et enfin d'une fille, Paloma. Tout le monde ignorait si Pablo avait eu un fils ou une fille, avant la guerre ; le voilà avec deux bambins à ses côtés ! La presse n'eut qu'à se servir dans le fonds inépuisable que lui offrait la personnalité de Pablo : peintre de génie, célébrité mondiale, communiste milliardaire, père à

1. *Gala*, 23 octobre 1997.

soixante-huit ans ! Amour, talent, gloire, argent, et cette ardeur virile auprès d'une jeune beauté intelligente et cultivée... Un rêve pour les paparazzi...

Claude et Paloma

La relation de Pablo avec Françoise Gilot, entamée dès mai 1943, s'exprime, après la guerre, dans la joie de vivre retrouvée, pour l'artiste comme pour le monde entier. La conclusion naturelle de ce climat d'euphorie est la naissance de Claude, le 15 mai 1947, puis celle de Paloma, le 19 avril 1949.

Depuis 1946, nous l'avons vu, Pablo fait des allers et retours fréquents avec Françoise sur la Côte d'Azur, à Juan-les-Pins, à Ménerbes, à Vallauris, Golfe-Juan ou Antibes. Au château Grimaldi, il peint la *Joie de vivre*, symbole du nouveau monde en paix, qui s'y trouve toujours. Enfin, il s'installe en 1947 à Vallauris, à la villa *La Galloise*, qui appartient officiellement à Françoise, à l'atelier tout proche du *Fournas*, avant de s'établir en 1955 à Cannes, où il achète *La Californie.*

Plénitude familiale. Il a présenté Paulo à Maya. Françoise présente les deux aînés à leurs cadets, Claude et Paloma. Dans son livre paru en France en 1965 [1], elle raconte qu'il lui paraissait normal de faire vivre ensemble cette drôle de famille : « Quand Marie-Thérèse et sa fille Maya venaient dans le Midi, Pablo continuait de leur rendre visite deux fois par semaine. Pendant l'été 1949, je lui ai suggéré de les inviter à la maison, puisqu'elles étaient à Juan-les-Pins. Non par naïveté, mais je pensais préférable que Maya fasse la connaissance de son demi-frère, Claude, et de sa demi-sœur Paloma... Il lui suffisait de regarder un numéro de *Match* ou un journal quelconque pour le [Pablo] voir étendu sur le sable

1. *Vivre avec Picasso, op. cit.*

avec sa nouvelle famille... Le climat de nos relations se détendit et se normalisa. »

Maya m'a raconté la première visite, traumatisante pour elle. Claude et Paloma sont la preuve vivante que le cocon miraculeux auquel elle a cru, constitué seulement de son père et de sa mère, a cessé d'exister ! Malgré son jeune âge, elle se rend compte rapidement que les enfants sont vulnérables, confrontés à des tensions inexplicables entre Pablo, Olga, Françoise, et toute une cour changeant de camp au gré des disputes. Elle décide alors de les protéger à sa manière, de s'occuper d'eux, comme une nurse, et si possible de tempérer l'atmosphère générale : Françoise la remerciera plus tard pour sa gentillesse.

De très nombreuses photos émaillent ces années en famille. Pablo ne se lasse pas de se montrer en patriarche entouré de ses quatre enfants. Paulo, adulte désormais, retrouve son père, après toutes ces années. Il est soudain l'aîné d'une famille nombreuse dont il ne soupçonnait pas l'existence. Maya devient la confidente privilégiée de leur père.

Claude et Paloma sont, à leur tour, une source d'inspiration indéniable. Pablo, presque septuagénaire, retrouve en eux une image d'innocence. Et il aime alors passer du temps avec les enfants. Inès Sassier[1], sa femme de chambre, véritable intendante et témoin irremplaçable de près de quarante années avec mon grand-père, me l'a raconté. Il repère chez eux la spontanéité, l'immédiate saisie des choses, l'intuition naturelle qui sont au cœur de son propre travail. « Je ne cherche pas, je trouve », sa fameuse déclaration, bien caractéristique de sa personnalité, illustre parfaitement la présente

1. Inès Sassier, rencontrée sur la route de Mougins, quand elle avait dix-neuf ans. Elle devint modèle, puis la femme de chambre de Pablo à Paris, rue des Grands-Augustins, en 1937. Elle y assura l'intendance, rejoignit Pablo régulièrement pendant les vacances scolaires à Cannes et à Mougins pour y continuer son service. Elle s'occupa avec son fils Gérard du déménagement complet de l'atelier et de l'appartement de la rue des Grands-Augustins lors de l'expulsion en 1967. Elle revint s'installer en famille à Mougins et resta au service de Pablo jusqu'au début des années soixante-dix, avant de partir à la retraite. Elle est décédée en avril 2002.

situation. Gérard, le fils d'Inès, né en 1946, fait partie du groupe des enfants : « Picasso, se rappelle-t-il aujourd'hui, arrêtait parfois de peindre, et on discutait à la table ou on peignait tous ensemble... Il nous faisait des découpages. Avec les enfants, c'était un enfant lui aussi. Il se mettait au même niveau que nous. » Témoignent de cette atmosphère heureuse les très beaux portraits de Claude et de Paloma : *Claude à la balle* (1948), *Claude et Paloma jouant* (1950), *Claude écrivant* (1951), *Claude dessinant avec Françoise et Paloma* (1954).

Mon grand-père observe avec minutie les jeux des enfants, leurs gestes spontanés ; il est comme un objectif de caméra se rapprochant au plus près d'eux pour saisir ces instants. Ne dit-il pas qu'il lui a fallu soixante ans pour peindre comme eux ! Au surplus, il leur façonne des petits objets, des figurines de bois, de carton ou de tissu, avec une grande minutie et beaucoup d'affection. Pablo accordera toujours du temps à Claude, Paloma et leur copain Gérard que rejoindra, en 1955, Cathy (la fille de Jacqueline Roque, la future compagne de Pablo). Mais n'est-ce pas aussi en échange des jouets d'enfants qu'il leur chipe : petites voitures, camion, cheval à roulettes... autant de beaux objets qui serviront à de belles sculptures et autres constructions inattendues ?

Brigitte Léal note que même Cocteau n'en revient pas : « Touche-t-il un jouet de son fils ? Il cesse d'être un jouet. Je l'ai vu triturer, en causant, un poussin d'ouate jaune qu'on achète au bazar. Lorsqu'il le remet sur la table, ce poussin était poussin d'Hokusai [1] (...) Son génie de bricoleur et de touche-à-tout va trouver une nouvelle jeunesse dans ce compagnonnage artistique quotidien. D'un coup de ciseaux, il va inventer des sculptures mobiles et légères en papier [2] (*Femme aux bras écartés,* 1961) et des œuvres en linoléum

1. Hokusai Katsushika, peintre, dessinateur, graveur japonais (1760-1849). Il a étudié tous les animaux et a inspiré Degas, Gauguin, Van Gogh, Toulouse-Lautrec.

2. Picasso réalise ces sculptures en papier et son ami collectionneur, Lionel Praejer, les reproduit en métal que Pablo peut, à sa guise, peindre ou pas.

(*Arlequin dansant,* 1950). Puis, c'est tout un bestiaire drolatique qui va prendre forme sous ses doigts, à coup de fourchettes et d'allumettes (*La Grue*, 1951), voire avec les petites autos de son fils Claude qui fourniront la matière de la tête de *La Guenon et son petit* (1951), une des plus formidables maternités jamais créées[1]. »

Ces incroyables reconstructions suivent la non moins époustouflante *Petite Fille sautant à la corde* (1950).

Le départ de Françoise Gilot, avec Claude et Paloma, à la fin de l'été 1953, est une grande blessure pour mon grand-père. « On m'enlève mes enfants », se plaint-il. Ils reviennent pourtant régulièrement : à Noël, à Pâques, et durant les grandes vacances. Pablo aime les enfants et aime jouer avec eux. Parfois cependant, Pablo les salue simplement avant de rejoindre son atelier au second étage. Il s'isole pour la journée, appelé par d'autres déesses...

Depuis 1954, est apparue Jacqueline Roque[2]. Sa fille, Catherine Hutin, surnommée Cathy, née en 1948 d'un premier mariage de sa mère, fait partie de la bande. D'ailleurs Gérard Sassier, dont le parrain était Paulo, se souvient que, pour appeler parfois les enfants, « on disait 1946, 1947, 1948, 1949... Quand on était à *La Californie*, il n'y avait aucune différence, on était tous à table, à midi, le soir... ». 1946, c'est Gérard. 1947, Claude. 1948, Catherine et 1949, Paloma.

Il y avait par ailleurs les enfants de Paulo, Pablito et Marina, qui vivaient à quelques kilomètres. Ils sont les victimes innocentes du divorce houleux de leurs parents, prononcé en juin 1953.

C'est pourtant avec Pablito que Pablo est grand-père pour la première fois. À l'automne 1949, lors d'un curieux manège

1. *Picasso et les enfants, op. cit.*
2. Elle deviendra la compagne officielle de Pablo en 1955, puis son épouse en 1961.

de bambins, Paulo fait une série de photos, le même jour, au même endroit, au pied des marches de *La Galloise* à Vallauris : Pablo tenant sa propre fille Paloma, née en avril précédent, aux joues bien rondes (qui feront sa joie d'artiste sur ses portraits) ; Paulo lui-même, tenant son propre fils Pablito dans un bras et son propre demi-frère Claude dans l'autre – un neveu et son oncle à peine plus âgé ! Pablo jubile. Sa grande fierté est d'appartenir encore à la catégorie des mâles reproducteurs...

Le second enfant de Paulo et Émilienne, leur fille Marina, naît un an plus tard, le 14 novembre 1950, six mois après leur mariage. Curieusement, Paulo ne la présente pas à son père. Les relations du couple sont alors très mauvaises et, quelques semaines après la naissance de Marina, ils sont en instance de séparation. Ce n'est que plusieurs mois après sa venue au monde que Pablo rencontre sa petite-fille. Ma grand-mère, Marie-Thérèse, qui partage son temps entre Paris et Juan-les-Pins, s'est liée d'amitié avec Émilienne, laquelle habite Golfe-Juan, en contrebas de Vallauris. À l'occasion d'une promenade, à Pâques, au bord de la plage, en compagnie d'Émilienne et de sa fille, Marie-Thérèse aperçoit Pablo, au loin. Elle le hèle tout naturellement, et s'empresse de lui présenter Marina : « Tiens, je te présente ta petite-fille ! » Paulo n'avait pas prévenu Pablo...

Plus tard, Maya demandera que Pablito et Marina, les enfants de Paulo, viennent à *La Californie* pour rencontrer Claude et Paloma, pendant l'été 1955. Maya trouvait normal que des enfants du même âge et de la même famille se connaissent et se fréquentent. Paulo a totalement coupé les ponts entre ses enfants et l'univers de son père, depuis sa séparation d'avec Émilienne. Sans doute évitait-il tout ce qui pouvait évoquer son divorce. Émilienne a tendance à s'épancher en public sur sa relation fantasmée avec son (ex-)beau-père – tendance que sa fille Marina racontera avec force détails plus tard [1].

---

1. *Grand-Père*, *op. cit.*, p. 42-43.

Paulo préfère donc que rien n'alimente les ragots. Que Pablito et Marina subissent le sort ordinaire d'enfants de divorcés, victimes de leurs parents, l'attriste. Mais c'est ainsi. Et puis, Émilienne n'a-t-elle pas demandé qu'il soit procédé à un examen psychiatrique de son (ex-)époux pour « apprécier si l'intéressé doit être ou non considéré comme sain d'esprit » !

À la fin de l'été, après avoir observé et souvent apaisé le ballet des sentiments, Maya décide de quitter ce qui est devenu l'univers Picasso. De façon inatttendue, parce qu'elle est désormais adulte mais aussi une femme, Maya est la confidente de son père, presque une demoiselle de compagnie qu'il emmène partout ! Maya comprend que c'est sa liberté qui est en jeu. Il lui faut voler de ses propres ailes. Comme elle s'est habituée à ne pas dépendre financièrement de son père, la décision est jouable. « Maintenant, c'est fini. Je ne garde plus tes enfants ! Je vais faire des enfants moi-même. » Pablo, à moitié crédule, avait alors répliqué : « Ce n'est pas possible ! Oser me quitter ! » Maya part en Espagne rejoindre les cousins de Barcelone. Peu à peu, la distance géographique l'éloigne de son père, mais ils restent toujours en contact. Le pli est pris. Pablo s'habituera à vivre sans sa fille... Il a désormais Jacqueline. L'inquiétude de perdre sa liberté se transforme presque, chez ma mère, en une véritable phobie des relations compliquées et de la dépendance. Elle se marie et construit peu à peu son propre monde, selon ses rêves de jeune fille, bien éloignés de la vie sentimentale de son père. Pablo est tenu au courant du devenir de Maya par Marie-Thérèse et Paulo : Pablo rapporte fièrement les nouvelles autour de lui. Il apprendra ma naissance, celle de mon frère et de ma sœur. Il appréciera les photos. Rien de plus. L'habitude de l'éloignement s'installe. Et durera. Jacqueline aura organisé un nouveau quotidien. Maya aussi. Heureuses, l'une comme l'autre. Mon grand-père aussi... dans son atelier. Personne ne souffrira.

Jacqueline et Catherine

Pablo Picasso a croisé Jacqueline Roque en 1953. Les visites de Jacqueline sont plus fréquentes dès l'année suivante, mais restent très discrètes. Après la mort d'Olga, en février 1955, et après que Marie-Thérèse a refusé, plutôt logiquement, sa proposition inattendue de l'épouser, il est un homme libre !

Pablo vit dès lors avec Jacqueline et sa fille Catherine. Jean Leymarie, dont les deux filles étaient très amies avec Catherine, m'a rapporté qu'elles allaient souvent chez Picasso pour jouer. Le ballet des enfants continue ainsi à résonner autour de Pablo. « Il adorait les enfants, précise encore Leymarie ; il y avait une espèce de complicité et lui-même avait un caractère enfantin quand il jouait avec eux, au meilleur sens du mot bien sûr : une grande spontanéité, une envie constante de jouer. »

Si le départ de Françoise Gilot a été une épreuve, le fait que les enfants grandissent et s'éloignent aussi ; mais foin du *Pater Familias* ! Il retrouve d'ailleurs, à presque quatre-vingts ans, les réflexes d'un jeune amoureux auprès de Jacqueline – sa muse, sa compagne et, déjà, une mère attentive... Seule à présent – face au lourd passé de Pablo.

Après le départ des enfants devenus écoliers, Pablo s'inspire de ceux qu'il a copiés jadis à Madrid : *Les Bobos* de Murillo et *Les Ménines* de Velázquez. « Avec elles, dira Jacqueline plus tard à André Malraux, Pablo a vraiment voulu régler un compte. » Ils n'auraient pas d'autres enfants.

Pablo, qui vit désormais avec une nouvelle et jolie femme, doit composer avec Paulo, Claude et Paloma, ainsi qu'avec une foule de gens – admirateurs anonymes, amis, journalistes ou experts. Et il n'a pas le temps ! Il n'a plus le temps. D'ailleurs, il évite les débats, répondant souvent par l'absurde aux questions qu'on lui pose, pour mettre fin aux inutiles bavardages.

Il épouse Jacqueline en mars 1961, quelques mois après que ma mère a épousé mon père, en 1960. Je suis le premier-né de cette union – puis viendront mon frère Richard et, bien plus tard, notre sœur Diana.

Nous avons découvert naturellement, sur les murs de la maison, que Pablo Picasso était notre grand-père. Nous étions trop petits alors pour poser des questions ou nous interroger sur notre grand-mère, cette Marie-Thérèse des portraits, que nous appelions, nous, « Baba », et qui ne venait jamais nous voir avec son « mari ».

J'ai le souvenir d'une enfance heureuse, studieuse, qui nous a involontairement préparés à ce raz-de-marée qu'a provoqué la mort de notre grand-père. Nos parents nous élevaient dans le respect de valeurs telles que l'école, le travail et la reconnaissance dans l'affection réciproque. Ce quotidien rassurant et sans histoires nous maintenait à l'écart des douleurs des grands, dans l'ignorance totale de cette complication magistrale qu'était alors la famille Picasso.

Une famille recomposée

Pablo Picasso a eu quatre enfants, c'est un fait. Combien d'articles, après la guerre, ont relaté les déplacements de Paulo ou Maya, ici ou là, en France ou en Espagne... Combien d'autres ont célébré les naissances de Claude et de Paloma...

Cependant, les choses ne sont pas aussi simples, ni aussi joliment colorées que sur les cimaises des musées. Notre différence, c'est que tout, ou presque, a été rendu public. Avec des « à peu près », des petites erreurs, parfois des énormités, on a créé une légende autour de l'homme qui en a encore ajouté à la géniale incompréhension de l'artiste. Pour de nombreux journalistes, plus c'était compliqué, mieux c'était !

Légalement marié à Olga, Pablo Picasso refit sa vie

comme il l'entendait. Il avait voulu divorcer, il n'avait pas pu. Il voulait épouser Marie-Thérèse, ce ne fut pas possible. Ce qui *ipso facto* l'empêcha de reconnaître Maya.

Jusqu'à la réforme du droit de la filiation du 3 janvier 1972, entrée en vigueur en août suivant, il était impossible à un homme déjà marié de reconnaître un enfant né hors de son mariage. C'est le cas de Pablo : marié en 1918, séparé officiellement en 1935, mais toujours « légalement marié » avec Olga malgré le jugement de séparation de corps de 1940. Il est donc un homme marié en 1935 à la naissance de Maya, avec une autre que la mère de celle-ci, et toujours marié, à la même, en 1947 à la naissance de Claude et en 1949 pour celle de Paloma. Les enfants naturels de Picasso sont tous nés dans un contexte légal d'adultère, et qualifiés, à ce titre, d'adultérins. Pablo ne pouvait y échapper. Eux non plus !

De surcroît, légalement marié lors de leurs naissances respectives, il ne pouvait même pas, selon la loi d'avant 1972, les reconnaître à la mort d'Olga qui, en 1955, le libéra pourtant des liens de ce mariage ! La procédure n'existait pas, tout simplement. Il aurait dû se remarier. Aussi proposa-t-il à ma grand-mère de l'épouser, ce qu'elle refusa poliment.

Le Code Napoléon était, sur ce point, particulièrement inhumain. Il interdisait toute recherche de paternité à l'enfant adultérin (pourtant innocent du fait), toute possibilité de reconnaissance volontaire par le père marié, auquel était interdit, pour faire bonne mesure, toute libéralité, par donation ou testament, à « l'enfant du péché » ! Y compris sur la quotité disponible [1]. Le père pouvait tester en faveur de son chien ou de l'Armée du Salut, mais pas en faveur de son enfant biologique. L'enfant adultérin était considéré comme coupable alors qu'il n'avait pas demandé à venir au monde. Il était le seul à subir les conséquences des actes de ses parents.

---

1. Il s'agit de la partie d'un patrimoine à transmettre qui ne revient pas obligatoirement aux enfants : la moitié avec un seul enfant, un tiers avec deux, un quart avec trois ou plus.

Cette situation ne concernait pas seulement trois petits Picasso. Plus de deux millions d'enfants, en 1972, souffraient des mêmes aberrations.

Le Code civil accordait pourtant à l'enfant né hors mariage la possibilité de recevoir une aide alimentaire de son parent adultérin, mais cette aide n'établissait pas pour autant un quelconque lien de filiation... D'ailleurs, le législateur avait tout prévu : il était interdit à l'enfant de tenter de faire reconnaître cette filiation lors d'une action en réclamation d'une aide alimentaire [1].

La loi visait expressément à éviter le « scandale » : l'enfant était mis au ban de la société, et le père marié (ou la mère mariée, cas bien plus rare) restait à l'abri de toute turbulence... D'où la vogue des amours ancillaires. Le fameux enfant fait à la bonne de la maison... Les hommes n'avaient rien à craindre, pas de scandale, pas de risque patrimonial.

Peu de gens aujourd'hui mesurent combien la loi était abominable pour ces enfants, victimes même s'ils avaient été conçus avec amour. On peut aussi imaginer les troubles psychologiques qui atteignaient certains enfants qui, découvrant que leur père avait conçu d'autres enfants « ailleurs », n'avaient plus que cette supériorité affichée d'être « légitimes » pour se consoler. Qu'on relise seulement *Pierre et Jean* de Maupassant.

La loi du 21 décembre 2001, qui met dorénavant à égalité toute filiation, légitime ou naturelle (le terme « adultérin » a disparu du Code civil en 1972) ou par adoption, restaure une relation fondée sur l'amour et non plus sur le seul droit au partage futur des biens.

La loi empêchait donc Pablo de reconnaître Maya, Claude et Paloma. Même avec la réforme, Pablo ne pouvait pas les reconnaître spontanément ! Il fallait en passer par une nécessaire procédure judiciaire « en recherche de paternité ». Qu'importe ! Il les avait voulus, comme il avait voulu son

1. Ancienne loi du 15 juillet 1955, art. 342 3e alinéa.

fils Paulo, son seul fils réputé légitime, et, si la loi ne les rapprochait pas, l'amour serait donc leur lien.

Pablo Picasso n'a pas désiré que Paulo, le seul conçu dans le cadre de son mariage, et il n'a pas « récupéré » trois autres bambins par hasard ! Que l'on considère seulement l'inspiration artistique qu'a provoquée chaque naissance ! Les quatre enfants de Picasso ont tous une même « légitimité artistique ». Tous les amateurs d'art dans le monde le savent.

C'est aussi la preuve que Pablo contrôlait tout, y compris sa descendance, sans aucun scrupule, mais avec une réelle détermination. Comme son œuvre.

« Ce n'était pas pour lui une situation atypique, m'a confié Pierre Daix. Il se trouvait qu'il avait des enfants comme ça. Il avait une femme dont il ne pouvait pas divorcer, Olga, qui a survécu jusqu'en 1955. Je ne sais pas si, en d'autres circonstances, il aurait épousé Marie-Thérèse, mais il ne le pouvait pas. De même, il ne pouvait pas épouser Françoise Gilot. Olga est morte après que ça a été fini avec Françoise. Et je pense que pour lui, ça n'entrait pas en ligne de compte, surtout dans le milieu que ton grand-père a fréquenté toute sa vie, ça n'avait aucune espèce d'importance que les enfants soient légitimes, illégitimes... c'étaient les enfants !... Il n'y avait aucune espèce de différence entre Paulo et les autres. »

Et l'historien et ami de mon grand-père de rajouter : « Ça ne lui est jamais venu à l'esprit, sauf pour des documents administratifs, que Paulo était son seul enfant légitime. Au quotidien, je crois que ça ne lui venait pas à l'idée. Maya était sa fille, Paulo était son fils... »

Me Armand Antébi, avoué à Cannes et conseil de Pablo, m'a confirmé que mon grand-père s'en remettait simplement à la loi. La loi lui indiquait que ses enfants Maya, Claude et Paloma étaient réputés adultérins parce qu'il était déjà marié à leur naissance. Soit. Il disait donc qu'il était le père adultérin de ses trois enfants. Respecter le cadre de la loi lui permettait de ridiculiser une loi hypocrite. En outre, cela ne créait aucune distinction pour lui au quotidien. Paulo était son fils légitime, il ne l'aimerait pas plus, ni moins, que les autres.

On ne peut pas considérer que Paulo ait tiré le moindre avantage de sa filiation « légitime » : il ne s'en est jamais glorifié. Ce qui eût été ridicule au niveau familial l'aurait été aussi au plan moral, or Paulo avait un vrai sens moral, et jamais il n'aurait reproché à Maya, Claude ou Paloma, une situation dont ils n'étaient pas responsables. D'ailleurs, quand naquit Pablito, début mai 1949, Paulo n'était pas encore marié avec Émilienne, et Émilienne était encore mariée, depuis octobre 1944, à un certain René Mossé, qui possédait un atelier de poterie à Vallauris[1]. Cette jeune femme pleine d'assurance, de cinq ans son aînée, avait connu Paulo peu après son retour de Suisse, et était tombée enceinte à l'été 1948. Elle était donc en situation d'adultère aux yeux de la loi. Ainsi Pablo junior, rapidement surnommé Pablito, pour éviter les confusions, naquit enfant adultérin : Émilienne obtint le divorce quelques semaines plus tard, fin juin 1949.

Pendant un an, Pablito resta leur enfant naturel jusqu'à leur mariage le 10 mai 1950, alors qu'elle attend déjà Marina. On peut vraiment dire que notre famille aura connu toutes les situations juridiques possibles et celle-là, très rare, est une nouvelle illustration que même Paulo, l'enfant légitime par excellence, se jouait des conventions sociales.

Paulo réitéra le processus avec Christine, sa deuxième compagne, à la naissance de son second fils, Bernard, en 1959 : il n'épousa la mère que trois ans plus tard. S'il n'était pas gêné d'avoir eu des enfants naturels, frapper d'ostracisme son frère et ses sœurs eût été une infamie dont il n'eut jamais l'idée.

Lors des procès en reconnaissance de filiation de Maya, Claude et Paloma, qui suivront tout naturellement la réforme de 1972, Paulo fera preuve d'une grande rectitude. Jamais il ne contesta la filiation de ses frère et sœurs – il aurait pu être

1. *Grand-Père*, *op. cit.*, p. 44.

tenté en pensant à sa part d'héritage, très entamée par l'arrivée de trois héritiers supplémentaires. L'amour l'emportait à nouveau sur la légitimité.

Cette question des enfants de Pablo Picasso a pris une nouvelle dimension au décès de mon grand-père en avril 1973. Il est toujours étonnant, quand on est l'enfant de l'un des hommes les plus célèbres au monde, que la loi se soucie soudain de vous trouver un père... Et qu'il faille le rechercher !

Mais l'aspect ubuesque de la législation ne s'arrêta pas là. C'était drôle, en un sens. Cela pouvait devenir odieux.

Les preuves de la paternité de Pablo, le monde entier les avait vues, au fil des reportages. Mais Maya, Claude ou Paloma ne pouvaient légalement être reconnus que par leur seule mère, puisque leur père était marié avec une autre femme. Ils étaient adultérins si et seulement si on identifiait le géniteur – ce que la loi interdisait !

J'insiste sur ce point : l'enfant aurait pu apporter toutes les preuves possibles, la procédure n'existait pas et ne pouvait pas être entamée ! Le géniteur pouvait être publiquement identifié, comme c'était le cas pour Pablo, père illustrissime, mais il ne pouvait devenir légalement le père officiel de ses enfants, même dans un consensus général qui aurait pu inclure l'accord de l'épouse réputée « trompée » ou après la mort de celle-ci. La cause était « illicite ».

Au surplus, comme je l'ai déjà indiqué plus haut, la loi interdisait au géniteur de coucher ses enfants adultérins sur son testament, et ce même en respectant la quotité disponible, y compris en l'absence de descendance légitime[1] ! Sinon, le testament était déclaré nul.

Il n'existe plus guère aujourd'hui que Marina pour dire sans relâche qu'elle est « la seule petite-fille légitime de Picasso ». Et de reprocher à Maya, Claude et Paloma, d'être des enfants naturels, et de n'avoir été reconnus qu'après une

1. Ancien article 762 du Code civil.

procédure judiciaire, procédure pourtant obligatoire et inévitable qu'elle a souvent qualifiée, curieusement, de « longue bataille ». Cela n'a jamais été le cas : personne ne s'est opposé au principe de leur filiation – ni Paulo, son propre père, ni Jacqueline, la veuve de Pablo.

Pablo ne pouvait pas reconnaître ses enfants naturels. Point final. Paulo a toujours considéré Maya, Claude et Paloma comme membres à part entière de sa famille et a agi en conséquence, y compris au moment de la Succession Picasso, alors que les procédures en reconnaissance de paternité n'étaient pas encore achevées. J'y reviendrai.

Reprocher à des enfants d'être naturels, en faire des coupables alors qu'ils sont des victimes, est incroyable. Quand, fidèle à ses précédentes interviews, Marina déclare encore, à l'automne 2001, dans un entretien[1] : « Je n'ai rien contre le fait que les enfants adultérins de Picasso portent son nom, mais qu'au moins, ils sachent rester à leur place ! », Quelle incroyable déclaration ! Le mot « adultérin » n'a-t-il pas disparu du Code civil depuis trente ans déjà, supprimant chez l'enfant toute notion de faute (ce qui était tout de même une aberration) ? On ne peut pas reprocher aux enfants les circonstances de leur naissance. Que doivent penser Gaël et Flore, le fils et la fille de Marina ? Leur père, le Dr René Abguillerm, était en effet marié à une autre femme au moment de leur naissance, comme il l'avait lui-même révélé[2]... Est-ce un problème, est-ce vraiment un problème ? Heureusement la nouvelle loi de 1972 ne les a pas privés de père. La nouvelle loi a permis à celui-ci de les reconnaître. Ils ont au moins une identité, une mère et un père.

C'est la loi qui avait privé Maya, Claude et Paloma d'un père légal. Elle le leur a rendu. Il fut un temps où l'on raillait les filles-mères. Heureusement, on les appelle aujourd'hui des mères célibataires. De toute façon, la Cour européenne des Droits de l'homme sanctionne aujourd'hui les dérives...

1. *Madame Figaro*, n° 17778, 6 octobre 2001.
2. *France-Dimanche*, 21-27 décembre 1991.

Et pour quelles raisons choisit-elle de clamer depuis si longtemps sa légitimité, sur laquelle tout le monde est parfaitement d'accord ? Elle est la fille légitime de Paulo, lui-même fils légitime de Pablo Picasso – en effet, le concept juridique de petite-fille légitime n'existe pas. Seule « la petite-fille légitime de Picasso » aurait-elle le droit de s'exprimer sur un grand-père qu'elle a si peu et si mal connu ?

Lorsqu'on lit *Grand-Père*, ou les interviews récurrentes de Marina où elle « prend bien soin de lui » tout en présentant l'énorme richesse dont elle a hérité, on se dit que, franchement, il s'en serait bien passé. Son (demi-)frère Bernard, mon cousin, placé exactement dans la même situation juridique que Marina, a toujours fait preuve d'une dignité remarquable et compris, bien avant tout le monde, combien notre grand-père avait souhaité que l'amour soit le lien de ses quatre enfants. N'a-t-on pas dit qu'à la mort de Paulo, leur père, en 1975, notre oncle Claude était devenu le second père de Bernard ? Celui-ci a toujours su comprendre et respecter la réalité d'une situation complexe, sans jamais tirer avantage de la filiation légitime de son père, ni prétendre à une supériorité quelconque. Un exemple instructif et instruit de la réalité de la vie, en quelque sorte...

L'absurde

Picasso connaissait donc parfaitement la situation légale que créait la pérennité de son mariage. Il ne renoncerait pas pour autant à vivre et à aimer ailleurs.

Il a même imaginé, dans l'absurde, qu'il pourrait épouser Maya, puisqu'il n'était pas légalement son père et que, selon lui, « ça embêterait bien tout le monde ». Révolutionnaire et purement « picassien » !

En raison des contraintes de la loi, Pablo Picasso devient, en 1955, le subrogé-tuteur de Claude et de Paloma, désigné par un conseil de tutelle, alors qu'il est leur père biologique sans aucune contestation de quiconque ! Aucune ambiguïté sur sa volonté d'exploiter toutes les possibilités de la loi pour se déclarer comme il le pouvait. La même démarche n'avait pas grand sens avec Maya, déjà âgée de vingt ans.

Claude et Paloma avaient leur mère, Françoise. Donc, Pablo ne pouvait être leur tuteur, mais, à défaut, leur subrogé-tuteur, apte légalement à se substituer à leur mère en cas de disparition de celle-ci. Pour mémoire, Pablo et Françoise, séparés en 1953, conservaient des relations sereines et responsables. Pablo ne lui avait-il pas dit, en 1954 : « La récompense de l'amour est l'amitié [1]. »

Puis, à la suite d'un accord amiable entre Pablo et Françoise, et avec l'accord formel de Paulo, ce qui est très important, une demande auprès du garde des Sceaux, publiée au *Journal officiel* du 12 mai 1959, fut déposée aux fins d'un changement de nom pour Claude et Paloma. Pablo demandait qu'ils puissent porter son nom. Au terme de cette procédure, ce même *Journal officiel* proclama, le 10 janvier 1961, que Claude et Paloma porteraient désormais le nom de Ruiz Picasso – le nom de leur subrogé-tuteur qui était, de notoriété publique, leur père biologique, mais pas leur père légal !

Seule Marina s'obstine à penser et à déclarer partout, et notamment dans son dernier ouvrage [2], qu'ils avaient dû se « battre » pour avoir le droit de porter ce nom, qu'ils n'auraient obtenu qu'en 1974 ! Pourquoi ? Marina oublie aussi que son propre père, Paulo, y a consenti officiellement, en 1959... balayant ainsi lui-même toute ambiguïté.

Au surplus, Pablo avait demandé à Maya de se joindre à cette demande de changement de nom. Une requête identique fut donc publiée simultanément au *Journal officiel*. L'avocat de mon grand-père, Me Bernard Bacqué de Sariac, fut en charge des trois dossiers. Énigme de l'histoire, il ne poursuivit pas la procédure « Maya » auprès du ministère de la Justice, et rendit son dossier à ma mère – dix ans plus tard –,

1. *Vivre avec Picasso, op. cit.*
2. *Grand-Père, op. cit.*

sans explication. Peut-être la simultanéité des dossiers aurait-elle pu porter tort à l'un d'eux : Maya, Claude et Paloma n'étant pas nés de la même mère, le garde des Sceaux aurait pu s'inquiéter d'une trop grande audace (un père marié, et remarié en 1961, trois enfants, deux mères différentes...). L'avant-gardisme ou le scandale étaient tolérés d'un point de vue artistique, mais ils se pratiquaient alors moins dans l'atmosphère feutrée des instances juridiques. D'autant que la société très conservatrice des années soixante était encore loin d'engager la moindre réforme de la filiation. L'avocat ne fit aucun commentaire et ne révéla sa stratégie à quiconque. Mieux, il téléphona régulièrement à Maya, prétextant que l'affaire suivait son cours, de procédures d'appel en pourvoi en cassation ! Il emporta son secret dans la tombe...

Seuls Claude (en août 1968) et Paloma (en février 1971), à leur majorité, et en dépit du Code civil qui les en empêchait, tentèrent de passer en force, contre la loi ! Ils intentèrent une action en « déclaration judiciaire de paternité hors mariage ». À l'époque, la procédure n'existait pas sous un tel libellé. Il fallait innover...

Me Antébi m'a fait lire l'attestation manuscrite de mon grand-père, datée du 18 décembre 1968, concernant Claude. J'ai apprécié la grande régularité et l'énergie de son écriture – il était alors âgé de plus de quatre-vingt-sept ans.

Il y dénonce la rumeur selon laquelle il « objecterait à la démarche » de Claude et Paloma, et reconnaît volontiers sa paternité adultérine comme la loi la définit. Mais, le 14 avril 1970 pour Claude et le 17 février 1971 pour Paloma, le tribunal de grande instance de Grasse déclara, logiquement, leurs demandes irrecevables, puisque « la demande principale tendait à établir une filiation adultérine » – ce que la loi, nous l'avons vu, interdisait. Pablo déclarait sa paternité, mais les juges ne pouvaient l'entendre !

En appel de ce jugement, la cour d'Aix-en-Provence confirma le rejet, le 3 mai 1971 pour Claude, et le

20 novembre 1972 pour Paloma. Le pourvoi en cassation de Claude sera rejeté, le 27 juin 1972.

Le plus ahurissant, c'est qu'une cour d'appel et la Haute Cour se sont prononcées en juin et novembre au regard de la loi d'avant janvier 1972 – sans ignorer que la situation juridique était désormais modifiée par la réforme de la filiation, mais en conformité cependant avec la loi en vigueur au moment de la demande initiale, désormais obsolète... Une histoire de fous !

La nouvelle loi entra en vigueur le 1er août 1972. Picasso allait avoir quatre-vingt-onze ans !

Conformément à la procédure inévitable fixée par cette grande réforme, Maya entama, la première, une procédure auprès du tribunal de grande instance de Grasse, le 13 décembre 1972, afin d'être reconnue comme la fille naturelle de Pablo Picasso – le terme « adultérin », nous l'avons vu, ayant disparu des textes définitivement. La loi de 1972 autorise la déclaration de paternité à la naissance d'un enfant né hors des liens du mariage, même si le père est déjà marié à une autre femme (ou le contraire pour la mère déjà mariée). Rétroactivement, elle permet de régulariser la paternité naturelle, mais seulement par le biais d'une action judiciaire. La possibilité d'un acte de reconnaissance, libre et spontané, du père biologique, ne sera autorisée que par la loi du 8 janvier 1993 ! Il fallait donc que les enfants entament une procédure de recherche de paternité pour authentifier leur filiation et, le moment venu, faire valoir leurs droits à la succession.

Bien sûr, aux yeux de bien des gens, c'est cette qualité immédiate d'héritier qui ressortait d'une filiation avec Pablo Picasso. Il était vieux, il était riche, il allait bientôt mourir... C'est cependant le fondement constitutionnel de la protection légale des personnes et des biens établie par le droit français que d'établir les liens de parenté. Tant que ne sera pas aboli l'héritage en France...

Le 8 février 1973, deux mois avant la mort de Pablo,

Claude et Paloma entamèrent à leur tour une nouvelle procédure judiciaire visant à être déclarés ses enfants naturels.

La réforme prévoyait une limite pour exercer la procédure : il fallait ne pas être âgé de plus de vingt-trois ans, car le délai d'action était limité à une période de deux ans après la majorité d'alors fixée à vingt et un ans (article 340-4, § 3)... Maya, Claude et Paloma avaient tous plus de vingt-trois ans. Ils resteraient donc à jamais les enfants de l'artiste Pablo Picasso dans les musées, mais pas les enfants de l'homme Pablo Picasso !

Les juristes critiquèrent immédiatement cette incohérence, et le législateur y apporta de nombreuses atténuations.

En ce début de printemps 1973, Pablo vit ses dernières semaines reclus dans sa maison de Mougins et, plus que jamais, se consacre tout entier à son travail. Il a passé un mauvais hiver, épuisé par une bronchite. Son ami Georges Tabaraud[1] lui a rendu visite fin janvier : « Sa vue me bouleversa. En trois mois, le grand sorcier qui semblait bâti dans le roc pour l'éternité avait complètement changé. Il avait maigri, les traits de son visage s'étaient émaciés, sa voix avait dépassé le cap de l'âge. »

Pablo, qui avait une vraie aversion pour les déballages publics, a pu voir d'un très mauvais œil l'action en justice qu'avaient entamée ses enfants « naturels ». Me Roland Dumas lui a expliqué que c'était le seul moyen, puisque la réforme ne l'autorisait pas, lui, à effectuer une reconnaissance spontanée sous seing privé.

Le contexte d'une action en justice signifiait, pour lui, l'exposition publique d'affaires de famille. Que de rumeurs et de ragots à venir... Ni Pablo, ni Jacqueline ne contestèrent la réalité de cette paternité, mais ils s'insurgeaient contre le procédé de la loi. Déclarer l'action hors délai, c'est-à-dire presque s'en remettre à justice, fut la seule réaction de Pablo.

1. *Mes années Picasso*, *op. cit.*

Il s'éteignit au matin du 8 avril.

Le tribunal de Grasse se prononça le 29 juin 1973 sur la demande de Maya, et la rejeta à cause de son âge. Peu importait le fond de l'affaire !

Le même tribunal, le 12 mars 1974, reconnut en revanche la paternité de Pablo pour Claude et Paloma. Dans leurs procédures perdues de 1970, 1971 et 1972, Pablo avait tout de même déclaré expressément par écrit être leur père. Or, selon la nouvelle loi (article 12, alinéa 2), un jugement prononcé sous l'empire de la loi ancienne aurait désormais les effets que la loi nouvelle y aurait attachés : dans les décisions de 1970, 1971 et 1972, il avait été admis que Pablo Picasso était le père adultérin de Claude et Paloma, mais que la prétendue « action en reconnaissance de paternité hors mariage » était en réalité une « recherche de paternité adultérine », procédure interdite alors par la loi – d'où le rejet des demandes.

Mais comme les deux actions antérieures incorporaient la déclaration écrite de Pablo, selon la nouvelle loi, une telle déclaration n'avait pas à être « réitérée », et conduisait logiquement à la paternité naturelle.

La biographe Arianna Stassinopoulos-Huffington[1] s'égare dans la complexité de la loi lorsqu'elle affirme que Claude et Paloma ont échappé à la condition du délai d'action de deux ans parce que leur mère les avait « inscrits » en justice avant l'âge de vingt-deux ans. Certains ont colporté la rumeur sordide que Maya, Claude et Paloma avaient dû « se battre longtemps » pour être reconnus. Encore eût-il fallu honnêtement préciser qu'ils faisaient face à une impossibilité légale absolue avant août 1972 (y compris pour Pablo lui-même) ! Ils se battaient contre la loi, pas contre leur père !

Il faudra à peine plus de treize mois à Claude et Paloma

1. *Picasso, créateur et destructeur, op. cit.*

(et dix-huit mois à Maya) pour voir reconnaître leur filiation. Longue bataille, en effet !

Après la décision de rejet du 29 juin 1973, pour procédure « hors délai », je me souviens que ma mère prit le temps de la réflexion avant de faire appel. Elle avait été très bouleversée par la décision des juges et elle a probablement cru que son cas était désespéré. Son père venait de mourir, la situation se crispait dans les médias autour de l'héritage. Aurait-elle le courage de reprendre la procédure dans un tel contexte ? Sa vie avait été bousculée par la loi, elle n'avait jamais rien demandé. Juste d'être la fille de son père, puisque c'était désormais possible. Comme tout le monde.

Ma mère n'a jamais manifesté un grand intérêt pour les biens matériels – elle était et demeure « l'inachetable Maya », comme l'appelait Pablo. Mais désormais, après la mort de Picasso, les médias faisaient quasiment des intérêts financiers le seul objectif des demandes de reconnaissance de filiation. Pourquoi, demandaient-ils, vouloir être le fils ou la fille de quelqu'un si ce n'est pour son argent ?

Parce que c'est un droit, et même un besoin naturel, d'être le fils ou la fille de quelqu'un. Quand on connaît la détresse des enfants nés sous X, on comprend la nécessité de cette reconnaissance.

Me Roland Dumas, à la demande de sa cliente Jacqueline, révulsée par le jugement du tribunal qui avait refusé à Maya ce qu'il avait accordé à Claude et à Paloma, lui demande alors de contacter Me Paul Lombard, pour faire appel de cette décision. Je me souviens encore des hésitations de ma mère. Elle était épuisée par le dossier à constituer, les justifications à apporter, encore et encore.

À quelques jours de la fin du délai d'appel, devant la détermination de Paul Lombard à se battre, Maya décide de poursuivre son action : si elle aboutit, le jugement fera date, voire jurisprudence, et corrigera les effets pervers de la loi pour des centaines de milliers d'anonymes.

Elle pense bien sûr aussi à nous, ses enfants, et à cette contradiction insoutenable, d'être à jamais en marge de la famille Picasso tout en sachant que nous étions ses petits-enfants. Elle interjette appel au tout début d'octobre 1973. La procédure reprend.

Me Paul Hini, son notaire, se souvient d'une réunion des héritiers, au printemps 1974, organisée par Me Darmon, le premier notaire cannois en charge de la Succession. Y participent Jacqueline, Paulo, Claude et Paloma « fraîchement » reconnus et... Maya, déboutée, mais ayant fait appel.

La réunion, encore une fois, témoigne de la solidarité de la famille. La famille « attendra » Maya, rien ne peut commencer sans elle. En aparté, Paulo dit même à ma mère que, quelle que soit l'issue de l'action en justice, « on trouvera une solution ». Cette seule petite phrase montre combien Paulo était un homme droit, en dépit de tout ce que sa jeunesse agitée a fait dire de lui. Il aimait sa sœur et, comme leur père, ferait triompher l'amour sur la « légitimité ».

Au sortir de cette réunion générale, sans qu'elle ait demandé quoi que ce soit, Maya reçoit un important chèque d'acompte sur répartition de l'héritage, de 100 000 francs (environ 400 000 francs réévalués, soit 61 000 euros), alors qu'il n'existe aucune raison légale de le faire ! Tout le monde croit déjà au sort heureux de la procédure d'appel de Maya.

Paul Lombard conduisit l'ensemble de la procédure d'appel, et chacun s'accorde pour saluer le dossier qu'il prépara et ses démonstrations à l'audience devant la cour – le 8 avril 1974, un an exactement après la mort de Pablo. Me Lombard plaida la « possession d'état » de Maya, pour reprendre le terme juridique. Toute sa vie, Maya avait possédé l'état d'être la fille de Pablo Picasso. Tous les témoignages, toutes les preuves apportées en faisaient la démonstration. Personne ne le contestait. Cependant, la notion juridique de possession d'état n'était mentionnée par le Code civil (article 321) que pour les enfants légitimes. *A contrario*, rien n'était prescrit pour les enfants naturels. Donc, rien ne s'opposait à une assimilation.

Cette possession d'état, plaida-t-il, était reconnue unanimement par tous les membres de la famille. Selon la loi, la procédure de recherche de paternité identifie le père présumé (indiqué par le demandeur) qui est « appelé » à répondre au tribunal. Pablo Picasso avait donc été « appelé » à la première instance pour répondre à la demande : en raison de son décès, c'étaient Jacqueline et Paulo, ses héritiers, qui s'étaient substitués à lui, avec désormais Claude et Paloma à leurs côtés pour répondre à la demande de Maya.

Me Roland Dumas, avocat de Jacqueline, vint plaider en faveur de Maya. Pablo était son père : tout le monde le savait. Me Bacqué de Sariac représenta Paulo et en fit de même, tout comme Me Bredin pour le compte de Claude et Paloma.

La restriction de procédure liée à l'âge et déclarant Maya « hors délai » pour agir était sans effet : la loi envisageait de contourner la limite d'âge en offrant (article 340-4, alinéa 2 [1]) de proroger un délai de deux ans pour agir toutes les fois où le père subvient aux besoins de l'enfant (et cela, pour excuser l'inaction d'une mère qui craindrait l'interruption de ces subsides, par chantage, au cas où elle agirait elle-même en recherche de paternité pour son enfant encore mineur). Ce délai « prorogé » court à compter de « la cessation des actes de participation à l'entretien et à l'éducation de l'enfant ». Maya avait profité de cet entretien de son père, via la pension de sa mère, Marie-Thérèse. Pablo étant mort le 8 avril 1973,

1. L'article 340-4, alinéa 2 de la loi renvoyait alors aux quatrième et cinquième cas de l'article 340 (« la paternité hors mariage peut être judiciairement déclarée » = recherche en paternité). Ainsi le quatrième cas indiquait : « dans le cas où le père prétendu et la mère ont vécu pendant la période légale de la conception en état de concubinage, impliquant, à défaut de communauté de vie, des relations stables et continues » (ce qui était d'ailleurs le cas entre Marie-Thérèse et Pablo en 1934-1935, période de conception de Maya). Le cinquième cas indiquait : « dans le cas où le père prétendu a pourvu ou participé à l'entretien, à l'éducation ou à l'établissement de l'enfant en qualité de père » (ce qui était le cas via la pension versée à Marie-Thérèse jusqu'à la mort de Pablo en avril 1973).

l'entretien matériel avait cessé à cette date. Maya était dans le délai des deux ans. Son action était donc recevable !

La plaidoirie de Me Lombard fit date dans les annales. Le « cas Picasso », pour singulier qu'il fût, était un symbole exemplaire de la nouvelle loi. La possession d'état comblait le vide juridique de la loi, puisqu'elle rendait sans objet la recherche de paternité.

La certitude de la filiation de Maya, incontestée dans les faits, a mis la cour dans l'impossibilité morale de la méconnaître. Et l'a contrainte à reconnaître la force probante de la possession d'état, alors que la loi n'y faisait pas référence.

Mais l'arrêt rendu ne pouvait se soustraire à des motifs de droit, et voulait éviter de créer une jurisprudence. Les juges déclarèrent donc que :

– la possession d'état était reconnue à Maya. Elle n'était pas constitutive d'un état juridique (d'enfant naturel), mais était un moyen de preuve. Son action n'était donc pas « déclarative » au terme de la loi, mais demeurait toujours une action en recherche (!) de paternité ;

– cette action en recherche de paternité était recevable, car exercée dans le délai de deux ans, par exception légale, après l'interruption des actes de participation à l'entretien de l'enfant (moins de deux ans après la mort de Pablo) ;

– l'acquiescement à la recherche de paternité était possible à tout moment de la procédure.

Paul, puis Claude et Paloma avaient acquiescé à cette procédure. Jacqueline, la veuve de Picasso, reconnaissait que Maya avait les mêmes droits que Claude et Paloma. Elle acquiesçait en conséquence. Tous avaient soutenu Maya dans sa démarche. Il n'y avait donc pas de « partie adverse ». La cour releva ainsi « la réconciliation » de tous.

Réconciliation. Le mot est important.

Les juges de la cour d'appel d'Aix-en-Provence, le 6 juin 1974, se rendirent ainsi à l'évidence : María Walter, dite

Maya, épouse Widmaier, devait porter le nom de son père, Ruiz Picasso.

Les spécialistes de doctrine y allèrent de leurs commentaires. L'ironie est que j'étudierais moi-même cette célèbre affaire, quelques années plus tard, sur les bancs de la fac de droit d'Aix-en-Provence !

Cette « longue bataille juridique » ne fut, en fait, qu'une simple procédure, qui avait duré moins de dix-huit mois... Le temps ordinaire d'une procédure ordinaire.

Ma mère naquit une deuxième fois ce jour-là. Et elle partageait son bonheur avec tous ces enfants naturels qui allaient pouvoir, grâce à son cas, retrouver une identité. Elle en conserva une immense fierté.

Paul Lombard jubilait : « La cour m'a donné raison. J'aime autant dire que le roi n'était pas mon cousin... », me confia-t-il, retrouvant ses accents d'alors. « J'ai rendu visite au procureur général et lui ai dit : “C'est une décision absolument historique !” La justice avait triomphé, le droit avait triomphé, mais pas la loi... Là-dessus, je suis allé voir un certain nombre d'amis parlementaires pour leur dire : “Écoutez, il faut que la loi rattrape le droit.” C'est ainsi que, quelques années après (en juin 1982), le Parlement a fait voter la loi modificative indiquant la possession d'état dans la filiation naturelle. Cette loi est la fille naturelle de la cour d'appel d'Aix-en-Provence ! »

Paulo, jusque-là le seul Picasso aux seuls yeux de la loi, devient ainsi officiellement, ce 6 juin 1974, le fils aîné – aux côtés des autres enfants de son père, Maya, Claude et Paloma.

Malheureusement, il restait à ce nouveau chef de famille moins d'un an à vivre.

En cet été 1974, les héritiers légitimes de Pablo Picasso sont enfin réunis : sa veuve, Jacqueline, et ses quatre enfants, Paul, Maya, Claude et Paloma.

Une famille bien recomposée.

Mon grand-père meurt dans la matinée du 8 avril, la nouvelle de sa mort est diffusée par les médias vers treize heures. Depuis qu'on le savait malade, de nombreux journalistes appelaient la maison de Mougins pour en savoir plus. Une agence de presse allemande avait téléphoné, et Pablo lui-même avait décroché : « On vient de nous dire que Pablo Picasso est mort. Est-ce vrai ? » Et Pablo de répondre calmement : « Non ! Et vous ? »

Me Antébi a été prié par son ami le procureur de la République de Grasse de le prévenir immédiatement, quand le décès aurait lieu. La visite inopinée de Pablito, le fils de Paulo, passant par-dessus les grilles l'été auparavant – après avoir été éconduit au portail –, et la médiatisation des procès en reconnaissance de paternité, inquiètent les autorités qui veulent éviter tout scandale public.

Le 8 avril au matin, tandis que Jacqueline pleure, totalement perdue, Me Antébi prévient le préfet et le ministre des Affaires culturelles, puis se prépare à contacter la famille et les proches. Mais les médias s'en sont déjà chargés. Entre-temps, la gendarmerie a organisé un cordon de filtrage à proximité de la grille de *Notre-Dame-de-Vie*.

Paulo, à qui Jacqueline n'a pas téléphoné, à qui ma mère Maya n'a pas osé annoncer la nouvelle entendue à la télévision, l'apprend par sa gardienne d'immeuble. Il saute dans le premier avion pour Nice. Il arrive en fin d'après-midi à Mougins.

Il est d'un calme absolu, aux côtés de Jacqueline, effondrée. Celle-ci ne veut voir personne, et hurle dès qu'on lui annonce un visiteur au portail, venu s'incliner sur la dépouille de Pablo : parmi ces « importuns », Manuel Pallarés, le vieux compagnon de route de Pablo, arrivé de Barcelone, est éconduit – comme le sera Georges Tabaraud, le patron du quotidien communiste *Le Patriote*, le fidèle ami politique. Paulo rappelle Maya et lui conseille de ne pas venir. Jacqueline est hors d'elle, et impossible à raisonner.

Lorsqu'on informe Paulo que son propre fils Pablito est au

portail de la villa, il décide seul qu'il n'est pas opportun de le faire entrer. Selon Me Antébi, ses mauvaises relations avec Pablito faisaient redouter à Paulo un comportement inapproprié aux circonstances, devant les médias à l'affût. Le portail reste clos.

Contrairement à ce qu'écrit Arianna Stassinopoulos-Huffington[1], reprenant les affirmations de Gerald McKnight[2] pour conforter sa vision d'un univers qu'elle voulait toujours plus « sulfureux », Paulo n'est absolument pas « ivre une fois de plus ». Me Antébi se souvient de son austérité de circonstance.

Mon oncle Paulo n'a peut-être pas saisi la détresse de son fils aîné, et son instabilité psychologique. Après avoir été éconduit, Pablito erre dans les rues de Golfe-Juan, avec au cou une pancarte portant l'inscription suivante : « Je suis le petit-fils de Picasso et on me refuse l'entrée de la maison de mon grand-père ! »

Le scandale tant redouté éclatait.

Trois jours plus tard, au désespoir, Pablito avalait un berlingot d'eau de Javel.

Durant les trois mois de son agonie à l'hôpital, se relayèrent à son chevet sa sœur Marina et leur mère Émilienne Lotte, ainsi que ma grand-mère Marie-Thérèse qui lui prodigua tout le réconfort possible, et paya les frais d'hospitalisation. Émilienne a rendu hommage à sa générosité. Elle déclara au quotidien *Nice-Matin*[3] qu'elle ne subsistait que grâce à sa sollicitude : « Elle a été admirable. Jusqu'au dernier moment, elle a tout fait pour adoucir les souffrances de mon fils. Aujourd'hui, c'est elle qui assume les frais des études de Marina en Angleterre, et qui veille à mon entretien. Pour faire face à toutes ces charges, elle n'a pas hésité à vendre l'une des toiles que lui avait offertes Picasso. » Ce que Paulo ne donne pas, ma grand-mère le leur offre

1. *Picasso, créateur et destructeur, op. cit.*
2. *Bitter Legacy, Picasso's disputed millions, op. cit.*
3. *Nice-Matin,* 19 janvier 1974.

avec largesse. Elle a ainsi vendu une petite nature morte de Pablo, pour 50 000 francs (230 000 francs réévalués, soit 35 000 euros), et partagé l'argent par moitié avec Émilienne et Marina, sur la recommandation de Maya. *L'Express*[1] a ainsi mentionné sa spontanéité généreuse : « Émus par leur détresse, Marie-Thérèse, qui ne leur est rien, a vendu une toile de Picasso à leur profit. Enfin, une bonne action. Et une bouffée d'air pur. » L'affection sincère de Marie-Thérèse étonne, si l'on considère que ces enfants sont ceux de Paulo, le fils d'Olga, qui a été l'obstacle à l'union de Marie-Thérèse et Pablo. Cela montre en tout cas que Marie-Thérèse n'a aucune rancune à l'égard de Paulo, Émilienne, Pablito ou Marina, puisqu'ils n'ont aucune responsabilité dans les démêlés antérieurs. Peut-être a-t-elle trouvé en Pablito et Marina les petits-enfants disponibles que nous n'étions pas ? Marina ne l'appelait-elle pas « grand-mère » ? Elle-même nommait Marina sa « chère petite-fille ».

Cet imbroglio affectif n'aurait sans doute pas déplu à Pablo, confortant en lui l'idée qu'une famille unie n'a pas besoin de la loi. Cette marque de tendresse m'a laissé penser que nous étions finalement proches puisque nous « partagions » la même grand-mère.

Je découvris plus tard que Marina aurait bien aimé que nous ne partagions pas le même grand-père !

Les enfants des enfants

Le quotidien de la famille ne cesse d'évoluer.

Quelques mois après la naissance de leur fille Marina, Paulo a donc voulu divorcer d'Émilienne. Dès le printemps 1951, la séparation est effective. L'ordonnance de non-conciliation est rendue en septembre 1952. Paulo peut poursuivre sa demande de divorce. La vie sentimentale d'Émilienne,

1. *L'Express,* 14 janvier 1974.

avec ceux que sa fille Marina nommera plus tard des « voyous [1] », facilite la procédure.

Le divorce est prononcé le 2 juin 1953, par le tribunal de grande instance de Grasse, aux torts partagés, car Émilienne avait également fait procéder à un constat de l'« adultère » de Paulo, qui, depuis sa séparation d'avec sa femme, vit avec Ketty, son amour d'adolescence [2]. D'ailleurs, il retrouve si rapidement ses habitudes de célibataire, que nombreux sont ceux qui longtemps ont ignoré l'existence de ses deux premiers enfants.

Les relations entre Paulo et Émilienne vont néanmoins au plus mal durant toute cette période et ne s'amélioreront jamais, bien que Paulo semble contrôler la situation. Pablito et Marina, dont Émilienne a la garde, en sont les premières victimes. Pierre Daix m'a confirmé que mon grand-père détestait les problèmes et qu'il préservait dès alors son temps pour le travail : « Si Paulo avait des ennuis familiaux, qu'il se débrouille. De l'argent, en voilà ! mais fichez-moi la paix avec mon emploi du temps », disait-il. Mais selon Daix, « là se trouvait la limite ; pour le reste, la question ne se posait pas. Si Paulo lui avait amené ses enfants, je suis convaincu que Pablo les aurait vus avec plaisir. » Aussi le comportement d'Émilienne ne manquent pas d'inquiéter Pablo, le grand-père, qui, saisissant la détresse de la situation propose de s'occuper des enfants. Il en fait la demande officielle, mais un jugement (du 12 mars 1957) lui refuse cette garde et, à défaut, ordonne une enquête sociale, suivie d'ailleurs d'une enquête de police diligentée à requête du procureur de la République ! Émilienne est inquiète et suggère que ce Picasso veut lui arracher ses enfants pour les envoyer en Espagne ou en URSS... Bien avant le mur de Berlin, un mur infranchissable s'érige alors entre eux.

1. *Grand-Père, op. cit.*, p. 45-46.

2. Peu après sa séparation en 1951, Paulo avait retrouvé Ketty, une trapéziste de l'est de la France, qu'il connaissait depuis l'âge de dix-sept ans, lorsqu'il échappait à la vigilance de sa mère Olga pour aller s'amuser à Montmartre...

En 1955, Paulo rencontre une jolie jeune femme, Christiane Pauplin, toujours appelée Christine. Il en tombe amoureux. Cette même année, Olga décède : Paulo est l'héritier légal de sa mère. À partir de cette date, il devient très soucieux, obsédé par l'idée de la mort de son père.

Il reçoit de Pablo la jouissance du château de Boisgeloup, qui avait été affecté à Olga en 1935 (elle ne s'y était jamais installée, par ailleurs), et quelques menus biens. Pour lui, la vie continue entre Paris, où il vit et où travaille sa femme Christine, et la Côte d'Azur, où il se rend dès que son père a besoin de lui. Depuis qu'il a quitté son poste administratif aux Affaires étrangères du Quai d'Orsay, Paulo assure en effet l'intérim de Marcel Boudin, le chauffeur que son père avait congédié en 1953. « Je ne sais pas comment ça s'est passé, me rapporta Pierre Daix, mais quand Paulo est devenu le chauffeur, c'est exactement comme si Paulo n'avait pas de famille. » Précisons par ailleurs que, contrairement à ce qu'on a raconté, il ne fut le chauffeur de son père qu'une seule année : un chauffeur de taxi de Vallauris, Jeannot (qui possède une Citroën 11 CV), est ensuite engagé. Lui succéderont Jacques Baron – jusqu'en 1970 –, puis Maurice Bresnu, le fameux « Nounours », qui seront au volant d'une belle Mercedes blanche, même si Pablo préfère les petites promenades dans le joli coupé Alfa-Roméo que conduit Jacqueline...

Paulo devient alors le secrétaire de son père. Il assure la liaison avec ses affaires à Paris, puisqu'il y réside, et que Pablo ne met plus les pieds dans la capitale. D'ailleurs, c'est à ce titre de secrétaire que Paulo apparaît dans tous les documents officiels. En revanche, sur la Côte d'Azur, Mariano Miguel, toujours appelé simplement Miguel, est, à partir de 1968, le secrétaire permanent et l'homme de confiance de Jacqueline et de Pablo qu'il connaît depuis la Seconde Guerre mondiale.

De la liaison très paisible et amoureuse de Paulo avec Christine naît Bernard, le 3 septembre 1959. Christine et Paulo se marient en mars 1962, soit un an après Jacqueline et Pablo – ce qui ne manque pas d'amuser encore mon grand-père, content de ce pied de nez à une autre génération ! Un père et son fils, tous deux « jeunes mariés » !

Tous les témoignages sur Paulo concordent. C'est un homme tout de gentillesse et de spontanéité, simplement passionné de mécanique, de voitures, de motos, de vitesse.

Le célèbre marchand Heinz Berggruen m'a raconté qu'un jour sa Jaguar tombe en panne, rue des Saints-Pères à Paris. Il est désespéré. « Des klaxons derrière moi, il fallait la pousser vers un coin, j'étais nul en mécanique. Tout à coup, qui vois-je, par hasard, qui tournait dans la rue ? Paulo ! "Peux-tu m'aider, je suis en panne ?" Il a été gentil, il a enlevé sa veste, s'est glissé sous le capot, et a travaillé, bricolé ! Il était très fort en mécanique. J'avais envie de dire aux gens : "Vous voyez ce garçon, c'est le fils de Picasso !" Il a réussi à remettre la voiture en marche, il était si gentil, si gentil... » Pierre Daix m'a confié qu'il « aurait pu être pilote de Formule 1 à une autre époque ». Il avait été coursier pour le quotidien *Ce soir* parce qu'il avait une moto et était très sympathique, toujours prêt à rendre service.

Le photographe Luc Fournol sort souvent avec lui le soir à Paris, et le juge aussi « très sympathique ». Qui sait alors qu'un héritage gigantesque l'attend ? Lui-même n'y pense pas. C'est un joyeux fêtard qui n'a rien d'un fils à papa – même si matériellement il dépend de son père.

Pour Daix, « il a changé au moment de l'héritage de sa mère, parce qu'il est devenu plus responsable, et inquiet ». Il sait désormais que la mort existe : « Avant la mort de sa mère Olga, Paulo était un garçon indépendant, bon vivant, pas inquiet du tout et... un excellent chauffeur. » Il devient ensuite un homme plus austère. La mort de son père ne fera qu'accentuer ce trait. L'importance des responsabilités qui lui incombent alors, et que personne n'a imaginées si monstrueuses, constitue une épreuve à laquelle il n'a pas été préparé. Il saura, pourtant, afficher une autorité certaine et un calme inattendu.

Sa mort prématurée, en juin 1975, priva notre famille d'un élément fédérateur.

Pierre Daix m'a raconté sur lui une anecdote troublante : « Paulo avait dit à ma femme Françoise qu'il n'avait qu'un fils, Bernard, occultant ainsi toute la période de son premier mariage avec Émilienne, et l'existence de ses deux premiers enfants, Pablito et Marina. Cet “oubli” a nécessairement laissé des séquelles dans le développement psychologique de ces deux enfants. » Même s'ils n'ont pas eu connaissance de cette attitude, Pablito et Marina en vivaient les conséquences réelles.

Daix rajoute : « Lorsqu'un jour le magazine *Noir & Blanc* (spécialisé en mondanités et têtes couronnées) en 1975 titra : “Bernard Picasso, le plus jeune milliardaire de France”, ou quelque chose comme ça, en laissant penser que Bernard était le seul enfant de Paulo, on peut s'expliquer la souffrance de Marina, seule, sans Pablito, décédé lui aussi. Leurs copains d'école, autrefois, leur disaient certainement : “Tu t'appelles Picasso, mais c'est pas vrai...” car en fait, il y avait un décalage énorme entre ce nom célèbre et leur vie au quotidien. »

Roland Penrose[1] a décrit avec humour *La Californie*, cette « vaste et disgracieuse construction, affligée de tous les signes ostentatoires de la prospérité bourgeoise du début du siècle ». Pablo lui a trouvé d'autres charmes, l'espace et la lumière, ses nombreuses pièces, et son excellent état. Il n'y a ni travaux ni aucune modification particulière à y faire lorsqu'il l'achète, le 6 avril 1955, pour à peine 12 millions d'anciens francs (1 380 000 francs réévalués, soit 210 000 euros environ), mais la Côte n'avait pas encore connu la forte appréciation immobilière de ces vingt dernières années. Il y a un grand portail et une haute clôture de grilles, l'ensemble doublé de plaques de métal peint, de sorte qu'il est impossible de voir quoi que ce soit au travers. Pablo pouvait enfin jouir d'une certaine intimité qu'il n'avait pas à *La Galloise* de Vallauris.

Lucette et Antoine Pellegrino en sont les gardiens. Lucette

1. *Picasso, op. cit.*

est la gardienne officielle, secondée par son mari, un horticulteur qui travaille au-dehors mais consacre son temps libre au jardin de la grande maison. Ils ont été engagés par le précédent propriétaire, M. Bonnet, qui a toujours entretenu la belle bâtisse blanche. Antoine est né en mars 1915, Lucette en juillet 1921.

En juin 1955, Jacqueline, Maya et Pablo quittent Paris et s'installent à Antibes, à la villa *Ziquet*[1] (que Jacqueline a achetée en viager et où demeurent encore la « cédante » et sa trentaine de chiens...). Ils attendent l'arrivée des meubles de Paris pour s'installer à *La Californie*. Lucette m'a raconté, avec toute sa vigueur d'aujourd'hui, la vie de la maisonnée en 1955 pendant ce premier été : il y a là Pablo, avec Jacqueline, sa compagne depuis leur rencontre l'année précédente, Paulo, Maya, les petits, Claude, Paloma, ainsi que Cathy, la fille de Jacqueline, venue les rejoindre pour les vacances scolaires. Et bien sûr, Lucette, toujours discrète, affectée en permanence au contrôle des allées et venues au portail, aidée par son mari le soir et le week-end. Ils ne quittent absolument jamais la maison où ils vivent avec leur fils Gabriel.

Picasso et sa tribu...

Les plus jeunes jouent ensemble dans le jardin. Quand Pablo sort de son atelier, ils dessinent avec lui dans la maison, sur une grande table ronde en acajou. Souvent, Pablo rejoint Claude et Paloma dans leur chambre au premier et participe avec eux à la création de petits objets. Ils se conseillent mutuellement et s'inspirent les uns des autres... même Pablo.

Au fond du jardin, se trouvent une petite tête de femme, classique, en céramique, des colonnes en pierre, appelées pompeusement « le théâtre de verdure », et une petite maison sur la droite – un « rendez-vous de chasse », disait le précédent propriétaire. Lors de l'emménagement, les sculptures de

1. Les premiers portraits de Jacqueline réalisés par Pablo porteront le titre mystérieux de *Madame Z*, initiale du nom de cette villa.

bronze [1] ont été laissées à l'extérieur, mais pas celles en plâtre ou en argile, bien trop fragiles, qui sont entreposées à l'intérieur, où seront définitivement ramenés les bronzes à l'automne [2]. Une *Tête de Marie-Thérèse*, en bronze, trône dans un petit bassin à droite dans le jardin. Tout en bas, sur la gauche, se dissimule *L'Homme au mouton* (1943) au pied duquel Claude, Paloma et leur copain Gérard enterrent, en cachette, leur coffre aux trésors... *L'Homme au mouton*, caché sous les feuillages, a ainsi échappé aux nombreuses photos qui paraissent du jardin de *La Californie*, et demeurera le compagnon secret des enfants.

Pablo a aussi ramené ses céramiques de Vallauris. S'il n'y eut jamais de four de potier à *La Californie*, en revanche, Pablo a installé, au sous-sol, une grande presse pour imprimer des gravures avec l'aide des frères Crommelynck, qui viennent lui rendre visite sur la côte. Sur la recommandation de Françoise, une cuisinière, Marie, et sa fille Monique, âgée de dix-neuf ans, viendront, fin juillet 1955, apporter leur aide. Jusqu'à fin août, Maya, Jacqueline et Pablo se rendent tous les jours aux studios de la Victorine, à Nice, où Henri-Georges Clouzot [3] tourne *Le Mystère Picasso.*

Au début de ce même mois d'août, Maya propose donc à son père de faire venir, un dimanche sans tournage, Pablito et Marina, les enfants de Paulo, qui est contraint de vivre loin d'eux depuis bientôt quatre ans. Par le jugement de divorce,

1. Dont *La Chèvre* (1951), une *Tête de Marie-Thérèse* (1932) et une grande *Femme* (1943-1944). *La Femme enceinte* (1950) les y rejoignit rapidement pour libérer de la place à l'intérieur.

2. Avant d'être transférées, comme *La Femme au vase* ou *L'Homme au mouton*, à Mougins en 1961.

3. Henri-Georges Clouzot (1907-1977) souhaitait faire comprendre le processus de création des œuvres de Pablo. Par un système ingénieux de papiers calques tendus sur châssis et d'encre de feutre, puis de calques sur grands châssis et de peinture, Picasso créa ainsi un tourbillon d'œuvres devant les yeux du spectateur, témoignant de ses doutes et de ses certitudes. Ce film de plus d'une heure et demie a reçu le prix spécial du jury au festival de Cannes de 1956 et la médaille d'or du meilleur documentaire au festival de Venise de 1959.

Émilienne avait la garde totale des enfants sans que le tribunal ait organisé les visites du père ! C'est donc elle qui décidait.

Paulo va les chercher à Golfe-Juan, les dépose et repart aussitôt. Pablito s'amuse avec les autres enfants de son âge. Marina a seulement quatre ans et demi et n'arrête pas de pleurer, effrayée par tous ces gens qu'elle ne connaît pas.

Ils reviendront à *La Californie* avec leur père. Mais Lucette, la gardienne, s'est souvenue aussi avec tristesse des visites inopinées que faisaient les deux enfants amenés par leur mère Émilienne : « Paulo ne venait jamais avec eux. Leur maman venait jusqu'à *Bel Respiro*, la maison voisine de *La Californie*, et elle envoyait les enfants tout seuls au portail... mais jamais on ne les a fait entrer. Mme Jacqueline avait donné des ordres. Ne faire rentrer personne : "Même pas le bon Dieu. Monsieur travaille !" Parfois, ils donnaient des petits billets, des petits mots que je remettais toujours à Mme Jacqueline. Jamais je n'ai revu ces enfants-là dans la maison. Jamais ! »

Pablo était dans son atelier...

Marina, dans son livre [1], parle des nombreuses visites faites à la villa, avec leur père Paulo. Elle ne donne aucune date précise, même approximative, des scènes qu'elle évoque et qui semblent, curieusement, faire revivre des photos célèbres de l'atelier de Pablo, sur lesquelles pourtant elle n'apparaît pas. Pablo aurait donc probablement fait deux fois la même chose... Mais c'est sa version personnelle. Elle était aussi très jeune.

Marina fait tout particulièrement état d'une visite, la seule qui puisse être datée dans son livre, un jeudi en novembre 1956. Elle mentionne, avec beaucoup de réalisme – tout du moins en apparence –, le prétendu gardien : « le vieil Italien usé par l'âge et par la servitude [2] », « un vieil

1. *Grand-Père*, *op. cit.*
2. *Ibid.*, p. 15.

Italien au visage ridé[1] » – alors qu'Antoine n'a que quarante et un ans (!), et que la gardienne en poste est sa femme. En outre, tous les protagonistes évoqués par Marina sont morts (Pablo, Jacqueline, Paulo, Pablito et le présumé « gardien »), à l'exception de la gardienne, qui, curieusement, n'est pas citée. Et elle passe sous silence cette visite d'août 1955 où, en revanche, se trouvaient beaucoup de témoins toujours vivants. C'est dommage.

Par ailleurs, Marina a cru devoir raconter de fréquentes « après-midi de dessins avec les autres enfants », non datées à nouveau, auprès de notre grand-père : à l'exception de la seule visite d'août 1955 et d'une autre en 1957, Claude, Paloma et le petit Gérard Sassier n'ont jamais revu Pablito et Marina à *La Californie* entre 1955 et 1962. Gabriel, le fils des gardiens, non plus, et sa mère Lucette est formelle : jamais elle n'a revu ni Pablito ni Marina dans la maison. Qui croire ? Et à partir de 1961, plus personne n'a habité à *La Californie* – sauf les gardiens. Quels sont donc ces nombreux enfants que Marina y rencontrait ? Le débat est ouvert.

Au regard de ces témoignages concordants et des photographies célèbres de ces séances de dessins et de bricolage avec Pablo [comme sur les photos d'Edward Quinn... avec Claude et Paloma...], je suis bouleversé par la conclusion que Marina croit bon de tirer, aujourd'hui, de sa rencontre, enfant, avec notre grand-père : selon elle, Pablo leur « fai[sait] comprendre de façon inconsciente qu'il pouvait tout faire et qu'[ils] n'ét[aient] rien...[2] » ! Pourquoi ?

En ce mois d'août 1955, ma grand-mère Marie-Thérèse rend aussi visite à Pablo, qui demande à Jacqueline de les laisser seuls. Elle s'exécute, certaine désormais de sa place auprès de son compagnon. Marie-Thérèse revient à de rares occasions, toujours en vélo – un bel effort sportif, pour atteindre la villa perchée en haut de Cannes ! Ces visites

1. *Ibid.*, p. 16.
2. *Ibid.*

témoignent des bonnes relations qu'elle entretint toujours avec Pablo et, également, de la patience souveraine de Jacqueline.

Inès, la fidèle femme de chambre devenue intendante, restée à Paris rue des Grands-Augustins, s'installe à *La Californie* pendant les vacances scolaires avec son fils Gérard. Une femme de ménage du nom de France Aime y travaille quotidiennement. Enfin, une petite chèvre est venue rejoindre toute l'équipe : elle a été offerte à Pablo par Jacqueline à Noël 1956, et fait la joie de tous les enfants. Elle s'appelle Esmeralda – quoique Pablo la nomme toujours « Biquette », en souvenir de la célèbre comptine (« Ah ! tu sortiras, Biquette, Biquette... »). Esmeralda hante indifféremment les pièces du rez-de-chaussée et le jardin où elle broute toute l'herbe. Antoine, le gardien, a averti Pablo que ce n'est pas bon pour elle et qu'il serait préférable de lui donner du foin. Mon grand-père, qui adore la petite chèvre et lui consent beaucoup de libertés, décide qu'il n'est pas nécessaire de transformer la maison en petite ferme, même s'il y a déjà trois chiens (le boxer Yan, Lump, un basset, rejoints par Perro, un dalmatien). Biquette dort tous les soirs au premier étage, dans une caisse placée dans le couloir, juste à côté de la chambre habituelle de Claude et Paloma, et de celle de Gérard.

Un dimanche, Gabriel, le fils des gardiens, chargé de remonter la chèvre au premier pour la nuit, la trouva endormie dans le jardin – en fait, morte, l'estomac gonflé de cette herbe qu'elle n'arrêtait pas de manger. Pablo était absent. Les gardiens, en pleurs, crurent leur dernière heure arrivée... « On avait laissé mourir la chèvre ! » Pablo rentra. Lucette le prit à part, et lui expliqua le drame et sa cause. Pablo déclara solennellement : « Elle a bien fait de mourir. Ce n'était pas une chèvre intelligente ! » Biquette ne fut jamais remplacée.

La vie à *La Californie* s'égrène ainsi jusqu'en 1958. Les visiteurs toujours admis sont rares : Kahnweiler et les Leiris, les céramistes Georges et Suzanne Ramié, de Vallauris, le peintre Édouard Pignon et sa femme, l'écrivain Hélène Parmelin, le tailleur Sapone, le coiffeur Arias, l'avoué de Cannes, Me Antébi, le journaliste Georges Tabaraud... Et, parfois, des visiteurs plus inattendus : le président des États-Unis, Harry Truman, Gary Cooper ou Brigitte Bardot – et Maurice Thorez, le secrétaire général du PCF, que Lucette refusa obstinément de faire entrer (et qui dut repartir pour téléphoner à Pablo qui se trouvait pourtant dans la maison) !

Et toujours les enfants : Claude et Paloma, Cathy, Gérard, auxquels se joignait souvent Gabriel, se retrouvent lors des vacances scolaires. J'ai redécouvert de nombreuses photos de toute cette joyeuse marmaille qui égayait l'atmosphère à *La Californie.* Quant à Paulo, il y séjourne parfois lors de ses voyages dans le Sud, accompagné de Christine. Il y revint rarement après 1959, et ce fut alors avec leur fils Bernard.

Pablo achète le château de Vauvenargues, près d'Aix-en-Provence, le pays de Cézanne, en septembre 1958. Il n'y emménage avec Jacqueline qu'en janvier 1959 – le temps d'installer le chauffage central. Il trouve à Vauvenargues, avec son paysage de collines, toute l'inspiration d'une peinture « espagnole ». Il réalise également des natures mortes devenues « idéogrammes », comme l'a analysé Pierre Daix.

Pendant les vacances, il fait venir Claude et Paloma avec lui. Inès et Gérard se joignent alors à eux. Gérard et Claude font du cheval, pour oublier la chaleur étouffante de l'été, et la morosité de cette garrigue provençale bien trop isolée. C'est aussi l'occasion de se rendre aux arènes d'Arles et d'y affronter, chaque fois, le choc impressionnant des taureaux et... des photographes.

J'ai déjà raconté comment la construction d'un immeuble qui bouchait définitivement la vue a dégoûté Pablo de *La Californie.* Il achètera enfin, en novembre 1960, la grande maison de Mougins, *Notre-Dame-de-Vie.* À *La Californie*, personne ne vient plus, sauf Jacqueline, pour contrôler les ateliers fermés et les œuvres laissées là par Pablo.

Les sculptures du jardin sont transférées à Mougins.

Les relations de Paulo avec son père étaient mêlées d'affection réciproque et d'un savoureux esprit rebelle. Pablo savait que Paulo était, par nature, isolé de tous. Il était bien plus âgé que Maya, Claude et Paloma. Il avait le même âge que Françoise Gilot. Mais il était « le » fils – ni le confident, ni le copain, ni l'interlocuteur au travail.

Il n'avait pas fait d'études. Il était donc en Suisse pendant la guerre, où il a travaillé à l'ambassade de France, puis, de retour à Paris, il obtint un poste au Quai d'Orsay, mais il n'a jamais appris de métier spécifique. En revanche, comme je l'ai raconté, il était doué pour la mécanique, et surtout pour la moto. Il pilotait très bien, et un de ses meilleurs amis était le champion Georges Monneret, auprès de qui il perfectionna sa technique. Lors d'une course de professionnels qui se déroulait entre Monaco et Nice, Paulo se classa deuxième. Pablo fut très fier de son fils mais, effrayé à l'idée qu'il ait un accident et en meure, il le découragea de poursuivre dans cette voie. Paulo avait alors près de trente ans...

Dans son livre [1], Françoise raconte aussi Paulo : « Je crois que Paulo aurait pu faire plus de choses s'il avait été mieux dirigé. Il ne manquait ni d'intelligence ni d'esprit. » Dont acte.

Un jour de l'été 1950 à Vallauris, Pablo reçoit Philippe de Rothschild, propriétaire du cru Mouton-Rothschild, qui désire une sculpture pour l'entrée de son vignoble, dans l'esprit du célèbre *Homme au mouton* de Vallauris. Il confond Françoise et Olga, et lui lance : « Mais on m'avait dit que vous étiez paralysée ! » Olga était alors en clinique à Cannes, à demi impotente. « C'est incroyable que vous puissiez avoir un fils si grand... Celui-ci [Paulo] éclata de rire : "Vous savez, j'étais un bébé un peu prématuré, même très prématuré. En fait, je suis né avant elle." Puis, retroussant ses jambes de pantalon jusqu'aux genoux, il se mit à courir au ras du sol, tout autour

1. *Vivre avec Picasso, op. cit.*

de la pièce, agitant les bras et criant : “Maman... maman !” Claude, qui avait trois ans, était ravi et le suivait en l’imitant. »

Tête de Rothschild !

Paulo avait noué des amitiés dans le monde des corridas. Il accompagnait fréquemment Pablo et toute sa maisonnée, aux arènes d’Arles, de Nîmes ou de Vallauris. Il aimait rester dans le *burladero*, l’enceinte autour de l’arène, d’où il haranguait les taureaux, et s’approchait souvent avec courage des bêtes en fureur.

C’étaient des moments d’intense excitation pour Pablo, qui retrouvait là l’ambiance de son Espagne perdue. Il était lui-même l’attraction essentielle du public des arènes, qui célébrait les toréadors et les picadors, mais aussi le maître illustre à qui le spectacle était toujours dédié.

Paco Muñoz était l’un des meilleurs amis de Paulo. Il habitait Nîmes, et était d’origine espagnole. Il était un *apoderado*, un agent de toreros. Les mises à mort dans les corridas étaient alors, du fait d’une législation contraignante, des événements extrêmement rares. Cette cérémonie permettait à Muñoz de proposer ses meilleurs toreros à différentes arènes. Paulo l’accompagnait fréquemment, notamment dans ses voyages entre Nîmes et Vichy. Pablo voyait d’un bon œil cette fréquentation, et espérait que Paulo intègre le milieu taurin pour lequel il semblait avoir de bonnes dispositions. Mais Paulo ne donna pas suite à cet intérêt passager.

J’ai rencontré Paulo quelquefois. Il était grand, d’une belle allure autoritaire, avec une chevelure poivre et sel. Je me souviens combien notre mère et lui semblaient proches. Sans doute, ses discussions avec Maya lui rappelaient-elles les bons moments avec leur père ? Ils étaient d’une même génération, malgré la différence d’âge, celle de l’avant-guerre.

En 1968, Paulo demanda à Maya de venir à Boisgeloup, à l’occasion du séjour, durant tout un mois, de ses enfants Pablito et Marina. Paulo n’était pas très à l’aise face à ces « retrouvailles », car c’était apparemment la première fois, depuis de nombreuses années, qu'il les revoyait pendant une si longue période.

Maya accepta, et m'y emmena, avec mon frère Richard.

Je fus très impressionné par la propriété, non qu'elle ait été en très bon état, mais parce qu'elle me paraissait immense et, « luxe » suprême à mes yeux, elle avait sa propre chapelle ! Il y avait là Christine, la femme de Paulo, et je me souviens de l'avoir trouvée très jolie, et très douce avec nous. Pablito était enjoué, le visage éclairé d'un sourire radieux. Il rayonnait. Il avait presque dix-neuf ans, il était grand ; j'étais un peu timide, et ne savais pas quoi lui raconter. Sa sœur et lui allaient entrer en première en septembre.

Bien sûr, à l'époque, j'ignorais tout de la situation. Je n'avais pas l'âge pour comprendre. C'était sans doute un jour exceptionnel pour Pablito. Il était avec sa famille « côté Picasso » : son père, son frère, une tante, des cousins ! En revanche, sa sœur Marina paraissait plutôt morose, et je me souviens qu'elle ne parlait pas. Leur (demi-)frère Bernard sautait de joie dans tous les sens et, étant presque du même âge, je me rappelle que mon frère et moi étions ravis de courir avec lui.

Nous prîmes des photos. Paulo paraissait très heureux. Tout le monde souriait.

Sauf Marina.

Deux mois à peine après la mort de Pablo, le 7 juin 1973, au milieu des procédures judiciaires de reconnaissance de filiation, Paulo, provisoirement héritier descendant unique, est venu demander conseil à ma mère.

Ils ont discuté longtemps. Du passé, du présent. Il était désorienté par tout ce qui arrivait. Jacqueline prenait dorénavant toutes les initiatives, et il avait du mal à trouver ses marques. Maya lui conseilla, tout d'abord, de prendre un avocat personnel. Non que Roland Dumas, l'avocat historique de Pablo et Jacqueline, ait pu être de mauvais conseil, mais les situations respectives de Jacqueline et Paulo étaient bien différentes. Si celle de Jacqueline était à peu près claire, dans la Succession, celle de Paulo dépendait du devenir des procédures en cours des autres enfants. Certaines décisions lui revenaient. Sa responsabilité était bien plus grande.

Maya lui recommanda Me Bacqué de Sariac – non qu'elle l'appréciât particulièrement, après l'incroyable incident du changement de nom, ce qui, au demeurant, lui avait importé peu, puisqu'elle était une femme mariée et avait donc déjà changé de nom, mais au moins, il connaissait tout de l'univers Picasso. Paulo proposa alors à ma mère d'aller ensemble à Vauvenargues, où était enterré leur père. Il regrettait toutes les péripéties des obsèques de leur père, le siège de Mougins, le départ en pleine nuit du corps de Pablo pour Vauvenargues, l'enterrement précipité dans le jardin sans la famille ni les proches, sans un hommage officiel. J'y reviendrai. Il regrettait d'avoir cédé au désespoir de Jacqueline, et d'avoir éconduit Maya, Claude, Paloma, Marie-Thérèse, Pablito, et tous les vieux amis de Pablo... Tout s'était bousculé en quelques heures. Il n'était pas prêt.

Jacqueline était à Vauvenargues. Elle accepta volontiers que Maya et nous trois (notre sœur Diana était née en 1971), ses enfants, l'y rejoignions avec Paulo. Pour ce dernier, rencontrer Jacqueline en présence de Maya était un atout psychologique. Il se sentirait épaulé.

Nous arrivâmes au soleil couchant. Vauvenargues n'est qu'à une cinquantaine de kilomètres de Marseille, où nous habitions alors. L'endroit était sinistre, dans le soir qui tombait. Au milieu des collines qui avaient inspiré Cézanne et séduit mon grand-père, le château de Vauvenargues était noyé dans le silence. Même le petit village en contrebas semblait désert. L'endroit se prêtait bien au repos éternel...

La voiture de Paulo pénétra par la grande grille et gravit la petite côte. Nous le suivîmes.

C'était pour moi comme un voyage vers l'autre vie. Celle de Picasso, que l'on m'avait racontée, mais qui n'avait rien de tangible, au-delà des œuvres à la maison. Le plus curieux était que cette initiation regroupait tous les éléments indispensables à un rite de passage : ma mère, son frère, Jacqueline, le château, symbole de richesse, mon grand-père enfin, si proche mais invisible. Et, curieusement, une grande sculpture en bronze, Marie-Thérèse tenant une sorte de vase, posée sur sa sépulture. J'en conclus que ma grand-mère avait eu une importance considérable pour avoir été choisie comme gardienne bienveillante du tombeau ! Tout cela n'était vraiment pas clair...

La voiture s'arrêta devant les marches monumentales de la grande bâtisse fortifiée. Sur le perron se trouvait Jacqueline. Si je l'avais vue en photo, je ne l'avais jamais rencontrée. Elle était vêtue de noir, et il me semble qu'elle portait un foulard sur la tête. Elle sourit doucement à ma mère, l'embrassa, nous salua l'un après l'autre. Elle désigna enfin la tombe de Pablo, qui se trouvait face aux marches, à une quinzaine de mètres, de l'autre côté de la voiture.

Je n'étais jamais allé dans un cimetière. Et bien qu'il n'y eût là qu'une seule tombe, j'étais très impressionné. Ce grand-père, né pour moi quelques semaines auparavant, était donc là, mort. Déjà mort. La terre encore fraîche et humide formait un cercle parfait au centre duquel se trouvait (et se trouve encore) la grande statue. J'avais l'impression de pouvoir toucher la mort. Tout cela semblait irréel. Je ne savais quoi faire.

J'emmenai donc mon frère et ma petite sœur, et laissai ma mère à son recueillement. Nous pénétrâmes ensuite dans le château, lentement. Les pièces étaient immenses. Je me rappelle avoir regardé avec curiosité le sol en galets d'une grande salle – et mon inquiétude à parcourir ce mausolée désert... Paulo ne m'avait-il pas parlé d'oubliettes ?

Pendant que ma mère et Paulo discutaient, je suis retourné dans le jardin. Au bout de quelques minutes, le froid aidant, je m'apprêtais à remonter les marches quand Jacqueline est apparue, en haut. Je me suis mis en retrait, près de la balustrade. Très curieusement, une demi-douzaine d'ouvriers que je n'avais pas vus à notre arrivée, se sont rassemblés au bas de l'escalier. La façade était en effet recouverte d'une bâche pour un ravalement. Il était au moins huit heures du soir.

Jacqueline a pris la parole, telle une prêtresse, et leur a rappelé tout ce que Picasso était pour elle, pour nous, pour tous ! Les ouvriers baissaient la tête, et j'ai eu l'impression qu'ils étaient habitués à cette liturgie.

Cette messe rituelle ne dura que quelques minutes, mais elle me paralysa, et j'espérai que Jacqueline ne m'avait pas vu, dans la pénombre. Je compris ce jour-là que Pablo avait été l'astre de sa vie, et que le soleil s'était éteint. Elle avait côtoyé son dieu, et elle confondait désormais son destin avec ce mort dont elle perpétuait la mémoire. Quand je découvris, plus tard, les clefs du langage amoureux de Jacqueline, fait de vouvoiements et de symboles (mon seigneur, mon soleil...), je n'en fus guère surpris. La tragédie de son suicide, en 1986, s'inscrivait nécessairement dans cette émouvante dimension théâtrale.

Jacqueline organisa le dîner dans la grande salle à manger. Jacqueline et Maya discutaient calmement de Pablo, comme si elles s'étaient quittées la veille. Deux personnes du village vinrent nous rejoindre et, dans la discussion, m'apparurent comme deux apôtres, célébrant le grand courage de Jacqueline en ces circonstances de deuil...

Nous avons repris la route vers Marseille un peu après minuit. Maya s'arrêta à Aix-en-Provence, et Paulo vint la rejoindre dans notre voiture : pendant que nous nous endormions, ma mère et Paulo discutèrent pendant près de deux heures. J'ignorais toute la complexité de la situation, mais je savais qu'un lien indéfectible existait entre eux deux. Paulo vivait sa particularité de seul descendant reconnu comme un drame. Même s'il savait naturellement que tout cela était provisoire...

La vie reprit son cours. Ce mois de juin était lugubre, malgré le printemps et la chaleur qui semblait déjà estivale. Ma mère agissait comme d'habitude, notre quotidien d'écoliers rythmait nos existences, mais nous sentions les tensions autour de nous – ces articles sur la vie de Picasso, ses femmes, son œuvre, sa fortune présumée... Les actions en justice prenaient une tout autre apparence, parce que les journalistes les présentaient comme si elles avaient commencé au lendemain de sa mort. À cause de sa mort ! Quelles bêtises ! De toute cette dramaturgie, le suicide de mon cousin Pablito fut l'épouvantable paroxysme.

Dans son premier livre[1], sa sœur Marina a expliqué son geste comme un appel lancé à notre famille. Mais Pablito n'avait pas compris que, dans cette famille en voie de recomposition, son seul interlocuteur était son père, Paulo. À défaut, sa mère. Mais selon le récit de Marina, il était trop tard, depuis longtemps.

De là à penser que notre grand-père puisse figurer au rang des responsables plus ou moins « coupable »... Pablo était extrêmement âgé, et vivait reclus face à son art. Le photographe Edward Quinn l'a bien résumé, dès 1965 : « L'existence de Picasso n'obéit qu'à une seule règle, n'est commandée que par une seule passion : son œuvre. Même s'il n'est pas effectivement en train de peindre, il demeure incessamment absorbé par son art, à l'exclusion de toute autre chose[2]. »

Il oubliait alors ses enfants, ses petits-enfants, ses amis ou le reste du monde ! Il avait rejoint le monde qu'il avait recréé, toute sa vie durant. Un monde où beaucoup étaient présents, mais où nul n'avait accès !

Je n'ai pas connu Pablito. Peut-être a-t-il souffert de porter le nom de Picasso sans en tirer les avantages dont il rêvait. Peut-être la grille fermée sur lui par son père a-t-elle catalysé ses souffrances d'enfant de divorcés. Ce geste anodin a pris des proportions gigantesques. Ses difficultés matérielles, une scolarité difficile, tout devait à ses yeux prendre fin avec la mort de notre grand-père. Mais son père n'était tout de même pas mort ! Pablito devait surtout chercher la reconnaissance

1. *Les Enfants du bout du monde, op. cit.*
2. Roland Penrose et Edward Quinn, *Picasso à l'œuvre*, Zürich, Manesse-Verlag, 1965.

de son existence, lui, le premier petit-fils de Picasso. En un sens, il était né trop tôt. Son propre père, si absent, est devenu soudainement trop présent. Il était le dernier obstacle, bien plus infranchissable qu'une grille de jardin !

Encore une fois, j'appris sa mort, survenue le 11 juillet 1973, par les médias, en l'occurrence la radio, et dus l'annoncer moi-même à mes parents. Ma mère fut bouleversée, aussi parce qu'elle connaissait l'affection de sa propre mère, Marie-Thérèse, pour Pablito et Marina, et ses efforts pour le faire soigner, à l'hôpital de la Fontonne, à Antibes, où il avait été admis aux urgences. Ma mère garde toujours en mémoire la visite qu'elle lui fit, là, et leur longue conversation. Pablito lui confia qu'il n'aurait jamais eu ce geste s'il avait pu imaginer les douleurs qu'il endurait ; il pensait mourir sur l'instant ! Elle lui offrit, ce jour-là, un petit soldat de plomb qui avait appartenu à Pablo et que celui-ci lui avait donné lorsqu'elle était petite fille. Elle se doutait tristement qu'il ne survivrait pas aux dégâts irrémédiables de son acte...

Sa mort fut un choc pour toute la famille. Ma propre mère ne put se rendre aux obsèques, car ma petite sœur Diana était malade, mon père au travail et nous n'avions pas de babysitter. Elle envoya une gerbe de fleurs au nom de nous tous. Ma grand-mère Marie-Thérèse y alla, y déposa une couronne de fleurs barrée affectueusement d'un ruban « À mon petit-fils » et paya la pierre tombale. Paloma y assista également, et resta en permanence auprès d'Émilienne et de Marina. Claude se trouvait à ce moment-là aux États-Unis. On prétendit que Paulo était également présent, à une certaine distance, mais son visage n'apparut sur aucun cliché malgré la meute de photographes... Marina ne se souvient pas de l'y avoir vu, ni personne d'autre, d'ailleurs...

Maya se rappelle qu'elle conseilla alors à Paulo de prendre soin de Marina, et de l'aider, financièrement au moins, puisqu'il était désormais l'héritier principal de leur père, et pouvait toucher, à ce titre, des acomptes du notaire qui avait déjà ouvert la Succession. Mais rien ne remplacerait jamais pour Marina la présence d'un frère ou l'affection d'une famille soudée. Elle ne voulait pas revoir son père, et ne le revit pas jusqu'à sa mort en juin 1975.

Me Bacqué de Sariac, son avocat, lui remit alors une enveloppe contenant 100 000 francs (environ 360 000 francs réévalués, soit 55 000 euros). Paulo avait apparemment suivi le conseil de Maya, mais sans oser braver le refus de Marina de le rencontrer. Durant ces deux années, ma propre grand-mère, Marie-Thérèse, avait elle-même prêté à Marina et à sa mère une somme de 200 000 francs (plus de 920 000 francs réévalués, soit 137 000 euros) !

Je n'avais pas, à l'époque, l'âge de comprendre. Avec le recul, je pense que la place de mon grand-père était tellement atypique qu'il est impensable de le comparer à quiconque. Werner Spies [1] me l'a dit, lui aussi : Picasso échappe aux qualifications humaines. Le replacer dans un contexte de normalité est vain. S'il avait été un homme ordinaire, il n'aurait pas accompli une telle œuvre.

La Succession ne pouvait être réglée avant l'issue des procédures entamées. À la demande de Claude et Paloma, et avant même qu'ils soient officiellement reconnus, le tribunal de grande instance de Paris rendit un jugement en référé, le 6 juin 1973, présumant des « droits héréditaires » des héritiers en devenir qu'étaient Maya, Claude et Paloma, et ordonna la désignation d'un administrateur judiciaire.

Le notaire d'origine de Jacqueline, Me Darmon, avait très logiquement ouvert la Succession. Il ne s'imaginait pas le travail titanesque qu'il faudrait fournir pour en venir à bout. Toute succession doit être « déclarée », en totalité, dans le délai de six mois : de toute évidence, ce ne serait pas possible ici, en raison du nombre gigantesque d'œuvres à inventorier et à estimer. De surcroît, il y avait des héritiers aux situations bien différentes.

Paulo et Jacqueline, au départ, s'étaient officiellement

1. Werner Spies, professeur d'histoire de l'art, spécialiste de la sculpture de Picasso, ancien directeur des collections du MNAM/Centre Georges-Pompidou.

opposés ensemble à la désignation d'un administrateur judiciaire. Même si je pense qu'en règle générale la présence d'un administrateur étranger à une famille crispe souvent les comportements et pérennise les rancœurs, ce fut, dans le cas de la Succession, la plus sage des décisions. Un chef d'orchestre était désormais chargé de régler la cacophonie attendue...

Il aurait été déraisonnable de ne pas attendre les jugements de filiation : Jacqueline et Paulo furent particulièrement prudents sur ce plan. Avec raison. Une année plus tard, tous les héritiers légitimes ayant été identifiés, une ordonnance, en date du 12 juillet 1974, confirma la désignation d'un administrateur judiciaire en la personne de Me Pierre Zécri. Tout le monde se félicita plus tard de son action zélée et efficace – sauf Marina, lorsqu'elle devint l'héritière de son père. Elle remit en cause l'accord de partage général qu'elle avait pourtant elle-même signé « sans en mesurer toutes les conséquences », disait-elle, et affirma sans preuve que Jacqueline avait placé des œuvres et des fonds à l'étranger !

C'est précisément Marina qui fut renvoyée en septembre 1996 par la chambre criminelle de la Cour de cassation devant un tribunal correctionnel, pour exportation illégale, au début des années quatre-vingt, d'œuvres d'art à destination de l'étranger... La vie a de ces ironies. Ma cousine nous racontera probablement un jour l'issue de ses péripéties, étant indiqué qu'elle est la seule dans notre famille à avoir été ainsi lourdement suspectée d'infractions douanières. Je m'en remets cependant à la présomption d'innocence qui fait honneur au droit français.

Le règlement de la Succession commença enfin avec les cinq héritiers et leurs conseils. Dès l'été 1974, se mit en place un calendrier prévisionnel. Me Pierre Zécri fit désigner officiellement Me Maurice Rheims comme expert. Ils rédigèrent un mémorandum méthodologique. Ils avaient tous deux le pressentiment d'avoir une énorme surprise à gérer.

Des réunions régulières commencèrent à partir de septembre. Je me souviens de ma mère partant chaque mois pour

Paris, par le célèbre *Phocéen*, le train de nuit entre Marseille et la capitale. Elle ne voulait pas nous laisser seuls plus d'une journée, Diana, Richard et moi. Ses allers-retours étaient donc très rapides.

Elle répondait volontiers à mes questions. J'étais fasciné par ce monde d'adultes qu'elle fréquentait, ce monde si sérieux d'hommes de loi.

Les réunions, m'expliqua-t-elle, se déroulaient chez Me Zécri. Dans sa salle de réunion, se retrouvaient tous les héritiers et leurs conseils. Il y eut quelques réunions sur la Côte d'Azur, à Cannes, au moment où a commencé l'inventaire des maisons de mon grand-père à Mougins, Vallauris et Vauvenargues. J'ai accompagné ma mère, plus particulièrement à l'hôtel du mas d'Artigny, près de Saint-Paul-de-Vence, où tout le monde était réuni, plus discrètement qu'à l'hôtel *Carlton* de Cannes, où résidèrent les équipes chargées des inventaires pendant plus de six mois.

Au sortir de cette réunion, j'ai aperçu Jacqueline, avec sa démarche si mesurée, presque théâtrale. Je me rappelais Vauvenargues ; elle se souvenait aussi de moi. Je ne peux pas dire qu'elle débordât d'affection en m'embrassant, mais j'avais pris place dans « sa » famille : même si elle n'était la mère de personne, elle se considérait comme la matriarche originelle. Par ce baiser très officiel, j'étais adoubé.

Ces réunions ne la passionnaient guère. Tout cela devait lui paraître bien dérisoire.

Elle avait une présence extraordinaire, séduisante et terrifiante, et j'ai l'impression que rien ni personne ne pouvait lui faire peur. Elle vivait déjà dans un autre monde.

Paulo était venu avec une superbe voiture, ce qui m'excitait beaucoup. Chacun des héritiers, ayant reçu des à-valoir financiers importants, pouvait désormais s'acheter ce qu'il voulait. À la Citroën DS qu'il possédait avant la mort de Pablo, avaient succédé une Jaguar, une Daimler, une Bentley, des Rolls (dont une inattendue et gigantesque Phantom VI qu'il conduisait lui-même), un Range-Rover et des Mercedes ! Chacun des voyages de ma mère était rythmé par ma découverte d'une nouvelle voiture.

Mon autre oncle Claude tranchait, par sa jeunesse[1], avec le « monsieur » imposant, à la cinquantaine grisonnante, qu'était Paulo. Claude était sportif et « branché ». Côté mécanique, c'était plutôt Porsche. Il parlait de tout, il savait tout. Lorsque nous avons travaillé ensemble sur le CD-Rom *Picasso*, voici quelques années, je crois qu'il en savait plus sur le domaine technologique que bien des informaticiens de notre équipe.

Paloma me paraissait en perpétuel mouvement. Elle courait sans cesse d'un avion à l'autre – elle symbolisait véritablement la *jet-set*, au sens premier du mot. Elle me fascinait par son style totalement « glamour » qui deviendrait sa marque et s'exprimerait, quelques années plus tard, avec succès, dans ses créations de joaillerie et de cosmétiques.

À aucun moment, ma mère ne m'a rapporté qu'elle avait assisté à un pugilat lors de ces réunions, dont l'objectif était de parvenir rapidement à un règlement. Même les journalistes, sevrés d'informations officielles, faisaient état de l'avancement de l'inventaire et du règlement « amiable » entre les héritiers d'un patrimoine évalué « sommairement » par eux à cinq milliards de francs d'alors. Le quotidien *Nice-Matin*, en avril 1976, parlait du « fabuleux travail de recensement et d'estimation... mené à bien dans des délais relativement rapides ». Les fameux « procès », en réalité de simples procédures, étaient de l'histoire ancienne.

Comme je l'ai dit en préambule, ce n'est qu'au cours des années quatre-vingt que d'aucuns ont imaginé un parcours long et sordide, haché de batailles d'héritiers. Ainsi naissent de fausses légendes. Questionné sur les relations entre les héritiers, Me Maurice Rheims m'a confirmé qu'elles étaient plutôt bonnes... « Il y avait une volonté générale devant l'importance de l'œuvre, devant l'importance du personnage ! ».

1. Il est né en 1947.

Il ne se rappelait aucun incident pendant les réunions. Le bon sens l'emporta sur tout.

Les seules tensions furent toutes, je regrette de devoir le dire, à l'initiative de Marina, devenue héritière de son père Paulo en juin 1975. J'y reviendrai.

Mort de Paulo

Un drame inattendu survint le 5 juin 1975. Ce matin-là, ma mère me réveilla pour aller au lycée, comme d'habitude ; ses yeux étaient rouges et elle avait du mal à sécher ses joues mouillées. Elle me dit : « Mon frère Paulo est mort. » Je fus stupéfait. « Mais comment ? » lui ai-je demandé. « D'un cancer du foie, il était très malade depuis quelque temps ; ça allait mieux, il était en Espagne avec sa femme Christine. Il m'avait téléphoné pour me dire qu'il se sentait bien. Il avait même conduit sa voiture. Et puis, ça a empiré soudainement à Barcelone. Il a été ramené à Montpellier en ambulance et à Paris en avion. Il est mort soudainement à l'hôpital hier. C'est Christine qui m'a téléphoné ce matin. »

Paulo laissait officiellement une veuve et leur fils, Bernard, et une fille, Marina, née de son premier mariage avec Émilienne. Marina et sa mère vivaient encore à Golfe-Juan.

Marina vint très rapidement à Paris. Mon oncle Claude lui avait envoyé un aller simple en avion, prépayé Nice-Paris. Il ne savait pas quand elle repartirait : elle choisirait elle-même. Il savait en revanche qu'elle aurait désormais les moyens de s'organiser. En effet, comme ils en avaient bénéficié eux-mêmes, Maya, Claude et Paloma demandèrent à Pierre Zécri, l'administrateur judiciaire, de verser un acompte significatif à Marina.

L'enterrement de Paulo eut lieu à Paris, au cimetière Montparnasse. Toute la famille, endeuillée à nouveau, se retrouva par une journée ensoleillée. Aux amis de longue date s'étaient joints les hommes de loi de la Succession. Dans le grand corbillard, devant le cercueil de Paulo, se trouvaient

Christine, sa veuve, et leur fils Bernard, ainsi que Maya et Marina.

L'atmosphère était lourde. Chacun s'efforçait d'oublier le passé. Pablo était mort deux ans auparavant, Pablito s'était suicidé la même année, et à présent Paulo décédait. Trois générations rayées. Le plus dur était certainement pour Marina qui avait perdu « sa » famille : un grand-père absent, image inaccessible, un père « malgré lui » et un frère désespéré, si proche et pourtant si loin... Dans le corbillard, le regard vague, elle déclara : « Plus jamais de procès, plus jamais ça ! » Trop éloignée de tout et de tous, elle devait croire, elle aussi, qu'il y avait eu des déchirements entre les membres de sa famille. Elle ignorait tant de choses...

Vœu pieux.

J'y reviendrai aussi.

Il y avait désormais deux successions à régler : d'un côté, celle de Pablo avec ses quatre héritiers, Jacqueline, Maya, Claude et Paloma et, en continuité, celle de Paulo avec ses trois héritiers, sa veuve Christine et ses enfants Marina et Bernard. Marina était alors âgée de vingt-quatre ans ; son (demi-)frère Bernard avait à peine quinze ans.

Il fallut reprendre, malgré le deuil, le suivi des inventaires et des réunions. Paulo était mort le 6 juin, la réunion suivante eut lieu comme prévu le 16, et la présence de Christine, Marina et Bernard se substitua à celle de Paulo. Jacqueline s'y fit excuser : il est vrai qu'elle n'assista, en fait, qu'à très peu de réunions, et s'en remit pour l'essentiel à ses deux conseils, Me Dumas et Me Weil-Curiel. Maya y était accompagnée par Me Lombard. Claude et Paloma, par Me Bredin et Me Verdeil. Me Bacqué de Sariac assistait désormais Christine et Bernard, qu'il connaissait bien. Marina avait choisi Me Albert Naud, un avocat parisien de grand renom que lui avait recommandé Me Ferrebœuf.

Me Guy Ferrebœuf, jeune avocat d'Antibes, avait rencontré Marina et sa mère Émilienne Lotte au moment de la mort de Pablo. Me Ferrebœuf s'était rapproché de Me Albert Naud, pour essayer de « participer » à la succession de Pablo dès 1973, en arguant que Paulo n'avait pas le droit de « renoncer » à l'héritage de sa mère Olga en 1955, et qu'Émilienne aurait dû en conséquence en bénéficier lors de leur divorce (intervenu pourtant le 2 juin 1953, deux ans auparavant avec effet légal à la date de la première demande...) puisqu'ils avaient été mariés sous le régime de la communauté de biens.

Les deux avocats étaient intervenus à titre bénévole, espérant inscrire leurs clientes au titre d'ayants droit dans la Succession, et être réglés ensuite. Me Naud avait contacté Roland Dumas, mais la démarche, rocambolesque, s'était soldée par un échec. Plus audacieuse encore est l'hypothèse d'Émilienne, qui a repris un argument déjà rejeté en 1958 lors de la décision d'appel du jugement de son divorce : ce jugement de divorce ne lui aurait pas été signifié dans les formes légales, et ainsi, on aurait pu en déduire qu'elle serait encore mariée avec Paulo, dont le second mariage avec Christine serait *ipso facto* illicite, leur fils Bernard devenant enfant adultérin ! C'était du Balzac, *Scènes de la vie de province*...

Bien évidemment, Émilienne était devenue brièvement l'objet de l'attention des journalistes de la région. Un retour dans la lumière. On peut comprendre que l'affaire ait affecté Paulo, déjà tourmenté par le suicide de son fils.

En ce mois de juin 1975, Me Naud faisait donc un « comeback » officiel. Me Ferrebœuf était, pour le moment, « oublié » : il n'était plus, pour Marina, que l'avocat de sa mère, dont elle commençait à se détacher. Elle lui régla quelques honoraires pour services rendus ; Me Naud conseilla de les fixer à 10 000 francs (36 000 francs environ réévalués, soit 5 550 euros).

Les choses n'en restèrent pas là. Le jeune avocat d'Antibes préparait un retour fracassant l'année suivante, marqué par une série d'offensives « effarantes », selon le mot de l'avocat parisien, renvoyé alors à son tour... Du véritable théâtre de boulevard !

Lors de son premier entretien, avant la réunion, avec l'administrateur judiciaire Me Zécri – qui dut en informer les autres héritiers –, Marina estimait qu'elle devait hériter de la part de son frère Pablito, mort en 1973 – une pure fiction juridique. Il fut envisagé de considérer son demi-frère Bernard – né en 1959, c'est-à-dire avant le mariage en 1962 de leur père Paulo avec Christine – comme un enfant « naturel », digne de la moitié d'une part. Marina aurait donc ainsi, selon le calcul, trois quarts de l'héritage de Paulo. Me Zécri dut malheureusement la rappeler à la loi : Bernard avait été légitimé par le mariage de ses parents. Ils seraient égaux.

Quant à la reconnaissance de Maya, Claude et Paloma, c'était une incroyable erreur judiciaire ! Mais soit.

Après ces quelques mises au point juridiques, l'ambiance était à l'observation...

Suicide de Marie-Thérèse

Pendant toutes ces années, ma mère nous a toujours offert le visage de la détermination et de la douceur. Elle n'a jamais laissé transparaître ses inquiétudes. Elle a toujours été optimiste, et honnête. Notre père, plus passionné par la voile que par la Succession, contrebalançait la trop grande place que prenait, de temps à autre, l'univers « Picasso » dans notre vie. Sa résistance a dû, sans que nous nous en rendions compte, nous équilibrer.

Deux années passèrent. Comme je l'ai raconté en préambule, j'étais, au lycée, identifié comme « le petit-fils de Picasso » – et, à ce titre, un sujet de curiosité. Est-ce que j'avais des tableaux à la maison ? Je répondais qu'il y en avait toujours eu. Sans fierté particulière, mais sans gêne. Parfois, j'éludais la question pour éviter d'avoir l'air d'en tirer une gloire quelconque. Le fait d'être un petit-fils de Picasso ne me donnait pas nécessairement des qualités artistiques innées, ou le sens du beau.

J'échappai heureusement à toute jalousie de mes camarades de lycée, mais je dus faire face à une admiration injustifiée du professeur de dessin, exhibant à toute la classe les dessins (à la règle !) que je tentai d'exécuter : « C'est magnifique, il a vraiment de qui tenir ! » Je ne rougissais même plus : j'avais pris l'habitude de dénoncer ses louanges auprès de mes camarades, sitôt la fin du cours, en m'appliquant à qualifier mes œuvres de « nullissimes » – donc remarquables, ce qui faisait rire tout le monde. Cela contribua à me faire élire, année après année, chef de classe ou délégué.

À la maison, la vie de la Succession était un monde parallèle qui ne nous affectait pas. Ma mère s'occupait du foyer dont elle avait toujours rêvé. Nous vivions à Marseille, loin des autres membres de la famille. Maya entretenait avec les autres des rapports téléphoniques, principalement. Notamment avec sa mère, Marie-Thérèse, avec qui elle parlait régulièrement.

Jusqu'au 20 octobre 1977. Ma mère me réveilla et m'annonça que ma grand-mère était morte la veille.

Je pensai d'abord à la mère de mon père, Marcelle, qui avait déjà plus de quatre-vingts ans. « Non, c'est Baba, ma maman. » Elle ne put retenir ses larmes. Quelques instants après, je la vis partir en voiture avec son amie et avocate, Marie-France Pestel-Debord (qui travaillait auprès de Me Lombard à l'époque), pour Juan-les-Pins, où habitait Baba. Elle demanda aussi à Me Hini, son ami notaire, de les rejoindre.

Mon père, jugeant à raison que je pouvais comprendre, me révéla alors que Marie-Thérèse, ma grand-mère, s'était suicidée. Ma mère ne le savait pas. La police judiciaire d'Antibes l'avait prévenue, par téléphone, que Marie-Thérèse avait eu un « accident » – sans plus d'explication sur sa mort. Marie-France Pestel-Debord avait donné à mon père des détails plus précis.

Mon père décida de ne rien dire à mon frère, ni à ma sœur. Comme d'habitude, dans la journée, les médias s'en firent l'écho, cette fois à la télévision : Patrick Poivre d'Arvor annonça la mort de la « célèbre muse et compagne de Picasso » au journal de 20 heures. Mon père coupa le son. Je n'entendis pas la suite, et ma petite sœur n'avait pas entendu.

Entre-temps, ma mère, arrivée sur place à Juan-les-Pins dans la villa *La Lusitane*, avait été informée du drame. Le monde s'écroulait.

Marie-Thérèse laissait neuf lettres – dont une d'une page pour Maya, à qui elle ne fut jamais remise par la police judiciaire. Selon un commissaire, Marie-Thérèse lui demandait simplement pardon. Il y avait en revanche une autre lettre de neuf pages pour Marina : lui fut-elle un jour transmise ? Selon les courriers que Maya avait reçus de sa mère, les relations très étroites entre ma grand-mère et Marina s'étaient profondément dégradées après juin 1975.

Ma mère m'expliqua plus tard que Marie-Thérèse avait perdu « son » contact avec Pablo, entretenu sans cesse depuis leur rencontre en 1927, et qui s'était interrompu le 8 avril 1973 à la mort de son unique amour.

Marie-Thérèse et Pablo s'étaient encore parlé par téléphone huit jours avant qu'il ne disparaisse. Elle avait compris qu'il n'allait pas bien. Elle en avait averti Maya, confortée en ce mauvais pressentiment par l'écriture très affaiblie de Pablo sur sa dernière lettre, reçue le matin de cet appel téléphonique.

Marie-Thérèse avait vécu dans un monde virtuel, sublimée par Picasso, protégée par lui du monde extérieur. À la mort d'Olga, ne lui avait-il pas immédiatement proposé de l'épouser ? Elle s'était offert le luxe de refuser. « C'est trop tard », avait-elle répondu. Sa vie de rêve s'était depuis muée en un cauchemar doré. N'avait-elle pas reçu de lui des dizaines d'œuvres et une correspondance passionnée ? Il lui avait toujours versé une pension significative, d'environ 6 000 francs (environ 28 000 francs réévalués, soit 4 300 euros) par mois jusqu'en ce printemps 1973. Mais, depuis, le lien spirituel était totalement rompu. La pension n'était plus versée. Elle devait faire face au monde extérieur, seule. Cinquante ans après leur première rencontre, elle avait choisi de le rejoindre.

Elle s'était pendue dans le garage de sa jolie maison près de la célèbre pinède.

Ma mère découvrit, avec une infinie tristesse, le monde de Marie-Thérèse, la réalité à laquelle elle avait dû faire face depuis la mort de Pablo. Coupée de celui-ci, elle avait continué à faire du bien autour d'elle, à acheter un café à celui-ci, un manteau de fourrure à celle-là, une voiture ou un voyage à l'autre, à régler une opération de chirurgie esthétique pour telle personne... sans se rendre compte qu'inconsciemment elle s'achetait des amis. Quand Marie-Thérèse dut commencer à compter, les « chers » amis s'éloignèrent.

Contrairement à ce qui a pu être raconté, Marie-Thérèse et Maya n'étaient pas brouillées depuis 1971. J'ai moi-même pris connaissance d'échanges chaleureux de correspondance, de 1976 ou 1977, et elles se téléphonaient régulièrement. Marie-Thérèse vivait dans l'insouciance, ce qui ne correspondait pas aux schémas de ma mère. Maya lui renvoyait une image conformiste mais heureuse d'une vie de famille qu'elle n'avait pas connue. Maya avait réussi à construire son propre foyer, hors de cet environnement « Picasso » si déstabilisant par son côté irrationnel. Baba en était la preuve et le souvenir. Elle était originale, parfois excentrique, souvent incompréhensible. Elle évoluait dans une situation irréelle, sans lendemain. Avec Pablo, elle vivait un éternel présent. À sa mort, elle avait basculé dans le futur. Pablo appartenait au passé.

Tout cela nous échappait. Nos parents l'avaient compris pour nous depuis longtemps. Sans plus de complications, nous allions en cours, jouions avec nos copains, voyions des copines ; nous ne comptions pas sur une pension à vie, nous ne vivions pas dans l'attente oisive et optimiste d'un quelconque héritage.

Pour Marie-Thérèse, avec la mort de Pablo, l'argent facile se fit rare ; le fisc lui demanda des explications sur l'origine de ses revenus, depuis toutes ces années sans déclaration. Les amis avaient fui. Acculée, inquiète, incapable de gérer le moindre problème de sa vie, elle préféra rejoindre le monde imaginaire du Minotaure qu'elle guidait à la bougie dans les gravures de Pablo.

Sa mort ajouta sa pierre à l'édifice de fantasmes qu'était devenue la légende Picasso. Six mois plus tard (en raison de l'enquête judiciaire qui avait obligé à conserver son corps à la morgue), ma mère assista seule aux obsèques de Marie-Thérèse, à Antibes, entourée d'une foule de journalistes et de photographes dont, de manière significative, elle a gommé de sa mémoire le bruit et la fureur.

Le temps reprit son cours. Mais nous savions désormais qu'il fallait nous protéger de l'emprise spirituelle de Picasso. Cette emprise inquiétante n'était pas de son fait, mais de notre rapport à lui et à son œuvre. Être soi-même avant d'être Picasso. La possession de ses œuvres pour ses héritiers devait être une simple anecdote de la vie, de leur vie. Était-ce possible ?

Ma mère avait toujours vécu avec les œuvres de son père. Elle avait aguerri son cœur et ainsi sa vie. Et puis, nous étions là, et elle se battait pour nous. Claude et Paloma avaient, eux, l'avantage d'être de jeunes adultes – et d'avoir la vie devant eux. Leur mère les avait eux aussi élevés en dehors de Picasso. Elle avait néanmoins pris les devants pour protéger leurs droits, avec l'accord de Pablo.

C'était plutôt Bernard, si spontané, si fortuné, si fragile, qui était source d'inquiétude ; il faudrait que quelqu'un veille sur lui. Claude devint donc son deuxième père, son ami, et compléta utilement l'affection naturelle de Christine, mère d'un héritier trop jeune.

Marina, depuis l'âge de vingt-deux ans, vivait avec son compagnon, le Dr René Abguillerm, un homme marié alors, de presque vingt-cinq ans son aîné – une sorte de second père. Elle l'avait rencontré, révéla-t-elle[1], quand elle avait

1. *Grand-Père, op. cit.*, p. 184.

quinze ans. Elle traversait une passe difficile [1]. Ils habitaient sur la Côte d'Azur, à la bien-nommée *Marina Baie des Anges,* entre Antibes et Nice. Avec Gaël, leur fils, né à l'automne 1976. Marina avait retrouvé la volonté de liberté de notre grand-père, en s'affranchissant des lois et en faisant triompher l'amour. Qu'importe que René fût encore marié. Elle n'était plus seulement la maîtresse de René, elle était la mère de leur enfant. Enfant légitime, enfant naturel, enfant adultérin : ces termes n'avaient déjà plus d'importance pour elle. Suivit un deuxième enfant, leur fille Flore. Pour Marina, l'amour l'emportait à nouveau sur la légitimité. Comme pour notre grand-père...

Elle était encore proche de sa mère à l'époque. Elle avait sa famille. Nous ignorions que tous ces bonheurs seraient éphémères, et que Marina vivrait le long chemin d'une psychothérapie qui, comme elle l'expliqua ensuite, dura quatorze années. Elle cherchait des réponses... Avait-elle les bonnes questions ?

Enfin, il y avait Jacqueline, « veuve de Picasso » comme on est reine mère.

Elle aurait voulu que le monde s'arrêtât le 8 avril 1973. Le monde avait continué, son monde avait été bouleversé. Désormais, la Succession serait réglée, le musée Picasso ouvert au public, avec cet incroyable fonds dont elle avait été la gardienne pendant presque vingt ans. Sa fonction avait cessé.

Elle qui avait mis en scène la fin de vie de son époux, elle se retira sur une ultime péripétie. Elle organisa dans le détail une grande exposition de sa collection à Madrid, sous le haut patronage des souverains espagnols. Le soir de l'ouverture, le 15 octobre 1986, elle se tira un coup de revolver dans la tempe et rejoignit Pablo.

Elle repose dans la sépulture de Pablo, à Vauvenargues, sous la protection de la Sainte-Victoire.

Sa fille, Catherine Hutin-Blay – depuis son mariage –, née

1. *France-Dimanche*, 21-27 décembre 1991.

de sa première union, est devenue son unique héritière. Ironie de la vie, elle a ainsi reçu une part significative de l'héritage Picasso, puisque sa mère en avait été la principale bénéficiaire sans avoir de droits de succession à régler. Il y eut ainsi une seconde Dation [1], très importante, comportant notamment d'extraordinaires portraits de Jacqueline, et vingt-quatre carnets de dessins essentiels. Ils ont rejoint le musée Picasso en 1990.

Catherine vit aujourd'hui avec son mari brésilien et leurs deux enfants. Catherine et ma mère Maya furent très proches, à la mort de Jacqueline. Elles partageaient la même détresse d'avoir perdu leurs mères dans des drames comparables. Comme Marie-Thérèse n'avait pu survivre à la disparition de Pablo, l'amour de sa vie, Jacqueline n'avait su vivre sans son soleil.

Cet ultime épisode finit de donner toute sa démesure à la légende de Pablo Picasso. Tous les ingrédients d'une tragédie étaient réunis pour alimenter les fantasmes les plus fous – et aussi, malheureusement, les récits sordides et les rumeurs assassines... Ces rumeurs contre lesquelles je lutte, ici, méthodiquement, mais avec confiance, comme on se rend à la bataille, avec l'arme de la vérité. Et des preuves. Pour que l'on oublie un peu les Picasso et que l'on se souvienne de Picasso. L'original, l'originel.

1. C'est la forme d'acquittement en œuvres d'art proposé par les héritiers Picasso pour payer les droits de la succession de Pablo, puis de la succession de Paulo. La Dation Picasso, à elle seule, a permis de constituer le musée Picasso de Paris, enrichi par la Dation Jacqueline Picasso.

L'argent

Vivre modestement
avec beaucoup d'argent dans la poche.

PABLO PICASSO [1]

1. Cité par sa fille Maya.

Pablo et l'argent : le sujet intrigue, fascine, et fait rêver. Il énerve parfois. Picasso a certainement été le peintre le plus riche de l'histoire de l'humanité. Il a laissé à ses proches l'héritage le plus important – et le plus inattendu – en volume comme en valeur, que jamais famille de peintre ait eu à se partager. Il semblait avoir retrouvé un vieux secret d'alchimiste, tant il transmuait toute peinture en or. Quant aux records atteints par la vente de ses œuvres...

Les quatre dixièmes de sa production totale, environ, sont revenus à ses héritiers. Ces derniers constituent solidairement (à l'exception de sa veuve Jacqueline, décédée en 1986, et de son héritière, sa fille Catherine Hutin-Blay) une indivision qui détient et exerce le droit moral sur l'ensemble de son œuvre, son nom, son image – et les droits dérivés. Selon la loi, le droit moral est incessible, et se transmet prioritairement par descendance. Cette Indivision est probablement aujourd'hui la mieux organisée au monde pour la protection et la promotion d'un tel patrimoine, bien au-delà des intérêts particuliers des héritiers qui la composent.

Associer l'art à l'argent paraît déplaisant, voire inacceptable. D'aucuns préfèrent les peintres mendiants aux artistes millionnaires. Depuis toujours pourtant, l'argent finance l'art. Michel-Ange aurait-il peint la Sixtine sans Jules II ? Raphaël, les chambres du Vatican sans les Médicis ? Que serait Chambord sans François Ier – ou Versailles sans Louis XIV ? Peut-on aujourd'hui monter une grande exposition sans mécène ? L'argent est intimement lié au développement de l'art. Mais, comme dit le philosophe, « l'art ne se prouve pas, il s'éprouve » : si l'émotion est sans pareille, le prix de l'œuvre est sans limites.

L'art, passion funeste d'un créateur incompris voué à une mort prématurée, dans l'indigence et la folie... Fantasme romanesque ! Même si ce fut le destin de certains, malheureusement. Mon grand-père pensait toujours à ce « pauvre Van Gogh » ou à Modigliani. Les artistes ont toujours cherché à vendre leur talent, parce qu'ils avaient partie liée avec la société et avec son fonctionnement. Sans gêne aucune. Parfois cette société, dans certains pays (dont la France), confère à l'argent une connotation suspicieuse – non sans hypocrisie. L'argent est en fait la seule mesure de l'objet d'art, cet objet sans rationalité. Et paradoxalement, dans une société qui exalte la marchandise, sa valeur n'est pas le produit d'un investissement mesurable, du temps passé à malaxer des ingrédients tarifés, mais d'un consensus abstrait, d'une émotion !

Comme je l'ai dit plus haut, mon grand-père est né dans une famille modeste, certes d'origine bourgeoise, mais on se serre la ceinture chez les Ruiz Blasco y Picasso pour boucler les fins de mois.

La vie d'enfant de Pablo, à Málaga, puis à La Corogne et enfin à Barcelone, se déroule dans cette gêne relative. Le père de Pablo, mon arrière-grand-père Don José, peintre et professeur de dessin, gagne tout juste de quoi faire vivre sa famille.

Il décèle très vite chez son fils un don artistique exceptionnel mais sa formation et son caractère de fonctionnaire loyal tendent à limiter son ambition : Pablo fera, pense-t-il, un excellent professeur de dessin qui lui succédera avec brio. Formé à l'académisme d'une Espagne bien pensante, Don José voit tout au plus en son fils un portraitiste de grand talent, qui arrondira ses fins de mois grâce aux commandes des familles bourgeoises. Ces extras rapportent déjà un complément au salaire modeste du fonctionnaire.

Artistiquement, Don José a une spécialité : les pigeons et les colombes. Ce seront les premiers modèles du petit Pablo.

Tout cela est d'un conformisme prometteur. Don José aime les traditions, qui le rassurent sur son quotidien sans histoires. Mais cette vie rangée est malheureusement pleine d'aléas : son poste de conservateur du petit musée de Málaga est supprimé. Cet événement suscitera probablement chez Pablo l'envie d'aller voir ailleurs, et de procéder autrement.

Un autre membre de sa famille prend conscience du talent de l'enfant et « contribue », au sens premier du terme, à le développer. Don Salvador, l'oncle médecin réputé riche, chef de famille par nécessité, subvient aux besoins du jeune Pablo, puis de l'étudiant en art qui part, en 1897, à Madrid, suivre les cours de l'Académie royale de San Fernando. Don Salvador s'inscrit ainsi dans la petite histoire des mécènes : il conforte son statut social, et attend de Pablo quelques palmes académiques qui feraient sa fierté et le rembourseraient de son investissement.

Mais Pablo s'ennuie en cours, et nourrit surtout son esprit de rencontres nocturnes, de la vie des rues louches et de ses visites au musée du Prado. Don Salvador s'aperçoit que Pablo ne va plus en cours, et lui coupe les vivres.

Pablo n'avait jamais connu la faim et le froid. Le voilà soudain qui glisse vers la pauvreté, puis vers la misère. Cette période de sa vie déterminera son rapport aux gens et aux choses. Être ainsi dans le besoin définit brutalement son rapport à la réalité – et à l'argent. Les difficultés matérielles ne le détournent pas pour autant de sa vocation.

Picasso est parti de zéro ! Le patrimoine qu'il constituera dans les soixante-quinze années qui suivent l'expérience madrilène n'est que le fruit de son travail et d'une détermination têtue. Et, bien que l'on s'en défende pudiquement, sa carrière doit aussi à son sens des affaires, consistant d'abord à ne pas se laisser faire. Il n'est pas le produit d'une vie passée à se morfondre et à se plaindre – ni le fruit du hasard.

Voilà Pablo maître de son destin. Il doit se mettre à la

tâche. Il a des projets immédiats. Il n'attendra pas la mort de quelque vieil oncle d'Amérique ou d'ailleurs. Son père ne lui a-t-il pas inculqué que le travail fait vivre ? Si l'art ne peut se détacher de l'argent, l'argent ne peut se détacher du travail – ce qui fait de l'art le pur produit du génie humain, au sens laborieux bien plus qu'au sens exceptionnel du terme.

Pablo voyage beaucoup. Madrid, Barcelone, Paris. Ce sont des voyages longs, poussiéreux, inconfortables, dans des wagons de troisième classe aux banquettes en bois, tirés par de bruyantes locomotives à vapeur.

À Paris, où il se rend en 1900 pour l'Exposition universelle, il comprend qu'un vent nouveau commence à secouer le monde et qu'il doit être de ceux qui soufflent. C'est donc dans la capitale française qu'il s'installe finalement en 1904.

J'ai déjà raconté comment quelques amis, catalans comme lui, l'ont mis en contact avec des marchands d'art. Encore fallait-il qu'il surmonte le rapport presque charnel qu'il a avec ses œuvres – ou devrais-je dire « ses enfants » ? Pablo n'a jamais aimé vendre ses œuvres. Son talent s'était à l'origine développé sous les bons auspices de son père et de son oncle, hors de toute nécessité commerciale. Mais pour survivre, il doit désormais faire des choix.

Lorsqu'en 1973 s'est ouverte sa succession, il a fallu répertorier tous ces « enfants », d'une maison à l'autre. Tout au long de sa vie, mon grand-père avait conservé les œuvres qu'il aimait, les « Picasso de Picasso », que rien n'aurait pu lui faire abandonner. Bien sûr, il a dû vendre plus d'œuvres au début de sa carrière ; sa « production » était encore limitée par ses faibles moyens, et il ne conserva que quelques toiles de ses périodes bleue, rose ou cubiste. Mais rapidement, dès que l'argent et le temps lui ont moins manqué, il a produit davantage, et a pu garder plus souvent ses œuvres.

Le musée Picasso de Paris, né de la Dation des héritiers en paiement des droits de succession, est le reflet exact des trésors conservés par mon grand-père, et rassemble une large sélection d'œuvres de toutes les périodes de sa vie – toutes celles qu'il n'a jamais consenti à troquer pour de l'argent.

Lorsque Pablo arrive à Paris, au plus fort de sa période bleue, sa vie est particulièrement précaire. Il ne mange pas à sa faim – pas tous les jours. Il a raconté à Me Antébi, son avoué, qui restera son ami jusqu'à la fin de sa vie, qu'une fois il avait partagé une saucisse volée et rapportée par le petit chien qui vivait dans son atelier du *Bateau-Lavoir* !

Ses seules ressources proviennent de la vente de ses toiles : ressources bien maigres, car sur les quelques dizaines de francs qu'il reçoit en paiement, encore faut-il payer les toiles vierges et la peinture, en sus de la nourriture. N'a-t-on pas suggéré que s'il y a eu une période bleue, c'est parce que la peinture bleue était la moins chère...

Et la légende a perduré.

Anne Baldassari[1], conservateur au musée Picasso de l'hôtel Salé, a suggéré plus sérieusement que la période bleue était en fait le reflet des nouvelles techniques qui voyaient alors le jour et pour lesquelles Pablo se passionne : la photographie et le cinématographe avaient pour couleur dominante le bleu. Intéressant...

Picasso n'est pas encore intégré, à cette époque, dans le cercle des marchands d'art. Son premier contact avec les marchands à Paris se fait par l'intermédiaire d'un certain Manyac, un émigré catalan qui lui achète ses premières toiles. Il fait fonction d'interprète – et prélève son pourcentage au passage.

Il présente Picasso au grand Ambroise Vollard. Mais le succès prometteur de 1901 (quelques dizaines de francs de l'époque, quand 10 francs représentaient un peu plus de 200 francs réévalués, soit 32 euros – un pactole...) ne se confirme pas : Pablo a remplacé l'envolée des couleurs et des images du Paris de la Belle Époque par des personnages sombres, tristes et décharnés, reflets de son quotidien – mais

1. Dans *Treize journées dans la vie de Pablo Picasso*, *op. cit.*

pas de celui de ses clients... Le suicide de son ami Casagemas l'assombrit. De plus, il s'inquiète déjà d'avoir trouvé un style qui plaît, certes, mais où il risque de s'enfermer. Tout comme ce Manyac qui le loge et dont l'affection démonstrative, voire ambiguë, devient étouffante...

Sa peinture ne se vend plus. Que faire ?

Après un retour à Barcelone, payé par son père, et une courte période d'incertitude, Pablo rentre à Paris pour s'y battre. Il traite aussi bien avec un « brocanteur » difficile comme Clovis Sagot qu'avec cette « débutante » engagée, Berthe Weill. Ambroise Vollard revient cependant à lui et lui achète, coup sur coup, une part significative de sa production, en 1906 et 1907. Entre autres, les tableaux préparatoires des *Demoiselles d'Avignon*. Au même moment, deux riches Américains, Léo et surtout sa sœur Gertrude Stein, entrent dans la vie de Picasso.

Pablo commence à faire parler de lui dans le microcosme parisien – soit, à cette époque, une dizaine de personnes tout au plus... Un jeune marchand d'origine allemande, je l'ai dit, Daniel-Henry Kahnweiler, le découvre lors d'une visite impromptue au *Bateau-Lavoir*, en 1907. Pablo finit *Les Demoiselles d'Avignon*, moment historique du basculement à l'art moderne. Mais Kahnweiler ne deviendra son marchand de référence qu'à l'automne 1911.

D'ores et déjà, il est surpris par les talents de négociateur de Picasso. Avec le succès des premières toiles cubistes, la cote de Picasso explose : on lui payait autour de 150 francs (environ 3 200 francs réévalués, soit 490 euros) ses toiles de la période 1906-1907, elles montent à plus de 3 000 francs (environ 53 500 francs réévalués, soit 8 100 euros) en 1911. Pablo signe un contrat exclusif, fin 1912, avec Kahnweiler, mais il y fixe ses conditions, et ses prix – en phase avec le marché naissant. Ils iront même jusqu'à se fâcher au moment de la guerre de 1914 quand, à l'aube de l'attaque germanique, Kahnweiler, citoyen allemand, se réfugie en Italie. Les œuvres de sa galerie parisienne ont été saisies, et il ne peut honorer une dette de 20 000 francs qu'il doit à Picasso. Celui-ci en exigera le remboursement total avant de consentir à reprendre leur commerce, en 1923. Une telle somme, en 1914, représente environ 350 000 francs réévalués, soit 53 500 euros – une petite fortune !

Entre-temps, Pablo a rencontré le marchand Léonce Rosenberg, chez Kahnweiler d'ailleurs, qu'il remplace pendant la guerre. Mais il manque de « vision », et cède la place à son frère Paul, ami de la fameuse Eugenia Errazuriz, figure de la vie parisienne et confidente « moderniste » de Pablo. Elle les présenta donc.

C'est à Paul Rosenberg et à son associé Georges Wildenstein que revient le mérite d'initier le rayonnement international de Picasso. Le premier s'occupe de l'Europe, le second des États-Unis. L'accord passé en 1918 organise pour vingt ans la visibilité médiatique et la cote de Picasso.

Les choix opérés par ces marchands dans les toiles mises en vente – lesquelles sont proposées par Pablo – correspondent certainement à ce que le public est alors capable d'aimer. Mais ils ont faussé la perception de l'œuvre de Pablo : en exposant telle œuvre plus ancienne, en refusant d'acheter telle toile nouvelle jugée, à tort ou à raison, moins « commerciale ».

En revanche, sur le plan financier, ils répondent parfaitement aux attentes de leur client. D'autant que s'ouvre avec Olga une période flamboyante ; Pablo vit à grands frais.

Kahnweiler entretiendra jusqu'à la fin de sa vie ses relations avec Pablo ; mais l'artiste saura toujours, et très habilement, le mettre en concurrence avec d'autres marchands, en les convoquant à son atelier à une demi-heure d'intervalle, afin qu'ils se croisent dans l'entrée et vivent chacun l'angoisse d'avoir été doublés... Il n'a jamais supporté que d'autres mènent la danse.

À une femme qui lui demandait ce qu'un de ses tableaux cubistes était censé représenter, Pablo répondit avec ironie : « Madame, ça représente vingt millions de francs. » À ceux qui ne comprenaient pas sa peinture, Picasso donnait au moins une raison primaire de l'admirer : son prix. Cet apparent cynisme n'était au fond qu'une expression de son mépris pour les ilotes.

Cela signifie-t-il pour autant que, dès son plus jeune âge, Pablo nourrit plus d'ambitions financières qu'artistiques ? Qu'il peint en fonction d'un « plan de carrière » ? Je ne le pense pas. Simplement, dans la pyramide des besoins construite par Maslow[1], il en est encore, à vingt ans, au stade de la satisfaction des besoins élémentaires. Cubiste mais réaliste, il sait que, sans argent, la vie est impossible.

Je ne crois pas, comme Patrick O'Brian[2], qu'il « brûlait d'en acquérir, et [que] toute sa vie il aima mieux le [l'argent] garder que le dépenser ». Et de surenchérir bizarrement : « Il détestait qu'on l'en séparât contre son gré. Sa parcimonie était telle qu'un ennemi aurait pu le taxer d'avarice sordide ; mais ne reflétait-elle pas sa peur de la mort ? » Qui aime être « séparé » du fruit de son travail contre son gré ? Qui aime se faire ponctionner par autrui ? En outre, nous avons d'innombrables exemples de la générosité de Picasso. Lors de l'inventaire de sa Succession, entre 1973 et fin 1976, on a retrouvé une quantité impressionnante de lettres d'inconnus – on a calculé que, dans les années cinquante et soixante, il recevait plus de cent sollicitations par jour –, qui ne restaient pas toutes sans réponse...

En ce qui concerne le rapport à la mort évoqué par

1. Abraham Maslow, psychologue américain, a construit une théorie visant à identifier un ordre de priorité dans la satisfaction des besoins humains. La pyramide des facteurs psychologiques dans notre comportement se compose de cinq niveaux hiérarchiques motivés par la réalité des forces de l'environnement, à savoir : 1. Les besoins physiologiques : respirer, manger, boire, dormir, s'abriter contre les intempéries, se vêtir... 2. Les besoins de sécurité : stabilité, ordre, liberté, protection. 3. Les besoins d'amour et d'appartenance : appartenance à un/des groupe(s), affection (aimer et être aimé). 4. Les besoins d'estime de soi : respect, accomplissement, force, confiance, compétence... 5. Les besoins d'accomplissement personnel : connaissance et compréhension, réalisation de ses potentialités, maîtrise de son environnement, créativité. C'est surtout un besoin de croissance intérieure, source de motivation intrinsèque.

2. *Pablo Ruiz Picasso*, *op. cit.*

O'Brian, il y a un fait à rappeler : dans cette société de la fin du XIXe siècle et du début du XXe, pauvreté et indigence mènent à la mort. Rien n'existe de l'arsenal de protection sociale et de solidarité que nous connaissons aujourd'hui. Ni Restaurants du Cœur, ni Revenu minimum d'insertion. L'espérance de vie est elle-même plus réduite.

Mon grand-père a vécu en ce temps, et il a vécu chichement. Il a sauvé sa peau, et, très rapidement, il a subvenu aux besoins de bien des gens. Il a acquis, par cette expérience de l'extrême pauvreté, un rapport « responsable » à l'argent : ne pas le dépenser inutilement puisqu'il sert à l'essentiel, au minimum vital, et ce pour soi et pour ses proches – épouse, compagnes, enfants, famille espagnole, amis dans un grand dénouement, anciennes liaisons, causes politiques ou employés... Sans compter l'entretien de maisons devenues entrepôts d'une œuvre gigantesque. Ou les innombrables demandes de dons. Pablo a fini par se retrouver avec des responsabilités qu'il n'avait pas souhaitées. Il préférait consacrer son temps à son art.

D'où, certainement, cette peur de la mort. La pauvreté, c'était la mort ! Autant s'en prémunir. De là à conclure que cette prévoyance était parcimonie, voire avarice sordide...

Au début des années soixante-dix, le train de vie annuel de Pablo représente un peu plus de 3 millions de francs par an pour les dépenses courantes (plus de 14 millions de francs réévalués, ou 2,2 millions d'euros), incluant l'entretien des maisons et les divers pensions et salaires. Il remplissait ses obligations naturelles d'époux, de compagnon, de père et d'employeur. Pour le reste, il ne se vantait pas de son altruisme. Il ne révélait jamais ce qu'il donnait. Sans doute a-t-il eu tort. Sans doute ignorait-il que, dans notre société du spectacle, la générosité doit être publique et publiée. Il estimait, « à l'ancienne » si je puis dire, qu'il n'avait de comptes à rendre à personne.

À ses marchands, mon grand-père tient la dragée haute. Il leur indique ce qu'il est disposé à leur vendre, et non ce qu'ils peuvent lui acheter. Même avec Rosenberg et Wildenstein, il présélectionnait finalement ce qui leur « plairait », sans jamais peindre sur leur commande. Le prix fixé pour chaque œuvre est un pari à tenir pour les marchands. Picasso joue avec eux. Ne lance-t-il pas un jour à Kahnweiler : « Bonne nouvelle, je vous ai augmenté ! » En fait, il venait d'augmenter le prix, fixé par lui, de ses œuvres – et non le pourcentage de Kahnweiler.

S'il gagne plus, son marchand aussi, puisque sa cote monte. Pourquoi se serait-il contenté d'une quotité immuable ?

Au-delà des chiffres, il souhaite défendre tous les artistes. Il est le leader d'un syndicat informel. En donnant à l'art une valeur toujours plus grande, il veut gommer le cliché de l'artiste maudit, du peintre misérable – ceux qu'il a croisés dans les ateliers du *Bateau-lavoir*. Son époque est celle du marché international de l'art, il en a compris les rouages, et entend les maîtriser.

En politique, il croit à la révolte du prolétariat, aux idées progressistes – à ce fameux Grand Soir. En art, il se veut le nouveau symbole du rapport de l'artiste au monde. L'art sera pionnier. L'art sera valeur.

Il n'en perd pas son âme pour autant, puisqu'il ne crée pas au gré des désirs des marchands. À chacun son domaine. La sincérité de son œuvre en témoigne suffisamment.

À partir de 1910, le niveau de vie de Pablo augmente de façon significative. Avec Fernande Olivier, sa première compagne officielle, rencontrée au *Bateau-Lavoir*, il s'installe dans un bel appartement du boulevard de Clichy. Attachés aux traditions montmartroises, ils organisent des dîners conviviaux, des soirées sans fin, fidèles à leur esprit bohème.

Plus tard, mon grand-père apprendra à Maya qu'« il faut vivre modestement avec beaucoup d'argent dans la poche ». Pensait-il à ses premières années bien ordinaires – son âge d'or, à l'entendre – par opposition aux années d'embourgeoisement, d'enfermement, qui suivirent ?

Il se sépare de Fernande au début de l'année 1912. Son train de vie est dorénavant confortable. Depuis ses toiles cubistes, il est connu, et reconnu. Il conduit la « tendance ». Au *Café de l'Ermitage*, boulevard Rochechouart, il croise aussi le regard d'Éva Gouel. Quelques mois plus tard, ils s'installent à Montparnasse.

Jusqu'à la mort d'Éva, en décembre 1915, il mène une existence heureuse, recluse, presque insouciante, malgré le contexte de la guerre. Après la disparition de la jeune femme, Pablo noie, je l'ai dit, sa peine dans des aventures sans lendemain. Il est assez fortuné pour entretenir quelques liaisons simultanées, preuves de son errance sentimentale et de l'absence d'attaches familiales.

L'année 1913 est marquée par la vente extraordinaire des œuvres acquises par un groupe d'investisseurs discrets réunis sous le nom évocateur de La Peau de l'Ours. Créée en 1903 à l'occasion du Salon d'automne qui va révéler l'art du nouveau siècle, La Peau de l'Ours s'est donné pour objectif d'acquérir chaque année pour 2 750 francs (56 700 francs réévalués environ, soit 8 645 euros), pendant dix ans, des œuvres d'artistes contemporains prometteurs et de toutes les revendre à l'issue de cette période. L'instigateur de ce « consortium » est le marchand André Level. Il a notamment convaincu ses trois frères et un cousin de participer à l'aventure. Il est à vrai dire le seul spécialiste, et il s'agit d'un pari bien plus que d'un investissement. Outre quelques toiles post-impressionnistes, Level acquiert principalement des fauves et des Picasso ! Il prospecte chez les artistes eux-mêmes – ainsi chez Matisse, qui vend en nombre à Level –, et chez les marchands les plus avant-gardistes. En fait, une seule galerie propose alors des œuvres « modernes » : Berthe Weill.

Mme Weill a adopté une politique de commissions très mesurée, de l'ordre de 20 % sur les ventes qu'elle réalise – sans garantie de prix. Level achète ainsi trois Matisse et douze Picasso, toujours dans le respect scrupuleux de son budget annuel de 2 750 francs... En 1906, il demande à ses associés de consacrer la majorité de leur budget à un seul artiste : Picasso. Level, via le marchand Clovis Sagot, achète ainsi six toiles et dessins.

Ambroise Vollard comprend que quelque chose se passe. Il reprend ses achats de Picasso.

À la fin de 1907, Pablo prend contact avec Level : abandonné par ses premiers marchands, mon grand-père a besoin d'argent. Il lui propose *La Famille de saltimbanques*, qu'il a réalisée au printemps et à l'automne 1905, et refusé de vendre à Vollard pour un prix jugé trop bas. Level propose la somme de 1 000 francs (20 618 francs réévalués, soit 3 143 euros). C'est une part importante de son budget de l'année 1908. Il lui donne immédiatement 300 francs pour « optionner » la toile (Pablo avait reçu d'autres offres, de collectionneurs allemands et russes). Fin janvier 1908, Level fait enlever la toile... Affaire conclue.

L'année suivante, il achète une première toile audacieuse, une nature morte, *Corbeille de fruits*, qui porte la marque de ce que l'on n'appelle pas encore le « cubisme ».

L'activité de La Peau de l'Ours réveille les galeries parisiennes et les marchands. Bernheim-Jeune signe Matisse ! Sagot, Vollard, Udhe et Kahnweiler se disputent les faveurs de Picasso. Les années 1910 et 1911 sont des périodes de consolidation pour Level, qui acquiert les incroyables *Trois Hollandaises* (aujourd'hui au musée national d'Art moderne du centre Georges-Pompidou à Paris) et *L'Arlequin à cheval* (passé dans la collection Mellon aux États-Unis), rachetées à un sombre marchand qui les avait acquises de Clovis Sagot.

La progression du marché de l'art, en dix ans, est telle que La Peau de l'Ours, avec son budget annuel toujours inchangé, ne peut plus s'offrir, en 1912, que des œuvres d'artistes secondaires.

L'année suivante, Level commence donc la revente programmée des cent quarante-cinq œuvres accumulées en dix ans. Il organise une vente aux enchères – la toute première du XXe siècle dans le monde de l'art – après une importante campagne de communication dans la presse, et la préparation d'un catalogue prestigieux et exhaustif. Le 2 mars 1914, la salle des ventes se remplit d'éminents collectionneurs, de marchands célèbres (dont Ambroise Vollard et l'Allemand Heinrich Thannhauser), d'intellectuels en vue et de mondains parisiens. C'est un véritable événement de société. Le total de la vente se chiffra en effet à 116 545 francs (près de 2 100 000 francs réévalués, soit 318 000 euros), soit le quadruple de l'investissement total de 27 500 francs. Nous sommes à l'époque dans une économie stable, sans spéculation monétaire, sans inflation du coût de la vie : le total de la vente est une fortune. Les douze œuvres majeures de Picasso atteignent des cotes faramineuses et représentent à elles seules 27 % de la vente en valeur, soit 31 301 francs (environ 560 000 francs réévalués, soit 85 000 euros).

La presse bien-pensante crie au scandale. Elle accuse les acheteurs étrangers (« des Allemands », de surcroît, à une époque où les revanchards de la guerre de 1870 tiennent le haut du pavé) de vouloir saborder les jeunes peintres traditionalistes, de les pousser à copier ces « œuvres grotesques » pour couler l'art français !

Réactions illusoires. Le marché a compris, le marché a choisi. Kahnweiler, qui a passé un contrat de trois ans avec Pablo (en décembre 1912), vend d'ailleurs encore plus cher « son » artiste, puisque *L'Acrobate à la boule* a été cédé, quelques mois plus tôt, pour 16 000 francs (286 000 francs réévalués, soit 43 500 euros), soit une somme bien plus élevée que l'enchère record de la vente : *La Famille de saltimbanques*, vendue 11 500 francs (205 500 francs réévalués, soit 31 300 euros).

Les mêmes œuvres ont aujourd'hui une cote mille fois supérieure...

Plus incroyable encore, la décision de La Peau de l'Ours de reverser spontanément 20 % du prix d'enchère de chaque œuvre à son auteur. Pour que chaque artiste participe aussi à l'augmentation de sa valeur ! C'est la toute première apparition du « droit de suite », six ans avant sa naissance officielle. Cet acte révolutionnaire scella l'amitié de Picasso et de Level – jusqu'à la mort de ce dernier, en 1946.

J'ai déjà dit combien, à partir de 1917, Olga Khokhlova fait accéder Pablo à l'establishment parisien – tout comme il lui permet de mener une vie qui soit enfin en rapport avec son éducation et ses espérances. Leurs ambitions à pénétrer le grand monde se rejoignent. Elle connaissait la partition, il en joue la musique. Après leur mariage, ils s'aménagent un foyer bourgeois, richement meublé, qu'Olga sait ordonner avec maîtrise et savoir-faire. Pablo fréquente toujours l'intelligentsia artistique dans les cafés parisiens des Années folles. Olga, qui apprécie très modérément la bohème, accoutume Pablo aux dîners et aux bals de la bonne société et il ne lui déplaît certainement pas d'être « reconnu ».

La personnalité d'Olga est moins atypique qu'il ne le semble dans le parcours amoureux de Pablo. Elle joue un rôle non négligeable dans son propre épanouissement. Olga est la réponse aux aspirations sociales de Pablo, avouées ou non. Pablo approche alors la quarantaine, et touche les dividendes de son art ; il ne lui manque qu'une famille et, corrélativement, un statut social. Elle a les manières et la distinction, de surcroît elle est vierge : l'épouse d'un roi ! Elle est aussi une émigrée, ce qui les rapproche affectivement. Avec elle, le cœur rejoint la raison.

Cette complémentarité connut vite ses limites lorsque mon grand-père, comme dans son art, eut fait le tour du sujet.

L'arrangement du bel appartement en duplex de la rue La Boétie à Paris où ils se sont installés doit composer avec cette zone de non-droit, ce *no man's land* régi par des règles inviolables : l'atelier de Pablo, à l'étage. Il doit rester dans l'état où il le laisse. Le naturel a vite repris le dessus et probablement la créativité aussi.

D'aucuns se sont curieusement offusqués de l'état des ateliers ou des habitations de mon grand-père, parlant de « foutoir » ou de « capharnaüm ». Mais cet atelier n'empiétait pas sur le foyer. De toute façon, c'était l'atelier qui finançait le foyer. Cette critique « bourgeoise », selon la sémantique de Picasso, est insupportable.

Si Pablo sait compter, il n'est pas regardant sur les dépenses somptuaires, et il répondra toujours aux demandes d'Olga : mobilier, fourrures de Révillon, bijoux de chez Chaumet, vêtements de chez Chanel, Fairyland ou Jean Patou. Il s'enorgueillit d'avoir une épouse élégante. Même dans leurs pires querelles, l'argent ne fut jamais, entre eux, un sujet de discorde.

Par ailleurs, Pablo n'hésite jamais à aider sa famille ou ses amis dans le besoin. Il envoie régulièrement de l'argent à sa mère, veuve depuis 1913. Elle est allée vivre chez sa fille Lola et son mari, le Dr Juan Vilato, à Barcelone. Lola a des enfants. Comme le veut la coutume, Pablo donnera, quelques années plus tard, tous les vêtements de son fils Paulo à sa sœur. Puis il renfloue son beau-frère, dont les affaires périclitent – d'autant que les époux ont désormais six enfants, cinq garçons et une fille [1].

Selon Maya, son père Pablo se sentit toujours redevable à cette nièce, María de los Dolores (surnommée La Nena, « la petite fille »), de s'occuper jour et nuit de Lola qui restera paralysée pendant une vingtaine d'années, jusqu'à sa mort. Cette affection indéfectible ne connut jamais d'éclipse, malgré l'éloignement. Après la mort de sa sœur Lola, en 1958, mon grand-père récupéra toutes les œuvres de première jeunesse, tableaux et dessins surtout, qu'il lui avait confiées, puis les rajouta en 1970 (avec cinquante-huit toiles des *Ménines*) à la donation de son ami catalan Jaime Sabartés à la ville de Barcelone, en 1963. En compensation, Pablo offrit à chacun des enfants de sa sœur un portrait de leur mère, et cinq tableaux de l'époque finale des *Mousquetaires*.

Je me souviens de notre cousin Javier Vilato, l'un des fils de Lola, peintre de talent décédé en 2001. Jamais je n'ai rencontré quelqu'un d'aussi heureux d'avoir fait partie de la vie de Picasso. Dans ses yeux, je retrouvais la spontanéité du

1. Juanín, Josefín, Pablín, María, Javier et Jaime.

jeune homme hilare, au dernier plan sur la photo de Robert Capa qui immortalise Pablo en porteur de parasol, avec Françoise Gilot, sur la plage de Golfe-Juan en 1948. C'est auprès de lui que j'ai le mieux compris ce que pouvait représenter, pour mon grand-père, le sentiment d'avoir une vraie famille, avec des rapports de « tribu », fondés sur le sentiment du clan et non sur des échanges financiers.

Pour mon grand-père, cette famille « espagnole » méritait bien qu'il s'en occupât. Elle était digne, courageuse, et étrangère aux cancans qui l'agaçaient tant.

Durant toute sa vie, Pablo a versé des pensions : à sa femme Olga (10 000 francs, soit 30 450 francs réévalués ou 4 642 euros, nets par mois – et ce, dès l'ordonnance judiciaire de non-conciliation de 1935), à leur fils Paulo, à ses enfants Claude et Paloma, à ma grand-mère Marie-Thérèse... Seule, Françoise Gilot refusa. Et ma mère Maya a demandé que la pension qui lui était destinée soit reversée à sa mère, Marie-Thérèse.

De même, Pablo ne refusait rien à son fils Paulo. Pourquoi a-t-on toujours reproché à Paulo de n'avoir pas pris le large et tenté de faire sa vie tout seul ? Certains y ont vu une faiblesse de caractère, ou une affection exagérée pour son père. Or Paulo était loin de manquer de personnalité et d'initiatives. Il me semble par ailleurs tout à fait compréhensible d'éprouver une tendresse particulière pour des parents qui vous offrent une vie si indépendante financièrement. Que Paulo reçoive une pension de son père ne pourrait suffire à expliquer, selon moi, sa prétendue dépendance psychologique.

En outre, faire peser le poids de la responsabilité sur mon grand-père me paraît tout aussi réducteur. Il existait entre Pablo et son fils Paulo des relations exclusives que peu de personnes pouvaient comprendre. Il y avait une affection réciproque, un jeu subtil entre le père et le fils, fait d'irrévérences et de rapports de force. La relation « matérielle » à laquelle certains ont voulu réduire leurs échanges est dangereusement simpliste : Pablo, entouré, courtisé, trompé sans doute, savait trouver, chez quelques-uns, spontanéité et franchise. Paulo faisait partie de ces interlocuteurs privilégiés.

Au décès d'Olga en 1955, par le jeu de la communauté de biens par défaut résultant du mariage de ses parents, Paulo aurait pu recevoir la moitié des biens du couple appartenant, en principe, à sa mère. C'est-à-dire la moitié de la fortune de Pablo en 1935, année de leur séparation officielle (soit la date de la première assignation qui introduit la procédure). Il ne prit aucune disposition en ce sens. Aucune déclaration de succession ne fut jamais enregistrée, à ce titre, par l'inspection des impôts de Cannes où résidait Olga avant sa mort. Il n'y eut jamais de succession d'Olga ! En 1955, l'essentiel de la fortune de Picasso était constitué d'œuvres d'art. Paulo n'osa pas braver son père malgré son bon droit. Il ne dit mot. Il connaissait déjà le confort de l'argent et s'en satisfaisait, il préférait encore les relations affectives. Prendre sa part aurait été une manière de dépouiller son père. Aurait-il fallu faire un inventaire ? Aurait-il dû vendre des œuvres ?

Pablo connaissait parfaitement la situation légale, et ne chercha en aucune manière à influencer son fils. Il ne lui refusa donc pas l'alternative. Il ne la lui offrit pas non plus. Pablo proposa seulement à Paulo de récupérer la jouissance du château de Boisgeloup, demeure officielle d'Olga, bien qu'elle n'y ait jamais réellement vécu. Paulo venait d'enterrer sa mère, il n'allait pas « tuer » son père et risquer de s'enterrer vivant. De toute façon, le règlement de cette communauté fut renvoyé à plus tard et soldé entièrement, par des calculs très complexes, lors de la succession de Pablo lui-même. Personne ne serait volé : Paulo reportait à plus tard ce qu'il était d'ailleurs le seul à devoir recevoir... Pour une fois, il décidait.

Il n'était sans doute pas devenu milliardaire, en cette année 1955 ; mais il avait sauvegardé la qualité de ses relations avec son père. L'argent était un point de détail entre eux.

Ma mère Maya, la fille de Pablo et de Marie-Thérèse, née en 1935, adopta toujours la même attitude. Après une scolarité studieuse et des allers-retours fréquents entre sa mère et son père après la guerre, elle rendit visite à de nombreuses reprises aux cousins Vilato d'Espagne. Elle s'installa même à Barcelone entre 1955 et 1958.

Pablo était très fier d'elle. Il avait trouvé en Maya la confidente idéale. De surcroît, elle lui ressemblait étrangement. Et, comme lui, elle était peu sensible aux biens matériels. Ne lui a-t-il pas proposé, au milieu des années cinquante, de lui acheter un appartement sur le port de Saint-Tropez, au-dessus du bar *Le Gorille* ? Elle refusa. Puis ce fut un grand terrain de deux hectares sur la plage de Tahiti à Pampelonne. Nouveau refus. « Je n'en ai pas besoin », répondait-elle souvent. Elle avait été témoin des sollicitations variées que recevait son père et, abasourdie par ces audaces, elle en avait compris les dangers : être redevable, c'est perdre sa liberté.

Compte tenu de l'emprise de Picasso sur les êtres, elle voulait à tout prix préserver cette liberté, et la qualité de leur propre relation personnelle. Elle osait lui dire ce qu'elle pensait, ce qu'il appréciait. Elle était devenue adulte bien avant l'âge, et gérait, alors qu'elle n'avait même pas quinze ans, la pension que Pablo versait à sa mère. Ma grand-mère Marie-Thérèse était un peu insouciante...

Après avoir partagé plus qu'à satiété l'intimité de son père et ses confidences d'amant, après avoir pris soin de Claude et de Paloma, après avoir assisté au départ de Françoise et à l'arrivée de Jacqueline, Maya décida donc de partir à l'automne 1955. Elle allait être majeure, elle n'avait aucune dette morale ou matérielle envers quiconque, elle avait des rêves de femme à accomplir. Pablo ne pouvait se passer d'elle ; elle pouvait se passer de son père. En un sens, elle quitta son père comme Françoise Gilot avait quitté son compagnon. Solitaire il était dans son art ; solitaire il serait dans sa vie. C'est sans doute cette « audace » qui força le respect de Pablo pour Maya.

À son retour définitif d'Espagne, Maya rencontra mon père, officier de marine, en 1959. Le mariage eut lieu fin 1960, et Pablo offrit à ma mère, en guise de dot, la somme de 25 millions de francs de l'époque (2 107 500 francs réévalués, soit 321 286 euros). Quel geste de rancune ! Qui peut encore l'accuser d'avarice ?

Quant à Claude et Paloma, après la séparation de leur mère Françoise et de leur père Pablo fin 1953, ils reçurent une pension alimentaire jusqu'à la mort de ce dernier. La parution du livre de Françoise Gilot[1], en 1964, fit enrager Pablo, mais ne mit jamais fin à l'aide matérielle qu'il versait aux enfants. Cette manne n'empêcha pas Claude de devenir photographe, à la fin des années soixante, notamment à New York où il travailla pour le magazine *Life*, ni Paloma de débuter une carrière prometteuse de dessinatrice de bijoux, sa passion d'enfance, chez le joaillier d'origine grecque Lalouanis. L'un comme l'autre, cumulant les atavismes paternel et maternel, ont rejoint l'univers artistique.

En ce qui concerne la génération suivante, la mienne, celle des petits-enfants de Pablo, nous sommes six. Dans l'ordre chronologique : Marina et son demi-frère Bernard (les enfants de Paulo), Richard, Diana et moi (les enfants de Maya), et Jasmin (le fils de Claude).

L'aînée, ma cousine Marina, a raconté, je l'ai déjà mentionné, sa propre relation à notre grand-père dans un essai[2], coécrit avec Louis Vallentin. Elle y « déclare » Pablo responsable de tout et de tous. Elle insiste sur sa totale indifférence, et raconte des « souvenirs » dont la particularité singulière est, comme je l'ai souligné, de ne mentionner aucune date précise. Les invectives qui émaillent ce livre m'ont bouleversé, et elles ont troublé tous ceux qui ont connu notre grand-père : « un gnome d'à peine un mètre soixante[3] », « mélange de promesses non tenues, d'abus de pouvoir, de mortifications, de mépris mais surtout d'incommunicabili-

1. *Life with Picasso*, *op. cit.*
2. *Grand-Père*, *op. cit.*
3. *Ibid.*, p. 27.

té[1] », « diabolique[2] », « rustre qu'il était[3] », « un manipulateur, un despote, un destructeur, un vampire[4] », « le grand aficionado de la détresse humaine[5] »... Le chapelet de louanges culmine en ses mots, que chacun saura apprécier : Picasso, « le génie du mal[6] » !

Marina prévient néanmoins son lecteur : « Mon propos n'est pas de dire du mal de Picasso[7] ». Qui en douterait ?

Malgré le manque de dates, les descriptions ne peuvent qu'émouvoir, et je l'ai été, sincèrement. Je l'avoue. Mais ce n'est pas un roman, malheureusement. Faudrait-il occulter les responsabilités partagées de chacun, pour ne retenir qu'un coupable idéal ?

Il nous faut rappeler un point essentiel : Marina et Pablito ne sont que les petits-enfants de Pablo Picasso et, avant tout, ils sont les enfants de Paulo et d'Émilienne. Reprécisons par ailleurs, pour mémoire, que, en mai 1949, Paulo n'a pas encore épousé Émilienne – toujours mariée à un autre homme – à la naissance de leur premier enfant, Pablito. Les noces avec Paulo ont lieu en mai 1950. Une nouvelle vie commence pour elle : elle devient enfin Mme Picasso. Au mois de novembre suivant, elle donne naissance à un deuxième enfant, Marina. Et Marina a bien insisté sur les traits originaux de cette mère. Émilienne, particulièrement fière d'être la belle-fille de Pablo Picasso[8], estimait, selon Marina, qu'elle pouvait prétendre au train de vie présumé de son illustre et richissime beau-père. Seulement, c'est le fils qu'elle avait épousé et elle devait se contenter de la pension variable, semble-t-il, que Pablo versait. Peu après la naissance de leur fille, le couple se sépare, au printemps 1951.

1. *Ibid.*, p. 34.
2. *Ibid.*, p. 39.
3. *Ibid.*, p. 64.
4. *Ibid.*, p. 134.
5. *Ibid.*, p. 109.
6. *Ibid.*, p. 63.
7. *Ibid.*, p. 33.
8. *Ibid.*, p. 40, 42-43, 56.

L'aventure a tourné court. Marina décrit par le menu leurs difficultés matérielles. Il est vrai qu'Émilienne se refuse à travailler, eu égard à son « rang ». C'était une décision personnelle, un choix qui est devenu un problème matériel, mais auquel notre grand-père était étranger. Je me suis étonné que Paulo ne versât pas régulièrement de pension alimentaire. Curieusement, Marina n'en fait pas état dans son récit, se limitant à indiquer que Paulo reversait, aléatoirement et avec parcimonie, une partie insuffisante de sa propre pension.

Le tribunal de Grasse a pourtant fixé une pension, à la charge de Paulo, déterminée pour les seuls enfants. Marina s'interroge également sur le fait que son père n'y fut jamais contraint, sans chercher la moindre réponse.

Me Armand Antébi, l'avoué de Pablo, fut également celui de Paulo pour le règlement du divorce d'avec Émilienne. Il garde en mémoire une terrible audience de non-conciliation en septembre 1952.

Le tribunal prononça le divorce le 2 juin 1953, condamna Paulo à verser une modeste pension alimentaire pour les enfants. Les juges n'accordèrent pas de pension alimentaire personnelle à Émilienne.

Émilienne fit appel du jugement. Commencèrent d'âpres discussions. D'abord, les manœuvres d'Émilienne, toutes balayées par les juges : « incidents » de procédure, telle cette inexplicable exception de nationalité concernant Paulo (Serait-il espagnol ? Le divorce n'existe pas alors en Espagne...), un pourvoi en cassation réputé suspensif – car prétextant une signification du divorce qui lui aurait été mal adressée – mais qu'elle avait déposé hors délai (au bout d'un an !). S'y ajouta sa fameuse demande d'expertise psychiatrique de Paulo, qui fut rejetée, et une autre demande de surveillance et d'assistance éducatrice auprès des enfants, qui lui fut accordée en avril 1957.

Au cours des cinq ans que dura la procédure d'appel (un record !), Émilienne essaya d'obtenir une pension plus importante de son époux, ce qui peut sembler normal, si elle n'avait exigé un montant en rapport avec la fortune de son beau-père Pablo. Parce qu'elle était mariée à Paulo sous le régime de la communauté universelle, elle imagina, après la mort d'Olga (la mère de Paulo), en février 1955, de récupérer sa partie de l'héritage d'Olga qui aurait dû revenir à Paulo, alors que la procédure d'appel n'étudierait que la période préalable à 1953, au mieux... C'était surtout une façon de mêler Pablo à la procédure. Il fallait donc que la procédure débutée en 1951 et le divorce prononcé en 1953 soient nuls pour pouvoir à nouveau tout reconsidérer à partir de février 1955... Dans le but logique de contraindre Paulo à exiger son héritage auprès de Pablo. Et de partager ensuite.

Entre 1953 et 1958, Jacqueline et Pablo exprimèrent clairement leur volonté de ne plus entretenir de rapports avec Émilienne. Les portes de *La Californie* restèrent closes. Comme elle avait la garde officielle de ses enfants, Pablito et Marina, ceux-ci furent les victimes involontaires de ces démêlés, comme c'est souvent le cas dans bien des divorces.

J'ai déjà raconté comment Marina et Pablito ne virent, malheureusement, notre grand-père que « par défaut ». Toutes les autres tentatives inopinées d'Émilienne de les envoyer en éclaireurs essuyèrent le refus ferme et poli de la gardienne.

Le règlement définitif du divorce en janvier 1958 figea dramatiquement la situation des enfants de Paulo et d'Émilienne : ils étaient confiés à la garde exclusive de leur mère, et aucune modalité n'était fixée pour autoriser les visites du père ! Entre-temps, Pablo, conscient de la tempête au milieu de laquelle vivaient les enfants, avait fait une demande de garde qui entraîna nécessairement une enquête sociale, puis une enquête de police. Malgré ses bonnes intentions, sa propre situation de père « multiple », peu en phase avec la rigoureuse législation, et les atermoiements d'Émilienne, rendirent vaine son utile proposition.

La pension qu'Émilienne réclamait dans la procédure fut revue à la baisse. Une certaine Mme Bœuf, assistante sociale à Nice, fut commise pour contrôler les conditions matérielles et morales qu'offrait Émilienne aux enfants et... envisager leur placement dans des établissements appropriés !

Il y a toujours deux absents sur les clichés pris à Cannes, à Vauvenargues, à Mougins ou aux corridas avec Pablo : Pablito et Marina. Dans son livre, *Grand-Père*[1], Marina légende « par erreur » deux photos essentielles : sur l'une, elle se désigne comme le bébé dans les bras de Pablo, bébé qui est en réalité Paloma ; sur l'autre, elle affirme être avec Pablito dans les bras de leur père Paulo, or si le cliché représente bien Pablito, en revanche l'autre enfant est Claude ! Marina n'était pas encore née. Dans son premier livre, *Les Enfants du bout du monde*[2], elle légendait ainsi une photo de Pablo et Jean Cocteau lors d'une soirée de cocktail : « À *La Galloise*, Vallauris, 1956 ». Or la villa *La Galloise* ne fut plus habitée par quiconque après le printemps 1954 (Pablo s'est installé à cette date chez Jacqueline, sa nouvelle liaison, dans sa villa *Le Ziquet*) et fut entièrement vidée en 1955. Cela s'est donc passé ailleurs.

Tous ces éléments confirment tristement le pressentiment que nous avions tous, et notre certitude que les descriptions des visites à Pablo Picasso racontées par Marina sont des reconstitutions bien incertaines. Pourquoi ? Lui a-t-on menti ? Qui a osé ?

Je ne m'en réjouis pas, car Pablito et Marina, mes cousins, ont vécu une bien triste expérience. L'enchaînement d'un mariage raté et d'une procédure de divorce désastreuse a figé leur destin. J'aurais préféré que cette re-création de l'imagination de Marina reste une récréation personnelle. Il est inacceptable d'avoir publiquement raconté un passé illusoire. Pour quelle satisfaction ?

1. *Ibid.*
2. *Op. cit.*

Quels sont les faits ?

Fidèle à ses principes, touché par la situation de ses petits-enfants mais non autorisé à en avoir la garde, Pablo décide de payer les frais de scolarité [1] de Pablito et de Marina – charge à eux de réussir. Après l'école protestante de la Colline, le cours Chateaubriand. Ce qui n'empêche pas Marina de déclarer qu'« on » lui a refusé de faire des études de médecine, pour devenir pédiatre, parce que c'était trop long, que cela aurait coûté trop cher ! Ce « on », c'est Pablo Picasso, représenté par Me Antébi, l'interlocuteur de Pablito et Marina, qui n'aurait donc jamais accepté une telle dépense !

Me Antébi m'a raconté de vive voix l'entrevue dont fait état Marina dans ses livres. Pablito et elle l'ont en effet rencontré à son étude de la rue d'Antibes, à Cannes, en 1968 : « Voilà comment j'ai connu les enfants. Ils sont venus me voir au bureau pour m'exposer leurs desiderata... Ils avaient des exigences qui correspondaient à la fortune supposée de Picasso. »

Pablito voulait être « diplomate », « il n'avait même pas le brevet élémentaire. Il était... ». Pablito, l'aîné de dix-huit mois, était dans la même classe de seconde que sa sœur Marina. L'avoué se souvient que Marina ne parlait pas. Me Antébi leur a rappelé que sa mission était de payer les frais de scolarité, rien de plus. Selon lui, Marina n'a pas demandé à faire des études de médecine. Me Antébi n'a jamais revu les deux jeunes gens.

Cet entretien a été relaté de deux manières différentes par Marina : dans son premier livre, en 1995 [2], elle le situe à la fin de la classe de seconde (en 1968) sur la recommandation de Pablito ; puis, dans son second livre, en 2001 [3], elle change

1. Pablo avait préféré payer directement l'enseignement des enfants pour avoir la certitude que les sommes nécessaires étaient employées à cet effet.

2. *Les Enfants du bout du monde*, *op. cit.*

3. *Grand-Père*, *op. cit.*

son récit et le situe après le baccalauréat, donc deux ans plus tard, sur la recommandation de sa mère !

Puis, Marina a raconté d'abord[1] que Pablito a refusé de passer le baccalauréat en fin de terminale, puis, dans son second livre[2], affirme que tous deux l'ont obtenu ensemble avec la mention « Ouf » ! Auquel de ses livres se fier ? Le rectorat de l'Académie de Nice connaît les réponses...

Pourquoi, dès lors, accuser notre grand-père, au sujet d'une question d'études en médecine qui ne s'est jamais posée ? Pourquoi le faire passer pour un ignoble pingre, ou s'attaquer à Jacqueline qui « aurait » refusé à sa place ? Pourquoi ne pas avoir parlé de ce fameux projet d'études à Pablo lui-même, de vive voix, lors de cette « visite » racontée à *Notre-Dame-de-Vie* à Mougins en 1969 ? Étrange ? Il aurait pu répondre[3]. Dans ce livre, Marina ne relève même pas que, à cette époque, Pablo avait quatre-vingt-sept ans, qu'il venait d'être opéré de la vésicule biliaire – et probablement de la prostate. Peut-on sincèrement reprocher à un homme aussi âgé, d'être fatigué, d'être « évasif » ?

Enfin, si l'on s'en tient uniquement aux récits de Marina relatifs aux déclarations publiques d'Émilienne ou à ses « prétentions », on peut comprendre que Jacqueline et Pablo aient pris, sans doute à contrecœur, leurs distances avec ces enfants.

Faire ce qu'on a envie de faire

Selon Maya, Pablo ne se projetait pas dans l'avenir. Il aurait été incapable de dire : « Plus tard, tu auras ça ». Non,

1. *Les Enfants du bout du monde*, *op. cit.*, p. 108.
2. *Grand-Père*, *op. cit.*, p. 157.
3. Une photo de Pablito et Marina, seuls, fut prise à cette occasion, devant la statue de *L'Homme au mouton* installée devant les grilles coulissantes de la galerie du rez-de-chaussée de la villa, à Mougins et non pas « à Vauvenargues » comme légendé, encore, par erreur sous la reproduction du cliché dans le livre de Marina, *Grand-Père*. *L'Homme au mouton* ne s'y trouva jamais.

s'il donnait, il le donnait tout de suite ou il donnait les moyens de l'obtenir. Ainsi, en père philosophe, il a offert à ma mère l'une de ses premières chaussures (il donna l'autre à sa propre mère), parce qu'il considérait que c'était une chose essentielle sur terre. C'était un symbole. Il disait qu'un homme ou une femme ne sont libres que le jour où ils marchent pour la première fois sans l'aide de leur père ou de leur mère.

Pablo était né à une époque où le travail des enfants était légal, où les difficultés de la vie courante endurcissaient, où la maladie et la mort rôdaient dans les familles. Les plus jeunes aidaient les plus âgés. Dans un éternel renouvellement. Le fondement de la société était le travail, surtout depuis la révolution industrielle du XIXe siècle et la déliquescence des fortunes de l'Ancien Régime. Les entrepreneurs étaient les nouveaux maîtres.

Pablo estimait qu'il fallait toujours aider en visant l'épanouissement de l'autre – et non pas par une pitié passagère. « L'essentiel, disait-il, est de faire ce qu'on a envie de faire. » Il en avait fait sa devise, la clé de sa liberté, de sa réussite.

Selon Jean Leymarie, l'éminent historien d'art, « Picasso était extrêmement généreux, c'est-à-dire qu'il voulait que chacun s'accomplisse dans ce qu'il était. Par conséquent, si toi tu es marchand de tableaux, tu dois gagner de l'argent. Tu dois faire ton boulot sérieusement, et tu dois en récolter les fruits. Moi qui fais de la critique d'art, il m'a donné tous les moyens de le comprendre. Ensuite, comme il savait que je refusais les cadeaux en tant que conservateur de musée, il m'a fait quelques dessins comme ça, sur des livres, mais par contre il m'a dit plusieurs fois : "Si tu as besoin d'argent, de quelque chose, préviens-moi." »

De la même façon, le célèbre photographe André Villers m'a raconté qu'en 1953 il avait un petit appareil, et l'espoir de devenir photographe. Il croisait souvent Picasso dans la rue et ils se saluaient timidement. Un jour, Pablo remarque qu'il n'a pas son appareil. Le jeune homme lui explique qu'il était cassé. « C'est comme si on t'avait enlevé les yeux ! »

s'écrie Pablo. Le lendemain, Pablo lui envoyait un magnifique Rolleiflex professionnel. Il lui offrait la possibilité de faire vraiment de la photographie, et Villers lui en est resté éternellement reconnaissant.

Le même Villers m'a aussi confié que lorsque le peintre Hans Hartung a dû repasser en Espagne avec leur ami le sculpteur Julio González[1], en 1942, ils reçurent une grosse enveloppe d'argent de Pablo pour les amis politiques espagnols. Hartung a confirmé le fait à Pierre Daix – alors que Pablo n'en avait lui-même jamais parlé à Daix, pourtant l'un des seuls à qui il se confiait sur le plan politique. Villers se souvient également que lorsque Germaine Richier[2] eut des difficultés de santé, Picasso lui a fait passer un petit mot : « Je viens de vendre une gouache. C'est pour vous. Si un jour je suis en difficulté, je saurai que vous êtes là. »

Françoise Gilot[3] a décrit avec précision sa visite avec Pablo du *Bateau-Lavoir* à Montmartre, dans les années cinquante : « Je pouvais mieux comprendre ce que le *Bateau-Lavoir* signifiait pour lui. C'était son âge d'or, quand tout était encore frais et intact, avant qu'il ait conquis le monde pour découvrir que la conquête est réciproque. Quand l'ironie de ce paradoxe le frappait soudain, il était prêt à tout essayer pour retrouver l'âge d'or. Nous avons gravi la pente jusqu'à la rue des Saules. Là, après avoir frappé à la porte d'une maison, il est entré sans attendre. J'ai vu une petite vieille, maigre, malade et édentée, allongée sur son lit. Je suis restée adossée à la porte tandis que Pablo lui parlait à voix basse.

---

1. Julio González (1876-1942), sculpteur catalan que Pablo Picasso a connu au *Quatre Gats* de Barcelone.

2. Germaine Richier (1904–1959), sculpteur française, élève de Bourdelle. Elle se détacha des conventions figuratives conventionnelles en abordant des thèmes animaliers peu courants et en créant des figures allégoriques, des êtres étranges qui conjuguent l'humain, l'animal, le végétal et le minéral. Mêlant formes inventées et réalisme féroce, elle fit subir à l'anatomie d'étranges métamorphoses : mutilations, éléments anguleux, volumes boursouflés. Ses œuvres évoquent un monde d'angoisse, de violence et d'agression où grotesque et tragique se mêlent en découvrant un puissant tempérament expressionniste.

3. *Vivre avec Picasso*, *op. cit.*

Après quelques instants, il a déposé un peu d'argent sur la table. Elle l'a remercié, les larmes aux yeux, et nous sommes sortis. Pablo ne disait rien. Je lui ai demandé pourquoi il m'avait emmenée voir cette femme. "Je veux que vous appreniez la vie, me dit-il doucement. Cette femme s'appelle Germaine Pichot. Quand elle était jeune et très jolie, elle a tant fait souffrir un de mes amis peintres qu'il s'est suicidé. Lorsque nous sommes arrivés à Paris, lui et moi, les premières personnes que nous avons rencontrées étaient des blanchisseurs chez qui elle travaillait. On nous avait donné leur adresse en Espagne et ils nous invitaient assez souvent à déjeuner. Elle a fait tourner bien des têtes, maintenant elle est vieille, pauvre et malheureuse." »

Françoise Gilot[1] n'a jamais mis en doute, à un seul moment, la générosité de Picasso. Pourtant, elle n'a jamais cherché à obtenir de sa part le moindre avantage financier. Et elle s'est amusée à décrire avec humour les séances de comptage et de recomptage frénétique des liasses de billets soigneusement enfermées dans une malle : « Il demandait souvent en rentrant : "Où est l'argent ?" Je répondais : "Dans la malle" parce qu'il transportait partout avec lui une vieille malle rouge de chez Hermès, remplie de cinq ou six millions en billets, pour avoir toujours avec lui "de quoi acheter un paquet de cigarettes". Mais si, pensant qu'il s'agissait d'un des enfants, je répondais : "Dans le jardin !" Il secouait la tête avec impatience : "Mais non, je veux dire l'argent de la malle. Je veux le compter." Cela ne servait vraiment pas à grand-chose, parce que la malle était cadenassée et que Pablo en gardait toujours l'unique clef sur lui. "Vous allez le compter, disait-il, et je vous aiderai." Il sortait tout l'argent, épinglé par liasses de dix, et en faisait de petits tas. Il comptait une liasse et trouvait onze billets. Il me la passait et j'en comptais dix. Alors, il recommençait et n'en trouvait plus que neuf. Cela rendait Pablo très soupçonneux, et nous nous mettions à vérifier chaque liasse. Il avait beaucoup admiré la

1. *Ibid.*

méthode employée par Chaplin dans *Monsieur Verdoux* et tâchait de compter à toute vitesse comme lui. Il faisait de plus en plus d'erreurs, et il fallait recompter de plus en plus souvent. Quelquefois, tout ce rituel pouvait durer une heure. Nous n'arrivions jamais au même total. À la fin, Pablo se lassait et disait que cela pouvait aller, que les comptes tombent juste ou non. »

Françoise Gilot, dans le récit de leur longue relation, de 1943 à la fin de 1953, n'évoque jamais cette prétendue avarice de Pablo. L'argent semblait extérieur à leur vie commune, non qu'il soit sans intérêt, mais parce que l'argent ne posa jamais aucun problème particulier entre eux. Ils vivaient d'un commun accord fort modestement, principalement à Vallauris, entre la petite villa *La Galloise* et l'atelier du *Fournas*, vieille bâtisse en bien mauvais état.

Patrick O'Brian[1] dit qu'en 1958 « Alice Derain et Marcelle Braque l'informèrent que Fernande, devenue sourde, vieille et arthritique, n'était pas seulement malade, mais sans ressources ; [Pablo] prit une enveloppe, y bourra un million de francs (de quoi vivre pendant au moins une année) et l'expédia à Fernande, qui pourtant l'avait cruellement mortifié en publiant, en 1933, son *Picasso et ses amis* ».

Le témoignage du marchand et collectionneur Heinz Berggruen va dans le même sens : « Tout ce que moi j'ai vu, c'était la générosité même. Il a fait des lithos pour moi ; il ne m'a rien demandé. Il savait très bien que je gagnais pas mal d'argent avec ça. Je ne me souviens pas des détails, je sais simplement que de temps en temps je me sentais en dette envers lui, une dette matérielle. Chaque litho que je vendais pour mille balles, je gagnais mille balles. Alors j'avais un paquet d'argent, je le lui donnais quand nous étions seuls.

« – C'est bien, c'est bien ! disait-il.

« – Vous ne voulez pas que je vous dise combien ça fait ? Est-ce que ça ne vaut pas mieux ?

1. *Pablo Ruiz Picasso*, *op. cit.*

« – Non, non, non, ça va comme ça.

« Et il mettait la liasse dans sa poche. »

Le jeune marchand au regard malicieux, un Allemand établi à Paris en 1948, avait rencontré mon grand-père deux ans plus tard et l'avait conquis. Pablo tenait à l'aider, mais dans son métier, en lui fournissant la matière première de son activité : des œuvres à vendre.

Berggruen ajoute que bien souvent mon grand-père invitait tout le monde au restaurant, pour de grandes tablées *Chez Félix*, à Cannes, à midi ou le soir. Payait-il, ainsi que le veut la légende, en faisant un dessin sur un coin de table ? Pour lui comme pour les autres, ce dessin valait certainement plus qu'un billet de banque. Finalement, tout le monde y trouvait son compte. Loin d'être une forme de mépris, il s'agissait plutôt d'un arrangement qui satisfaisait chacun, un pied de nez au pouvoir de l'argent sur lequel il était conscient d'avoir un ascendant. Il est possible que la légende soit vraie, et que le sentiment d'être plus puissant que l'argent l'ait rendu fort joyeux ! Il battait monnaie à sa manière.

La rumeur prétend encore que lorsqu'il payait en chèque, le chèque n'était pas encaissé, car sa signature avait plus de valeur que le montant du chèque. Mais c'est une rumeur invérifiable, parmi tant d'autres.

Une anecdote vraie, cependant. Pour les quatre-vingts ans de Pablo, en 1961, une corrida est organisée à Vallauris, et le célèbre torero Dominguin met à mort un taureau en l'honneur de Pablo. C'était illégal en France : « Une avocate de la Société protectrice des animaux, m'a raconté Me Antébi, déposa une plainte contre Dominguin, et celui-ci fut condamné à une amende de 100 000 francs. J'ai fait appel et, tout compris, ça a coûté 5 000 francs ! Pablo décida de payer lui-même l'amende de son ami. J'ai dit à Pablo : “Je ne veux pas d'honoraires. C'est pour moi un plaisir de faire quelque chose pour toi mais je ne veux pas en être de ma poche.” Pablo m'envoya donc « son » chèque de 5 000 francs... qu'il avait dessiné comme un vrai, avec l'ordre, la date et la signature ! » Me Antébi décida d'« en être de sa poche », et conserva l'œuvre d'art. Le « chèque » est toujours encadré dans le bureau de sa maison dans le Gers...

On pourrait à la rigueur reprocher à Pablo d'être cabotin avec l'argent. Ainsi, Heinz Berggruen m'a encore raconté : « Au début du gouvernement de Gaulle, on avait créé les billets de 500 francs. Ce n'était pas *Chez Félix*, mais dans un autre bistrot de Cannes, on était un groupe, et quelqu'un lui a demandé :

« – Vous avez vu le nouveau billet de 500 francs ?

« – Non, montrez voir, a dit Pablo.

« J'avais un billet, je le lui ai montré, et il a dit :

« – Vous savez, ils ne sont pas très intelligents au gouvernement. Moi, je devrais être ministre des Finances.

« – Qu'est-ce que vous voulez dire ?

« – Je peux doubler tout de suite votre fortune. Donnez-moi votre billet, encore... Voilà, il y a dans ce billet un petit cercle rond, là.

« Et, en empruntant un crayon (il n'en avait jamais sur lui, et pouvait s'impatienter rapidement si on n'en trouvait pas un), il a fait une petite corrida. Il n'a pas signé, mais il a dessiné une minuscule corrida.

« – Maintenant, ça vaut 1 000 francs.

« J'ai repris mon billet, et le soir, avec d'autres copains, j'ai raconté cette histoire comme je viens de le faire. Et un de ces copains m'a dit :

« – Moi, je te le rachète pour 1 000 francs.

« – D'accord.

« Et il m'a donné 1 000 francs. Les autres se moquaient de moi : “Tu es vraiment un tel matérialiste, tu n'as pas honte ! Picasso te donne ça et...

« – Ah, mais il a dit que ça valait le double, je voulais voir si c'était vrai !”

« Plus tard encore, le même soir, j'ai raconté à Picasso ce qui s'était passé parce que je savais qu'il comprendrait. Il m'a dit : “Vous voyez, j'aurais pu être ministre ! La preuve ! Vous avez fait la preuve, c'est très bien !” »

Berggruen relate par ailleurs, dans son propre livre de souvenirs, *J'étais mon meilleur client*[1], une anecdote assez drôle qui montre combien mon grand-père était conscient de la valeur de son travail, et combien il aimait se moquer de ceux qui le fréquentaient pour ce que valait sa peinture plus que pour lui-même. C'était le revers de la médaille, et il en avait tout à fait conscience.

C'était sur la plage à Golfe-Juan, dans les années cinquante. Il faisait très chaud. Picasso rencontre un antiquaire parisien de la rue de Seine, M. Ascher, qui lui demande de lui faire un tableau. Picasso accepte. « Le lendemain, poursuit Berggruen, Picasso retourna à la plage. C'était l'une des journées les plus chaudes de cet été-là. "Couchez-vous, ordonna Picasso à Ascher en feignant la sévérité, couchez-vous sur le dos et ne bougez plus." Picasso sortit quelques crayons gras de son sac et se mit à tracer des traits lestes sur le ventre généreux de M. Ascher. "Restez bien calme, lui disait-il, il faut que je me concentre." M. Ascher ne bougea pas, suant à grosses gouttes. Ses seins devinrent des yeux, et son nombril, une bouche boudeuse. C'est ainsi que M. Ascher fut transformé en son autoportrait ambulant et dégoulinant de sueur. "Regardez mon corps, disait-il, d'un air navré, c'est un authentique Picasso. Mais que puis-je faire ? Je ne peux ni me baigner, ni prendre une douche. La nuit, j'ai peur de me retourner dans mon sommeil et d'effacer mon portrait avec les draps. Que faire ? Je passe mon temps à me regarder dans la glace – victime de la chaleur et victime de Picasso. Je souffre beaucoup." Comme M. Ascher avait un sens aigu des affaires, il finit par dire en soupirant : "Peut-être devrais-je proposer le portrait sur mon ventre à un grand magazine. Cela pourrait faire sensation. Titre : *Le Picasso ambulant*, ou quelque chose comme ça." Lorsque je rapportai à Picasso les tracas de M. Ascher, il s'en amusa beaucoup. Dans ces

1. Heinz Berggruen, *J'étais mon meilleur client, Souvenirs d'un marchand d'art*, Paris, L'Arche, 1997, traduit de l'allemand *Hauptweg und Nebenwege* par Laurent Mulhleisen.

moments-là, il avait quelque chose de diabolique : “Pauvre M. Ascher, dit-il, je lui ai fait son portrait, et maintenant, il est obligé de vivre avec.” »

Son ami Douglas Cooper, collectionneur et historien d'art, connut une infortune semblable. Il avait abîmé le flanc de sa voiture, une Citroën noire. Une couche d'antirouille avait été posée, en attendant qu'elle retourne dans un atelier de carrosserie. Quelle belle surface ! Pablo jubila et proposa de peindre par-dessus avec des craies. Le dessin était magnifique, de plusieurs couleurs, et la voiture valait désormais une fortune. Pablo proposa d'aller à la plage avec la voiture-œuvre d'art. Cooper s'inquiétait à chaque instant que le dessin pût s'effacer, avec la vitesse et la poussière de la route. Ce qui arriva fatalement, parce que Pablo conseilla de poursuivre le trajet, qui fut interminable... Le dessin avait disparu à l'arrivée ! Douglas Cooper était mortifié, Pablo enchanté de sa blague.

Au début des années soixante, lors d'une corrida à Arles, avec Jacqueline, Paulo et le photographe Luc Fournol, Pablo s'ingénia à vouloir photographier les admirateurs qui l'avaient abordé, avec leur propre appareil. Il essayait chaque fois de « créer » une situation cocasse que les pauvres victimes découvriraient lors du développement de leur pellicule. Luc Fournol avait compris le jeu, et échangea un clin d'œil complice avec lui.

Pablo se méfiait des gens qui lui demandaient des autographes et refusait souvent de signer une image ou un mot à un touriste. Au fond, il contrôlait très bien son propre marché, et ne cessait de répéter : « Je ne fais pas n'importe quoi, j'ai une ligne directrice. » Avec un sourire malicieux.

Il aimait être entouré de ses amis et jouir de la vie avec eux. Au restaurant *La Colombe d'Or*, à Saint-Paul-de-Vence, où il venait souvent avec Simone Signoret et Yves Montand, il croisait Henri-Georges Clouzot, Fernand Léger ou Le Corbusier[1]. Il était un invité permanent.

1. Charles-Édouard Jeanneret, dit Le Corbusier.

Il y a une quinzaine d'années, j'ai longuement remué ces souvenirs avec Montand lui-même. Et l'acteur de me dépeindre, avec de grands gestes, un Picasso truculent et jovial. Il buvait, me dit-il, la jeunesse des autres convives, sans la moindre arrière-pensée, et donnait une leçon de vitalité et d'audace à ses cadets.

J'imagine mal le monstre que certains ont dépeint, cet être sans cœur, Jekyll et Hyde – surtout Hyde. Si monstre il fut, c'était un monstre sacré, et un sacré monstre ! J'en ai reparlé récemment avec Francis Roux, qui a repris le restaurant de ses parents. Il se rappelle, lui aussi, la spontanéité de mon grand-père envers son propre père : lorsque Pablo apprit que ce dernier était très malade, il lui rendit visite et demanda à son fils de l'accompagner à Mougins afin de choisir une toile pour son père. « Francis, viens à l'atelier, lui dit-il, je vais préparer une toile, parce que je sais qu'il aurait tellement aimé avoir une œuvre de moi dans sa maison, viens chez moi, viens choisir. » Francis Roux alla choisir une peinture pour son père, qui est exposée depuis dans la salle à manger du restaurant.

Pablo avait par ailleurs la générosité « intelligente ». Tous les témoignages concordent : il voulait bien donner, pourvu que son geste ait du sens. Il donnait facilement, et beaucoup, quand il savait qu'on en avait besoin ; mais pas s'il estimait qu'il n'y avait pas urgence.

Maya m'a raconté que lorsque son père savait que quelqu'un avait eu un accident de voiture, ou qu'un picador s'était blessé à la corrida, il prenait de l'argent liquide et le lui tendait : « Va le donner. Sa femme va en avoir besoin pour les quelques mois où il va être malade... » L'important était que cela ne mette pas dans l'embarras celui ou celle qui recevait son aide. Elle se souvient que son père n'a jamais refusé de prêter de l'argent à quelqu'un. Il fallait seulement trouver un moyen. Il le donnait d'une « certaine » façon, parce que, disait-il, « si les gens sont dans la dèche, ça sera dur pour eux de le rendre ». Pour Maya, « ce qu'il faisait souvent, c'est qu'il donnait un tableau et puis il disait : "Je t'ai donné le tableau, mais je le reprends, je te l'achète." Et il donnait l'argent en disant : "Comme je sais qu'au fond ce tableau, tu vas devoir le vendre et moins bien que moi, je te l'achète. Le centimètre Picasso vaut tant. Maya, tu calcules..." On n'avait pas de machine à calculer. Donc, il disait : "Je te l'achète tant." Et il donnait l'argent correspondant à la vente fictive, et pourtant réelle. »

L'anecdote vaut pour l'ingéniosité de la méthode, mais aussi pour la pudeur du geste. Mon grand-père n'a jamais eu besoin de l'assentiment des autres pour agir. Il n'aimait pas froisser, ni rabaisser les gens.

Et tout le reste est bavardage de ceux qui ne l'ont pas connu.

J'ai rencontré Georges Tabaraud, l'ancien directeur du quotidien communiste *Le Patriote* sur la Côte d'Azur, à l'occasion de la sortie de son livre de souvenirs *Mes années Picasso*[1]. Il s'est longuement entretenu avec Pablo pendant les vingt dernières années de sa vie. Il était à la fois son ami et un interlocuteur « politique ». Il donne un exemple qui illustre au plus haut point sa « technique » : « En 1963, j'étais à Barcelone... Mon guide s'appelait Minuni, Picasso lui-même me l'avait recommandé. Ancien banderillero, une très grave blessure l'avait obligé à se retirer des courses de taureaux. À l'époque, Picasso, qui assistait à la course, avait pris tous les soins et l'hospitalisation à sa charge. À la fin de sa convalescence, il lui demanda ce qu'il comptait devenir avec son handicap. Minuni répondit qu'avant son accident, il économisait pour acheter un petit bar dans la calle Nero de San Francisco, pas très loin du museo Picasso. Mais l'accident avait tari ses ressources. Picasso s'absenta un moment et revint avec un petit tableau sous le bras : "Tiens, tu n'as qu'à le vendre, et tu auras de quoi t'acheter ton petit bistrot !" Minuni partit avec son tableau. Le lendemain matin, Picasso l'appela au téléphone et lui demanda s'il avait toujours le

1. *Op. cit.*

tableau. Il lui dit de le lui rapporter tout de suite. Minuni vit la fin de son rêve. Sans doute, pensa-t-il, Picasso avait réfléchi. “Écoute, lui dit Picasso, ce tableau, tu ne sais ni combien il vaut, ni à qui tu vas le vendre, tu vas forcément te faire rouler, alors tu me le vends, je te l’achète.”... Picasso prit soin de téléphoner à Kahnweiler (son marchand) pour demander le juste prix à payer : il récupéra son tableau et Minuni acheta le bistrot. »

Les anecdotes semblables sont innombrables – preuve que l’exceptionnel, chez Picasso, était la règle. Me Antébi a assisté au mas *Notre-Dame-de-Vie* à une scène similaire : « Il y avait un tisserand qui faisait des tapis, et il avait reproduit un tableau de Pablo en tissu : c’était splendide ! J’étais avec lui le jour où il a apporté le tapis, et il devait toucher deux millions pour son travail. Pablo lui a dit : “Les deux millions, les voilà, et le tapis, tu le donnes à ton fils !” Pablo n’était pas plus avare qu’un autre... »

Ma mère m’a raconté qu’un ami de Pablo, un sculpteur catalan nommé Joan Rebull, était en France pendant la guerre, en 1942-1944, et avait de sérieux problèmes de survie. Sa sculpture ne se vendait pas bien et Picasso ne savait pas comment l’aider sans le vexer. Or, Rebull avait une petite fille, Elvira, toute petite, toute mince, chétive, qui avait l’âge de ma mère. Elles étaient devenues très bonnes amies. Rebull avait fait une sculpture de la tête de sa petite fille et l’avait offerte à Maya. Picasso a alors proposé à Rebull : « Tu as donné la tête de ta fille à la mienne, pourquoi tu ne ferais pas la tête de Maya maintenant ? » Et il lui fit réaliser une tête de la petite Maya. Pablo acheta la tête que Rebull avait faite, au prix du marché. Il voulait éviter de le rabaisser.

Ma mère a toujours conservé ces deux petites statues qui trônent désormais sur une grande cheminée chez elle. Elles ont une belle signification...

Mon grand-père était aussi généreux avec discrétion. C’est louable dans le principe, mais pas dans les faits ; dans l’ignorance, certains se sont acharnés à l'accuser d'égoïsme, et ont trouvé, malheureusement, des oreilles complaisantes.

Pablo ne se souciait nullement de ces rumeurs. Il craignait davantage de gâter la relation personnelle qu'il avait avec celui ou celle qu'il aidait. Les difficultés de sa jeunesse lui avaient fait connaître le sentiment trouble de celui qui reçoit sans savoir quand il pourra rendre. Il n'oubliait pas ce qu'il avait lui-même subi, et veillait avant tout à n'humilier personne.

Il a raconté à Georges Tabaraud[1] cette anecdote de ses débuts à Paris : « L'hiver 1907-1908 fut dur, exceptionnellement froid. La Seine elle-même charriait des glaçons. Un hiver, rappela-t-il, d'autant plus difficile pour lui qu'après *Les Demoiselles d'Avignon*, ses nouvelles recherches n'avaient pas été vraiment comprises et soutenues par les amateurs, et parfois même par ses propres amis et les critiques qui depuis la période bleue s'intéressaient à son œuvre. Les achats devenaient rares, l'atelier n'était plus chauffé, il n'avait plus de quoi acheter toile ou peinture, ses repas étaient aussi frugaux que ceux de ses saltimbanques. "Manyac et Vollard, mes premiers marchands, dit Pablo, détestaient mes nouveaux tableaux, ils prétendaient avoir déjà trop d'invendus dans leurs réserves pour en acheter davantage." Un matin de grande dèche, Picasso, s'armant de courage, avait été sonner chez le banquier Léo Stein, le frère de Gertrude. "Avant *Les Demoiselles*, continua Picasso, il me comparait toujours à Raphaël... Léo n'était pas encore levé, il me reçut dans son lit. Il fumait une cigarette et lisait les journaux. J'essayai de lui raconter mon histoire, je n'étais pas venu lui demander l'aumône, mais seulement une avance sur un tableau qu'il aimerait et que lui ou sa sœur, un jour, achèterait. Léo m'interrompit par cette petite phrase que je n'ai pas oubliée : 'Pourquoi continuez-vous à peindre des horreurs dont personne ne veut ?'... Il n'a rien voulu entendre, il a ouvert un tiroir, près de son lit et il m'a jeté

1. *Ibid.*

une pièce de 20 francs (environ 400 francs réévalués, soit 61 euros) comme une aumône. Je n'étais pas venu mendier, je me suis demandé si je n'allais pas la lui renvoyer sur la figure, avec le fauteuil et la table de nuit. Mais je n'avais plus de peinture, plus de toile, plus de feu, plus de pain, alors j'ai pris les vingt francs et je suis parti." »

Pablo mettait ses amis moins fortunés sur le même plan d'égalité que lui, et ne faisait pas de différence sociale entre les gens. Certains n'ont jamais compris que Picasso puisse mener une vie simple, rejoindre si naturellement les idées du communisme, tout en étant le peintre contemporain le plus riche.

Les affirmations de quelques biographes un peu « légers » sur sa prétendue avarice m'ont amené à rencontrer ceux qui ont vraiment connu mon grand-père. J'ai étudié de très nombreux livres, corroboré les informations et les dates, consulté des archives privées ou officielles. Mes interlocuteurs m'auraient-ils tous menti ? Personne n'a émis de réserve sur la disponibilité de Picasso et sa générosité. Par déférence ? Peut-être. Par reconnaissance ? Je l'espère. Par honnêteté ? Certainement.

Mes témoins ont souvent été les amis vrais, les visiteurs de l'ombre. Les autres – très peu, heureusement, mais si médiatisés –, ceux qui ont nourri les écrits les plus révoltants, n'ont jamais vu en Picasso (car ils ne connaissaient pas Pablo) qu'un prétexte pour braquer enfin sur eux les projecteurs.

La générosité *politique* de mon grand-père fut d'un caractère tout particulier. J'ai par ailleurs souligné le soutien indéfectible de Pablo à la liberté – telle qu'il l'entendait. J'ai retrouvé la trace des contributions de mon grand-père au Comité d'aide à l'Espagne. Un exemple ? Un don de 100 000 francs (304 500 francs réévalués, soit 46 420 euros) en novembre 1938, en pleine guerre civile. Pierre Daix m'a confirmé que Pablo a régulièrement donné de l'argent à la

Résistance pendant la Seconde Guerre mondiale. Mais n'a jamais fait de publicité à ce soutien financier offert à ses amis. Par principe, il n'en faisait pas état : il se fichait totalement de ce qu'en pensaient les autres.

D'ailleurs, le mot générosité, que je répète ici si souvent mais tout autant que d'autres ont parlé d'avarice, doit plutôt être remplacé par celui de solidarité tant il s'agissait d'un véritable engagement de la part de mon grand-père.

« J'ai toujours vu Jacqueline, poursuit Daix, signer des chèques aux vieux amis... Pablo ne voulait pas que ça se sache. Au besoin, il prenait, en effet, le masque du pingre, parce qu'il recevait tous les jours dix lettres de demande. Chaque fois qu'on disait qu'un Picasso avait battu un record, il y avait tous les tapeurs contre lesquels il fallait qu'il se défende, comme avec les visiteurs. Et ce n'était pas Jacqueline qui décidait. Je suis témoin que ça m'est arrivé, vers la fin de sa vie. Quand un vieux copain l'appelait, il m'envoyait au téléphone parce qu'il détestait répondre. Quand je revenais avec "C'est Untel", il répondait : "Non, je ne veux pas le voir. S'il m'aime, il comprendra." C'était lui qui décidait. Les gens, après, ont fait porter le chapeau à Jacqueline ; mais Jacqueline ne pouvait absolument pas dire un mot. Personne, d'ailleurs, ne pouvait dire un mot en sa présence. C'était ton grand-père qui décidait, et qui décidait oui ou non. »

Jean Leymarie a confirmé cette pudeur de mon grand-père vis-à-vis de l'argent – et des autres. Il a assisté plusieurs fois à ces séances rituelles, où Jacqueline lui apportait un parapheur, et où mon grand-père signait tous les chèques. Non seulement les dépenses courantes, mais aussi les « gestes » envers les gens qu'il aimait ou qu'il avait aimés.

Parfois, Pablo offrit même ses droits d'auteur. Ce fut le cas avec la galerie Madoura. Alain Ramié, le fils des fondateurs, m'a rappelé que Pablo, « en reconnaissance du travail que ses parents, Suzanne et Georges, lui avaient accordé dans l'atelier où tout le personnel était réquisitionné quand il arrivait », leur avait cédé tous ses droits d'édition et tous ses droits d'auteur [sur les céramiques qu'il y avait créées]. « Il s'est rendu compte que, pour mes parents, à l'époque, c'était une perte énorme. La production personnelle de ma mère ne pouvait pas se faire. C'est en reconnaissance de cela qu'il a donné à mes parents en 1948 l'autorisation de faire des tirages. En ce qui concerne les droits d'auteur, il les leur a cédés en 1967. Mon père lui a fait faire ce petit papier pour les ateliers Madoura... », raconte Alain Ramié. J'ai vu ce « petit papier » original, écrit de la main de mon grand-père, témoignage émouvant d'une reconnaissance sincère, et d'une valeur bien supérieure à sa dette. Pablo n'était pas un juriste, ce bout de papier était contestable. Mais, en quelques lignes, d'un effet forcément provisoire, il avait probablement rendu au centuple ce qu'on lui avait prêté ! Discrètement. Sincèrement.

Picasso cependant avait très vite compris les mécanismes de son métier. D'ailleurs, il ne disait pas : « Je vais peindre ou dessiner », mais toujours : « Je vais travailler ». Il y avait à ses yeux un rapport cohérent entre le travail et l'argent. Il exigeait de grosses sommes de ses marchands, mais ne comptait pas aussi précisément celles qu'il donnait. Par ailleurs, il valait mieux s'en remettre à la spontanéité de son calcul, et lui laisser l'initiative, plutôt que d'exiger une facture ou un salaire précis !

Inès Sassier a travaillé pour lui pendant plus de trente ans, au titre officiel de « femme de chambre » – élargi, dans la pratique, à la fonction d'intendante. Elle m'a confirmé que Pablo avait toujours été très généreux avec elle. Elle n'avait pas toujours de salaire fixe, ne demandait jamais rien, mais mon grand-père lui donnait régulièrement de quoi vivre convenablement – et souvent plus. Picasso, en effet, lui offrait tous les ans un portrait qu'il avait exécuté d'elle, et quelques dessins. Cette femme toujours élégante (qui vient de s'éteindre à près de quatre-vingt-cinq ans) m'a raconté comment, à Noël, mon grand-père ne faisait pas de différence entre les cadeaux destinés à Claude et Paloma, et ceux destinés à son fils Gérard, qui avait le même âge.

De même pour son coiffeur et ami Eugenio Arias. Il demeura en fonction auprès de Pablo jusqu'à sa mort. Lui aussi se faisait « payer » en œuvres d'art en échange de ses prestations. Il était le confident bien plus que le coiffeur, car, dans un rituel quasi quotidien, les quelques cheveux blancs de mon grand-père ne lui coûtaient pas un travail énorme. Pablo n'insistait pas moins pour qu'il vienne très régulièrement ! L'ensemble des œuvres dédicacées qu'il a reçues a constitué la première donation, en 1984, puis le legs final, d'un « petit » musée Picasso installé à Buitrago del Lozoya, son village natal, près de Madrid.

Parler de rapport dominant/dominé, entre mon grand-père et ceux qu'il aidait, ne me paraît pas forcément dénué de fondement. Mais d'aucuns prennent pour un postulat ce qui n'était qu'une conséquence. Les victimes supposées ont, dans l'ensemble, choisi leur sort.

L'exemple le plus complaisamment cité est celui de Paulo. Marina, sa fille, le décrit comme « un père déficient... une marionnette [1] », jalousé par Pablo qui aurait vu en lui un concurrent et n'aurait eu de cesse de le saccager et d'annihiler toute tentative d'émancipation... Pourquoi diable Pablo aurait-il agi ainsi ? N'avait-il lui-même suffisamment de satisfactions personnelles pour jalouser la chair de sa chair ? Paulo n'avait, ni dans sa vie affective, ni dans ses accomplissements professionnels, jamais laissé soupçonner un commencement de concurrence !

Il est vrai que Marina n'a pas eu beaucoup d'occasions d'étudier *in situ*, et n'avait pas l'âge de comprendre les relations de Pablo avec Paulo [2]. Le jugement donc me paraît sévère et échappe à l'entendement.

D'une façon générale, il n'y a pas la moindre preuve que l'aide financière que Pablo a pu apporter à sa famille, à Olga

1. *Grand-Père*, *op. cit.*, p. 21.
2. *Les Enfants du bout du monde*, *op. cit.*, p. 91.

ou à Marie-Thérèse, à Paulo, Claude ou Paloma, ait donné lieu au moindre marchandage moral. Quelles que soient la nature et la qualité de ses relations, affection réelle ou conflit ouvert, il assumait pleinement ses décisions. Selon un engagement définitif et, finalement, naturel.

Et s'il y avait des ratés, des oublis, tout rentrait rapidement dans l'ordre.

Ainsi, sans explication, le versement de la pension que recevait Marie-Thérèse depuis des décennies est interrompu au printemps 1970. Il peut s'agir d'un oubli : Marie-Thérèse attend un peu ; rien n'arrive... Affolée, elle écrit à Pablo une lettre par trop émotionnelle, presque superstitieuse, qui crispe la situation : l'ensemble du courrier était ouvert par Mariano Miguel et visé par Jacqueline. La tolérance de Jacqueline pour la poursuite des échanges entre Marie-Thérèse et Pablo a trouvé sa limite ultime.

Marie-Thérèse, laissée sans réponse, consulte un avocat, Me Georges Langlois, pour reprendre contact avec Pablo avec plus de diplomatie. Acculée par le besoin, elle pense alors vendre certaines des nombreuses œuvres que lui a données Pablo. Avertie par sa mère, Maya contacte un marchand américain de ses amis, Franck Perls [1], à Los Angeles. Il se rend à Paris, rencontre ma grand-mère et lui propose de lui acheter l'ensemble de sa collection, peintures, dessins et lithographies.

Pour la première fois de sa vie, elle devait prendre une décision déchirante. L'offre est importante, mais certainement très inférieure au cumul des ventes séparées de chaque œuvre. Et puis, elle ne veut pas se séparer de tous ses souve-

1. Franck Perls, fils de la marchande d'art Kate Perls, d'origine allemande, qui avait fait la connaissance de Pablo avant la guerre. Ils étaient toujours restés en contact et son fils, installé à Los Angeles, était devenu un ami de la famille, notamment pendant la période de Françoise. Il s'était associé en Europe avec Heinz Berggruen, le jeune marchand allemand spécialisé en gravures qu'appréciait beaucoup Pablo. Perls organisa plusieurs expositions à Los Angeles y compris en collaboration avec le UCLA Art Council (pour lequel Pablo proposa de réaliser plusieurs séries de lithographies en 1961) et le Los Angeles County Museum of Art en 1966.

nirs. Ils font partie de sa chair. Que décider ? Marie-Thérèse se sent perdue, entre hier et aujourd'hui, l'illusion et la réalité.

Naturellement, les œuvres ne sont pas signées : Pablo avait pour politique de ne signer que les œuvres dont « il » avait décidé de se séparer. Celles qu'il donnait autour de lui étaient censées rester dans la « famille »... Or il est infiniment précieux, à cette époque, pour les marchands que les œuvres destinées à la vente soient signées par Pablo, cela a valeur de preuve. Perls et son associé, le marchand Heinz Berggruen, qui entretiennent d'excellentes relations avec mon grand-père, se rendent à Mougins, pour montrer les œuvres au maître et les lui faire signer.

Ils lui ont annoncé qu'ils lui présenteront une centaine d'œuvres. Pablo est fort curieux de savoir d'où peut bien provenir une telle quantité. Mais Berggruen n'en a apporté que quelques-unes avec lui, et en particulier une gravure exceptionnelle de la *Minotauromachie* qui lui appartient et qu'il souhaite se faire dédicacer au passage.

Mon grand-père est surpris que Marie-Thérèse veuille vendre ses œuvres. Il ne semble pas au courant de ses besoins impérieux... Il va signer, quand Jacqueline apparaît. L'entretien tourne à l'orage. Pablo est ému et fatigué, Jacqueline est bouleversée : vient de surgir entre eux, par ces quelques toiles revenues du passé, la réalité de la relation entre Pablo et Marie-Thérèse. Jacqueline pique une colère noire et « interdit » à Pablo de signer : les œuvres n'étaient, selon elle, qu'en dépôt chez Marie-Thérèse ! « Elle n'a qu'à travailler, lance-t-elle. Pourquoi ne s'engage-t-elle pas comme femme de ménage ? » Et elle quitte la pièce.

« Pablo était livide », m'a confié Berggruen, lui-même visiblement troublé par le seul souvenir de cette scène.

Les deux marchands sont tétanisés. J'ai déjà expliqué que Pablo détestait que l'on vende ses œuvres et préférait les vendre lui-même. Il s'inquiétait également que les amateurs se fassent rouler par les marchands. Mais il s'agit ici, avant tout, de ses cadeaux sentimentaux, et le déchirement est immense. L'argent, il en a, il en donne. Mais les œuvres qui sont de véritables déclarations d'amour, c'est tout à fait différent.

Prétextant de la colère de Jacqueline, qu'il ne pourrait calmer, Pablo refuse soudain de signer. Il dédicace rapidement la gravure de Berggruen et se retire, épuisé par l'incident.

Puis il fait intervenir Roland Dumas, qui prend contact avec Me Langlois...

Quelques tractations plus tard, Marie-Thérèse s'engageait à ne pas vendre les œuvres du vivant de Pablo, et elles demeuraient siennes sans contestation aucune. Le versement de la pension reprit immédiatement. Après tout, l'entretien de Marie-Thérèse pouvait apparaître, après tant d'années, comme une obligation naturelle et légale... Le cœur rejoignait la raison, dans la douleur.

Dora Maar possédait plusieurs carnets de dessins que Pablo lui avait offerts. Un jour où elle avait besoin d'argent, bien après leur rupture au sortir de la Seconde Guerre mondiale, elle vendit séparément les feuilles d'un des carnets. Mon grand-père en fut fou de rage ! Il préféra alors l'aider financièrement plutôt que de la voir disperser ses œuvres. Il lui était aussi venu en aide quand, victime d'une dépression nerveuse après leur séparation, elle eut une crise hystérique de mysticisme. On l'avait internée à l'hôpital Sainte-Anne ; Pablo l'en fit sortir et demanda à son ami, le psychanalyste Jacques Lacan, d'intervenir. Elle commença alors une sérieuse psychothérapie. Pablo lui offrit ensuite une maison à Ménerbes dans le Vaucluse, en souvenir de leur complicité intellectuelle et de son soutien aux heures les plus sombres de la guerre d'Espagne, puis de la Seconde Guerre mondiale. Elle passa le reste de sa vie dans le mausolée qu'elle s'était secrètement construit autour de son amant évanoui, caverne de trésors retrouvés à sa mort, vendus ensuite aux enchères après d'émouvantes présentations à un public touché qui découvrit toute la tendresse et la violence de leur relation. Aux côtés de toiles importantes, la valeur sentimentale des petits objets l'emporta largement sur la cote officielle, et la vente fut un vrai succès. Le public s'était fondu dans l'intimité de Pablo...

La situation de Pablo, absolument unique, tant en fortune qu'en célébrité, l'a amené à être plus que quiconque sollicité. Les grandes organisations de solidarité n'existaient pas encore. Aujourd'hui, des personnalités interviennent pour stimuler la générosité du public, elles ne se substituent pas à lui. Ce que l'on demandait alors directement à Pablo, c'était de l'argent.

À noter que cette solidarité dont fit constamment preuve mon grand-père s'est transmise à l'ensemble de notre famille. Comme lui, Maya, Claude et Paloma ont toujours, anonymement, donné de leur temps et beaucoup de leur argent, au mieux de leurs possibilités, soit pour la recherche médicale, soit pour des causes humanitaires ou caritatives. Ils ne seront peut-être pas contents que je le révèle, mais cela a valeur d'exemple. Je me souviens avoir souvent questionné ma mère sur les invitations qu'elle recevait d'institutions pour la recherche médicale. Leurs responsables, me répondait-elle, considéraient que, au regard de son soutien, elle pouvait bien participer aux galas organisés pour remercier les donateurs et recueillir d'autres fonds – quoiqu'elle désirât toujours rester anonyme, quelle que fût l'importance de sa contribution. De sorte qu'elle ne répond jamais aux invitations. Plus récemment, elle a passé des journées entières à l'hôpital, auprès de malades cancéreux, pour leur apporter aussi sa bonne humeur. Je la voyais bouleversée, à son retour, mais si contente d'avoir su partager ses sourires avec eux !

Si je me permets de le dévoiler ici, c'est que j'en éprouve une très grande fierté. Par fidélité à son action, et en fonction de mes propres moyens, j'essaie de répondre moi-même aux grandes causes nationales, comme le font d'ailleurs des millions de Français.

La fondation Marina Picasso, créée il y a une dizaine d'années, à Thu Duc, dans la banlieue nord d'Hô Chí Minh-Ville pour venir en aide à des orphelins vietnamiens, apporte une illustration supplémentaire de cette tradition familiale de solidarité. Ce n'est pas une fondation publique au sens traditionnel, puisqu'elle ne fait pas appel à des dons extérieurs et qu'elle est financée seulement par Marina. Par cette « redistribution » à laquelle chacun de nous – conscients que le hasard de notre naissance et le travail de notre aïeul nous ont largement privilégiés – veut contribuer, Pablo obtient en quelque sorte une deuxième vie.

J'ai raconté comment Pablo avait vécu, à son arrivée à Paris, dans des conditions matérielles délicates. Mon grand-père, qui ne savait pas de quoi l'avenir serait fait, était obligé d'être économe. Et il est resté cet émigré espagnol qui avait appartenu à une classe défavorisée, abusée parfois.

Quand tout ce qui jaillissait de ses mains valut de l'or, il eut le réflexe de sacraliser son travail. Son art était un droit, pas un passe-droit. Malgré sa convivialité, il était très sérieux, voire intransigeant sur certains points, dont l'art et l'argent.

L'un des fils de Heinz Berggruen voulut rendre visite à l'improviste à Picasso. « Tu veux aller chez Picasso, mais je ne sais pas s'il va te recevoir », lui dit son père pour le mettre en garde. « Si, si, un garçon de Californie... », lui répondit le jeune garçon en pensant que sa double étiquette séduirait Pablo. Il se rendit à Mougins, il sonna à la porte, et fut, paraît-il, très déçu que Picasso ne daigne pas l'accueillir. Il s'était présenté comme le fils de Berggruen, et quelqu'un lui avait dit que Picasso n'avait pas le temps. Il n'a même pas pu lui parler. En la matière, mon grand-père ne faisait jamais de favoritisme.

S'il était avare d'une chose, ce n'était donc que de son temps. Ce sentiment frustrant de la fuite du temps l'a amené à froisser, décevoir, voire humilier, sans le savoir, bien des gens. Il a quelquefois laissé sa porte fermée à ses enfants ou ses petits-enfants. Et cette course contre la montre s'est accélérée au fur et à mesure qu'il vieillissait. Même Paulo, le plus âgé des enfants, devait s'annoncer à son arrivée sur la Côte. Il le faisait tout naturellement, sans prendre ombrage, au cas où quelqu'un lui aurait répondu au téléphone : « Monsieur préfère que vous veniez plutôt demain ! » Il savait que son père n'aimait pas être dérangé quand il travaillait. Le lien qui les unissait se passait d'ailleurs de la proximité physique. On comprend aussi que Paulo, devant coordonner ses visites à son père avec celles à ses propres enfants, Pablito et Marina (dont il n'avait pas la garde), ait trop souvent renoncé à les faire coïncider... Malheureusement.

Tant qu'il pouvait contrôler sa célébrité, il est resté très accessible. Mais à partir de l'après-guerre, il est devenu un personnage public mondial. Le temps qu'il aurait pu consacrer à sa propre famille a peu à peu été « grignoté » par tous ceux qui voulaient le rencontrer. Il a fallu le fragmenter à l'excès. Paulo, Maya, ses deux enfants les plus âgés à l'époque, disposaient d'une indépendance que les plus jeunes, Claude et Paloma, n'avaient pas. La séparation de leurs parents, à l'automne 1953, a accentué cette incommunicabilité grandissante. Pourtant, Pablo s'est appliqué à les recevoir, très régulièrement, durant les vacances scolaires et certains week-ends, comme le font la plupart des parents séparés. L'arrivée de Jacqueline dans sa vie n'a pas été le seul facteur d'isolement.

En outre, il faut tenir compte du fait que, dans les années cinquante, Pablo était un jeune papa déjà septuagénaire. Les enfants, involontairement, ne pouvaient qu'accentuer, à ses yeux, la fuite du temps.

Gérard Sassier, témoin privilégié, se souvient de sa constante préoccupation : ne pas perdre de temps, se consacrer entièrement à son travail. « Il n'y avait que ça qui l'intéressait. Les choses à acheter, la vie active, non. Hors du temps, il n'était pas matérialiste pour un sou ! » Il vivait avant tout par et pour son travail. L'argent n'était qu'un moyen pour parvenir à exercer sa passion, tout en demeurant, *in fine*, son résultat. Daniel-Henry Kahnweiler raconte dans ses *Entretiens*[1] que l'une des choses qui comptaient le plus

1. *Entretiens avec Francis Crémieux, op. cit.*

pour mon grand-père était la création. Or, un jour, « il a été cambriolé, on lui a volé tout le linge et on a laissé les tableaux. Il n'était pas content, il aurait préféré qu'on vole les tableaux ». Le voilà contraint de s'occuper des contingences domestiques – et ça l'ennuyait ferme. Les tableaux, ce n'aurait pas été un problème, il en aurait fait d'autres (en dépit de la petite vexation de voir que du linge avait été préféré à ses œuvres)...

J'ai dit combien il aimait son travail, combien il en était fier – et comme il était toujours attristé de devoir se séparer de ses toiles. Fernande, citée par Antonina Vallentin[1], confirme qu'elle a « toujours vu Picasso désolé de devoir vendre sa peinture ». Sa passion pour son travail était peut-être excessive. À côté de cette passion, l'argent ne représentait rien. Mon grand-père avait un besoin *physique* de créer. S'il n'avait été célébré et riche, il serait mort pour son art, peintre maudit, sans le sou.

Quand Patrick O'Brian[2] évoque le rapport de Picasso à l'argent, il ne peut s'empêcher de dire que « Picasso aimait l'argent, c'est indubitable ; et il aimait le conserver ; mais ce qui, dans ce domaine, le distingue de la plupart des hommes, c'est que l'enrichissement ne le comblait pas d'une orgueilleuse exultation. Marchander, vendre, l'épuisait ; se séparer d'une toile le déprimait ; c'était l'une des plus rares choses qui suspendaient son travail. Pendant des jours, après une vente, il ne pouvait s'arracher à la mélancolie.

« Il aimait peindre, il ne pouvait concevoir la peinture sans amour. Alors qu'il était encore très impécunieux, Vollard lui commanda une copie de *L'Enfant au pigeon*. "Picasso me regarda surpris, raconte Vollard. 'Mais je n'aurais aucun plaisir à copier mon propre tableau ; comment supposez-vous que je puisse peindre sans joie ?'" »

1. *Picasso*, *op. cit.*
2. *Pablo Ruiz Picasso*, *op. cit.*

Nous sommes bien là au cœur du sujet : travailler le comblait de bonheur. Il n'avait plus besoin de se soucier des aspects matériels de la vie puisqu'il vivait à l'abri du besoin, dès 1916. « Je voudrais vivre comme un pauvre, avec beaucoup d'argent », dit-il un jour à Kahnweiler. Et le marchand de commenter : « Au fond, c'est ça le secret. Picasso voudrait vivre comme un pauvre, continuer à vivre comme un pauvre, mais être assuré du lendemain. C'est cela qu'il voulait dire : n'avoir aucun souci matériel. »

Or, c'était bien le cas depuis qu'il était reconnu. Il voulait retrouver le charme de l'âge d'or, comme dit Françoise Gilot, sans les soucis. « Vivre modestement avec beaucoup d'argent dans les poches », comme il l'avait donc avoué à Maya. Tout cela était cohérent.

Il était parfaitement conscient que sa cote grimpait terriblement. Cela le rendait très circonspect, l'inquiétait souvent, le fâchait même parfois. Coquetterie ou fausse modestie, diront certains. Me Antébi témoigne par ailleurs de sa satisfaction, parallèle à son irritation : « Il ronronnait », dit-il plaisamment. Pierre Daix m'a raconté un de ces moments d'étonnement : « J'ai vécu avec lui la résurrection de son portrait *Yo Picasso* ressorti en 1969 (il avait été peint en 1901, vendu et avait disparu depuis longtemps). Je lui ai amené l'ektachrome, qu'il n'avait pas revu depuis... Il était très content et il me dit :

« – C'est ça qui a battu un record ?

« – Oui, ça a fait 500 000 dollars (3 millions de francs environ de l'époque, soit environ 18 millions de francs réévalués, ou 2 732 000 euros).

« Il me regarda :

« – 500 000 dollars, ça fait combien de Rolls ?

« Je ne savais pas le prix d'une Rolls, donc j'ai répondu approximativement :

« – Disons que ça fait dix Rolls.

« Il me regarda à nouveau et me dit :

« – Tu vois Van Gogh dans une Rolls ? Ils sont fous ! J'ai

fait ça à dix-neuf ans ! 500 000 dollars ! 500 000 dollars ! Vous vous rendez compte ? »

Au bout du compte, il n'était pas « vexé », mais il trouvait qu'il y avait là quelque chose d'irrationnel et, en même temps, il se disait : « Ce pauvre Van Gogh, qui crevait de faim... ! »

Selon O'Brian[1], « quoiqu'il fût intensément intéressé quand surgissaient les questions d'argent, il y avait de longues périodes où elles ne se présentaient jamais à son esprit ; en tout cas, à aucun moment elles n'affectèrent sa peinture, pas même quand l'argent était indispensable aux besoins vitaux du lendemain. Sa vie, il en passait la plus grande partie dans son atelier. C'est comme si, lorsque les jours difficiles furent franchis, il ne croyait plus à la réalité de l'argent, pas plus qu'il ne croira aux sommes énormes que ses peintures rapporteront quelques années plus tard. Comme s'il se servait de l'argent à la manière d'un jouet ou d'une arme, d'un symbole peu convaincant de sa domination et de son succès, d'un étalon de comparaison auquel il ne croyait pas davantage mais qui le flattait. Son attitude était complexe et souvent contradictoire ; mais cette notion d'absence est corroborée par le fait qu'il ne se souciait pas de réaliser des investissements. Un homme dont la vie est profondément engagée dans ces problèmes ferait fructifier son argent ; mais Picasso, lors d'une crise passagère de préoccupations financières, pouvait acheter des pièces d'or, puis les oubliait ; Françoise Gilot en vit une pleine boîte, couverte de poussière, rue La Boétie, et après sa mort on trouva, entassées dans des tiroirs et des buffets, des liasses de billets de banque dont certains étaient retirés de la circulation. »

Me Antébi se souvient d'une valise retrouvée sous le lit de mon grand-père après son décès, bourrée de billets de cinq cents francs. « Pour les mauvais jours, s'il avait dû partir précipitamment ! »

---

1. *Ibid.*

Adrien Maeght, galeriste et collectionneur, m'a confié ce souvenir personnel.

À l'occasion d'une exposition au printemps 1947 que son père, Aimé, intitulait *Sur Quatre Murs*, et où il ne voulait que de grands tableaux, Picasso prête la grande toile intitulée *La Toilette* (qui se trouve, aujourd'hui, au musée Picasso à Paris). Adrien se charge d'aller la chercher rue des Grands-Augustins. Pablo sait exactement où se trouve la toile, couverte de poussière. Adrien l'emporte sur le toit de la Citroën Traction familiale – bien qu'il conduisît alors sans permis. La toile est ramenée dans les mêmes conditions après l'exposition ! Pablo accepte donc d'en prêter une autre quelque temps après, et il amène le jeune Adrien à sa banque. Ce fut l'occasion d'une visite (probablement unique pour un « étranger ») d'un des coffres de Pablo à la BNCI (l'actuelle BNP Paribas) pour y retirer une œuvre. Adrien y remarqua un nombre incalculable d'œuvres rangées côte à côte, « y compris des Cézanne », et aperçut surtout une étagère de deux mètres de long couverte de lingots d'or : « Je n'avais jamais vu autant d'or de ma vie ! » Il n'y avait plus de lingots, à la mort de Pablo, mais on y inventoria des centaines de pièces d'or (pièces de 10 et 20 dollars américains, francs-or, souverains...) et des billets en francs d'avant 1939.

Lorsqu'il fit des acquisitions immobilières, Pablo n'acheta que des espaces au profit de son œuvre. Ce n'étaient pas des investissements : il ne revendit jamais ses propriétés. Pire, il paya aussi sans discontinuer les loyers de lieux (la rue La Boétie et la rue des Grands-Augustins) où il ne mettait plus les pieds et dont il fut d'ailleurs expulsé pour non-occupation. Ainsi, à sa mort, possédait-il le château de Boisgeloup, la propriété du *Fournas*, la villa *La Californie*, le château de Vauvenargues et le mas *Notre-Dame-de-Vie*. Il ne s'occupait pas personnellement des achats, et laissait toujours un notaire et son banquier s'occuper des formalités et du prix. La paperasse était une perte de temps. Il se réjouissait d'avoir ainsi de nouveaux ateliers, et des espaces supplémentaires pour entreposer ses œuvres.

La seule exception fut le château de Vauvenargues, près d'Aix-en-Provence. Certes, l'endroit était très vaste, très commode, mais comme il le déclara avec fierté à Kahnweiler : « J'ai acheté la Sainte-Victoire. » C'est Cézanne qu'il rejoignait.

Ce fut probablement l'achat le plus impulsif et le plus sentimental de mon grand-père.

Une espèce de lutte de pouvoir s'est établie entre Pablo et l'argent, un jeu où il devait fatalement y avoir un vainqueur et un vaincu.

Il ne pouvait résoudre la misère du monde, mais il s'y employait au mieux.

Après la période « somptuaire » des années vingt, qui suivit son premier mariage, Pablo fit peu de dépenses ostentatoires. S'il se nourrit correctement, il n'aime pas les grands repas gastronomiques. Il abandonne peu à peu le costume trois pièces. Désormais, sur la Côte d'Azur, il s'habille le plus souvent d'un short ou d'un caleçon long et d'une chemise. L'époque a changé, et il vit au soleil.

Il a conservé la magnifique Hispano-Suiza de l'avant-guerre. C'est surtout la taille du véhicule qui l'a attiré. On peut y mettre tout le monde ! La voiture remplit parfaitement sa mission, allant et venant en Espagne, sur la côte ou à Royan au début de la guerre. La pénurie de carburant lui a été fatale. Une Osmobile lui a succédé, jusqu'à ce que son chauffeur, Marcel Boudin, la pulvérise dans un accident en 1953. Pablo a racheté une gigantesque Hispano-Suiza, de 1926, plus grande encore que la première, une conduite intérieure où peuvent prendre place dix personnes. La mécanique ancienne nécessite l'œil d'un expert, et Adrien Maeght, en voisin, vient quelquefois à Mougins prêter main-forte pour la déplacer... Pablo la conserve comme tout le reste, et surtout comme les œuvres – par amour.

La Femme-fleur,
portrait de Françoise Gilot,
1946.
(Huile sur toile 146 x 89 cm.
Collection particulière, Zervos XIV, 167.)

Françoise Gilot, Pablo
et leurs deux enfants,
Claude et Paloma,
à la villa *La Galloise,*
Vallauris, 1952.
(Photo d'Edward Quinn)

Claude dessinant, 1951.
(Huile sur toile, 46 x 38 cm.
Collection particulière.)

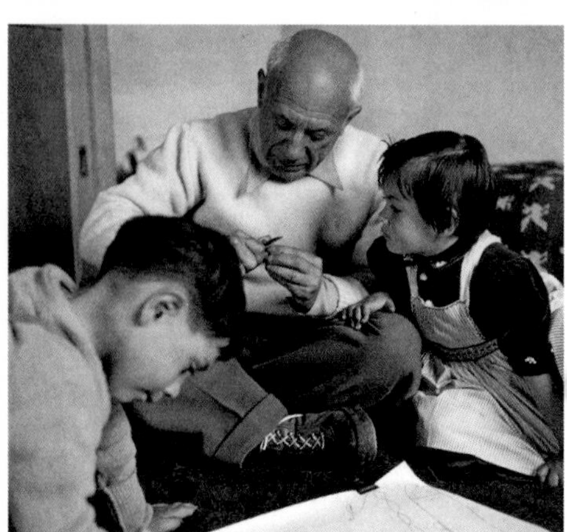

Pablo gravant une figurine
pour ses enfants
Claude et Paloma, 1952.
(Photo d'Edward Quinn)

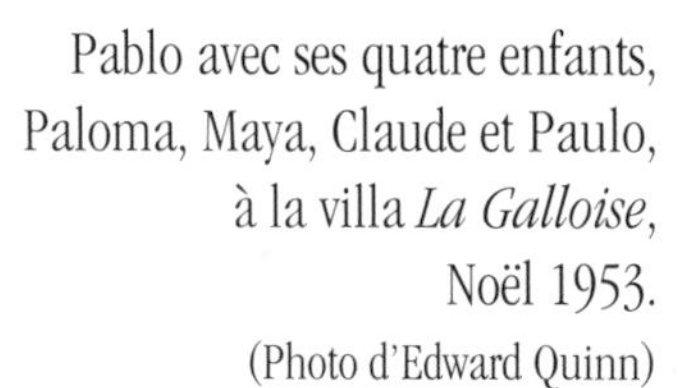

Pablo avec ses quatre enfants,
Paloma, Maya, Claude et Paulo,
à la villa *La Galloise*,
Noël 1953.
(Photo d'Edward Quinn)

Paloma en bleu, 1952.
(Huile sur toile 81 x 65 cm.
Collection particulière, Zervos XV, 202.)

Picasso et sa fille Paloma,
à la villa *La Galloise*, Vallauris,
automne 1949.

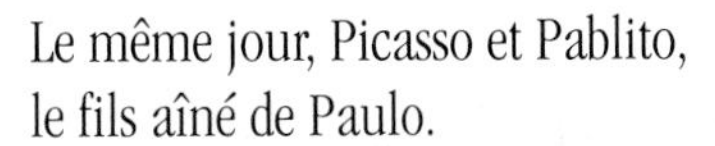

Le même jour, Picasso et Pablito,
le fils aîné de Paulo.

Paulo et Maya à moto,
à Chamonix, août 1946.

Pablo et Maya sur la plage de Golf-Juan, août 1952.

Paloma, Maya, Claude et leur père Pablo, à la corrida avec Jean Cocteau, à Vallauris, 15 août 1955
(Photo d'Edward Quinn)

Pablo donne une leçon de dessin à ses enfants, Paloma et Claude, ainsi qu'à Cathy (fille de Jacqueline Roque, compagne de Pablo, qu'elle épouse en 1961) et Gérard Sassier (fils d'Inès, la gouvernante), à la villa *La Californie*, Cannes, 1957.

Maya et son père Pablo,
à la villa *La Californie*, été 1955.
(Photo de Man Ray)

Jacqueline, Pablo et Maya, assis
sur le perron de *La Californie*, été 1955.
(À gauche un buste de Marie-Thérèse, 1932.)

Pablo avec Maya, sur le tournage
du film d'Henri-Georges Clouzot,
Le Mystère Picasso, aux studios La Victorine,
Nice, août 1955.

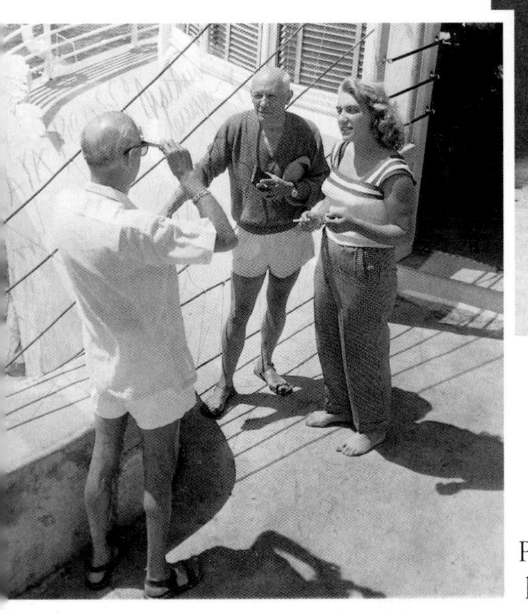

Pablo et Maya photographiés à l'*Eden Rock,*
hôtel du cap d'Antibes, juillet 1955.

Jacqueline,
aux mains croisées,
1954.
(Huile sur toile 116 x 88,5 cm.
Musée Picasso, Paris, Zervos XVI, 324.)

Jacqueline, Pablo et ses deux enfants Paloma et Claude, avec Cathy et Gérard, devant une étude des *Baigneurs*, à l'atelier de *La Californie,* 1957.

Cathy, Paloma, Claude et Gérard sur le grand escalier du château de Vauvenargues, 1958.

De gauche à droite : Cathy, Paloma, Pablo, Claude et Inès Sassier, sur un banc au mas *Notre-Dame-de-Vie*, Mougins, 1963.

Christine (seconde épouse de Paulo), Marina et Pablito (les enfants de Paulo et Émilienne, sa première épouse), Maya, Paulo, Richard et Olivier (les enfants de Maya), au château de Boisgeloup, août 1968.

De gauche à droite :
Paloma, Émilienne et sa fille Marina, aux obsèques de Pablito, 16 juillet 1973.

Ratification finale des accords des successions de Pablo et Paul Picasso par les héritiers, et leurs conseils, chez Me Zécri à Paris, septembre 1979. (Voir crédits photographiques)

Inauguration de la rétrospective « Picasso et le portrait », au Grand Palais, 16 octobre 1996 : « retrouvailles » de famille. (Voir crédits photographiques)

Maya et ses trois « Picasso », Olivier, Diana et Richard, juillet 2002.

L'héritage

Cette accumulation « affective » de ses œuvres deviendra l'héritage Picasso. Me Maurice Rheims, l'expert de la Succession en charge de l'inventaire, décrit ainsi, dans un rapport officiel, le trésor artistique laissé par Pablo Picasso : « L'ensemble des toiles conservées jusqu'à son décès par le peintre nous a paru avoir été constitué de plusieurs manières :

« – d'abord, les œuvres auxquelles il tenait particulièrement. Nous pensons à celles du début, dont certaines avaient été rachetées par lui ;

« – ensuite les toiles qu'il avait conservées soit parce qu'elles représentaient des souvenirs personnels, soit parce qu'elles constituaient des témoignages des différentes étapes dans sa technique ou dans sa vision ;

« – enfin, les œuvres réalisées les dernières années de sa vie et qu'il n'avait pas encore jugé bon de confier à ses marchands. »

S'y ajoutaient, selon le même processus de conservation, les dessins, les sculptures, les céramiques, les gravures, les lithographies, les linogravures, les tapisseries ou les livres.

Lorsque Pablo s'éteint le 8 avril 1973, personne ne se doute qu'il laisse le plus grand héritage que jamais peintre ait pu accumuler. Seule Jacqueline, sa veuve, connaît le nombre incalculable de ses œuvres – ou plutôt, elle sait que c'est réellement incalculable.

Passé la période d'identification de ses héritiers légitimes (Jacqueline, Paulo, puis Maya, Claude et Paloma), vient la mise en route effective de la Succession, au sens légal du terme, à partir de juin 1974. Dans un premier temps, c'est un notaire de Cannes, Me Darmon, qui a ouvert la Succession. En réponse à sa demande du 18 avril 1973, le Fichier central des dispositions de dernières volontés confirme, une semaine plus tard, n'avoir aucun dossier au nom du défunt. Il n'y a donc pas de testament et on ne connaît alors, au strict plan légal, que deux héritiers de Picasso : Jacqueline, sa veuve, et Paul, dit Paulo, le fils qu'il a eu avec sa première femme, Olga.

Dès juillet 1973, Me Darmon demande officiellement à l'administration fiscale de Cannes à bénéficier de la loi sur la dation, du 31 décembre 1968, organisant « l'acquittement des droits de succession par la remise à l'État d'œuvres d'art de haute valeur artistique ». Début août, il dépose une requête de prorogation de six mois du délai légal pour l'enregistrement de la déclaration de Succession auprès des services des impôts. Il faudra plus de quatre années pour y parvenir.

Me Darmon agit alors pour le seul compte de Jacqueline et de Paulo. Il commence même un inventaire, sans vraiment évaluer la difficulté de la tâche : des portraits sont décrits comme des natures mortes, on parle de « lot de dix peintures » sans plus de description, des lieux de dépôt des œuvres sont oubliés...

La reconnaissance légale de la filiation de Claude et Paloma, au printemps 1974, leur fait prendre conscience que l'affaire est autrement plus compliquée. Claude et Paloma demandent la désignation d'un administrateur judiciaire. Quand Maya est, à son tour, « accueillie » par les juges le 17 juin suivant, elle se joint à cette demande.

Pierre Zécri est désigné comme administrateur judiciaire au mois de juillet, avec un mandat d'un an – qui sera renouvelé chaque année jusqu'au règlement de tous les points touchant d'abord à la Succession, puis à l'organisation de l'Indivision, c'est-à-dire jusqu'en 1983 ! Maurice Rheims est nommé expert en charge de procéder à l'inventaire. Personne n'a la moindre idée de l'envergure de la tâche. Mais, très vite, chacun des héritiers se rend à l'évidence qu'une administration judiciaire est une absolue nécessité. Me Zécri se substitua donc à Me Darmon, le notaire, qui demeura bien sûr, au titre de sa fonction officielle, auprès de Jacqueline. D'ailleurs, chacun des héritiers fit intervenir un notaire personnel pendant les débats, ce qui aida à la compréhension de la complexité de la succession qui s'ouvrait.

En premier lieu, on fit la liste des propriétés de Pablo, en l'occurrence ses maisons, ateliers, appartements éventuels, et celle des coffres de banque. Puis il fallut dresser la liste des biens mobiliers qui se trouvaient dans ces propriétés – œuvres comprises, bien sûr.

Il y eut environ une soixantaine de réunions d'héritiers ou de leurs conseils entre 1974 et 1979. J'ai moi-même participé à la dernière grande réunion générale de la Succession, à l'automne 1979, réunissant tous les héritiers et l'ensemble des juristes. Tout le monde se congratulait d'avoir mené à bien une mission qui dépassait aussi l'intérêt de chacun. C'était comme avoir survécu au naufrage annoncé sans même être mouillé !

J'ai eu l'impression, ce jour-là, de représenter, parmi cette grande assemblée, la génération suivante, la génération paisible qui profiterait des efforts accomplis pour établir les bases d'un lendemain heureux autour de la mémoire de Picasso. Comme après une révolution politique et l'établissement d'une nouvelle Constitution. J'étais le spectateur silencieux d'une grande aventure qui s'achevait. J'étais aussi le chaînon entre une famille d'artiste et celle des hommes de loi : je commençais alors mes études de droit. Les uns me saluaient, les autres m'accueillaient. Je considérai cela comme un signe.

À cette occasion fut prise la seule photo de groupe sur laquelle, par l'ironie du sort, je figurais aussi, sans savoir que j'en écrirais l'histoire toute particulière deux décennies plus tard. Cette photo, organisée par Me Zécri, qui devait, au départ, rester privée fut publiée la semaine suivante dans *Paris-Match*, pour symboliser « l'héritage du siècle ».

La fascination des médias pour les héritages m'a toujours sidéré : elle fait fi le plus souvent des mérites du défunt, pour s'extasier sur la bonne fortune des héritiers. Or, il n'y a vraiment aucun mérite à hériter. C'est juste l'expression de la loi. Et cet ébahissement plonge l'héritier dans un sentiment étrange de culpabilité. Au surplus, vient immédiatement pour l'héritier l'obligation morale d'être digne de ce qu'il reçoit.

J'ai la chance de ne pas être un héritier, et je souhaite une très longue vie à mes parents. J'ai été le témoin privilégié de cette succession : ma situation de « non-héritier » m'a conforté dans l'idée qu'un héritage est une matière vivante, un échange, une transmission de valeurs morales – le goût du travail, du mérite, le sens de la reconnaissance, de l'estime d'autrui. Mon grand-père fait partie de cet héritage de valeurs, et j'ai un rapport différent à son œuvre. Celle-ci n'a pas de numéro d'inventaire pour moi.

Dans la succession de Pablo, les choses prirent une dimension atypique à cause des œuvres d'art. Ce n'étaient pas des usines ou des magasins dans lesquels l'un ou l'autre des héritiers aurait pu, parce qu'il y aurait travaillé, avoir l'impression de faire corps avec le patrimoine. Chez les héritiers Picasso, aucun n'avait peint, dessiné ou sculpté quoi que ce soit de ce qu'il allait recevoir ! Certes, Jacqueline, Paulo, Maya, Claude et Paloma, tous sources d'inspiration des œuvres de Pablo, avaient en cela une légitimité artistique. Même Christine, la veuve de Paulo (décédé en 1975), et leur fils Bernard lui avaient inspiré des *Maternités* le temps d'une belle journée de dessin. Mais les héritiers n'avaient pas participé à la constitution de ce patrimoine.

Je me souviens que ma mère surprit tout le monde lors de la répartition finale, car elle sautait de joie à l'idée de retrouver dans sa part telle ou telle œuvre qu'elle avait vue étant enfant, et qui lui rappelait tant de souvenirs. On lui aurait donné la moitié de son dû qu'elle en aurait été tout aussi heureuse. Elle était partie dans la vie avec la certitude qu'elle n'aurait rien, parce que c'était la loi. Son rapport à son père avait donc été exempt de toute « espérance », et affranchi par conséquent de tout intérêt financier.

La réforme tardive sur la filiation avait rejoint la morale. Que cette réforme ait eu lieu à quelques mois de la mort de Pablo avait permis à Maya de préserver sa relation spirituelle avec son père. Personne, absolument personne, n'avait jamais contesté que Maya fût la fille de son père. Une loi les séparait sur le papier, pas dans la réalité. Mais l'amour avait toujours été plus fort que la légitimité.

Je n'ai de cesse de le répéter : jamais il n'y eut de « bagarre » autour de l'héritage Picasso. « C'est là où les légendes commencent à s'exprimer, analyse Paul Lombard. On a beaucoup dit que les héritiers de Picasso étaient fascinés par l'argent, qu'ils s'étaient déchiré les entrailles, qu'il y avait eu une longue bataille juridique, malsaine, etc. C'est faux ! Dès le départ, quand on a gagné, à la stupeur générale, on a commencé à voir s'amorcer une espèce de consensus visant l'unité familiale. » Jacqueline, Paulo, Maya, Claude et Paloma ont fait cause commune.

Il s'agissait de conjuguer la volonté d'aboutir sereinement à un règlement de la Succession, et de respecter les règles légales en matière de dévolution : la situation de Paulo, le fils aîné légitime, celle de Maya, Claude et Paloma, les enfants naturels, et celle de Jacqueline, la veuve mariée, par défaut, sous l'ancien régime de la communauté de biens meubles et acquêts. À cela s'ajoutait la succession d'Olga, qui n'avait pas été réglée à sa mort en 1955, et pour laquelle Paulo n'avait pas fait jouer ses droits. Olga et Pablo s'étaient également mariés sans contrat de mariage et relevaient du même régime de la communauté par défaut des meubles et acquêts. Il fallait solder les comptes.

Cet ensemble de cas particuliers aurait pu rendre les choses complexes, sans le désir de chacun de préserver la paix.

Me Hini, l'un des notaires de la Succession, m'a confié : « Il y eut un souci majeur que j'ai rencontré à travers les propos de Maya, mais aussi des autres. Jacqueline, Claude et Paloma, et les autres membres de la famille étaient conscients qu'il fallait sauvegarder l'œuvre de Picasso et que le meilleur moyen, c'était de mettre des œuvres majeures dans la Dation. Les uns et les autres auraient bien gardé telle ou telle œuvre.

Il y a eu une volonté de faire perdurer l'œuvre. Ce fut considéré par toutes les parties comme une priorité absolue... »

C'est la même réflexion que m'a faite Paul Lombard : « Contrairement à ce qu'on raconte, les héritiers se sont exceptionnellement bien conduits. J'ai une supériorité sur mes confrères, c'est que j'ai vécu à peu près toutes les grandes successions. J'ai vécu Bonnard, Dunoyer de Segonzac, Chagall, Maeght... Je connais bien ces milieux-là, et je trouve que faire un procès en rapacité aux héritiers Picasso, ce n'est pas honnête ! » Plus particulièrement, au sein de cette famille réconciliée, l'avocat a gardé le souvenir « qu'il y a deux personnes qui sont sorties grandies : Paulo, pour son sentiment de solidarité, et Maya, pour son désintéressement, son sens de la mesure et sa sagesse. Paulo, qui aurait pu avoir une position parfaitement rétractile et égoïste, ne l'a pas eue ».

La fameuse réunion à Cannes, au printemps 1974, juste avant que Maya ne soit reconnue par la justice, en fournit un bon exemple, à mes yeux. Paulo prit Me Hini en aparté et lui dit : « Il faut rassurer Maya, dites-le-lui, je lui donnerai toujours sa part... »

Atout considérable, tous les hommes de loi de la Succession se connaissaient, correspondaient entre eux, appartenaient de surcroît à la même génération : Jean-Denis Bredin, Roland Dumas, Bernard Bacqué de Sariac, Paul Lombard, André Weil-Curiel, Maurice Rheims et Pierre Zécri – auxquels s'ajoutaient les notaires respectifs des héritiers, officiers ministériels réputés pour leur sagesse. Comme le rappelle encore Paul Lombard : « C'est devenu l'affaire du siècle pour les avocats, et on a vu tout le barreau français qui tentait de pénétrer dans la forteresse ! »

La première période commença officiellement fin 1973, pratiquement mi-1974, et s'acheva en juin 1975 avec le décès brutal de Paulo. S'ajouta alors le règlement de la succession de Paul Picasso, dit Paulo, avec ses trois héritiers : sa veuve

Christine et leur fils Bernard, âgé seulement de quinze ans, et sa (demi)-sœur aînée Marina, âgée de vingt-quatre ans.

Au chapitre du folklore, la Succession Picasso faillit connaître un héritier supplémentaire en la personne du fameux Eugenio Arias, ami et coiffeur de mon grand-père de 1948 jusqu'à sa mort. Ce confident des dernières années se présenta à *Notre-Dame-de-Vie*, à l'occasion du passage de l'administrateur judiciaire, et se déclara « fils spirituel » de Picasso, avec vocation à participer au partage. Il en était absolument convaincu. Malgré la sincérité de son attachement, il lui fut poliment notifié que ce titre n'existait pas en droit français, et que ses espoirs allaient être déçus...

Alors que la presse, après la mort de mon grand-père, supputait à longueur de colonnes la valeur de son héritage et les parts respectives de chacun, une réelle magie se substitua à tout sentiment mercantile à l'intérieur de la Succession. À mesure que s'ouvraient les maisons de Picasso, en 1974, un siècle entier revenait à la vie.

L'art reprenait ses droits. Et chacun, Paulo, Maya, Claude ou Paloma, retrouvait ses souvenirs, souvent intacts – comme si le temps s'était arrêté à leur départ. Jacqueline jouait le rôle de chef de famille, ou, si l'on préfère, de gardienne du temple. N'avait-elle pas invectivé tout le monde, lors de la première visite à *Notre-Dame-de-Vie* à Mougins en 1974, de Maurice Rheims, accompagné de son équipe, aux enfants de son défunt mari et à leurs avocats ? Malgré sa volonté de rester calme, elle savait qu'à cet instant le royaume dont elle avait été la servante amoureuse allait disparaître. Évanoui à jamais.

C'en était trop pour elle. L'inventaire pénétrerait les salles, déplacerait les objets que Pablo avait ordonnés ou dérangés. N'avait-elle pas dit aux enfants de Pablo, lors d'une réunion chez Me Zécri, qu'elle les avait élevés ! Ce à quoi, Paulo, avec sa bonne humeur habituelle, lui avait répondu qu'elle était née en 1926, et lui en 1921 ! Jacqueline fut flattée du compliment indirect.

Me Hini se rappelle la visite à *La Californie*, la villa cannoise abandonnée par Pablo en 1961, dont on avait fermé tous les ateliers : « Je me souviens de la première grande séance d'inventaire à *La Californie.* J'étais descendu dans la journée avec Me Rheims... C'était l'ouverture des portes. On était tous ébahis. C'était la caverne d'Ali Baba. J'ai vu des centaines de tableaux rangés les uns contre les autres. J'ai vu l'atelier. Maurice Rheims est devenu lyrique parce que Pablo Picasso n'utilisait pas de palette et écrasait ses tubes sur les journaux. Il disait : "Oh, là, là, c'est la main du maître !" en voyant les vieux journaux à terre. » Et Paul Lombard : « Je n'avais jamais vu ça de ma vie (...) c'était jonché d'œuvres de Picasso, de papiers à terre... À un moment, je marche sur une lettre, je me penche, je la prends. La foudre se serait abattue sur moi, ça ne m'aurait pas fait plus d'effet : c'était une lettre d'Apollinaire à Picasso ! Je regrette encore aujourd'hui de ne pas l'avoir volée. Honnêteté, quand tu nous tiens ! »

Pour l'expert et collectionneur éclairé qu'est Maurice Rheims, c'était un nirvana, où le travail et la passion l'emportaient sur sa réserve habituelle. Pour lui, « en grimpant les marches, les uns et les autres, on s'est dit qu'on entrait dans la maison de Raphaël... ».

Maurice Rheims a rencontré mon grand-père, à plusieurs reprises, dans les années soixante. Il m'a dressé un portrait rapide, mais pointu, de cet homme hors du commun : « C'était un homme prodigieux, le personnage le plus émouvant que j'aie pu connaître dans ma vie... il était resté très vigoureux et plein d'humour. » À propos des rumeurs qui couraient sur Pablo depuis quelques années, il m'a simplement répondu : « C'est tout à fait excessif. Il n'est pas le génie du mal. Je trouve qu'il ne mérite pas ça du tout... Je crois que, pour lui, seule l'œuvre comptait, ce qu'elle allait devenir. Il avait un sentiment de devoir vis-à-vis de son œuvre. » Quand je lui ai demandé pourquoi Pablo n'avait pris aucune disposition, il a répliqué sur un ton philosophe : « Pour Picasso, les choses suivraient leur destin dans l'univers. Qu'importe le départ, en quelque sorte. Le tout est à l'arrivée. Et l'arrivée, nul ne la connaît ! »

La Succession n'était qu'une étape de plus dans ce schéma fataliste.

Depuis l'installation de Jacqueline et Pablo à Vauvenargues, puis à Mougins, les ateliers du rez-de-chaussée et du premier étage de la grande villa de Cannes étaient restés fermés. Le reste du bâtiment de *La Californie* était occupé depuis le printemps 1968 par Mariano Miguel, l'ami espagnol d'après-guerre, le dernier secrétaire de Pablo, qui s'y était installé avec sa femme et leur fils Alberto. Miguel (c'est comme cela que tout le monde l'appelait, par son seul nom de famille) allait travailler chaque jour à Mougins, à *Notre-Dame-de-Vie*, dans le petit bureau à gauche de l'entrée où, comptable de formation, il gérait toute l'intendance (il demeura le secrétaire de Jacqueline, jusqu'à sa retraite en 1980). Gardienne de *La Californie* depuis 1955, Lucette et son mari Antoine Pellegrino occupaient la petite maison près de la grande grille d'entrée, dragons indéfectibles des trésors entassés. Personne n'aurait pensé que tant de chefs-d'œuvre attendaient là le retour de leur créateur.

La grande maison retrouvait les bruits et les cris de stupéfaction comme au temps où Claude et Paloma y passaient leurs vacances. Il y flottait un sentiment d'éternité. Un souvenir du temps du bonheur facile, de l'après-guerre, de la joie de vivre, entre frères et sœurs unis par le même père. J'aimais quand ma mère nous racontait, à son retour, toutes les redécouvertes qu'elle y avait faites. Oh, elle ne pensait guère à l'héritage ! Elle reprenait le cours d'une vie hors du commun qu'elle avait choisi d'interrompre presque vingt ans plus tôt. D'ailleurs, Claude et Paloma étaient toujours pour elle les enfants qu'elle avait connus et protégés. Elle devait vaguement s'attendre à voir son père entrer par telle ou telle porte, ravi de leur avoir fait la blague de sa mort...

Les inventaires sur la Côte d'Azur durèrent des mois. Me Zécri et Me Rheims organisèrent deux équipes : celle des documentalistes, et celle des manutentionnaires chargés du gardiennage, de l'emballage et des transports vers Paris. Maintes fois, police, gendarmerie et vigiles privés apportèrent leur concours. Les collaborateurs de Me Rheims constituaient une garde rapprochée de six personnes, logée à l'hôtel *Carlton* à Cannes. Chacun de ses membres avait une spécialité : la peinture, la gravure, le dessin... Il fallait identifier, numéroter, évaluer tout le contenu de la villa de Mougins, de l'atelier du *Fournas* à Vallauris, de la villa de Cannes et du château de Vauvenargues, et récupérer les œuvres de la dernière exposition de Pablo à Avignon [1].

S'y ajouta le contenu des chambres fortes à la BNP de Paris. Me Zécri prit également soin d'interroger de grands marchands et des banques étrangères, tout particulièrement en Suisse, pour savoir, dans la mesure du possible, si des œuvres ou des valeurs s'y trouvaient en dépôt. Toutes les réponses furent négatives.

Pendant l'inventaire, toute intervention sur les œuvres, quelle qu'elle fût, devait toujours donner lieu à un constat par huissier. Il y eut ainsi des milliers de constats, notamment pour chaque journée de travail de l'équipe de Me Rheims lorsque les œuvres furent toutes centralisées à Paris dans des chambres fortes. J'ai accompagné ma mère plusieurs fois à la BNP, où les collaborateurs de l'expert passaient des semaines entières en sous-sol à inventorier ce qui s'y trouvait, et ce qui y était ramené de toutes les maisons. Ce n'étaient pas des coffres comme on se les imagine ordinairement : il s'agissait de grandes pièces blindées aux portes impressionnantes.

1. La dernière exposition préparée avec Pablo de son vivant s'ouvrit à Avignon, au palais des Papes (comme celle de 1970) en mai 1973. Ce fut un tel succès qu'elle fut prolongée. En janvier 1976, les cent dix-huit toiles exposées furent volées. Elles furent retrouvées par la police judiciaire de Marseille en octobre suivant, et le gang des voleurs arrêté (l'un d'eux mourut d'une crise cardiaque lors du coup de filet). Puisque nous habitions Marseille à cette époque, ma mère Maya fut la première à aller reconnaître les toiles retrouvées et à se porter partie civile.

L'équipe technique était divisée en autant de petits groupes qu'il y avait de disciplines. Brigitte Baer, collaboratrice de Me Rheims (aujourd'hui experte de la gravure de Picasso), aidée par François Bellet, y découvrait des trésors par milliers. Tout le monde passait à la fouille quotidienne avant de retrouver la rue. Dans les entrepôts de la maison Odoul (un garde-meubles spécialisé en objets précieux), étaient réunies les sculptures et les céramiques recensées par Werner Spies, aidé par Christine Piot (qui deviendrait elle aussi une historienne réputée de l'œuvre de Picasso). D'autres collaboratrices parcouraient les ouvrages de référence comme le Zervos (peintures, dessins et une partie des sculptures), le Geiser (gravures), le Kornfeld (gravures, lithographies, linogravures et céramiques), le Duncan (peintures), le Georges Ramié (céramiques) et cherchaient à identifier les œuvres « divulguées » ou non.

Par le terme « divulgué », on séparait ainsi les œuvres réputées sorties ou non de l'atelier, présumant qu'elles avaient eu ou pas vocation à être vendues plus tard... et à sortir de la liste des biens « meubles » de la communauté juridique de Pablo et Jacqueline (dont celle-ci devait recevoir légalement la moitié).

Ce travail minutieux dura près de trois ans. Le rapport de Maurice Rheims est presque un roman – en tout cas un grand moment d'émotion : « On ne peut avoir une idée de l'état dans lequel nous avons trouvé les pièces garnissant *La Californie* qu'en jetant un coup d'œil sur les clichés photographiques qui ont été exécutés avant que le travail n'ait été entrepris. Le mot “désordre” n'est pas de mise ici. Il serait sacrilège ; disons plutôt que, tout au long de notre séjour dans le Midi, nous avons été confrontés avec des demeures habitées, l'une ou l'autre (*Notre-Dame-de-Vie* et *La Californie*), par le génie, et que le génie a sa propre conception de l'ordre. Ainsi, nous avons trouvé, épars dans les pièces, des carnets recelant des dessins préparatoires des *Demoiselles d'Avignon*, roulés et pliés dans le goulot d'un flacon, un panneau illustrant une course de taureaux d'une importance et d'une valeur considérables, abandonné sous une pile de vieux journaux, des estampes parmi des tirages les plus rares, à demi perdues dans des cartons à dessin, voisinant avec des imprimés publicitaires. À la cave, égarés au milieu d'objets sans valeur, nous avons ainsi découvert des dessins de Degas et de Seurat. Cette volonté de disposer les choses les plus belles suivant un ordre seulement connu du maître ou de ceux qui vivaient à ses côtés, nous allions la retrouver à *Notre-Dame-de-Vie*. Étaient mêlés à des revues, des catalogues d'exposition que nous découvrîmes, des chefs-d'œuvre de la bibliophilie entièrement rehaussés à la main par l'artiste, et, dans le garage, englouti sous des piles de livres abrités sous une bâche, nous exhumâmes un très ancien carnet d'études originales exécutées par Chirico... »

Lors de l'inventaire furent établies près de soixante mille fiches, comportant pour chaque objet la date probable de création, vérifiée le cas échéant à l'aide de l'imposante bibliographie. Cela permettait aussi de déterminer les fameuses œuvres « non divulguées », rapportées à la dernière communauté entre Pablo et Jacqueline, et entrant donc, pour moitié, dans le calcul de la part de Jacqueline. Puis étaient inscrits un numéro d'inventaire, une description de l'objet, ses dimensions, la présence éventuelle d'une date ou d'une signature, l'état de conservation et toutes les indications éventuelles au verso. Enfin, l'estimation.

Plusieurs paramètres furent retenus par Me Rheims : la beauté, la rareté, l'originalité, les dimensions, les cotes de ventes publiques, celles des galeries, l'état du marché et même la situation financière internationale. Depuis 1973, le marché japonais s'était effondré, et les pays occidentaux subissaient les contrecoups de la récession due à la crise du pétrole. Des ventes publiques avaient vu 90 % d'invendus parmi les œuvres contemporaines. La cote de Picasso restait cependant élevée et stable. Il fallait aussi imaginer l'impact, espéré improbable, qu'aurait eu la mise sur le marché d'un très grand nombre d'œuvres par les héritiers eux-mêmes, offre surpassant la demande et « plombant » immédiatement les estimations les plus prudentes.

Au final, ce fut une liste impressionnante qui résulta de ce long travail en 1977 :

- 1 885 peintures ;
- 7 089 dessins ;
- 1 228 sculptures ;
- 6 112 lithographies ;
- 2 800 céramiques ;
- 18 095 gravures ;
- 3 181 estampes ;
- 149 cahiers contenant 4 659 dessins et études ;
- 8 tapis et 11 tapisseries ;

auxquels s'ajoutaient toutes les propriétés immobilières et des valeurs mobilières dont des avoirs en banques pour des dizaines de millions de francs de l'époque.

Sur ce dernier point, il ressort que mon grand-père ne s'occupait absolument pas de ces revenus financiers, qu'il refusait par principe, estimant que seul comptait le fruit de son travail. Il souhaita ainsi ne jamais toucher effectivement les dividendes et plus-values des placements qu'effectuaient ses banquiers !

Me Rheims, qui avait donné une estimation de chaque bien et de chaque objet jusqu'au plus petit, avait évalué, sous l'autorité de l'administrateur judiciaire, le montant total de l'actif successoral à la somme précise de 1 372 903 256 francs, soit une valeur monétaire précise de 4 564 903 326 francs réévalués, ou 695 915 026 euros. Me Zécri avait invité les héritiers à la prudence, et à la plus grande discrétion vis-à-vis des médias. Mais ce chiffre exceptionnel, réputé secret, ne le resta pas. Des chiffres approchants circulèrent. Dans son édition du 11 juillet 1977, l'hebdomadaire *Le Point*[1] publia en couverture, sous une photo sévère de Picasso et sa signature : « 1 251 673 200 NF. L'héritage du siècle » – annonçant que

1. *Le Point*, n° 251, 11 juillet 1977.

la déclaration de succession venait d'être signée. De nombreux quotidiens avaient déjà parlé, dès avril 1976, d'un héritage de près de 5 milliards de francs, chiffre alors totalement fantaisiste. Comme l'avait déclaré mon oncle Claude en 1977, « pour l'instant, cet héritage, c'est du vent » : il se référait au fait que toute estimation était effectuée à un moment donné, dans un contexte fluctuant et au regard d'une œuvre de l'esprit, donc la plus fragile qui soit.

C'est toujours le cas. Depuis plus de vingt-cinq ans, les médias supputent régulièrement la valeur de l'héritage Picasso. Au début des années quatre-vingt, on a parlé de 1,8 milliard de francs ; au milieu des années quatre-vingt-dix, l'hebdomadaire *VSD*, notamment, a avancé prudemment le chiffre de 5 milliards de francs, en se référant au marché de l'art. En 2001, le quotidien britannique *Daily Mail* a parlé d'une fortune de 6 milliards de livres (soit environ 66 milliards de francs, ou 10 milliards d'euros environ). Ces estimations ne peuvent être que fluctuantes, car elles dépendent d'un grand nombre de paramètres et de personnes.

Un projet de répartition par lots avait été proposé par Me Zécri, et deux « protocoles d'accord » concernant les deux successions furent signés en mars 1976 par les héritiers de Pablo et ceux de Paulo, définissant les modalités de calcul des parts de chacun.

C'est alors que Me Ferrebœuf, le jeune avocat « oublié » de Marina, fit son retour, comme je l'ai annoncé. À ses côtés, apparut un notaire, Me Leplat. Le 14 avril suivant, Guy Ferrebœuf fit parvenir à Me Zécri, au nom de sa cliente (dont l'avocat officiel était toujours Me Naud pour les interlocuteurs des successions de Pablo et Paulo), une notification-sommation par huissier, dénonçant lesdits « protocoles » signés par elle « dans des conditions extrêmement pénibles et fort hâtivement » ! Outre les « protestations » et « réserves » d'usage, Marina critiquait essentiellement le fait que la fin de communauté de biens entre Pablo et sa première femme Olga eût été fixée au 29 juin 1935, et non à la mort d'Olga, en février 1955. Le 29 juin 1935 était pourtant la date judiciairement reconnue de leur non-conciliation, autorisant Pablo à poursuivre sur sa demande de divorce. Il ressortait que Marina et son avocat n'avaient absolument aucune connaissance de cette ordonnance qu'ils appelaient « assignation en séparation de biens » (?), restée sans effet. Ils paraissaient ainsi convaincus que les époux étaient restés « ensemble » jusqu'en 1955 (mort d'Olga) sans que Pablo ait pris la moindre initiative concernant une procédure de divorce ! Ils semblaient ne pas être au courant du jugement final de séparation de corps.

Moins de deux semaines auparavant, début avril 1976, Marina avait encore écrit à Me Naud pour se plaindre, appelant son (demi-)frère Bernard la « partie adverse », et demandant à son conseil une grande vigilance sur l'estimation du château de Boisgeloup, que Bernard devait recevoir dans l'héritage de leur père Paulo. Il fallait absolument, selon elle, que l'évaluation soit revue à la hausse, et que l'on n'oublie pas l'appartement de la rue du Vieux-Colombier à Paris (où vivaient Bernard et sa mère Christine), dont la valeur était ramenée à l'inventaire...

Elle appréciait de nommer sa belle-mère, Christine Picasso, sous son nom de jeune fille, Christine Pauplin... sauf dans des documents officiels circulant entre les autres héritiers et leurs conseils. Cette subtilité aurait pu se comprendre si Christine n'avait connu Paulo que bien après qu'il avait quitté Émilienne, la mère de Marina.

Marina, elle, considérait véritablement la Succession comme une confrontation, et elle fut bien la première, et la seule, à oser le terme « partie adverse ». D'ailleurs, les courriers de son avocat portaient souvent la mention de référence : Aff. Marina Picasso c/Succession Picasso ou c/Divers...

Par convention écrite, elle avait garanti à Albert Naud, ténor du barreau parisien, 3 % de ce qu'elle toucherait *in fine*, soit un montant très largement supérieur au pourcentage généralement retenu de 0,20 %. Puisqu'elle serait riche, pourquoi ne le serait-il pas aussi ?

Elle avait d'ailleurs félicité Me Zécri, en mars, pour la rédaction et l'acceptation des fameux protocoles organisant le partage, se réjouissant que celui-ci intervienne dès la signature de tous les héritiers pour pouvoir régler Me Naud.

Elle signifia à ce dernier par télégramme qu'elle lui retirait la défense de ses intérêts. À un stade presque terminal de l'affaire.

Entre-temps, Me Ferrebœuf avait envoyé l'incroyable sommation à Me Zécri, et sommé également la BNP de bloquer les comptes bancaires de la Succession. Le 1er juin suivant, il transmettait à l'administrateur judiciaire les « réserves » de Marina sur les estimations des œuvres faites par Me Rheims, et sur la répartition des droits indivis [1] aux héritiers...

Curieusement, le 2 juin, *Le Figaro* reprenait les critiques de Marina, indiquant qu'elle avait été « mal conseillée » par Me Naud, et avait signé les fameux protocoles « sans en connaître les conséquences » – un désaveu cinglant pour l'avocat. D'où provenaient ces « fuites » ? Le 15 juin, Me Ferrebœuf critiquait l'émancipation légale de Bernard (âgé alors de seize ans) qui avait permis la signature définitive des « protocoles » ! Enfin, quelques jours plus tard, Marina demanda, par référé, le changement de l'administrateur au tribunal de grande instance de Grasse ! Et ce, alors que Me Zécri avait été nommé par le tribunal de Paris !

Me Ferrebœuf précisait également dans la plainte déposée au nom de sa cliente que Jacqueline Picasso avait placé des œuvres d'art et des fonds à l'étranger.

Sans preuves ! Sauf erreur de ma part..., personne dans notre famille n'a jamais été suspecte d'exportation illégale d'œuvres d'art à l'étranger.

Les autres héritiers étaient sous le choc, et particulièrement

1. Droits de reproduction et droit de suite gérés par la SPADEM, l'organisme officiel de collecte à l'époque.

Jacqueline. Tout le travail accompli dans une dynamique positive était soudain attaqué sur tous les points, sans aucune justification. D'où sortait cette rocambolesque histoire d'exportation illégale d'œuvres et d'argent ? En quoi le travail minutieux, de plusieurs années, de Me Rheims, désormais membre de l'Académie française, était-il critiquable ? Me Zécri était tout de même le président de la Compagnie des administrateurs judiciaires et réputé à ce titre pour sa rigueur. Marina suggérait-elle de tout recommencer ? Tout cela remettrait indirectement en cause l'établissement de la Dation avec les représentants de l'État !

Au surplus, Marina et son (demi-)frère Bernard disposaient de droits identiques. Dans la mesure où Bernard était représenté par Me Bacqué de Sariac, l'avocat historique de notre grand-père, ses intérêts étaient défendus au mieux. Par effet de symétrie, ceux de Marina l'étaient tout autant. En tout cas, ces offensives judiciaires et extra-judiciaires étaient jugées « effarantes » par tous – et surtout par Me Naud, qui annonça qu'il allait saisir le bâtonnier de l'ordre des avocats à l'encontre de Me Ferrebœuf pour manquements à la déontologie. Mais c'était Marina qui choisissait les avocats...

La plainte de Marina fut déclarée irrecevable par le tribunal de Grasse.

Le 9 juillet suivant, Pierre Zécri et Maurice Rheims furent reconduits dans leurs fonctions par le tribunal de grande instance de Paris.

L'été permit de calmer les esprits. Marina avait eu de claires intentions. Elle devait cependant faire machine arrière. Mais à son insu, elle gagna, et pour toujours, un surnom amusant que je tairai.

Me Naud décéda peu de temps après. Les avocats avaient été touchés par la détresse de leur éminent confrère. Ils ne pouvaient pas laisser tomber sa veuve. Ainsi, dans un consensus général, en décembre 1979, chacun des avocats des autres héritiers lui régla de sa poche, sa quote-part de la provision minimale sur honoraires, prévue à l'identique pour chacun des avocats de l'affaire. Très inférieure aux 3 % promis par sa cliente...

Marina conserva des souvenirs tout personnels de l'histoire des Successions : « Ayant compris mon problème [lequel ?], mon nouvel avocat [Me Ferrebœuf] trouva les solutions qui aboutirent à un premier accord global fin 1979. D'autres difficultés [lesquelles ?] s'étant cependant présentées, il fallut attendre septembre 1980 pour qu'un accord définitif soit signé entre les héritiers et que le partage puisse être effectué. »

Je me permettrai de remettre fermement les choses à leur place : le premier accord global fut signé en mars 1976 (et non en 1979), un second en décembre suivant (sur les « choix préférentiels »), l'inventaire fut officialisé fin juin 1977, la déclaration de succession signée mi-septembre 1977 (et non 1980), la Dation fut constituée dès 1978 et le partage commença début novembre 1979. Il s'acheva matériellement pour Marina en septembre 1981. Quant à Me Ferrebœuf, quels que soient ses mérites par ailleurs, il fut probablement le seul, de l'avis de tous, qui s'appliqua plutôt à faire des critiques ou des réserves pour sa cliente sur tout ce qu'il pouvait, essayant d'obtenir des avantages transactionnels supplémentaires. C'était, somme toute, la justification rationnelle de son intervention auprès de sa cliente et l'intérêt de son retour...

Marina fut la seule, parmi les héritiers, à s'adresser quelquefois directement à Me Zécri, lui demandant de régler pour son compte des factures personnelles (à déduire bien sûr de sa future part). L'administrateur judiciaire ne le fit jamais. Il n'en avait pas le droit. Le ton était très direct, parfois radical, mais Me Zécri restait de marbre, sans commentaires, assurant sa mission avec rigueur. Toujours.

Parallèlement à l'inventaire méticuleux de Me Rheims, les héritiers avaient cherché des solutions. En essayant d'être les plus justes et les plus humains possible.

La situation atypique de Jacqueline, la veuve de mon grand-père, mérite un examen particulier. En principe, elle aurait dû recevoir la moitié des biens du couple ; mais d'une part, elle était née quand son mari avait déjà quarante-cinq ans (!), leur mariage avait duré douze ans après six ans de liaison (soit un cinquième environ de la vie de Pablo), et surtout, il fallait solder la question de la propre communauté d'Olga, morte en 1955, et les droits des quatre enfants de Pablo sur ces deux communautés. D'un commun accord, on décida de prendre logiquement la date de l'ordonnance de non-conciliation du 29 juin 1935 (autorisant la procédure de divorce) entre Pablo et sa première épouse Olga, comme date de fin effective de cette première communauté. La date du second mariage de Pablo, le 2 mars 1961, avec Jacqueline, fut retenue comme commencement de la seconde communauté jusqu'à la mort de son époux. Dans ce deuxième cas, on prit en compte également le sort des tableaux inconnus de l'époque, « non divulgués » (et entrant dans la communauté), et celui des tableaux réputés « divulgués ». À cela s'ajoutaient les tableaux dédicacés à Jacqueline (et donc offerts à celle-ci, hors succession) et qu'il fallait répertorier au cas où leur valeur cumulée dépasserait la quotité disponible du défunt !

Tout cela, on le constate, était d'une extrême complexité. Mais il fallait respecter les droits de chacun. Le solde de ces calculs fastidieux serait partagé entre feu Paulo, Maya, Claude et Paloma, à proportion de leurs situations respectives au regard de la loi : techniquement, la valeur d'une demi-part de la valeur de la part de Paulo (l'enfant légitime) est à répartir entre Maya, Claude et Paloma (les enfants naturels). Puis serait traitée la succession de Paulo : ses enfants Marina et Bernard se partageraient à égalité la part de leur père, incorporant au surplus l'héritage d'Olga. La veuve de Paulo, Christine (mariée avec lui selon le régime de la séparation de biens), recevrait un quart de l'usufruit de la part de son défunt mari.

L'ensemble des œuvres de l'héritage fut constitué en lots de valeur égale, y compris au plan artistique. Chacun des héritiers reçut ainsi de nombreux chefs-d'œuvre en toute équité. Me Rheims avait constitué dix lots (notamment pour les peintures), parfois vingt ou trente selon le nombre d'objets pour les autres catégories, pour mieux les équilibrer. On procéda à un tirage au sort : trois lots pour Jacqueline, un lot pour Maya, un lot pour Claude, un lot pour Paloma, deux lots pour Marina et deux lots pour Bernard. Les deux successions avaient été regroupées pour le tirage au sort. De la même façon, la Dation, unique, concernait les deux successions, pour une plus grande homogénéité, et avait été prélevée par avance.

Les maisons avaient été réparties à l'amiable :

– Jacqueline conservait ses demeures (*Notre-Dame-de-Vie* à Mougins, une SCI [1] dont elle était la locataire officielle, le château de Vauvenargues, une autre SCI dont elle avait demandé également l'attribution) ;

– Maya avait demandé l'atelier du *Fournas*, l'ancienne usine de céramiques qu'elle avait bien connue ;

– Marina avait demandé l'imposante villa de Cannes (*La Californie*) ;

– Bernard avait demandé le château de Boisgeloup, où il avait passé son enfance et que lui avait réservé son père Paulo dans un testament sommaire.

La valeur de ces propriétés immobilières venait bien sûr en déduction de leurs droits sur les œuvres et autres valeurs de leur part respective.

Ces choix personnels faisaient partie des « choix préférentiels ». En effet, Marina la première, à son arrivée dans la succession de Paulo, avait demandé que lui soit attribué en priorité ce qu'elle appelait des « cadeaux d'usage ». Il s'agit des cadeaux que les parents font couramment à leurs enfants. Elle estimait qu'elle en avait été privée dans son enfance – sauf qu'en l'occurrence, et selon l'usage, ces cadeaux

1. Société civile immobilière.

auraient dû provenir de son père Paulo qui, dans l'absolu, ne possédait pas grand-chose, et non d'un grand-père, à titre posthume !

Prenant en compte sa peine... de n'avoir pas eu « ces cadeaux d'usage », et afin d'éviter toute tension, les autres héritiers acceptèrent qu'il lui en soit attribué : un choix préférentiel d'une valeur de plusieurs millions de francs de l'époque, parmi les objets inventoriés de la Succession. Il était impensable que son (demi-)frère Bernard ait pu recevoir, du vivant de leur père, des présents pour un tel montant... Mais, soit ! Bien évidemment, la dénomination juridique de ces prétendus « cadeaux d'usage », après la mort des supposés donateurs et en supputant arbitrairement l'ampleur de leur générosité, n'avait aucune réalité légale. De surcroît, Marina n'a jamais eu la qualité juridique d'héritière de Pablo Picasso, mais de Paul Picasso. Ne pouvant s'agir de legs, ni de donation – ni échapper bien sûr à l'impôt –, le montant « offert » fut réintroduit dans l'actif successoral et accordé à Marina, de manière transactionnelle, via un choix préférentiel par prélèvement sur l'ensemble de la Succession à répartir !

Ce montage original avait le mérite, pour les autres héritiers, d'être transparent et de respecter la législation fiscale, très attentive à l'ensemble du dossier. Et, au final, de ne rien leur coûter.

Cette initiative de Marina eut un effet indirect heureux, puisqu'elle déclencha l'attribution à l'ensemble des héritiers, y compris à nouveau à elle-même, d'un autre « choix préférentiel ». Cela permit à chacun de choisir les œuvres qu'il préférait pour un montant respectif de plusieurs millions de francs d'alors. Ce fut une bonne décision qui apporta de l'émotion à l'ambiance générale, par trop administrative. Il n'y eut donc pas, ici comme ailleurs, de bataille sordide. Ma mère Maya nous proposa, à nous ses enfants, de choisir chacun un tableau de notre grand-père qui nous ferait plaisir : mon frère Richard, ma sœur Diana et moi-même avons donc calmement choisi une œuvre avec beaucoup de sérieux – et beaucoup de spontanéité.

Enfin, Marina racheta, comme c'est souvent le cas dans les successions complexes, la part d'usufruit revenant à sa belle-mère Christine, ce qui simplifia définitivement leurs relations.

L'inventaire fut achevé courant 1977. Les choix préférentiels furent indiqués courant 1978. Le 21 juillet 1976, Dominique Bozo, ancien conservateur des collections du musée d'Art moderne, avait été nommé par Michel Guy, secrétaire d'État à la Culture et à l'Environnement, directeur du futur musée Picasso.

L'idée d'un grand musée Picasso pour la France avait été avancée quelques années plus tôt par le président de la République, Georges Pompidou, à l'occasion des grandes cérémonies de 1971 qui rendaient hommage au peintre. En dehors de la collection personnelle de Pablo attendue dans une probable Dation, la France n'avait pas l'opportunité ni les moyens financiers de constituer une collection exceptionnelle de son vivant. La nomination de Dominique Bozo coïncida avec la proposition que fit Michel Guy aux héritiers de prélever la Dation « avant » le partage et non, comme d'ordinaire, sur chacune des parts après dispersion de l'ensemble. Il ne s'agissait pas, selon Bozo [1], « de rassembler uniquement des grandes œuvres mais de former un musée vivant qui montre l'évolution de Picasso ». L'État demanderait donc aux héritiers des œuvres sélectionnées à l'avance.

Le ministre désigna également Jean Leymarie, ancien directeur du musée d'Art moderne et ami intime de mon grand-père, et enfin, en 1978, Michèle Richet, ancien conservateur elle aussi au même musée.

Dominique Bozo dit sa surprise devant l'inventaire réalisé par Me Rheims : « J'ai été stupéfait : c'était à la fois la quantité et la qualité que je découvrais. Il y avait là non seulement des œuvres inconnues et superbes, mais de nombreux chefs-d'œuvre illustres que Picasso avait conservés. J'ai su aussitôt

---

1. *Le Point*, n° 251, 11 juillet 1977.

que je me trouvais non devant des fonds d'atelier, mais devant une véritable collection, réfléchie, voulue. » Ce trio d'experts de l'État put, dès le printemps 1975, examiner et choisir les œuvres inventoriées. Dominique Bozo et Jean Leymarie s'efforcèrent de maintenir un équilibre entre les œuvres majeures, populaires, de chaque période, et la représentation de toutes les techniques employées, en privilégiant les ensembles (y compris les études préparatoires), ce qui n'avait jamais pu être réalisé auparavant.

La liste de l'État fut rapprochée de celle des choix préférentiels des héritiers pour obtenir des arbitrages. Aucune difficulté ne surgit, et les héritiers acceptèrent même que quelques œuvres soient ajoutées par l'État (à l'initiative de Maurice Aicardi, président de la commission interministérielle pour la protection du Patrimoine – dite « commission des dations ») pour parfaire la cohérence de l'ensemble de la Dation. Un conseil indépendant du marché de l'art et des musées intervint au final pendant trois jours. Il comprenait Pierre Daix, Roland Penrose et Maurice Besset (ancien conservateur du musée de Grenoble, professeur de l'université de Genève), réunis pour « conforter » les choix officiels.

Les œuvres de la future Dation furent transférées au palais de Tokyo fin 1978. Dans un sens, on avait mis la charrue avant les bœufs, en remettant les œuvres avant d'avoir signé l'accord officiel, mais il y avait une osmose parfaite entre tous les intervenants. Le ministre des Finances Valéry Giscard d'Estaing n'avait-il pas déclaré à la mort de Picasso : « À cas exceptionnel, mesures exceptionnelles ! »

Le ministère des Finances reçut donc la proposition officielle de Dation début 1979. Maurice Aicardi était l'interlocuteur officiel de la Succession Picasso. Les Finances lui avaient transmis l'offre de Dation, et il se tourna alors vers les responsables de la Culture. Un comité des conservateurs, un conseil artistique de la Réunion des musées nationaux et une commission interministérielle, dont le rapporteur était Hubert Landais (le directeur des musées de France), étudièrent l'importance artistique de cette proposition de Dation, émanant officiellement des héritiers, mais conçue aussi avec d'autres spécialistes du même ministère.

Toutes ces « navettes » paraissent complexes, mais la coordination fut excellente. Après l'avis favorable du ministère de la Culture en mars 1979, et la confirmation de la commission présidée par Maurice Aicardi, le ministère des Finances accepta officiellement la Dation en septembre 1979. Fin septembre, les héritiers furent aussi totalement exonérés des pénalités encourues du fait du retard de la déclaration de succession : plus de cinq ans... Il aurait été impensable de tout boucler en six mois en 1974 – ce que tout le monde avait prévu, y compris l'État.

Une sélection réduite, faute de place, des œuvres de la Dation Picasso fut alors exposée au public en octobre 1979, au Grand Palais, à Paris. J'ai pris conscience ce jour-là de l'ampleur et de la diversité de l'œuvre de mon grand-père, lors de l'inauguration par le président de la République Valéry Giscard d'Estaing et Jean-Philippe Lecat, nouveau ministre de la Culture et de la Communication.

En ce qui concerne les héritiers, Me Rheims avait constitué les fameux lots prévus, et Me Zécri organisa les tirages au sort en novembre 1979. À l'issue de la répartition, qui fut officielle en cette fin d'année, et effective au début de l'année 1980 par la remise matérielle des lots à chacun, chaque héritier avait reçu sa part et commençait une nouvelle vie. Les deux successions Picasso, celle de Pablo et celle de Paulo, étaient réglées : l'aventure avait duré quatre années intensives, et techniquement presque sept ans. Un record !

Jacqueline Picasso fut la principale bénéficiaire de l'héritage de mon grand-père. D'abord parce qu'elle conservait toutes les œuvres que Pablo lui avait dédicacées, et qui échappaient à l'actif successoral (comme donations entre époux) ; ensuite parce qu'elle n'avait absolument aucun droit de succession à payer sur sa part d'héritage (étant sa veuve, mariée par défaut sous le régime de la communauté). Elle obtenait donc la part la plus importante, tant d'un point de vue matériel qu'affectif.

Bien que n'apparaissant pas au titre d'héritiers de Pablo Picasso, mais uniquement d'héritiers de son fils Paulo, Marina et Bernard se partageaient par moitié la part de leur père et constituaient donc les seconds bénéficiaires dans l'absolu, même s'ils devaient régler les droits de succession de leur père, puis les leurs. Leurs parts respectives étaient donc amputées de 40 % environ.

Puis venaient à égalité Maya, Claude et Paloma, s'acquittant de droits de succession de 20 % environ. Enfin, il y avait Christine, la veuve de Paulo.

L'État français figurait indirectement au rang des grands bénéficiaires : il recevait un total de près de 300 millions de francs (près d'1 milliard de francs réévalués, soit 150 millions d'euros environ) de droits de succession (environ 200 millions pour la succession de Pablo, et 100 millions pour la succession de Paulo), réglés sous forme d'une seule Dation en œuvres d'art.

J'ai toujours été troublé par cette qualification toute médiatique de « principal héritier » ou « principal(e) bénéficiaire » d'un héritage. Une qualité si « principale », due à la mort d'autrui, a un caractère presque humiliant. Une telle classification, absurde par nature, montre combien il est ridicule de glorifier ainsi un héritier par son seul mérite quantitatif. Et le pire serait, pour un héritier, de se vanter lui-même de n'être que ce qu'il a reçu d'un autre. Dans le cas de notre famille, une journaliste[1] écrivit en 1977 : « Les bénéficiaires du legs Picasso héritent d'abord d'une responsabilité : celle de gérer sa gloire et son trésor posthume. » Elle avait raison.

Encore faut-il s'en montrer digne. C'est un beau challenge !

On peut imaginer le coût fiscal pour les héritiers si la Suc-

1. Hélène Demoriane, *Le Point*, n° 251, 11 juillet 1977.

cession avait eu lieu quelques années plus tard quand les droits de succession ont été portés, au début des années quatre-vingt, jusqu'à 40 % pour la tranche supérieure en ligne directe. Cela aurait offert à l'État – c'est-à-dire à nous tous – un musée Picasso à Paris à ce point gigantesque que le vaste bâtiment de l'hôtel Salé n'aurait même pas pu l'accueillir !

Si la Succession avait eu lieu après le 21 décembre 2001 – soit après la réforme absolue du droit de la famille et la mise à égalité de droits de tous les enfants, quelle que soit leur filiation (légitime, naturelle ou par adoption) –, il n'y aurait plus eu aucune disparité entre les descendants, traités à égalité de droits. Cela leur aurait probablement permis d'entretenir une fraternité plus proche de l'idéal égalitaire de mon grand-père et aurait sans doute engendré moins de problèmes...

La Dation

La formidable loi Malraux de décembre 1968, organisant le principe de la dation, permit de régler, sous réserve de l'accord de l'État, les droits de succession par la remise d'œuvres d'art. Le vote de cette loi avait pour objectif de protéger le patrimoine artistique de la France, et d'éviter que les héritiers soient contraints de vendre des œuvres importantes pour payer l'impôt, quitte à les brader à des acheteurs étrangers.

La Succession Picasso a certainement été l'illustration la plus emblématique de cette loi. D'abord, il y avait une nécessité matérielle pour les héritiers qui, en l'absence de la loi, auraient dû mettre sur le marché près d'un quart en valeur des œuvres de la Succession, ce qui aurait vraisemblablement fait chuter dramatiquement la cote des Picasso du monde entier. De plus, la France, de façon incroyable, avait négligé l'œuvre de Picasso dans ses collections nationales. Le MoMA, Museum of Modern Art de New York, possédait déjà depuis longtemps une collection inestimable de près de mille œuvres, incluant *Les Demoiselles d'Avignon* sans parler de l'illustrissime *Guernica*, alors en dépôt « politique » provisoire. La France ne comptait que quelques œuvres réparties ici et là, essentiellement sous l'impulsion de Georges Salles, de Jean Cassou et de Jean Leymarie. Ces trois hommes ont compris que la France avait méconnu Picasso de façon irresponsable. Ils n'ont pas été entendus, en leur temps. Picasso avait connu beaucoup de ministres. Aucun, jusqu'à Malraux, n'a compris que des trésors inestimables quittaient inexorablement la France.

L'intérêt de la Dation Picasso était double : s'acquitter des droits et donner un musée Picasso à la France.

Il fut immédiatement proposé de concevoir un musée spécifique pour accueillir cette Dation. Le Conseil de Paris choisit parmi les biens immobiliers qui lui appartenaient l'hôtel Aubert de Fontenay, dit hôtel Salé (car ce fut grâce à l'impôt sur le sel que le fermier général avait pu bâtir son hôtel). Il fut ainsi loué à l'État par un bail emphytéotique de quatre-vingt-dix-neuf années. Un budget de 20 millions de francs (soit 73 millions de francs réévalués ou 11 millions d'euros environ) fut voté pour sa restauration principale, confiée à l'architecte Bernard Vitry. Une partie de la rénovation extérieure fut cependant financée aussi par l'État.

J'ai accompagné ma mère lors de la première visite officielle du bâtiment. C'était à l'automne 1975. Il y avait là Michel Guy, le ministre des Affaires culturelles. Il s'agissait d'un bâtiment immense, en très mauvais état, dont la restauration des façades avait commencé. Ma mère et Dominique Bozo étaient devenus amis, et imaginaient déjà telle ou telle œuvre à telle ou telle place. Claude et Bernard me paraissaient enthousiastes, mais restaient attentifs à tous les détails. Certes, cet hôtel majestueux dans un pur style XVIIIe siècle, avec une grande cour d'honneur et un probable futur jardin sur l'arrière, paraissait éloigné de l'art moderne. Mais son espace était magnifique. De plus, le quartier du Marais était déjà la partie la mieux sauvegardée de la capitale, et ressemblait au vieux Paris que Pablo avait connu au début du siècle. Et puis, n'avait-il pas lui-même acheté des châteaux ?

Les sous-sols, constitués de magnifiques caves voûtées en pierre de taille qui servaient alors de cantines à une administration voisine, abritent aujourd'hui les tableaux représentant Maya, Claude ou Paloma, des portraits de Marie-Thérèse, Dora, Françoise ou Jacqueline, les célèbres sculptures de *La Chèvre* ou de *La Petite Fille qui saute à la corde* – parmi bien d'autres chefs-d'œuvre. Ils sont présentés au fil d'un parcours chronologique qui traverse toutes les pièces du musée. En se dirigeant vers les étages, on peut croiser les périodes de jeunesse, puis les portraits d'Olga ou de Paulo, et encore de Marie-Thérèse. Toute la vie et l'œuvre de Picasso sont ainsi couvertes.

L'architecte Roland Simounet fut chargé de la rénovation intérieure et réalisa un travail d'une grande modernité – les pentes douces qu'il a aménagées sont une parfaite réussite –, tout en respectant l'héritage des fastes du passé.

Je n'y revins qu'en 1985, lorsque notre famille au complet assista à son inauguration par le président de la République François Mitterrand et Jack Lang, alors ministre de la Culture.

Ce magnifique musée contient la fameuse Dation, choisie parmi les œuvres conservées par Picasso lui-même. De ce fait, il constitue certainement l'ensemble artistique le plus complet au monde. S'y trouvent aussi des archives extraordinaires, dont une bonne partie de sa correspondance.

Comme je l'ai déjà indiqué précédemment, dès l'origine de la Succession, Jacqueline, Paulo, Maya, Claude et Paloma ont souhaité faire prévaloir l'intérêt suprême de la Dation. Ils la considéraient comme leur devoir. Un devoir envers la France, un devoir envers Picasso. Dans cette osmose spontanée, les héritiers de Paulo, en 1975, se sont agrégés à l'esprit général. Personne n'a remis en cause le fait que l'État passait en premier.

Certes, les événements du printemps 1976 auraient pu

conduire à d'inextricables discussions ; mais la loi, le bon sens et les juges ont redonné à l'État sa priorité. Dominique Bozo fit des suggestions visant à l'harmonie générale du futur musée. Elles correspondaient objectivement aux choix instinctifs de tous.

Désormais, le musée Picasso tenait son trésor. Les héritiers recevaient les leurs.

L'Indivision

Pendant le règlement de la Succession, s'organisa aussi l'exercice du droit moral. Ce droit est très important. Il concerne tout le monde, et pas seulement les artistes. Mais il est souvent méconnu ou incompris.

Voici ce que dit la loi française. Le droit moral est visé par l'article L.121-1 du Code de la propriété intellectuelle :

« L'auteur jouit du droit au respect de son nom, de sa qualité et de son œuvre.

« Ce droit est perpétuel, inaliénable et imprescriptible.

« Il est transmis à cause de mort aux héritiers de l'auteur.

« L'exercice peut être conféré à un tiers en vertu de dispositions testamentaires. »

L'article L.121-2 ajoute : « L'auteur a seul le droit de divulguer son œuvre (...) Ce droit peut s'exercer même après l'expiration du droit exclusif d'exploitation déterminé à l'article L.123-1. » Cet article L.123-1 prévoit que « l'auteur jouit, sa vie durant, du droit exclusif d'exploiter son œuvre sous quelque forme que ce soit et d'en tirer un profit pécuniaire. Au décès de l'auteur, ce droit persiste au bénéfice de ses ayants droit pendant l'année civile en cours et les soixante-dix ans qui suivent ».

Voilà les principes fondamentaux qui régissent le droit moral. En résumé, il comprend quatre attributs : le droit de divulgation, le droit de paternité, le droit au respect de l'œuvre et le droit de repentir. Pablo Picasso le régissait de son vivant. Désormais, le droit moral appartient d'abord aux descendants (*ab intestat*), conformément à la loi (art. L.121-2) et de manière indivise.

S'est alors formée naturellement l'Indivision Picasso, composée des enfants Maya, Claude et Paloma, puis, à partir de juin 1975, des petits-enfants Marina et Bernard (venant aux droits de leur parent décédé Paulo). Comme la loi ne prévoit pas de différenciation entre enfants légitimes et enfants naturels, et évoque la notion de descendants, une solution provisoire fut adoptée : l'Indivision serait composée des cinq héritiers recevant chacun une part égale des revenus de cette Indivision, soit les trois enfants de Pablo et les deux enfants de Paulo. À l'origine, Jacqueline, la veuve de Pablo, figurait dans cette Indivision, au titre du quart d'usufruit sur les seuls droits patrimoniaux auquel elle pouvait prétendre. Cette assimilation fut admise jusqu'à sa mort en 1986.

L'Indivision Picasso possède donc collectivement et individuellement le droit moral. Le droit moral permet à son titulaire (l'artiste ou ses ayants droit, ou leur représentant) de juger de l'utilisation, de la reproduction et de la représentation de son œuvre, quelle qu'elle soit. En tant que droit de la personnalité, il s'applique aussi au nom ou à l'image de l'artiste.

Le droit moral, bien sûr, n'est pas attaché à une œuvre. Il couvre des droits patrimoniaux incorporels. Le fait de posséder matériellement une œuvre ne donne pas la propriété et l'usage du droit moral qui s'y applique. En un sens, le droit moral porte sur l'universalité de l'œuvre : dans le cas présent, toutes les œuvres, cédées, données ou conservées par Picasso. Les droits indivis découlant de ce droit moral comportent les droits de reproduction et de représentation de l'œuvre (pour les livres, catalogues, cartes postales, affiches ; pour la télévision, la vidéo, le cinéma, le multimédia, les réseaux en ligne, les licences de merchandising...) et les droits de suite (2 à 3 % environ du prix d'une œuvre vendue aux enchères publiques, appliqués par certains pays seulement).

Ces droits patrimoniaux s'exercent pendant toute la vie de l'artiste et durant cinquante ou soixante-dix ans (dans l'Union européenne) après sa mort, au profit de ses héritiers. Dans le cas de mon grand-père, décédé en 1973, ces droits courent jusqu'en 2043 au plus tard.

Ce droit moral est bien évidemment incessible. Parce qu'il est un droit collectif, aucun ne peut le céder à autrui sauf à violer les droits des autres. Pour s'en convaincre, imaginez que vous possédiez une maison avec vos frères et sœurs – donc dans le cadre d'une indivision. Il n'est pas possible que l'un d'eux vende la maison sans votre accord et que l'acheteur vous demande de déménager ! Il faut un accord unanime.

L'exercice du droit moral, lui seul, est perpétuel. Il s'exerce tout particulièrement dans le cadre du droit au respect de l'œuvre. Ce sont les mêmes règles qui s'appliquent pour les musiciens, les écrivains et, d'une façon générale, pour tous les créateurs d'une œuvre intellectuelle – aussi bien, aujourd'hui, le créateur d'un logiciel informatique –, avec des mises en pratique propres à chaque domaine d'activité. Le droit moral s'exerce par exemple en cas d'adaptation de l'œuvre : si quelqu'un souhaite modifier l'œuvre, en changer les couleurs, en modifier l'intégrité, les rapports de tailles, le titulaire du droit moral peut accepter ou refuser, et il n'a pas à s'expliquer ni à se justifier.

L'œuvre de Picasso était, en 1973, la plus reproduite au monde. Pablo avait lui-même connaissance des demandes de reproductions traditionnelles pour des cartes postales, des affiches, des catalogues d'exposition, des livres, cependant il avait délégué son pouvoir à la SPADEM (Société de la propriété artistique des dessins et modèles), l'une des grandes sociétés françaises de droits d'auteur. Il existe pour ce type de reproduction des barèmes d'utilisation pré-établis. En revanche, pour des utilisations plus atypiques (l'habillement ou l'art de la table, par exemple), il devait, lui-même, accepter, modifier ou refuser les demandes spécifiques dans le cadre de licences d'utilisation.

Le même schéma de fonctionnement s'est transmis à l'Indivision. Ainsi, très vite, des réunions de tous les indivisaires, généralement trimestrielles, furent organisées, dans un premier temps à la SPADEM, puisqu'elle recevait les demandes d'utilisateurs potentiels. Les décisions se prenaient à l'unanimité au départ, puis à la majorité (pour faciliter les choses), puisque le droit moral s'exerçait collectivement dans ces différents cas. Ma mère Maya venait régulièrement de Marseille, prolongeant le rituel du train de nuit, choisi de préférence aux autres, pour ne pas s'éloigner trop longtemps de nous.

En 1976, mon oncle Claude Picasso suggéra de créer une société civile pour gérer l'ensemble de ces droits, et constituer ainsi un outil de travail, auquel chacun apporterait sa contribution, et qui servirait de lieu permanent de rencontre et d'information.

Cette société civile permit de centraliser une documentation très complète sur l'œuvre de Picasso, avec tout un ensemble de livres, de catalogues, de photos ainsi qu'un jeu de fiches de l'inventaire permettant de procéder à des vérifications et à des propositions au cours de l'établissement de la Dation. Complémentaire de la SPADEM, cette société civile permettait aussi d'agir contre les faussaires ou les pirates, et contre toute utilisation illégale dont les exemples commençaient à apparaître.

Les locaux se trouvaient rue de Lille, dans le VIIe arrondissement de Paris. Le nom de la société comportait le nom de chacun des héritiers indivisaires : « Maya Picasso-Widmaier, Claude Picasso, Paloma Picasso, Christine Picasso, Marina Picasso, Bernard Picasso ». Elle devint la « Société civile Picasso » au bout d'un an, après le départ de Marina qui, de toute façon, se considérait associée « fantôme ». L'intérêt général me paraît être l'intérêt de chacun, fantôme ou pas.

Malheureusement, pour innovante qu'elle fût, la Société civile Picasso trouva rapidement sa limite dans l'indépendance et l'éloignement que souhaitait désormais chacun des héritiers dans sa vie personnelle. Elle demeurerait une tentative intéressante, prélude à la création d'une structure bien plus utile et efficace, Picasso Administration, vingt ans plus tard.

L'intérêt collectif s'effaçait devant les aspirations légitimes de chacun. Paloma entamait une carrière personnelle aux États-Unis. Mariée depuis 1978 avec Rafael López y Cambil, un auteur de théâtre devenu businessman, elle avait commencé à développer avec lui ses propres affaires de cosmétiques (avec l'américain Warner Cosmetics, plus tard racheté par L'Oréal) et de joaillerie (avec Tiffany's à New York). Ils formaient, avant l'heure, comme je l'ai dit, le premier couple *jet-set* – au sens littéral, puisqu'ils passaient plus de temps dans les avions que sur terre.

Bernard, à peine âgé de dix-huit ans, devait déjà faire face à une vie d'adulte, et trouver ses propres marques. Marina s'était installée en Suisse avec ses deux enfants, après s'être séparée de leur père, et sa collection d'œuvres héritées se trouvait déjà entreposée légalement en zone franche à l'aéroport de Genève. Elle en avait confié la gestion au célèbre marchand suisse Jan Krugier, qui était par ailleurs le beau-frère de Michel Poniatowski, alors ministre de l'Intérieur du gouvernement français. Seuls Maya et Claude avaient pris activement part à la Société civile Picasso.

Devant tant de difficultés pour réunir les énergies, Claude dut se rendre à l'évidence : il fallait arrêter l'expérience. La Société civile Picasso avait vécu sans vraiment naître... Les réunions d'indivisaires reprirent selon le système antérieur, à la SPADEM, au gré des disponibilités de chacun.

Au printemps 1980, la SPADEM, alertée par son équivalent et représentant américain ARS (Artists Rights Society), remarqua que de nombreux produits reproduisant des œuvres de Picasso, tous réputés en provenance des États-Unis, se trouvaient en vente dans des magasins, sans qu'aucune autorisation préalable n'ait été demandée pour leur fabrication et leur commercialisation.

La grande diversité des produits et leur simultanéité étaient étranges ; par ailleurs, ils ne correspondaient pas aux traditionnels produits pirates, tels que les tee-shirts, foulards et autres bibelots de médiocre fabrication. S'agissait-il d'une organisation de contrefacteurs particulièrement puissante ? De surcroît, les différentes œuvres de Picasso reproduites étaient curieusement toutes des œuvres héritées par Marina !

Après de rapides recherches, plusieurs licenciés furent identifiés aux États-Unis. Ils prétendaient tous avoir légalement passé un accord de licence avec une société américaine, Jackie Fine Arts. Cette société, dirigée par William Finesod, fut immédiatement contactée et mise en demeure de s'expliquer. M. Finesod indiqua qu'il avait acheté à Marina Picasso les droits de reproduction des œuvres dont elle avait hérité, via une société suisse ! Marina, en violation des droits de ses cohéritiers, et en violation de la loi française, avait donc vendu les droits de reproduction de ses œuvres, droits réputés indivis et incessibles, puisqu'ils appartenaient à l'ensemble de l'Indivision. Le système fonctionnait discrètement, dans l'anonymat d'une cascade de sociétés : Marina Picasso avait cédé les droits de reproduction à la société suisse Paraselenes, qui les avait cédés à la société Art Masters International (AMI) – établie dans le Delaware aux États-Unis –, qui les avait ensuite licenciés à la société Jackie Fine Arts de l'État de New York, qui les avait à son tour sous-licenciés à différentes sociétés américaines de merchandising ! Au terme de cet accord, Paraselenes/AMI, représentant Marina, devait percevoir un minimum garanti de 22,5 millions de dollars répartis sur quinze années [1], nonobstant le reversement d'un pourcentage de 60 % des revenus obtenus avec le tiers contractant (en l'occurrence Jackie Fine Arts). Selon cet accord, désormais, la société Jackie Fine Arts pouvait créer à sa guise tous les produits imaginables, sans aucune

1. Soit 100 millions de francs de l'époque (1 dollar = 4,45 francs en 1980) ou 220 millions de francs réévalués à parité égale (mais en réalité 350 millions de francs d'aujourd'hui avec un dollar courant à 7 francs, sur l'ensemble de la période envisagée). Le montant de la transaction fut révélé notamment par Gérald McKnight dans *Bitter Legacy*, *op. cit.*, p. 148.

contrainte. Elle était libre d'adapter les images des œuvres, de les modifier éventuellement, sans demander la moindre autorisation aux indivisaires, puisque aucune procédure de contrôle n'était indiquée dans le contrat.

Une seule référence dans ce contrat était faite au droit moral en le définissant ainsi : ne pas porter atteinte au nom, à l'honneur, à la réputation ou à la mémoire de Pablo Picasso. Mais il n'était mentionné aucune procédure *a priori* de soumission des projets et des prototypes pour validation, ni aucune sanction en cas de violation du droit moral. La société américaine pouvait désormais reproduire à sa guise jusqu'à mille images (choisies parmi les deux mille devant être fournies) d'œuvres de Pablo Picasso reçues par Marina Picasso dans sa part d'héritage.

Jackie Fine Arts avait déjà passé toute une série de contrats de sous-licences avec des entreprises, les unes pour des foulards, les autres pour des tapis, celle-ci pour du parfum, une autre pour des reproductions réputées « originales » des œuvres de Marina (dans le cadre d'une politique d'exemptions fiscales pour les acheteurs d'art américains)...

Non seulement l'incendie était allumé, mais il s'était déjà propagé, via une quarantaine de licences en bonne et due forme.

La SPADEM indiqua alors aux autres héritiers qu'elle avait été informée, quelque temps auparavant, par Me Ferrebœuf, l'avocat de Marina, de l'intention de sa cliente de se lancer dans une politique de merchandising aux États-Unis, mais qu'elle n'en avait pas présumé la mise en route, secrète et illégale. Marina venait d'ouvrir en grand la porte à toutes les utilisations possibles et imaginables de l'œuvre et du nom de Picasso qui y était nécessairement attaché, sans aucun contrôle, au risque d'une banalisation radicale. En matière de spéculation financière, elle avait créé un précédent, et battu des records, tant pour les revenus garantis via la Suisse, que par l'illégalité de l'opération, réalisée dans le dos des autres indivisaires qui, au demeurant, n'avaient jamais voulu entamer une telle politique.

Cette affaire projetait les héritiers dans le business tous azimuts. De force.

Maya fut avertie au début du mois de septembre 1980, alors que nous nous trouvions en vacances aux États-Unis. Après avoir reconstitué la chaîne des sociétés de cette affaire, la SPADEM avait sommé la société Jackie Fine Arts de cesser immédiatement ces activités de contrefaçon. En réponse à cet ultimatum judiciaire, Jackie Fine Arts avait plaidé sa bonne foi et, prise en tenaille par ses nombreux sous-licenciés devenus opérationnels, la société américaine avait officiellement notifié la menace de réclamer la somme gigantesque de 600 millions de dollars, soit 2 milliards et demi de francs d'alors (5 milliards et demi de francs réévalués, soit 840 millions d'euros environ), de dommages et intérêts aux cinq membres de l'Indivision ! Ce qui représentait la ruine et la mise sur le marché de l'ensemble des œuvres des héritiers, si ceux-ci perdaient le procès pourtant légitime. La faillite du marché de l'art autour de l'œuvre de Picasso, celle des galeries et la mise en danger des musées et des collectionneurs étaient assurées...

Ma mère ne comprit pas exactement ce qui arrivait, et dissimula sa grande inquiétude. Elle en tomba presque malade, nous avoua-t-elle plus tard. Dès son retour, elle fut convoquée à une réunion de crise, organisée à Paris par le cabinet d'avocats américain représentant l'homme d'affaires William Finesod. Ma mère demanda immédiatement à ses avocats, Me Paul Lombard et Me Marie-France Pestel-Debord, de l'accompagner. Elle pria même, la veille de la réunion, son notaire Paul Hini de les rejoindre le lendemain à l'hôtel *Trianon Palace* de Versailles, où aurait lieu la conférence.

Le 11 octobre 1980, s'ouvrait un marathon qui allait durer quinze jours sans interruption.

L'avocat américain William Schreyer indiqua les circonstances de l'accord, devant des interlocuteurs médusés par l'inconscience de cette énorme transaction. Il soutenait la validité de son accord, en dépit de l'illégalité évidente de l'opération. Marina était venue à cette première réunion accompagnée par Me Ferrebœuf, propulsé « avocat d'affaires » à l'occasion de ce « contrat ». Marina ne dit pas un mot. Elle ne revint pas le lendemain. Elle ne revint plus.

Choix cornélien pour les autres indivisaires : contester légitimement l'accord passé, et s'embarquer dans un procès-fleuve aux États-Unis, sans aucune certitude de l'emporter devant les juridictions américaines et en encourant la menace de dommages et intérêts insupportables ; ou réorganiser les sous-licences passées en faisant un tri et en réintroduisant le respect absolu de l'exercice du droit moral par l'Indivision.

Claude et Maya avaient pris la direction des discussions pour faire entendre raison à leur interlocuteur. Me Hini fut le principal artisan juridique de l'accord qu'il fallait mettre au point d'urgence. Les Américains voulaient un *closing*, c'est-à-dire ne pas repartir sans un accord. Outre le principe indéfectible que le droit moral ne se cédait pas, et certainement pas dans le cas de l'œuvre de Picasso, qu'il fallait protéger à tout prix dans le monde entier, restait le problème des sous-licenciés de la société américaine. Tous sommés d'arrêter leur commerce, ils se retourneraient évidemment contre Jackie Fine Arts, le prétendu licencié de la société AMI, nouveau « propriétaire » des droits de reproduction de Marina (en réalité, je le répète, propriété commune de tous les indivisaires), et contre tous les héritiers Picasso accusés de parasitage !

Au terme de ces quinze jours et quinze nuits, et probablement parce que Claude et Maya avaient noué de bonnes relations avec William Finesod et ses avocats pour leur faire entendre raison, un « concordat » fut trouvé. Il comportait tous les éléments juridiques et financiers d'un nouvel accord, passé en force.

Bien évidemment, la vente par Marina des droits de reproduction sur ses œuvres était annulée, parce que illégale. On parlerait désormais d'une licence traditionnelle des droits de reproduction des images des œuvres de la collection de Marina Picasso, avec exclusivité sur une sélection spécifique et réduite de ces images. Les garanties financières étaient très largement revues à la baisse. Et surtout, les sous-licenciés américains devraient désormais se soumettre aux procédures normales de présentation de leurs demandes, et de validation éventuelle des prototypes en passant par l'organisme VAGA[1], correspondant de la SPADEM aux États-Unis. Maya, Claude, Paloma et Bernard, les indivisaires, se trouvaient ainsi contraints d'organiser un merchandising qu'aucun d'eux n'avait souhaité. Mais ils pourraient au moins contrôler la situation – avec Marina, bien entendu. Après tout, ils formaient indéfectiblement une Indivision.

Au sein de ces licenciés américains, se trouvait une certaine Marilyn Goldberg, qui dirigeait la société Museum Boutique International (MBI). Elle eut l'ingénieuse idée de fédérer les autres licenciés, et de les représenter. Et elle devint l'interlocutrice musclée de l'Indivision Picasso.

Malgré la procédure indiquée par l'accord transactionnel avec Jackie Fine Arts, elle eut toujours du mal à se soumettre parfaitement aux règles de l'Indivision. Profitant de l'éloignement géographique, elle mit presque quinze ans à le faire. Même *Le Monde*[2] s'en fit l'écho : « Claude Picasso a vainement tenté d'empêcher l'Américaine Marilyn Goldberg et sa société (...) d'exploiter les droits vendus par Marina Picasso (une des ayants droit) sur les toiles que lui avait léguées son père Paul, fils aîné du peintre, pour les dupliquer un peu sur n'importe quoi... »

Marylin était une redoutable femme d'affaires, charmante, mais déterminée à s'autoriser des « aménagements ». N'avait-elle pas déclaré, avec un naturel déconcertant, que Claude Picasso compliquait tout, et que là où Picasso avait mis huit couleurs, elle n'en mettait que quatre pour réduire ses coûts[3] ! J'étais un jeune étudiant en droit à l'époque, en 1980, et ma mère me parlait de cette Américaine pleine d'énergie.

1. VAGA (Visual Artists and Galleries Association) : cet organisme a depuis été remplacé par l'ARS (Artist Rights Society) auprès de Picasso Administration.
2. Pascal Galinier, *Le Monde*, 4 janvier 1999.
3. Reportage de l'émission *Capital* diffusée sur M6 en janvier 1996.

J'ignorais que j'entendrais encore parler d'elle par mon oncle Claude quinze ans après !

Car il fallut quinze années de discussions permanentes, d'allers-retours, de transgressions régulières pour arriver à un *agreement* imposé par un juge new-yorkais (qui se refusait à statuer lui-même), afin de stabiliser les relations commerciales. Ces longues palabres coûtèrent une fortune à l'Indivision, tant en frais d'avocats qu'en perte de revenus.

Depuis 1995, l'Indivision, via Picasso Administration qui la représente désormais, continue de travailler, dans des conditions enfin stabilisées, avec Marilyn Goldberg. Pour l'avoir rencontrée à plusieurs reprises, je dois avouer que cette femme de tête a un sacré sens du commerce ! Finalement, avec une certaine compréhension, les relations sont devenues cordiales.

Dans le concordat, figurait également un chapitre consacré aux fameuses reproductions d'œuvres appartenant à Marina, réputées reproductions « originales » signées (!) de la main de Marina pour les « authentifier ». Ces fameuses reproductions « originales » répondaient à un système de réduction d'impôts (dit *Tax shelters*) pour les acheteurs américains dans le cadre d'une politique d'aide à l'investissement en œuvres d'art sur le territoire des États-Unis. Comme il s'agissait d'une opération imaginée par William Finesod et que, indirectement, elle y mêlait le *Tax Office* américain, il fallait être prudent et respecter les contribuables américains déjà engagés.

L'Indivision accepta le principe de cette opération, laissant à Marina le soin de signer de sa main des milliers de reproductions de ses œuvres ! Un scandale international et des actions en justice furent évités par le sang-froid de tous, et le talent des juristes.

La presse se fit régulièrement l'écho de cette affaire compliquée [1]. Mais aucune mise au point n'avait été faite – jusqu'à ce jour. Bien des produits issus de cet accord ont

1. Voir notamment, *VSD*, avril 1996, et *Bitter Legacy*, *op. cit.*

été mis sur le marché, parfois avec l'aval de l'Indivision, souvent sans, comme le parfum *Chapeau Bleu*, dont le flacon reprenait, en une incroyable transposition en trois dimensions, un portrait de Marie-Thérèse des années trente appartenant à Marina. Il fallut, de force, faire retirer cet article des circuits commerciaux.

Maya, Claude, Paloma et Bernard continuèrent de se réunir régulièrement. Marina ne participa plus à aucune rencontre, bien qu'elle y fût toujours conviée. Elle indiqua, en novembre 1981, qu'elle était désormais représentée par Mᵉ Pierre Hebey, avocat à Paris.

Sans que nous le sachions, Marina entamait au même moment une longue psychothérapie [1].

De 1981 à 1986, je me tins un peu au courant, auprès de ma mère, de la vie de l'Indivision. Je poursuivais moi-même mes études de droit, sans savoir que cette formation et mes expériences professionnelles me serviraient un jour à comprendre l'ampleur de la tâche de cette Indivision et à lui apporter quelques suggestions. Les années passèrent. Licence, maîtrise de droit des affaires et de fiscalité avant d'entamer un troisième cycle spécialisé. Et d'effectuer mon service militaire dans l'armée de l'air. J'étais loin de l'univers Picasso, j'avais ma vie. J'avais suivi plusieurs stages, chez un notaire, chez un commissaire-priseur, chez un avocat, enfin chez un conseiller fiscal. Les dossiers que je parcourais m'ouvraient à d'autres expériences.

Finalement, je compris que c'étaient la télévision et la musique que j'aimais, et, par l'entremise d'une amie éditrice, Yaffa Assouline, je rencontrai le producteur Jacques Marouani. Son nom résonnait au firmament du panthéon du disque comme un sésame.

Je devins son assistant juridique. Nous étions en 1987. J'allais connaître l'aventure de La Cinq et ses contrats pharaoniques, et les débuts de la télévision commerciale, poursuivis

1. *Grand-père*, *op. cit.*, p. 12.

sur TF1 – en même temps que les succès au Top 50 des artistes de mes employeurs. J'apprenais mon métier. Je constituais un réseau professionnel.

En 1990, je démissionnai pour fonder ma propre entreprise. J'eus la chance de rencontrer une jeune journaliste de talent, Daniela Lumbroso, avec laquelle je produisis très rapidement une série d'émissions en *prime time* pour Antenne 2.

J'étais un débutant, un *rookie*. Je fis la connaissance, la même année, d'un tennisman en pleine reconversion, Yannick Noah.

C'est l'une des plus belles rencontres de ma vie, tant sur le plan philosophique que professionnel. Sa détermination, sa force d'apaisement et son sens des autres m'ont ouvert les yeux sur ce que pouvait signifier l'accomplissement d'une vie. On est ce que l'on fait, pas ce que l'on prétend être. Il l'avait déjà prouvé. Et il l'a prouvé à nouveau, comme artiste. Nous vivions quelques mois plus tard l'aventure de *Saga Africa*. J'avais mon premier disque d'or sur le mur de mon bureau ! J'allais aussi connaître quelques échecs, comme tout le monde. Ma vie à moi commençait. J'avais mis en pratique mon postulat : pouvoir vivre aussi sans Picasso !

En 1994, fort de mon expérience de producteur dans l'audiovisuel, j'ai commencé à m'intéresser au multimédia. À cette époque, la technologie du CD-Rom commençait à intégrer les ordinateurs. Un ami passionné m'avait servi de guide technique. Il fallait produire des contenus, des programmes. J'ai pensé qu'un sujet s'imposait naturellement à moi : Picasso.

Fidèle à ma façon de travailler, j'ai d'abord analysé le marché et repéré les partenaires qui pourraient s'intéresser à mon projet. En particulier, un associé qui comprendrait les subtilités du droit moral et du respect de l'œuvre. Encore fallait-il qu'il possède les compétences techniques pour coproduire le CD-Rom, et le réseau commercial d'un éditeur pour le distribuer dans le monde entier.

Mon choix se porta sur la division multimédia, récemment créée alors, dans la branche Hachette-Filipacchi du groupe

Lagardère. J'avais fait la connaissance de sa directrice artistique Jacqueline Le Bot, qui avait conduit la réalisation du CD-Rom de la fondation Maeght, que j'appréciais particulièrement. Elle connaissait le monde artistique, et j'avais pu apprécier sa maîtrise du processus de production. Ma rencontre avec son jeune patron, Arnaud Lagardère, fraîchement installé à la tête de cette branche, finit de me convaincre.

J'étais allé rencontrer Arnaud aux États-Unis, à Danbury (Connecticut), où se trouvait Grolier, le plus gros éditeur mondial de CD-Roms, que le groupe français avait récemment acquis. Il y faisait ses classes, et son enthousiasme inattendu promettait un management dynamique. Il était l'oiseau rare que je recherchais, un Français compétent possédant un réseau mondial. J'étais aussi sensible aux potentiels d'un réseau de communication en formation appelé Internet, qui paraissait un outil formidable de développement ultérieur pour notre projet. Fabrice Sergent, un jeune ingénieur en télécommunications, y travaillait pour le groupe... Il deviendrait le patron du célèbre fournisseur d'accès Club-Internet.

Il me fallait maintenant passer un accord avec l'Indivision Picasso dont mon oncle, Claude, était l'administrateur. Je le voyais très rarement, à l'époque. Je pris rendez-vous avec lui quelques jours avant Noël 1994.

Je savais qu'il était administrateur de l'Indivision mais je ne savais pas comment il avait obtenu ce poste officiel. J'ignorais en effet que cela résultait d'un différend avec ma propre mère, Maya, qui remontait à 1988. Jusqu'alors, l'Indivision fonctionnait à travers la société de droits d'auteur, la SPADEM, société à laquelle Pablo Picasso avait lui-même adhéré de son vivant : la SPADEM gérait le monopole de propriété artistique attaché à l'œuvre de Pablo Picasso, c'est-à-dire les fameux droits patrimoniaux incorporels. Ma mère se plaignait de l'inefficacité de la SPADEM, de son coût et des réunions d'indivisaires qui, compte tenu des emplois du temps de chacun, se résumaient souvent à des renvois de dossiers à la réunion suivante... Marina, depuis l'affaire Jackie Fine Arts de 1980, ne venait plus à ces réunions, en raison de son désintérêt pour les autres indivisaires et pour ce qui s'y passait.

L'Indivision avait été organisée, à la fin du règlement des successions, par une convention conclue en octobre 1980 pour cinq ans et renouvelée provisoirement en 1986. En juin 1988, ma mère démissionna de la SPADEM (chaque indivisaire avait dû y adhérer à titre personnel au sein de l'Indivision), ce qui bloqua le fonctionnement autonome de la société de droits d'auteur. Il lui fallait dorénavant obtenir aussi l'accord individuel de Maya pour toute demande qu'elle devrait gérer. Opposés à cette situation, Claude et Bernard demandèrent alors au juge de se prononcer immédiatement en référé.

Il faut savoir qu'en cas de difficulté, et en l'absence de solution, les membres d'une indivision doivent s'adresser exclusivement au juge de l'indivision, qui siège au sein du tribunal de grande instance. Il leur semblait impensable qu'à la gestion indivise, se substituent une ou plusieurs gestions individuelles incompatibles. Ma mère demanda au cours de la procédure que le juge accorde à chacun la gestion totalement indépendante des droits incorporels des œuvres qu'il ou elle avait reçues en héritage. Il s'agissait donc véritablement de rompre l'Indivision, comme le stipule la loi française qui prévoit que « nul ne peut être contraint à demeurer en indivision et le partage peut être toujours provoqué, à moins qu'il y ait été sursis par jugement ou convention » (art. 815 du Code civil). Cependant, *quid* des œuvres dans le public (musées, galeries, collectionneurs...) ? Qui gérerait les droits de ces œuvres ? *Quid* de la gestion du nom ou de l'image de Picasso ?

Il faudrait bien que subsiste un organe commun et collectif...

Ma mère ajouta qu'elle voulait que l'adhésion à la SPADEM ne soit pas une obligation, puisqu'elle en avait démissionné elle-même. Elle pensait déjà qu'une gestion directe serait bien plus efficace et moins coûteuse (la SPADEM effectuait un prélèvement forfaitaire de 25 % environ sur toutes les sommes encaissées pour les artistes adhérents, voire de 50 % au total pour l'étranger, incluant la rémunération de son représentant local !). Il lui semblait que l'Indivision aurait besoin de moyens importants pour protéger le nom et l'œuvre de Pablo, face au marché grandissant des contrefaçons dans le monde entier. L'affaire Jackie Fine Arts et la multiplication des produits « autorisés » avaient éveillé la curiosité de pirates, convaincus désormais de l'attrait du nom et de l'œuvre de l'artiste génial.

Ma mère avait eu raison trop tôt : cette gestion directe et particulièrement efficace ne se mit en place que neuf ans plus tard, avec la création de Picasso Administration.

Claude, Paloma, Marina et Bernard, via leurs avocats, conclurent un pacte par lequel ils s'engageaient par avance à préférer une indivision, et à y demeurer ensemble. Marina émit cependant la réserve de ne pas y souscrire si le juge prononçait *in fine* le partage de l'Indivision. Elle n'eut pas à le faire car le juge débouta ma mère, nomma mon oncle Claude (qui ne s'y attendait pas !) administrateur de l'Indivision, avec simple « faculté » pour lui d'adhérer à la SPADEM au nom de l'Indivision. Ce deuxième point, suggéré finalement par ma mère, lui fut très utile, au moment de la faillite [1] de la SPADEM, pour démissionner à temps et ne pas y voir sombrer également l'Indivision Picasso.

Je crois que cette décision de justice fut probablement un très grand pas en avant, même si j'imagine la déception de ma mère. Elle n'en fit cependant jamais mention auprès de nous, ses enfants, et cette attitude nous a prouvé combien elle était une femme de conciliation et d'apaisement. Elle aurait pu nous faire part d'une rancune, transmettre son amertume d'une génération à l'autre, jouer la vendetta... Ce n'est pas son caractère.

Quand je lui appris que j'allais rencontrer Claude, à l'occa-

1. *Cf.*, p. 365.

sion de mon projet de CD-Rom, elle m'approuva sans sourciller.

Mes retrouvailles avec Claude furent particulièrement sympathiques. Presque inattendues pour moi. Après la mort de Paulo, il était et demeure mon seul oncle. C'est un lien affectif important. Nous faisions connaissance, en quelque sorte, et j'ai le souvenir de discussions passionnées sur sa fonction d'administrateur et sur les grandes orientations qu'il souhaitait mettre en place. Il m'expliqua la situation et les problèmes qu'il rencontrait pour faire respecter le droit moral. Je pensais lui apporter un œil neuf sur la situation, et lui parlai de mon expérience professionnelle avec les grands groupes internationaux, à mon sens des interlocuteurs intéressants. N'être ni héritier de Picasso, ni indivisaire m'a toujours permis de faire abstraction des contraintes, et de préserver mon indépendance et un pragmatisme certain.

Claude et moi nous sommes revus fréquemment. Nous avons appris à nous connaître. Au titre de sa fonction officielle, il gère les droits indivis portant sur les œuvres de Pablo Picasso – ce qu'on appelle aussi le « monopole », puisque ces droits portent sur l'ensemble de ses œuvres. Il disposait alors également d'un mandat de chacun des indivisaires pour agir en matière de marques : il s'agissait désormais de gérer le nom de Picasso en tant que marque, tant sur le plan de son enregistrement que sur celui de son exploitation. C'est une obligation légale.

Nous étions au début de l'année 1995 et, apparemment, la marque Picasso était devenue une réalité – et un réel problème. Des dépôts de marques illégaux par des individus ou des sociétés mal intentionnés (au mieux, mal informés) s'étaient multipliés dans le monde entier. Il n'était plus possible de se défendre sur le seul terrain du *copyright*.

Pablo Picasso est l'artiste le plus reproduit au monde, d'une façon légale (à lui seul, « Picasso » représenterait 40 % du marché mondial des reproductions d'œuvres graphiques d'artistes), mais aussi le plus « piraté », avec tout ce que cela représente de menaces tant pour le respect des œuvres originales (authenticité, couleurs et intégrité) que pour la nature des produits-supports commercialisés (souvent inacceptables dans l'esprit). Au-delà de l'aspect financier, qui demeure important mais secondaire, l'Indivision a toujours eu une ambition de moralité.

Picasso était donc devenu une marque commerciale, au même titre que Coca-Cola, Disney ou Nike : une marque connue en tant que telle, qui faisait vendre des produits parfois très éloignés de l'univers de l'artiste ou de sa réputation. N'avait-on pas saisi, à Taïwan, un catalogue proposant tout un lot d'articles pour la maison, estampillés « Picasso » : moquette au mètre, abat-jour, rideaux, casseroles, ventilateurs, chaussures, papier-toilette... reproduisant ici telle œuvre « simplifiée », ailleurs une seule signature en guise de marque du fabricant !

De là à penser que ce business avait la bénédiction de notre famille, il n'y avait qu'un pas. Qui fut souvent allégrement franchi...

Dans de très nombreux systèmes juridiques, le dépôt d'une marque ne suffit pas. Il faut l'exploiter, sous peine de déchéance. C'est le cas en France par exemple. C'est logique, mais, si l'on n'y prend pas garde, cela devient particulièrement dangereux, dans le cas d'un nom comme « Picasso ». De surcroît, dans beaucoup d'États, le juge saisi en « opposition de marque » peut remarquer que nous ne subissons pas de dommage s'il existe des ventilateurs Picasso, puisque nous n'en produisons pas ! C'est alors qu'il faut prouver le dommage moral porté à l'œuvre et à la réputation de l'artiste, et faire remarquer également que les produits fabriqués par des partenaires licenciés pâtissent de l'existence de ces produits pirates qui parasitent leur propre communication.

Au-delà, se posent des problèmes d'investissements et d'emplois pour ces licenciés légaux, problèmes qui nous dépassent largement, mais qui, à terme, nuisent à l'économie générale. C'est le même piratage que dénoncent les musiciens et les producteurs de disques. Pourquoi refuserait-on aux héritiers de Picasso de défendre leur patrimoine, qui est aussi la mémoire de Picasso pour le monde entier ?

En un sens, l'œuvre de Picasso (et de bien d'autres artistes) se suffit à elle-même, dans les musées, les expositions, les livres. Mais le public aime aussi la retrouver sur tel ou tel objet familier. Il n'y a qu'à constater le succès des boutiques des Musées nationaux, entre autres, et les milliers de produits édités d'après des œuvres d'artistes. La popularité de Picasso est telle qu'elle suscite un engouement auquel il faut nécessairement répondre. Ne rien faire, c'est laisser la voie libre à ceux qui tenteraient de s'engouffrer dans l'illégalité, ce qui affecterait durablement la réputation de l'artiste et de son œuvre.

Jusqu'à la fin 1995, l'Indivision Picasso, administrée légalement par mon oncle Claude, était donc représentée par la SPADEM. Cet organisme avait des représentants dans le monde entier. Il gérait ainsi les droits de près de quatre mille artistes différents. Les droits de reproduction qu'il percevait pour les œuvres de Picasso représentaient des sommes énormes : jusqu'à 40 % du chiffre d'affaires annuel de la SPADEM.

En dépit de ces revenus conséquents, la SPADEM, en 1995, ne payait plus aux artistes ou à leurs ayants droit leurs droits collectés. Elle avait de très graves problèmes de trésorerie, suite à l'acquisition d'un équipement informatique gigantesque, probablement surdimensionné, et ruineux en frais de maintenance. Devant cette situation, Claude Picasso démissionna de la SPADEM. Il avait eu la prudence de prévoir, dans son adhésion, un préavis d'un seul mois, alors que la procédure statutaire traditionnelle était de six mois. Il put ainsi réagir très rapidement et protéger au mieux les intérêts des indivisaires et de Pablo.

Mon oncle estima qu'il était nécessaire de passer à une autre étape. C'est ainsi qu'est née Picasso Administration, afin de gérer directement les droits indivis qu'il avait la charge d'administrer. C'était une nécessité, en raison du volume global des affaires à traiter et des flux financiers. Une personne morale, une société, devait bien évidemment se substituer à sa seule personne physique d'administrateur.

Picasso Administration est donc une EURL (entreprise dite unipersonnelle à responsabilité limitée) dont l'actionnaire unique est Claude Picasso, au titre d'« administrateur judiciaire ». Picasso Administration a reçu un mandat de représentation de l'administrateur judiciaire, et agit au nom de l'Indivision Picasso – ou Succession Picasso, encore que je préférerais, personnellement, « Famille Picasso », pour en finir avec cette référence mortifère. Aucun des indivisaires, en tant que tel, n'a évidemment vocation à être membre de Picasso Administration et n'a donc pas à accepter ou refuser d'en faire partie. C'est une structure transparente. Quant au choix du nom de Picasso Administration par Claude, il m'a paru évident puisqu'il se comprend dans toutes les langues [1].

Cette reprise en main par mon oncle a marqué l'établissement d'un nouveau dialogue entre les indivisaires, à l'exception de Marina. Je crois que Maya a apprécié que je renoue le dialogue entre elle-même et les autres.

Le bureau parisien de Picasso Administration est devenu le centre d'information qui avait toujours manqué, et qui permet de répondre à toutes les questions. Claude Picasso a entrepris les démarches nécessaires pour restaurer le monopole, c'est-à-dire pour organiser les représentations internationales (avec vingt-deux correspondants [2] dans le monde), lancer les actions judiciaires nécessaires à l'encontre des utilisateurs frauduleux de l'œuvre et du nom, voire désormais de l'image même de Pablo Picasso.

1. Quant au seul mot « administrateur », il paraît froid mais c'est le seul mot légal. Dont acte.

2. Afrique du Sud : Dalro. Allemagne : Bildkunst. Argentine : Estudio Jurídico Kiper. Australie : Viscopy. Autriche : VBK. Belgique : SABAM. Canada : SODRAC. Corée : SACK. Danemark : Copydan. Espagne : VEGAP. Estonie : EAU. États-Unis : ARS. Finlande : Kuvasto. Italie : SIAE. Japon : BCF. Lettonie : AKKA/LA. Lituanie : Latgaa. Norvège : BONO. Pays-Bas : Beeldrecht. Royaume-Uni : DACS. Suède : BUS. Suisse : Prolitteris.

Lors d'un relevé de 1998, on a dénombré plus de sept cents marques illégales « Picasso », dans le monde entier, dans toutes les classes de produits et services. Peut-on laisser ces infractions en l'état ? Je ne le pense pas. Dans ce même relevé, outre ces sept cents marques pirates, l'Indivision Picasso possédait alors seulement une dizaine de dépôts, plus environ trois cents dépôts logiques pour la marque « Paloma Picasso » – et quelques enregistrements des marques « Marina Picasso » et « Maya Picasso » : dans ce dernier cas, j'avais invité ma mère à le faire, par précaution, compte tenu du fait que son prénom, très original, est aussi le titre de nombreux portraits peints ou dessinés par son père.

Désormais, au cas par cas, à l'amiable ou en justice, chaque marque illégale est récupérée par l'Indivision Picasso représentée par Picasso Administration. Une opposition de marque coûte environ 305 euros (2 000 francs environ) en France, mais 19 000 euros (125 000 francs environ) au Panama... Mais si vous ne faites rien au Panama, il y a un risque réel de voir apparaître des produits pirates estampillés « Picasso », enregistrés au Panama, et se prévalant d'un nom légalement protégé là-bas !

Dans l'absolu, s'il y a sept cents marques illégales, il faudrait accomplir sept cents oppositions. Comme il y a quarante-deux classes de produits et services, cela entraîne à terme le dépôt de la marque « Picasso » dans toutes ces classes – ce qui est d'ailleurs le cas en France aujourd'hui – et dans tous les pays. *A contrario*, il ne s'agit pas de créer dorénavant tous les produits possibles « Picasso » de toutes les classes protégées. Cela représenterait des centaines de produits différents, et d'ailleurs non souhaités ! Les héritiers Picasso n'ont jamais voulu faire spécifiquement du merchandising ni, *a fortiori*, autoriser tous les produits. Il s'agit de procéder à des arbitrages très sélectifs.

Il a toujours existé un merchandising, même du temps de mon grand-père : cartes postales et affiches sont les ancêtres des produits modernes de licence. Dans les années cinquante,

Pablo s'était même beaucoup amusé de voir des chemises ou des robes – modèles uniques – confectionnées dans des tissus reproduisant certaines de ses œuvres « multipliées ». C'était bien avant que cette mode n'apparaisse à grande échelle.

Aujourd'hui, à ma connaissance, il doit exister une dizaine d'accords de licence autorisés utilisant le nom et l'œuvre de mon grand-père. Nous voilà loin des fantasmes de ceux qui verraient du Picasso partout. Cette parcimonie intelligente témoigne d'une reprise en main radicale, et d'une grande vigilance, pour établir un équilibre. Enfin, les revenus de licence permettent de financer le fonctionnement de Picasso Administration, lui donnent plus particulièrement les moyens de protéger le nom et l'œuvre de l'artiste, de financer, si nécessaire, les actions en opposition de marque ou en contrefaçon – ainsi que d'acquitter les frais d'avocats et d'assurer le fonctionnement courant des autorisations de reproduction des œuvres.

Les produits dérivés, tels que les entend Picasso Administration, s'appuient sur des valeurs de notoriété, d'identité, de confiance et de réputation. Avec le nom et l'œuvre de Picasso, il existe une véritable « valeur ajoutée imaginaire » qui inspire le public. La reconnaissance du nom est quasi universelle, avec un taux d'identification proche de 95 % dans la plupart des pays. Une telle notoriété attise les convoitises. Dans un contexte de défense, et non d'exploitation spontanée, l'Indivision Picasso a dû envisager le merchandising comme un élément de protection. Pour combattre un marché qui ne l'avait pas attendue, et qu'elle n'avait pas vocation à prospecter (à l'exception isolée de l'affaire Jackie Fine Arts en 1980), la Succession a commencé par lutter contre les situations illégalement établies en déterminant une stratégie pour éviter le tout et n'importe quoi. À partir de 1995, Claude Picasso, administrateur judiciaire de l'Indivision, a pu activement procéder à des choix, et a défini un territoire de légitimité du nom (devenu marque) et de l'œuvre de Picasso.

La politique de l'autruche et le bon vieux temps des cartes

postales étaient révolus. Il fallait désormais que les héritiers comprennent la réalité du monde contemporain, soient innovants sans jamais porter préjudice à la réputation de l'œuvre ou de l'artiste, et trouvent un équilibre.

Fort d'une expérience personnelle auprès de grandes sociétés, souvent de niveau mondial, j'avais décidé, dès 1994, de développer mon activité de conseil en rapprochement d'entreprises et d'activités, et de l'adapter à la situation familiale. En un sens, j'essaie d'être un rapprocheur de talents ! Mon intervention auprès de Picasso Administration s'est déroulée et se déroule toujours comme n'importe quel autre intervenant pourrait le faire. Quant à ma rémunération, elle est légitime, et, à ma connaissance, conforme à celle accordée à d'autres tiers par l'Indivision. De plus, elle est « proportionnelle », ce qui est une excellente motivation : chaque amélioration obtenue par moi profite à tous. Un peu à l'image de mon grand-père avec ses marchands. Tout est ainsi transparent.

Depuis 1996, j'ai suggéré à Picasso Administration des rapprochements avec de grands groupes industriels, dans le cadre de créations de produits pouvant légitimement reproduire le nom ou l'œuvre de Picasso. Certains ont abouti, d'autres non. J'avais appris qu'en Chine la Succession faisait face à des problèmes inquiétants de dépôts illégaux de la marque « Picasso » en classe 12 (classe des véhicules terrestres), pour des bicyclettes et des remorques. Je conçus alors un projet « automobile », dépendant de la même classe. À nouveau, ce projet s'inscrivait dans une stratégie de défense active.

L'existence d'un produit illégal crée un précédent. Si l'on ne réagit pas, cette petite bicyclette peut ouvrir, légalement, le chemin à des dérives incontrôlables. Ce n'est pas l'intérêt financier qui dicte la démarche mais, avant tout, l'intérêt moral. L'automobile est un domaine qui allie inventivité et modernité : il fait appel à la création artistique pour le style, les coloris et exige une qualité de fabrication irréprochable.

L'automobile est le produit du XXe siècle. C'est un symbole de liberté individuelle.

L'étude du projet, abordé en 1995 en ce qui me concerne, commença activement dès mars 1997, afin de déterminer les candidats potentiels à un tel rapprochement. Il fallait prendre en compte l'historique des marques, leur nationalité, les potentiels de production, l'image des constructeurs, l'état de leurs gammes, leur réseau de distribution, le tout dans la plus grande confidentialité. Dans le monde automobile, la concurrence est féroce. Il ne fallait donc pas commettre d'impair, et surtout, il fallait prendre en compte la façon dont serait perçue publiquement notre analyse. Je devais rendre le projet cohérent avec l'histoire personnelle de Pablo Picasso, mais aussi prouver la pertinence et l'opportunité de l'idée. Et puis, il fallait que l'idée plaise à un constructeur !

J'avertis officiellement Picasso Administration dès cette date, en détaillant mon dossier, ses atouts et ses limites, et les directions retenues. J'indiquai également que la création d'une série spéciale « Picasso » impliquait une intégration industrielle de huit à quatorze mois environ, ne serait-ce que pour ajouter ou changer un détail sur un véhicule existant.

Ma recommandation finale fut Citroën. Je pris les contacts initiaux. En juin 1998, je présentai l'idée, le même jour, en deux rendez-vous distincts, d'une part au directeur produit de PSA-Peugeot Citroën, sur la recommandation directe de Jean-Martin Folz, alors récemment nommé président du groupe, et d'autre part à Jacques Séguéla, son conseil en publicité chez Euro-RSCG.

Séguéla me proposa d'aller plus loin, d'oser l'exceptionnel et d'appeler un véhicule « Picasso », sans qu'il s'agisse uniquement d'une série spéciale. Oser ! Le mot aurait plu à mon grand-père. Mais comment, dans un processus de production où tout se prépare longuement, concrétiser une telle audace avant de nombreuses années ? Il m'informa alors que son client, Automobiles Citroën, présentait un nouveau véhicule au Mondial de l'Automobile au mois d'octobre suivant, à Paris. Il s'agissait de l'exemplaire unique d'un nouveau modèle. Cette nouvelle voiture ne serait pas commercialisée avant un an. Et elle n'avait pas de nom ! À trois mois de sa présentation. Lui offrir le nom d'un créateur comme Picasso était un hommage inespéré. Et, je l'avoue, un atout indéniable pour le constructeur.

En quelques minutes, je venais de trouver une voiture inédite présentée en exemplaire unique, telle une œuvre d'art, lors du salon automobile, dit du Centenaire, à Paris. Nous pourrions l'appeler Picasso, et aurions le temps, en un an, de préparer son industrialisation et la communication ! Ce rapprochement semblait presque inéviatable : le fameux « Je ne cherche pas, je trouve... » Jacques Séguéla avait trouvé, lui, une formidable idée révolutionnaire : n'était-ce pas la première fois au monde qu'une voiture porterait le nom d'un peintre ?

Et puis, Citroën est connu en Chine...

André Citroën a construit son premier prototype en 1907, quand mon grand-père réalisait *Les Demoiselles d'Avignon*. Tous d'eux ont été, dans leur domaine, des précurseurs, des visionnaires. Je ne travaille pas au service commercial de la marque, mais je crois que celle-ci fait partie de la mémoire collective de tous les Français. On me pardonnera, je l'espère, mon enthousiasme ! André Citroën n'avait-il pas illuminé la tour Eiffel, ou financé, seul, l'éclairage de la place de la Concorde à Paris ? Automobiles Citroën, c'est la 3 CV de Bécassine, la Croisière Jaune, la Traction, la Deuche, la direction assistée, les freins à disques, la DS, la Méhari, la SM...

On m'avait toujours parlé de la Traction 15 CV, modèle rarissime à suspension hydropneumatique, de mon oncle Paulo. Et je me souvenais de sa belle DS à Boisgeloup...

Comme l'a souligné Roland Barthes [1] parlant de la DS au moment de sa sortie : « Je crois que l'automobile est aujour-

1. Roland Barthes, « La nouvelle Citröen », in *Mythologies*, Paris, Le Seuil, 1957.

d'hui l'équivalent assez exact des grandes cathédrales gothiques : je veux dire une grande création d'époque, conçue passionnément par des artistes inconnus, consommée dans son image, sinon dans son usage, par un peuple entier qui s'approprie en elle un objet parfaitement magique. » La voiture devient dès lors un objet de consommation à partir duquel toutes les audaces sont possibles. En cela, elle ne doit plus être banalisée, et peut facilement être associée à un objet d'art. Sa légitimité tant utilitaire que conceptuelle lui offre l'opportunité d'être élevée au rang d'œuvre d'art.

Après avoir débattu avec les responsables de Citroën et d'Euro-RSCG des procédures de mise en place d'une licence avec l'Indivision Picasso, représentée par Picasso Administration, je plaçai l'ensemble du projet sous la réserve de l'accord final de Claude Picasso, puisqu'il exerçait légalement tous les pouvoirs de décision. Il me fallait présenter mon dossier complet à Picasso Administration, en y incluant tous les paramètres, y compris les aspects financiers que j'avais négociés. Et savoir à quoi ressemblait le monospace annoncé.

Une visite fut organisée au centre de style d'Automobiles Citroën. Moi qui ai toujours été passionné par l'automobile, j'allais découvrir un prototype top secret !

Claude Picasso programma plusieurs réunions avec tous les interlocuteurs. L'accord fut conclu très rapidement, entre juillet et septembre 1998. La voiture fut présentée le 15 septembre, au Stade de France, devant la presse internationale, par Claude Satinet, le directeur général d'Automobiles Citroën. Elle était dissimulée derrière un grand rideau bleu. Il y avait deux cents journalistes dans la salle de conférence. Le secret avait été bien gardé. Personne n'avait vu la voiture, personne ne connaissait son nom.

Le rideau bleu se leva. Apparut une photo géante de mon grand-père. Mon cœur battait. Quelles seraient les réactions face à notre pari si audacieux ? Il y eut un silence, personne ne comprenait. Puis la photo s'éleva, révélant la voiture qui portait seulement la signature « Picasso » sur chaque flanc.

Rien de plus. C'était l'hommage d'un très grand constructeur automobile français au plus grand peintre de l'art moderne.

L'impact fut énorme. Le nom de Picasso, sur cette voiture inattendue, eut un effet instantané sur les médias. De façon inhabituelle, France Info annonça le lancement du véhicule dans les informations du jour. Le respecté *Journal des Arts*[1] s'en fit l'écho : « Dans le domaine artistique, ils sont légion à reconnaître que Picasso est "le" peintre du XXe siècle. Dans le secteur automobile, Citroën est mondialement réputé comme une marque originale et inventive... Faut-il s'étonner de l'association de ces deux noms... ? » Les réactions étaient positives, et même enthousiastes. C'était un choc comme mon grand-père l'aurait aimé.

Et c'était un geste précurseur, un acte de pionnier. Jacques Séguéla et Yves del Frate, le patron de l'agence Euro-RSCG Works en charge de la marque Citroën, choisirent un slogan évident dans sa simplicité : « L'imaginaire d'abord » ! Dès sa présentation, la Citroën Xsara Picasso a été un succès d'estime. Le rapprochement des deux noms n'a entraîné aucun phénomène de vampirisation, l'un et l'autre coexistant dans l'intérêt des deux.

Le succès commercial est aujourd'hui considérable, bien au-delà des espérances. Outre les évidentes qualités techniques et esthétiques de la voiture – qui auraient probablement suffi à assurer son succès –, le seul nom de Picasso a renforcé l'image du véhicule. La presse automobile l'a salué. C'est le monospace compact le plus diffusé en Europe. Le spot publicitaire, *Le Robot*, est une telle réussite graphique et émotionnelle qu'il est diffusé dans tous les pays – fait rarissime tant les mentalités, en publicité, diffèrent d'un pays à l'autre. Il a obtenu des scores officiels de reconnaissance et de satisfaction jamais égalés. La musique du spot, par le groupe américain Pink Martini, a été un tube : *Je ne veux pas travailler...* Et ce, partout, puisque la voiture est vendue dans plus de cinquante pays ! Elle est fabriquée en Espagne, un

1. *Le Journal des Arts*, 18 décembre 1998-7 janvier 1999.

signe... ainsi qu'au Brésil désormais, et même en Chine ! C'est une voiture mondiale. À l'image de son nom.

Beaucoup de journalistes m'ont demandé ce qu'en aurait pensé Pablo. Sans vouloir me substituer à lui, je répondrai, au vu de son parcours, et hormis les intentions politiques de son art, que l'innovation et l'expérimentation de nouvelles techniques ont toujours suscité sa curiosité. Mon grand-père n'a eu de cesse de se démarquer de tout ce qui pouvait l'enfermer, y compris de lui-même. Il mena de véritables révolutions (le cubisme, le collage, la sculpture, la céramique, le linoléum, la tôle...). Donner un nom d'artiste à une voiture, cela ne s'était jamais fait. C'est une toute petite révolution. Il l'aurait appréciée. Cela l'aurait fait « ronronner »... Il se serait amusé de voir son nom sur une voiture : n'est-il pas arrivé à Paris inconnu, sans un sou, au début du XXe siècle, pour l'Exposition universelle ? C'est son nom désormais qui est devenu universel ! Pouvait-il imaginer qu'aujourd'hui déjà plus d'un demi-million de véhicules sur les routes porteraient son nom ?

J'ai visité récemment l'usine Citroën de Vigo, sur la côte atlantique de l'Espagne, proche de la frontière portugaise. Plus de dix mille collaborateurs y travaillent sur un site gigantesque et ultra moderne. J'ai suivi le processus de fabrication, étape par étape, de centaines de *Picasso* de toutes les couleurs. Au cours des procédures de montage, se trouve un moment particulier : l'apposition de la signature sur le véhicule. Au terme de l'intervention de milliers de personnes sur un objet technologique, c'est finalement un seul homme qui lui apporte un « plus » inattendu. L'aurait-il cru lui-même ?

Il s'y trouve aussi un grand mur où tous les collaborateurs peuvent s'exprimer librement, un véritable dazibao, et j'ai eu la surprise d'y découvrir des centaines de pensées, de suggestions et surtout d'œuvres d'art inspirées par l'automobile et aussi largement par l'œuvre de mon grand-père. J'étais content...

En 1961, Pablo n'a-t-il pas, un jour, appelé Jacqueline,

pour lui montrer avec enthousiasme ce qu'il venait de graver dans une arène de corrida ? « Regarde ! J'ai fait une voiture. » La première et la seule qu'on lui connaisse...

Par ailleurs, si je me réfère à l'utilisation qu'il fit lui-même des affiches et des marques publicitaires (Pernod, Kub, Bass, Le Bon Marché, Suze...) dans ses œuvres cubistes, je constate qu'il participait en spectateur à l'éclosion d'une nouvelle activité, et en appréciait la créativité colorée. Il ne s'en détournait pas. Au contraire, il s'inscrivait déjà dans une modernité qui liait art et publicité. La publicité n'est-elle pas souvent à l'avant-garde de la création ? Les grands affichistes sont aujourd'hui dans des musées. Le nom de Picasso sur une voiture est une péripétie. Le musée d'Art moderne de la Ville de Paris n'a-t-il pas choisi spontanément de reproduire une photo de l'aile avant du monospace Citroën de couleur rouge présentant la signature de Picasso, sur sa carte de vœu officielle de l'année 2000, envoyée à ses milliers de correspondants culturels dans le monde ? J'y ai vu un consensus.

Au plan financier, compte tenu de l'ampleur de la collaboration avec Automobiles Citroën, les revenus de cette licence sont très importants pour Picasso Administration, et donc pour l'Indivision Picasso. Il ne m'appartient pas d'en révéler le montant : je suis tenu par un engagement de confidentialité, selon un usage universel dans le monde commercial. Sans parler du tabou de l'argent qui est une tradition française, il est normal que chacun conserve le bénéfice de son travail.

L'Indivision Picasso continue de contrôler toute utilisation du nom et de l'œuvre de Pablo Picasso, mais dispose désormais de l'appui d'un partenaire puissant. C'est un échange utile. Les revenus de cette licence hors du commun permettent aussi de couvrir le coût de cette nécessaire politique de défense du nom et de la mémoire de Picasso.

Extrêmement peu de réactions hostiles se sont manifestées lors de la présentation de la Citroën Picasso. Ceux qui s'en sont « émus » se sont essentiellement émus de l'accord financier. Jalousie bien française du gain « suspect » ? D'aucuns ont parlé de « vente » du nom Picasso – ce qui est faux, puisqu'il s'agit d'une licence d'utilisation du nom. Il n'y a aucun transfert de propriété, et l'Indivision reste propriétaire du nom Picasso.

En fait, il sera toujours difficile d'accepter que des personnes ordinaires aient pu hériter d'un homme extraordinaire. Avec Picasso, on entre dans le domaine de l'irrationnel, de l'affectif. Sa fortune repose sur l'émotion. C'est intangible, immédiat, spontané. Il s'est établi une relation personnelle entre ses œuvres et son public. Comme je le dis souvent, Picasso appartient un peu à sa famille, et beaucoup au public.

Savoir que quelques personnes seulement possèdent une partie très importante de cette relation au public, tant en quantité d'œuvres qu'en pouvoir de les reproduire et d'utiliser son nom ou son image, est un sentiment perturbant. Je le comprends. Cette propriété paraît injustifiée, exagérée – impardonnable. Parce que c'est de l'art. Parce que c'est Picasso ! Picasso a tout chamboulé, son œuvre est presque intolérable !

Soyons clairs. De très rares critiques ont été émises lors du lancement de la Citroën « Picasso », et ma cousine Marina était à compter parmi les détracteurs. C'est son droit. Elle passa par la presse pour déclarer combien la révoltait cette utilisation du nom de Picasso, qui serait ainsi « banalisé », selon ses mots, – et *Le Parisien* [1] annonça qu'elle allait entamer une action judiciaire.

Je m'interroge sur ce recours qui consiste à prendre le public à témoin, via les médias. Marina n'a-t-elle pas déclaré, en 1997, dans l'hebdomadaire *Gala* [2], de manière totalement infondée, que Picasso Administration était en faillite ! ? Évaluait-elle seulement les conséquences qu'entraînerait cette contrevérité absolue ? Toujours est-il qu'il fallut rassurer

1. *Le Parisien*, 29 janvier 1999.
2. *Gala*, 23-29 octobre 1997.

d'urgence les partenaires et représentants de l'Indivision. N'a-t-elle pas déclaré à plusieurs reprises qu'elle avait « refusé de participer » à la structure Picasso Administration, par dégoût de ses activités et de son seul nom ? Elle n'a pourtant pas obligation d'y participer, en tant qu'actionnaire, mais elle demeure légalement membre par nature de l'Indivision elle-même. Pourquoi refuser de venir s'exprimer lors de ces réunions ?

Marina ne se souvient-elle pas qu'elle a vendu illégalement des droits de reproduction appartenant à l'Indivision dès décembre 1979, causant un véritable sinistre qui ne fut contrôlable qu'au bout de quinze ans ? Elle avait alors totalement oublié notre grand-père, et se lavait les mains du devenir de son œuvre, de son nom et de son image... Marina n'a jamais réapparu dans aucune réunion de l'Indivision depuis cette époque. Pourquoi ? Chacun des quatre autres indivisaires fait des propositions et tout le monde en débat... Claude a la réputation d'y être très attentif dans sa mission d'administrateur. Mais Marina semble avoir une mémoire sélective.

Conformément à ce qu'annonçait *Le Parisien*, Marina entama plus tard une action en justice. Mais certainement pas pour attaquer et renoncer au bénéfice du contrat de licence qu'elle critiquait publiquement : tout simplement, pour contester mon intervention et surtout ma rémunération, en déclarant, cela ne s'invente pas, que ma participation l'appauvrissait ! Je pensais avoir travaillé dans l'intérêt de tous. Y compris pour la protection du nom de notre grand-père. Selon Marina, le nom de Picasso n'avait besoin d'aucun « démarchage », tout devait tomber du ciel et, de surcroît, je n'avais absolument aucune qualification (?) ou expérience professionnelle (?) pour mener ce genre de démarches. Il y avait eu un complot ! Un ignoble complot ! Elle demandait donc que soit « révoqué » (les juristes apprécieront l'innovation juridique) le contrat me liant à la Succession Picasso, via Picasso Administration. Il est à noter que cette action était menée via Me Ferrebœuf, le célèbre avocat des « offensives » de 1976 et de l'affaire Jackie Fine Arts de 1980. Il marquait son grand retour auprès de Marina, après presque vingt ans d'absence officielle...

Marina n'exigeait pas, bien sûr, que soit résilié le contrat de licence principal dont elle entendait garder les avantages...

Elle fut déboutée par le tribunal, mais continua à clamer dans les médias qu'elle était victime de l'union des autres héritiers – sans préciser davantage que son désaccord n'avait visé que moi et la rémunération de ma société, qu'elle avait voulu faire annuler (elle avait même demandé la réparation de son « préjudice » par Claude Picasso et Picasso Administration).

Voilà qui est fort différent de la version présentée aux journalistes.

Les choses ont depuis repris un cours normal. Les activités de Picasso Administration continuent au mieux des intérêts de la mémoire de Pablo.

À vrai dire, le suivi de la politique de licences est presque marginal, par rapport au temps passé à collaborer avec des interlocuteurs du monde entier sur des sujets entièrement culturels. Le travail quotidien vise à favoriser les projets des éditeurs de livres, de magazines, des producteurs d'émissions de télévision et aujourd'hui de supports multimédias, en organisant un accès toujours plus documenté aux images des œuvres de Pablo Picasso. Picasso Administration intervient comme un centre de coordination entre les différentes demandes et les détenteurs d'informations et de documents (dont les images). Les collaborateurs de Claude, l'administrateur, fussent-ils à Paris ou à l'étranger chez ses représentants, s'efforcent d'offrir un conseil et une aide qui dépassent largement tout caractère commercial. Ils aident à éviter les erreurs. Il suffit pour le comprendre de consulter le site officiel www.picasso.fr, qui présente les missions de Picasso Administration. Chacun appréciera en son âme et conscience ! Tout cela est du concret.

Un exemple significatif est le site internet picassomatisse.org[1] qui accompagne l'imposante exposition « Picasso et Matisse », au Grand Palais à partir du 22 septembre 2002, et qui, conçu avec la Réunion des musées nationaux et le mécénat culturel du groupe LVMH, est une illustration exceptionnelle de l'engagement de la Succession Picasso, via Picasso Administration, et de la Succession Matisse, dans un outil pédagogique et scientifique sans précédent pour une meilleure connaissance des deux peintres. J'ai assisté à la première présentation de l'arborescence du site et de ses contenus, qui traduisent parfaitement toute l'aide logistique et culturelle accompagnant nécessairement la simple autorisation de reproduire les images des œuvres et le contrôle de l'utilisation du nom et de l'image de Picasso. Encore une fois, on jugera sur pièces...

Les héritiers Picasso sont intimement liés à la plupart des expositions qui sont organisées dans le monde entier. Bien des œuvres et, souvent, des chefs-d'œuvre, signalés par la mention « collection particulière », proviennent régulièrement des collections de Maya, Claude, Paloma ou Bernard Picasso. Seules les œuvres de Marina apparaissent avec la mention « collection Marina Picasso, Courtesy Galerie Jan Krugier [dorénavant, Krugier & Ditesheim], Genève ».

Les héritiers sont particulièrement sollicités : le monde entier sait que Pablo avait conservé d'innombrables œuvres jugées essentielles, et qu'elles sont réparties entre ses héritiers. S'y ajoutent celles que possédait Jacqueline, la veuve de Pablo, et dont a hérité sa fille, Catherine Hutin-Blay. Chaque héritier, et ce n'est un secret pour personne, a également fait des acquisitions personnelles qui renforcent la qualité de son propre héritage.

Les expositions Picasso emblématiques et itinérantes de ces dernières années ont ainsi permis de révéler parfois des œuvres inédites ou à peine entraperçues auparavant : « Pi-

1. Voir également le site picassomatisse.com (au sujet de l'exposition au Royaume-Uni, en France et aux États-Unis).

casso et les Années de guerre », « Picasso et le Portrait », « Picasso et l'Œuvre céramique », « Picasso sculpteur », « Picasso érotique »... ou, jusqu'en janvier 2003 (à Paris, puis à New York), la grande rétrospective « Picasso et Matisse ».

L'organisation de ces expositions est un travail considérable, y compris pour les prêteurs, qui s'étale sur plusieurs années. Je saisis ici l'occasion de rendre hommage aux conservateurs, qui se dépensent sans compter pour une passion devenue chez tous une seconde nature. Leur engagement nous permet de mieux connaître la vie et l'œuvre de Pablo, en complétant les souvenirs et la connaissance presque innée qu'en ont tout particulièrement ses enfants, Maya, Claude et Paloma.

Enfin, les héritiers Picasso ont souvent été à l'initiative d'expositions plus modestes, mais permettant de dévoiler au public des thèmes plus intimistes ou plus spécifiques (dessins, gravures, thématiques...). Je pense à des expositions organisées à partir des collections de Maya ou de Marina, ou, plus récemment, de Bernard ou de sa mère Christine. De manière générale, il y a tellement d'événements et d'expositions tout au long de l'année qu'il est presque impossible de les répertorier[1].

D'une certaine façon, la boucle est bouclée : l'art de Picasso a mené à l'argent de Picasso et celui-ci, suffisant, nous ramène à son art. La raison a du cœur...

1. Une mise à jour permanente est effectuée sur le site www.picasso.fr.

La mort

Tout vient tout seul, la mort aussi[1].

PABLO PICASSO

1. Pablo Picasso cité dans *La Tête d'obsidienne*, *op. cit.*

S'il est une réputation, parmi toutes celles qu'on lui a faites, que mon grand-père mérite, c'est d'être superstitieux. Il était né dans cette Espagne du XIXe siècle, inféodée au catholicisme le plus médiéval, bien au-delà des préceptes du Vatican, une Espagne rigoriste façonnée par l'Inquisition. Les valeurs de la société espagnole étaient les valeurs mêmes de l'Église ; et la menace de finir en enfer au moindre écart était prise fort au sérieux. Souverain, noblesse, bourgeoisie, paysans, tout et tous vivaient une relation permanente d'autorité, sous la surveillance suprême, et pas forcément bienveillante, de Dieu. Et de l'Église toute-puissante, son représentant sur terre.

Les Ruiz y Picasso avaient beau ne pas être de fervents pratiquants, ils ne pouvaient échapper à la tradition nationale qui, à défaut de s'exprimer par un passage quotidien à l'église, se manifestait par un cérémonial de superstitions et de précautions. Tout était bien ou mal, faste ou néfaste, dieu ou diable ! La religion n'a jamais été, pour mon grand-père, la réponse aux questions métaphysiques. Prier et s'en remettre à Dieu ne lui parurent jamais la solution aux soucis de la condition humaine. Face à la mort ou à l'horreur, il exprimait ses interrogations à travers son œuvre.

Il était né d'entre les morts. Le 25 octobre 1881, peu après vingt-trois heures, Doña María mit au monde un petit garçon mort-né. Après quelques minutes à tenter de le réanimer, le petit corps inerte fut posé sur une table. Son oncle Don Salvador, médecin émérite, observa tout de même l'enfant avec suspicion et, curieusement, laissa son cigare allumé près du visage du nouveau-né, qui revint néanmoins à la vie dans « un rugissement de colère », comme dit plus tard l'historien Josep Palau i Fabre.

Était-ce un miracle ? Était-ce un signe d'outre-tombe de son autre oncle, Don Pablo, docteur en théologie et chanoine de la cathédrale de Málaga, mort en octobre justement, trois ans plus tôt ? La famille lui vouait un culte attentif, et décida de lui rendre hommage en prénommant Pablo le revenant inespéré, premier héritier mâle de la famille Ruiz.

Ils ignoraient qu'ils pourraient compter, au-delà de l'imaginable, sur la reconnaissance du petit Pablo, qui toutefois s'affranchirait assez des saints préceptes du regretté chanoine...

Deux semaines plus tard, le 10 novembre 1881, Pablo est baptisé à l'église de Santiago, à Málaga, et reçoit une collection de prénoms qui pourrait satisfaire bien des saints : Pablo Diego José Francisco de Paula Juan Nepomuceno María de los Remedios Cipriano Santíssima Trinidad Ruiz y Picasso.

Diable !

« Pablo Picasso » lui suffira, plus tard, pour s'illustrer...

Tout au long de sa vie, de nombreux documents officiels égrèneront le long chapelet de son identité, avant que d'autres tout aussi officiels, éreintés par l'énoncé de ce nom interminable, ne raccourcissent d'autorité l'identité du sieur Picasso.

La première véritable confrontation de Pablo avec la mort a lieu le 10 janvier 1895. Sa petite sœur Conchita s'éteint à l'âge de huit ans des suites d'une diphtérie. Pablo a alors treize ans, et sa décision de devenir peintre n'est pas encore tout à fait prise. Il aime assez peu l'école et il préfère sincèrement les punitions, quand on l'isole dans une petite « cellule » – enfin tranquille ! Il en profite pour se consacrer au dessin. Juste avant le décès de sa petite sœur, il lance pourtant un défi au Ciel : il sacrifiera son talent et renoncera à être peintre si la petite Conchita guérit.

Conchita n'a pas survécu. Dieu n'avait pas de cœur. De

surcroît, cette mise en parallèle impie de la vie de sa sœur et de son talent avait nécessairement conduit l'Éternel à le punir. Il était, lui, Pablo, responsable de cette mort. *A contrario*, c'était peut-être un signe de Dieu qui le voulait peintre, et cette prédestination le plaçait au-dessus des hommes, comme elle l'avait déjà placé au-dessus de la vie de Conchita. À défaut d'un geste divin, on pouvait déceler une certaine magie dans cette affaire. Pablo en serait l'alchimiste désigné...

Jean Leymarie, écrivain d'art, ami de mon grand-père, que j'ai longuement rencontré, m'a confirmé le poids de ce douloureux épisode : « Lui qui déjà avait une vocation irrésistible, et passait pour un prodige devant lequel son père [Don José] s'était incliné, [il] a fait le vœu que si elle guérissait, il cesserait de peindre. Ce qui est quand même une chose extraordinaire ! Or elle est morte, son vœu n'a pas été exaucé, et depuis lors, il est "engagé". C'est l'interprétation que je donne, car il a beau être faustien ou agnostique, c'est un esprit profondément religieux. Donc, il est engagé à fond. Il y a une volonté qui le dépasse. Il met en jeu, à la façon espagnole, son destin, ce qu'il aime le plus. Le Ciel n'exauce pas son vœu et confirme ainsi sa vocation d'être peintre et il n'a pas le droit de mésuser de son pouvoir. »

Cette décision supérieure, quasi divine, d'exercer son talent de peintre peut expliquer que Pablo se soit senti investi d'une véritable mission. Comment s'étonner dès lors qu'il ait tout fait passer après son art – y compris les autres ?

De cette anecdote fondatrice découle aussi son fatalisme, cette façon qu'il a eue, toute sa vie, de ne pas prendre d'initiative et de laisser faire le destin.

« Autrement dit, continue Leymarie, investi à treize ans de ce pouvoir surnaturel qui est le sien, Picasso qui, arrivé à Paris, a vu plusieurs de ses amis se suicider, être victimes de la drogue, de l'alcool..., s'est imposé dès ce moment-là une discipline à laquelle il n'a jamais failli. Il mangeait de la soupe, des choses très légères pour préserver sa force de travail. C'est pour ça que j'ai compris aussi quand il ne voulait pas recevoir ses amis : il en avait très envie, il les adorait. Les amis croyaient qu'il faisait des fantaisies, ou qu'il était méchant, et ainsi de suite... Mais il ne pouvait pas, parce qu'il était pris dans un travail. Et je crois que cela est fondamental pour la compréhension de Picasso. »

Max Jacob a été frappé de cet ascétisme. Pablo avait beau, à partir de 1910-1912, pouvoir mener une existence confortable, il demeurait détaché des biens matériels. Hormis la période avec Olga, il resta l'adepte d'une vie simple, frugale, toujours orientée vers un but spirituel, « engagé » – toujours artistique.

Déjà superstitieux par la simple influence des traditions espagnoles, Pablo voit donc en la mort de sa sœur un appel de la Providence. Même s'il ne croit pas (ou pas longtemps) en un Dieu tout-puissant qui s'est révélé incapable de guérir Conchita, une force divine extérieure le conforte dans son désir de création, le pousse irrésistiblement vers sa mission de messager, d'intermédiaire. Se pose-t-il déjà la question du *sens* de son talent, cherche-t-il un signe, une réponse ? La mort de sa petite sœur peut-elle être le prix à payer ?

Aucun de ses proches ne saurait lui répondre. D'ailleurs, personne ne le put jamais. Il se sentait sûr de son intuition personnelle, de l'organisation spontanée, sinon surnaturelle, des choses.

Pablo distinguait Dieu et le divin. S'il s'est toujours déclaré athée, il se réfère souvent à des thèmes religieux dans son œuvre. La formation académique reçue en Espagne, durant son adolescence, a eu, malgré toutes ses résistances à l'« oppression », un impact indéniable sur son travail. Goya, le Greco ou Velázquez, qui ont peint de nombreuses scènes religieuses, ont aussi beaucoup contribué à orienter sa peinture vers des thèmes chrétiens.

Ainsi, à peine arrivé à Barcelone, il réalise un dessin du *Christ bénissant le diable*, expression évidente du profond conflit qui fait rage en lui. S'ensuivent plusieurs sujets religieux : *La Fuite en Égypte*, *L'Autel à la Sainte-Vierge*, *le Christ apparaissant à une religieuse*, *Le Christ adoré par les anges*, *L'Annonciation*, *La Résurrection*... Ces toiles dépassent le simple académisme. Elles sont un chemin initiatique, un exorcisme. Certes, les thèmes religieux sont essentiels aux fameux concours des académies de beaux-arts. Il aurait été suicidaire de ne pas les maîtriser. Ainsi, le but pratique l'emporte opportunément sur le spirituel.

Le catholicisme, excès de règles et de menaces, s'apparente pour lui à un étau, et non à un espoir. Pablo est plein d'une passion débordante pour la liberté. Après l'Académie, il fallait aussi défier l'Église et refuser son enlisement spirituel.

La lutte est autrement moins évidente. Pablo trouve une manœuvre adroite. Lorsqu'il termine la grande peinture de *Science et Charité*, à l'automne 1896, il parachève une certaine forme d'académisme, et ouvre une porte. Il a quinze ans. L'ambivalence du thème, entre la prière d'une religieuse et la connaissance du médecin (qui reproduit le visage de son père), est en elle-même une audace. La mise en parallèle (impie) de l'espoir et de la certitude est une profession de foi – ou plutôt, de non-foi. Il semble que la prière ne soit plus le dernier recours et que la science apporte enfin le miracle de la guérison.

Mais sa révolte contre la tradition est limitée par son obligation (mot horrible...) de réaliser de grandes toiles conventionnelles, seules susceptibles de le faire reconnaître dans les expositions. Pierre Daix parle justement de « la grande machine académique ».

Pablo amorce dès lors une forme d'expression subversive, hors normes, résolument novatrice... et difficilement compréhensible par ses contemporains, contestés dans leurs croyances.

La situation politique à Barcelone, en cette fin février 1899, le conduit à peindre des sujets morbides. La mort rôde dans cette ville déchirée d'émeutes. La tentation anarchiste se mêle à la révolte contre l'inutile guerre menée à Cuba contre les États-Unis.

Pablo désormais parle enfin de sujets d'adulte avec ses amis des cafés. Aux pudibonderies de l'Église, il répond sans retenue par de fréquentes soirées dans les bordels, à expérimenter des mœurs bien licencieuses... Mais il s'intéresse aussi à la philosophie de Nietzsche. Il ne l'a pas encore lu, il écoutait les autres. Il en a retenu l'essentiel : « les principes nietzschéens de la mort de Dieu et de la naissance du surhomme, cet être extraordinaire qui, seul sur son sommet montagneux, peut survivre au trépas de Dieu. *Yo* – le "je" ou l'ego – était le maître mot qui, parmi les jeunes artistes et les intellectuels du *Quatre Gats*, résumait le culte de l'homme extraordinaire à qui tout est permis. "Je suis moi-même le destin et j'ai conditionné moi-même mon existence pour toute l'éternité", avait déclaré Nietzsche, et Picasso était tout prêt à répondre à cette proclamation de la liberté absolue. La volonté de puissance de Nietzsche éveilla aussi un écho dans son cœur. La puissance était la seule valeur mise en avant par Nietzsche pour prendre la place de l'amour et des valeurs fondamentales qui avaient perdu toute signification pour l'homme moderne. Et Picasso, pour qui les valeurs transcendantales étaient associées à l'Église répressive d'Espagne et qui croyait avoir essayé l'amour et y avoir échoué, trouvait que cette philosophie convenait à merveille à ses besoins et à ses rêves de puissance [1]. » Mais sa main n'était armée que d'un pinceau ou d'un crayon, et sa victoire serait une toile vierge.

Échec de l'amour... C'est qu'il ne connaît encore de l'amour que les étreintes tarifées des « filles », rite de passage de l'adolescence à l'âge adulte... Rien de très prometteur au niveau affectif.

En février 1901, lorsqu'il apprend le suicide, à Paris, de son ami Casagemas, Pablo se trouve à Madrid. Le jeune

1. *Picasso, créateur et destructeur*, *op. cit.*

homme n'a pas supporté l'idée d'être éconduit par la belle Germaine, indifférente et d'ailleurs mariée, et il a voulu la tuer avant de se supprimer. Il l'a ratée, il ne s'est pas manqué.

La nouvelle bouleverse Pablo qui rentra aussitôt à Paris pour exorciser sa douleur et les remords de n'avoir rien pu faire. Il a tant vu son ami souffrir pour cette femme inaccessible ! Le drame lui inspire *L'Enterrement de Casagemas*, toile hautement symbolique, exorcisme de ses propres idées morbides, qui affirme l'étroite liaison thématique de la vie, de la mort, de l'enfance, de l'amour – et de l'inévitable réalité de la prostitution assassine du cœur.

En 1903, *La Vie* symbolise le miracle de la création, au cœur de la désolation que traversent les êtres. C'est la dernière toile « bleue » : Pablo, dont j'ai déjà souligné qu'il se séparait difficilement de ses œuvres, la vend rapidement, cette fois, comme pour refermer la porte sur une époque funeste, révolue. Il est prêt à s'attaquer à de nouveaux défis.

Quatre ans plus tard, il fait une rencontre mystique des plus bouleversantes, au musée de l'Homme, au Trocadéro. Il y découvre les sculptures et les masques africains.

Depuis quelques années déjà, l'art nègre prospère dans les esprits, particulièrement chez les artistes. Son voisin du *Bateau-Lavoir*, Vlaminck, possède plusieurs sculptures du Dahomey et de la Côte-d'Ivoire. Il vend un masque à leur ami Derain, qui le montre à Matisse et à Picasso. Matisse, enthousiaste, achète une statuette africaine (qu'il croit d'ailleurs égyptienne...) et la montre à Gertrude et Léo Stein. C'est ainsi que Picasso la découvre.

On connaît le débat : Pablo a-t-il découvert les statuettes et les masques africains avant de peindre *Les Demoiselles d'Avignon*, ou après avoir réalisé la toile ? Je m'en tiendrai à sa propre version, donnée à Malraux dans *La Tête d'obsidienne*[1] : « On parle toujours de l'influence des “nègres” sur moi. Comment faire ? Tous, nous aimions les fétiches. Van Gogh dit : “L'art japonais, on avait tous ça en commun.”

1. *La Tête d'obsidienne, op. cit.*

Nous, c'est les "nègres". Leurs formes n'ont pas eu plus d'influence sur moi que sur Matisse. Ou sur Derain. Mais, pour eux, les masques étaient des sculptures comme les autres. Quand Matisse m'a montré sa première tête nègre, il m'a parlé d'art égyptien (...) Les masques, ils n'étaient pas des sculptures comme les autres. Pas du tout. Ils étaient des choses magiques. Et pourquoi pas les Égyptiens, les Chaldéens ? Nous ne nous en étions pas aperçus. Des primitifs, pas des magiques. Les "nègres", ils étaient des intercesseurs, je sais le mot en français depuis ce temps-là. Contre tout ; contre des esprits inconnus, menaçants. Je regardais toujours les fétiches. J'ai compris : moi aussi, je suis contre tout. Moi aussi, je pense que tout, c'est inconnu, c'est ennemi ! Tout ! Pas les détails ! Les femmes, les enfants, les bêtes, le tabac, jouer... Mais le tout ! J'ai compris à quoi elle servait, leur sculpture, aux "nègres". Pourquoi sculpter comme ça et pas autrement. Ils n'étaient pas cubistes, tout de même ! (...) Mais, tous les fétiches, ils servaient à la même chose. Ils étaient des armes. Pour aider les gens à ne plus être les sujets des esprits, à devenir indépendants. Des outils. Si nous donnons une forme aux esprits, nous devenons indépendants. »

Pablo donne une explication intellectuelle à cette influence, là où les autres peintres ressentaient une simple émotion artistique. De son ami Braque, Pablo ne dit-il pas : « Il ne comprend pas du tout ces choses-là : il n'est pas superstitieux ! »

Le mot est lâché...

À un autre moment de son entretien avec André Malraux, Pablo affirme qu'il réalisa sa « première toile d'exorcisme » avec *Les Demoiselles d'Avignon.* Il ajoute même : « Il faut bien qu'elle existe, la nature, pour qu'on puisse la violer ».

Dès lors, Picasso apparaît libéré des contraintes artistiques conventionnelles ; et l'expression même de ses fantasmes religieux se libère sans jamais toucher au blasphème... Rebelle dans ses convictions politiques anarchistes, il l'est dorénavant dans son art, auquel il n'impose plus aucune règle. Mais il reste indéfectiblement attaché aux grigris et autres superstitions.

Selon Patrick O'Brian[1], son opposition à l'Église n'est pas limpide : « Il conservait un sens profond du divin, profond mais aussi obscur, manichéen et, à maints égards, aussi éloigné que possible de tout ce qu'il est convenu de dénommer "chrétien" ». Il précise que Pablo déteste que l'on fasse « seulement allusion, ni même principalement, à la peur de sa fin, bien qu'elle eût atteint un degré tel que la moindre indisposition le troublait ; quant à la mort elle-même, il évitait le plus possible de l'évoquer, sauf en silence, dans son œuvre, et, souvent, il se réfugiait dans la colère. Quand la maladie l'obligea à garder le lit, pendant les dernières semaines de sa vie, un de ses amis intimes, un Catalan, l'exhorta à faire son testament. "Faire des choses comme ça attire la mort", s'écria-t-il furieusement, et peu après il l'expulsa de sa chambre[2]. » Roland Dumas m'a confirmé que même pour *Guernica*, un testament était hors de question. Pablo désigna du bout des lèvres Roland Dumas au cas où... Il avait réussi à évoquer l'inéluctable sans prononcer le mot « mort ». Et à écrire un document de « dernières volontés » sans le nommer comme tel !

Il fit quelques entorses à sa défiance à l'égard de Dieu, soit sous le coup d'une joie passagère, soit au nom d'une énième superstition : « Recevoir les promesses d'amour éternel de Françoise Gilot dans une église, avec le bénéfice de l'eau bénite, ou bien faire remarquer à Matisse qu'en période d'ennuis, il était bien agréable d'avoir Dieu de son côté[3]... »

N'a-t-il pas un jour déclaré à Hélène Parmelin : « Une peinture vraiment bonne l'est parce qu'elle a été touchée par la main de Dieu » ? Mais il prenait en même temps soin d'en nier l'existence, à intervalles réguliers.

Quant au catholicisme traditionnel dans lequel il a été

1. *Pablo Ruiz Picasso*, *op. cit.*
2. *Ibid.*
3. *Ibid.*

élevé, l'aspect le plus probant de ses rapports avec lui est le silence qu'il observe à son sujet.

Pablo devient cependant, le 21 juin 1942, le parrain de sa fille Maya (née le 5 septembre 1935). Même si la démarche religieuse tient avant tout à la volonté de Marie-Thérèse, et à l'inscription de Maya dans une école catholique de l'île Saint-Louis, c'est aussi un moyen pour Pablo d'officialiser sa paternité : un parrain, c'est, étymologiquement, un père. Malgré son impossibilité légale de divorcer, et de reconnaître Maya, Pablo tente de créer un lien, fût-il aussi fictif qu'un baptême. L'Église vient à la rescousse. À noter que Maya s'appelait en réalité María de la Concepción, prénom hautement religieux et preuve satisfaisante, aux yeux de sa famille espagnole, de son grand attachement à l'Église.

En apparence.

Fait plus troublant, c'est le second baptême de Maya ! En effet, comme son père, Maya est « mort-née ». À la clinique du Belvédère, à Boulogne-Billancourt, on a procédé à un accouchement avec endormissement total de la mère – c'était la dangereuse tendance médicale d'alors. Marie-Thérèse n'a rien vécu, rien senti de son accouchement ; mais voilà qu'il y a des complications ; Maya ne remue pas à sa naissance. Effrayé, Pablo procède alors lui-même à l'ondoiement de sa fille, jetant de l'eau sur le petit corps sans vie comme l'aurait fait un prêtre, pour lui donner les premiers et derniers sacrements de l'Église. Et Maya revient à la vie !

Dans l'urgence, et malgré sa méfiance envers la religion, il n'a pu se détourner des traditions ancestrales, ni se résoudre à priver son enfant d'un accès vers cet ailleurs dont il a la clé officielle – le rituel d'un sacrement.

Tout cela est perturbant pour Pablo. Il ne paiera pas les 2 500 francs d'alors à l'accoucheur, un célèbre professeur agrégé de la faculté de médecine... C'est sa faute ! Quant à Dieu...

Peu après le second baptême, plus officiel, Pablo assiste à la première communion de Maya, puis à sa communion solennelle, en 1947. Chaque fois l'esprit fort témoigne d'une singulière connaissance de la liturgie, malgré ses défiances affichées...

Dans son œuvre, comme l'a rappelé précisément Patrick O'Brian[1], « hormis quelques pièces classiques de l'enfance, telles que *Première Communion* et *La Vieille Femme recevant les saintes huiles des mains d'un enfant de chœur*, ou bien quelques scènes bibliques de l'adolescence (notamment *La Fuite en Égypte*), sans compter quelques peintures hagiographiques imprécises, il ne produisit presque rien qui eût un caractère religieux très marqué avant les dessins de la *Crucifixion* (1927), son étrange *Calvaire* de 1930, et le dessin de 1932 inspiré du retable d'Isenheim. Puis, de nouveau, le silence, jusqu'aux silhouettes du Christ dans les gravures des combats de taureaux (1959), cependant que nombre d'autres peintres, athées, agnostiques, juifs, vaguement chrétiens ou catholiques fervents, exécutaient des œuvres religieuses commandées par l'Église. Quelques autorités artistiques ne voient aucune espèce de signification religieuse dans le *Calvaire* ; d'autres le taxent de blasphème (...) La déclaration de Picasso sur la *Crucifixion* [me] paraît bien fondée et émouvante, un cri de protestation farouche, l'expression d'une émotion puissante qui certainement n'excède pas les amples frontières du catholicisme. »

Que penser alors du portrait du *Jeune Nicolas Poussin*, de 1971, peint à l'image d'un christ inavoué, auréolé d'une lumière céleste, comme s'il sacralisait son admiration absolue pour le peintre ? Il est vrai que cette œuvre tardive surgit à un moment où mon grand-père ne peut échapper à l'idée d'une mort prochaine. Ce portrait flamboyant est-il un hommage prudent ? Une confession ? En mars 1973, il choisit lui-même l'œuvre devant figurer en couverture du catalogue de l'exposition du palais des Papes qui s'ouvrirait en mai suivant. Il ne la vit jamais...

1. *Pablo Ruiz Picasso, op. cit.*

Mon grand-père demeurait prudent. S'il avait perdu la croyance du fond, il ne pouvait se soustraire aux exigences de la forme, ni à ses expressions les plus superstitieuses.

Pablo a été également le parrain de Max Jacob, son premier ami français, issu d'une famille juive, et qui souhaitait se convertir. Il lui donna l'un de ses nombreux prénoms : « Cyprien » (de l'espagnol Cipriano), comme nom de baptême.

Celui-ci se déroula le 18 février 1915, et ce fut une joie de Pablo d'avoir pu montrer sa connaissance du cérémonial à l'église. Cette conversion inattendue de son ami ne manquait pas d'intéresser Pablo, partagé entre les réponses sur terre et les promesses du Ciel...

Pablo s'est marié une seule fois religieusement. Mais pas selon le rite catholique. Ce fut avec Olga Khokhlova, le 12 juillet 1918, à l'église orthodoxe de la rue Daru à Paris. Leur fils Paulo, né en 1921, fut baptisé et élevé selon le rite catholique. Claude et Paloma, les derniers enfants de Pablo, sont agnostiques, comme leur mère Françoise Gilot. Pablo n'a donc jamais eu d'exigence particulière sur la religion de ses enfants, s'en remettant comme d'habitude aux circonstances. Enfin, s'il n'épousa Jacqueline qu'à la mairie, c'est parce qu'elle était elle-même divorcée d'un premier mari, et donc « perdue » pour l'Église...

Aux yeux de Pablo, la communion avec les autres humains ne passe pas par la prière, mais par son œuvre. À lui d'exprimer les maux de l'humanité, à lui de faire passer un message d'espoir et de paix. Il a une haute idée de ses créations, qui le dépasse lui-même. Tout créateur véritable lance, un jour ou un autre, un défi : « À bas le style ! Est-ce que Dieu a un style ! Il a fait la guitare, l'arlequin, le basset, le chat, le hibou, la colombe. Comme moi. L'éléphant et la baleine, bon, mais l'éléphant et l'écureuil ? Un bazar ! Il a fait ce qui n'existe pas. Moi aussi. Il a même fait la peinture. Moi aussi[1]. »

1. *La Tête d'obsidienne*, *op. cit.*

Il « déifiait » son œuvre – de manière laïque. La justice l'emportait sur la morale, l'égalité et la liberté sur les principes judéo-chrétiens de notre civilisation. Pablo traduisait l'indescriptible, l'épouvantable. Il était le témoin d'une réalité, pas d'un idéal céleste. Comme Dieu, selon lui.

D'où la transcription de la beauté ou de l'horreur, en tout ! Même les célèbres *Colombes de la paix*, apparues dans l'espoir de l'après-guerre, allégorie merveilleuse d'un monde idéal où la paix régnerait sur l'humanité, sont une arme, un rempart ultime pour rappeler les humains à la raison au moment où ils la perdent ! Elles n'ont pas vocation à endormir le spectateur, mais à le réveiller. C'est là l'arme d'un pacifiste, la seule arme dont peut disposer un artiste.

Cette religion reçue, puis rejetée jusqu'à n'en conserver que la superstition, lui inspirait une méfiance d'autant plus forte qu'il en avait connu la forme la plus rigoureuse, dans son Espagne natale. Mais, cette religion, cette Église, à défautd'offrir une aide réelle, suggérait aussi toute une imagerie quasi païenne, issue de croyances immémoriales. Les superstitions les plus anodines terrorisaient Pablo, à ce que m'en a dit ma mère : croiser un chat noir, laisser un parapluie ouvert dans la maison, ou une paire de ciseaux posée sur un lit, ou se faire offrir un objet en tissu (« ça sert à essuyer les larmes... »), tout lui paraissait menace. Françoise Gilot rappelle aussi sa superstition du pain posé à l'envers sur la table.

Parmi les objets fétiches, Patrick O'Brian [1] fait un sort particulier aux clefs : « Les clefs, pour Picasso, avaient une importance non négligeable quoique mal définie. Il en portait un lourd trousseau, et lorsqu'elles perçaient ses poches (car il n'eut jamais la bonne fortune de trouver une femme capable de coudre), il les attachait à sa personne avec une ficelle. » « J'adore les clefs, dit-il à Antonina Vallentin [2], il me semble très important d'en posséder une. Il est exact que

1. *Pablo Ruiz Picasso, op. cit.*
2. *Picasso, op. cit.*

les clefs m'ont souvent hanté. Dans la série des baigneurs et des baigneuses, il y a toujours une porte qu'ils essaient d'ouvrir avec une grosse clef. » De toute évidence, ceux qui sont dehors et qui veulent entrer emploient une clef, peut-être mauvaise, tout comme ceux qui souhaitent communiquer avec autrui utilisent une langue, parfois mal comprise, parfois même incompréhensible. Son art n'est-il pas une clef ?

Maya m'a souvent raconté que même si sa mère Marie-Thérèse cousait très bien, son père « ne lâchait pas ses pantalons. Interdiction de les nettoyer : il avait trop peur qu'on lui perdît tout ce qu'il avait dans les poches – outre ses clefs ».

Pablo envoyait régulièrement des bouts d'ongles ou de cheveux à Marie-Thérèse pour qu'elle les conserve et empêche ainsi qu'ils tombent dans les mains mal intentionnées de spécialistes de magie noire ou de vaudou ! À la mort de sa mère, en 1977, Maya a ainsi retrouvé ces reliques, précieusement conservées dans du papier de soie.

Françoise Gilot[1] confirme cette superstition : « Le plus sûr était de transporter les bouts de cheveux dans de petits sacs, jusqu'à un endroit secret, pour s'en défaire en toute sécurité. Pablo restait des mois entiers avec les cheveux trop longs sans arriver à entrer chez un coiffeur. Si l'on hasardait la moindre allusion, cela créait un drame... » Cette crainte perdura jusqu'à ce qu'il accorde sa confiance au coiffeur, Eugenio Arias, et décide de lui confier à vie la coupe de ses cheveux... que le coiffeur faisait disparaître après chaque coupe ! Françoise Gilot[2] raconte également les cérémoniaux de départ de la maison : « Chaque fois que nous partions pour un voyage, si court fût-il, il fallait nous réunir dans une pièce, et rester assis sans dire un mot pendant au moins deux minutes, après quoi nous pouvions partir le cœur tranquille. Si, pendant ce rituel, un des enfants [Claude et Paloma] se mettait à rire ou à parler, il fallait tout recommencer. Autrement, Pablo refusait de s'en aller. Il riait : "Oh ! Je fais cela

1. *Vivre avec Picasso*, *op. cit.*
2. *Ibid.*

pour m'amuser. Je sais bien que cela ne rime à rien, mais enfin..." »

Plus étonnant encore, les séances de spiritisme auxquelles Pablo se rendait seul. C'est probablement un des aspects les plus méconnus de mon grand-père, que m'a révélé Adrien Maeght : « En 1947, Marguerite Ben Houra, l'épouse d'un notable politicien algérien proche du général de Gaulle, s'était installée à Vallauris pour y aider une jeune artiste berbère talentueuse, Baya, à faire de la céramique. Pablo (que j'appelais Monsieur Picasso) habitait encore à Golfe-Juan [avec Françoise, chez les Fort]. Marguerite était une amie de ma mère, et elle organisait des soirées de spiritisme au cours desquelles elle faisait tourner des soucoupes ! Pablo était à la fois terrorisé et impressionné par ces séances. Marguerite en fit d'ailleurs des comptes-rendus précis... J'avais dix-sept ans, je n'avais pas encore mon permis, mais je conduisais la voiture, une Citroën Traction, et je servais de chauffeur. C'est comme ça que j'ai passé quelques soirées avec Picasso ! (...) Ce n'était plus le grand Picasso, ce n'était plus le petit Adrien Maeght, on était tous à regarder cette soucoupe bouger. Pablo était passionné... »

Superstition ultime, son refus de faire un testament : « Ça attire la mort », disait-il aux inconscients qui osaient lui en parler. À son avoué, à son avocat, à quiconque lui parlait d'organiser sa succession, il intimait avec colère l'ordre de se taire.

Cette haine des « actes » officiels se manifesta dans un autre domaine. Pablo ne se résolut jamais à signer un contrat de mariage, tant avec Olga qu'avec Jacqueline : un contrat de mariage signifiait que l'issue du mariage, acte positif par excellence, serait un divorce. Or, il fallait, en cela comme en toute chose, laisser faire... Pour ne pas jeter un mauvais sort sur une union, autant ne pas évoquer la séparation. Bel optimisme de Pablo ! Ne pas conclure de contrat de mariage revenait à espérer que tout irait bien.

À noter que cette superstition infirme l'accusation d'inquiétude matérielle que l'on a volontiers lancée sur mon grand-père : ne pas signer de contrat de séparation de biens, c'était se soumettre au régime général de la communauté de biens et acquêts. Et donc envisager sereinement de partager sa fortune, en cas de séparation. Ce qui advint d'ailleurs, et qu'il ne remit jamais en cause par quelque contestation ou manœuvre que ce fût. À ce sujet, Olga faisait preuve du même désintérêt.

Pour *Guernica*, comme je l'ai dit, Roland Dumas évita soigneusement le mot « testament ». Pablo l'avait prévenu : « Pas de testament. Si c'est comme dans Balzac, je meurs le lendemain ! » En fait, Picasso détestait les procédures, et préférait dire : « On ne touche à rien tant qu'on est là, on vit, ça dure, la succession, c'est quand je serai mort, mais je ne veux pas mourir ! » Selon Roland Dumas, Jacqueline s'était rangée à la philosophie de Pablo, et ne voulait pas entendre parler de ce qui se passerait après... « Elle partageait cette superstition. Je crois qu'elle l'a profondément aimé, et lui a économisé le souci de vieillir. »

Pablo vivait, dans les dernières années, hors du temps. Sans problème à gérer. Hormis la présence de Catherine, la fille de Jacqueline devenue adolescente, Pablo ne voyait plus d'enfants, qui auraient pu lui rappeler qu'il s'éloignait chaque jour davantage de sa jeunesse.

« La succession, explique Pierre Daix, impliquait sa mort ; et ce qui l'intéressait, c'était de vivre. (...) à ceux qui posaient des questions, sa réponse était : "J'en ai fait assez pour qu'il y en ait assez pour tout le monde !" Quand j'allais le trouver, régulièrement, tous les mois, il me disait toujours : "Tu vois ce travail, pour ma petite famille !" Et c'est vrai, il avait fait des centaines de gravures, des centaines de dessins, de peintures (...). C'était de l'humour évidemment, parce qu'il ne faisait pas ça pour ses enfants, mais pour exprimer ce qu'il avait à exprimer ! »

Ernst Beyeler, le marchand et grand collectionneur, m'a confié avoir aussi évoqué le destin de toutes les œuvres que Pablo conservait : « Comme il ne parlait pas de la mort, comme il ne parlait pas de sa succession ou de son testament, qu'il n'y en avait pas d'ailleurs, Picasso m'avait dit : "Vous n'êtes pas la première personne à me dire : 'Ah, ça c'est pour la famille', ou 'Il y en a assez pour la famille.' Non, ça, ce sont des amis, ce sont des portraits de la famille", mais il n'a pas dit que c'était pour la famille ! »

Surtout, ne pas parler de sa mort.

Pablo, en même temps, regardait la mort en face. Dans les derniers mois de sa vie, il peignit des autoportraits dont les yeux expriment toute la puissance que la mort pouvait lui inspirer, un peu comme si un combat se jouait entre lui et lui-même. C'est une attitude très espagnole, de regarder la mort en face – l'aspect positif du machisme. La mort est une réalité qu'il faut savoir affronter, et tout autant refuser.

Pierre Daix est un de ceux qui m'a le plus parlé du rapport de mon grand-père à la mort, sans doute parce qu'il s'est longuement entretenu avec lui à la fin des années soixante, pour la préparation de ses catalogues raisonnés [1]. Il s'est souvenu ainsi d'une visite à Mougins, en juin 1972. Pablo l'a conduit devant le célèbre *Autoportrait* aux crayons de couleur. On y voit un crâne humain dont se détachent deux yeux surdimensionnés, effarés, cherchant la vie, dans un dernier jet de couleurs pastel : Daix eut l'impression que Picasso regardait sa mort en face. L'*Autoportrait* était posé sur un fauteuil dans son atelier. Quand Daix revint en octobre, il s'y trouvait encore. Pablo avait continué à travailler, avec, pour seul interlocuteur, cet autoportrait en guise de *memento mori*. Il a, à nouveau, ramené Daix devant ce dessin : « C'est vraiment là que j'ai eu le sentiment que c'était la dernière fois que je le voyais. » Daix l'avait trouvé « émoussé » – et, soudain, Pablo a repris le dessus, pour évoquer le sujet du jour, le cubisme de 1913 et quelques problèmes de papiers collés nécessaires au travail de l'historien.

1. *Catalogue raisonné des périodes bleue et rose, 1900-1906*, Neuchâtel, Ides et Calendes, 1966, révisé en 1989 ; *Catalogue raisonné du cubisme de Picasso, 1907-1916*, *op. cit.*

En fait, mon grand-père ne fuyait pas la mort. Il voulait la comprendre – sans l'attirer. D'où la superstition quasi enfantine qui lui faisait évacuer le sujet par tous les moyens. Le photographe Luc Fournol se souvient qu'un ami commun était allé voir Pablo. Il l'avait trouvé en train d'observer des têtes de chèvres mortes en train de pourrir sur une balustrade ! « Je crois, dit-il, qu'il était très intéressé par la mort. » Plus impressionnante encore, cette confidence de Francis Roux, le propriétaire de *La Colombe d'Or* à Saint-Paul-de-Vence. Au sortir de la Seconde Guerre mondiale, son père était un ami des artistes, et l'on pouvait croiser chez lui Braque, Miró, Chagall ou Sartre. « Il y avait une ambiance artistique, un peu entretenue par mon père, et c'est ainsi qu'ils se sont connus. Picasso était venu par hasard. » En 1953, lorsque son père est mort, Francis a installé le cercueil dans une alcôve, devant le bar, à l'entrée du restaurant : « J'étais près du cercueil, seul, et le seul homme que j'ai vu là, c'est Picasso. Il resta à trois mètres, immobile, sans dire un mot, pendant vingt minutes, observant le cercueil de son ami mort. »

C'était un hommage ; c'était aussi certainement une analyse. Comme si Pablo voulait sentir, voulait vivre la mort.

Une rumeur tenace prétend que mon grand-père n'assistait pas aux enterrements, par peur de la mort. Il y a pourtant bien des funérailles auxquelles il se rendit, bien des services funéraires auxquels il prit part, de façon spontanée. Il est allé à l'enterrement de son père, Don José, à Barcelone, faisant tout spécialement le voyage. Il y a eu l'épreuve douloureuse de l'enterrement d'Éva, son amour éphémère, emporté en 1915. Puis, celui de son ami Guillaume Apollinaire, mort de la grippe en novembre 1918. Il n'a pu assister aux obsèques de sa mère, en 1939, à cause de l'arrivée au pouvoir du général Franco, et du siège de Barcelone. Mais on a oublié les veillées funèbres de ses camarades communistes, Jean-Richard Bloch, en 1947, ou Paul Éluard, en 1952. Il salua d'un hommage appuyé la mort de Marcel Cachin, chef historique du Parti, en 1958. N'avait-il pas dit à son ami, le photographe André Villers, au sujet de la mort : « J'y pense du matin au soir, c'est la maîtresse qui ne vous quitte jamais ! » Ce fatalisme transparaît dans sa déclaration à Malraux : « Il y a un moment, dans la vie, quand on a beaucoup travaillé, les formes viennent toutes seules, les tableaux viennent tout seuls, on n'a pas besoin de s'en occuper ! (...) Tout vient tout seul. La mort aussi [1]. »

La corrida n'était-elle pas la représentation la plus immédiate de la lutte contre la mort ? N'est-ce pas sa toute première source d'inspiration, lorsqu'il dessinait, enfant ? N'est-ce pas encore et toujours la représentation la plus épique de son propre combat ? La corrida le fascinait parce qu'elle symbolisait le pouvoir surnaturel de la mort : l'homme domine le taureau qui est évidemment instrument de mort. L'homme tue la mort. Bien sûr, tout dépend du talent avec lequel le torero analyse son adversaire, le séduit, le trompe, le vainc. Ne pourrait-il en être de même avec la mort ?

Sa force de création était le moteur de la vie de Pablo. Son énergie insoupçonnée repoussait toujours plus loin sa fatigue, ou le sentiment de son vieillissement, l'impression d'en avoir assez dit. Tout enfant, il avait réclamé des crayons en hurlant : « Piz, piz » (du mot espagnol *lapiz*, « crayon ») – avant même de savoir dire « maman » ! Encore au matin de sa mort, il réclamait un crayon et du papier à son secrétaire ! L'art, c'est la vie. S'exprimer, lutter contre le temps, ne pas en perdre ! Et s'exprimer encore.

À propos de ce jeu permanent, où il observait la mort sans en parler, Heinz Berggruen m'a raconté une anecdote amusante. Pablo s'était lié d'amitié avec un certain Lionel Praejer, possesseur d'une usine d'aluminium à Vallauris et véritable bricoleur. Cette affaire de ferrailleur intéressait Pablo pour la matière première qu'elle pouvait fournir à ses sculptures, tout particulièrement les tôles pliées et autres constructions métalliques. Praejer était aussi un grand spécia-

1. *La Tête d'obsidienne*, *op. cit.*

liste des corbillards, parce que cela l'amusait. Mon grand-père avait adoré ce côté inattendu. « Si on voulait lui faire plaisir, explique Berggruen, il fallait qu'on pense à une chose insolite, ou qu'on lui présente quelque chose comme un corbillard de 1870, et c'était de la joie pour lui ! » Personne ne sait si Pablo osa monter dans un corbillard, mais le seul fait de côtoyer l'objet lui-même était une épreuve redoutable. Une victoire symbolique sur la mort !

Pablo ne tentait pas d'imaginer l'avenir. Il vivait le présent. Selon que ce présent lui inspirait bonheur ou inquiétude, il jetait l'un ou l'autre sur la toile. Pierre Daix m'a confié combien ce côté fataliste l'a surpris, dès leur première rencontre, à la fin de la Seconde Guerre mondiale : « J'ai été très frappé par son côté pédagogique vis-à-vis de moi. Il m'a "appris"... Il y avait des toiles qu'il avait faites avant, avec la cafetière, parfois avec une tête de mort, toutes les natures mortes très sombres réalisées pendant la guerre. Mais je crois que ce qui a marqué le plus peut-être ma première rencontre avec lui fin 1945, à l'initiative d'Éluard, c'est que nous partagions au fond la même inquiétude. Moi, je n'étais pas quelqu'un d'optimiste. Pablo, au bout du compte, voyait aussi l'époque à venir sous des couleurs grises. *Le Charnier* était pour lui l'expression de ce qu'il redoutait. Après, il y eut l'exposition "Art et Résistance"[1] et *L'Hommage aux Espagnols morts pour la France*, qui est un hommage sarcastique. Au fond, il y a eu une sorte de communion entre nous, on se trouvait sur la même longueur d'onde – à la différence des membres du Parti communiste qui regrettaient ces œuvres si sombres. »

Quelques mois plus tard, Pablo retrouverait *La Joie de vivre*...

1. « Art et Résistance », exposition organisée du 15 février au 15 mars 1946 au musée national d'Art moderne de la Ville de Paris, sous l'égide des FTP (Francs-Tireurs et Partisans). Les œuvres de Picasso exposées furent *Le Charnier* et *L'Hommage aux Espagnols morts pour la France*.

Perdre du temps le rendait malade. Si la mort se situait tout en bout de course, la maladie, ou plutôt la crainte de la maladie, était depuis longtemps une obsession quotidienne. Cette peur panique remontait à son enfance, à la mort de Conchita. Dans l'Espagne d'alors, les maladies contagieuses fatales étaient le lot ordinaire. Les épidémies endeuillaient fréquemment les familles. La mort, c'était au quotidien.

Fernande Olivier, sa compagne au début du siècle, a déploré que Pablo fût si maussade de la voir malade et alitée. N'ont-ils pas quitté précipitamment le petit village idyllique de Gosol en Espagne parce que la fille de l'aubergiste avait attrapé la typhoïde ? Affolé par une éventuelle épidémie qui se serait répandue dans toute la péninsule Ibérique, Pablo a insisté pour retourner le jour même à Paris !

Selon Pierre Daix, chaque fois qu'il avait un petit quelque chose, « ça prenait des proportions dantesques ! (...) Un jour, il s'est brûlé l'œil, par sa faute, parce qu'il avait corrigé un cuivre au soleil et il s'était légèrement brûlé la cornée. Pendant dix jours, ce fut infernal pour Jacqueline, et pour tout le monde. Pour lui, ce qui touchait à un de ses yeux était dramatique... Mais il était très rarement malade. Il ne supportait pas que ma propre femme ait mal à la tête. Un jour, Pablo m'a dit : "Tu vois, elle est plus jeune que toi, et elle a mal à la tête !" » Inexplicable, en effet !

Hormis son opération de la vésicule biliaire à la fin de sa vie, il n'a jamais eu de véritables problèmes de santé. À cette occasion, il est allé se faire opérer à l'Hôpital américain de Neuilly, sous un nom d'emprunt, pour ne pas se faire « repérer » par les journalistes. Depuis la sortie du livre de Françoise Gilot en France, en 1965, il était la proie des paparazzi. Et des rumeurs, dont il détestait l'inconsistance. Son art était lui-même une affirmation, pas une rumeur.

Pablo était redevenu coquet, de l'aveu même de Roland Dumas, depuis son mariage avec Jacqueline, en 1961. Il mettait un point d'honneur à n'afficher aucune « défaillance », surtout en ce qui concernait sa forme physique. Dans ces circonstances, un séjour à l'hôpital représentait pour lui une visite à l'antichambre de la mort !

Malgré son grand âge et l'inexorable sentiment de vieillir, Pablo était toujours très vif. Il contrôlait tout. Quand Ernst Beyeler est venu lui parler d'un projet d'exposition de « quatre-vingt-dix œuvres pour ses quatre-vingt-dix ans », mon grand-père lui a jeté, avant qu'il ne reparte : « On se reverra avec cent sculptures pour mes cent ans. » Tous deux avaient évoqué le temps qui passe : « On a parlé de Max Pellequer, que j'avais connu. J'avais pu lui acheter des œuvres de Picasso qu'il possédait. Pellequer était le banquier, le conseiller de Picasso, et celui-ci m'avait dit à son sujet : "Vous savez, on devient vieux, nous deux [Pablo et lui], parce que si on s'entretient quelquefois sur une question d'impôts, je suis forcé de 'gueuler' comme un fou, et tous les voisins doivent savoir les chiffres et les détails !" »... Beyeler ajoute : « Quand Picasso avait une dépression, concernant l'âge et tout ça, il la gardait pour lui. » Et il changeait de sujet – comme d'habitude.

Mon grand-père, qui n'était jamais malade, était un hypocondriaque récurrent. De l'inquiétude naturelle des années de jeunesse à l'obsession de l'homme âgé, il s'était forgé une discipline de vie, fondée sur un ascétisme alimentaire dont il prêchait à l'excès les vertus aux autres. Pas d'abus de bonne chair, pas d'alcool – mais probablement un abus de cigarettes, dont miraculeusement il ne souffrit pas, sauf à la toute fin de sa vie.

À l'automne 1972, Pablo toussait régulièrement, et il attrapa un gros rhume qui se transforma en bronchite. Il fallut lui installer un respirateur artificiel à proximité. L'appareil mobile le suivait partout. Il dut même interrompre son travail pendant plusieurs semaines, avant de sentir un mieux au moment de Noël.

Son dernier printemps arrivait.

Le 8 avril 1973, son corps le quittait. Il basculait dans l'immortalité. Il avait fini par vaincre la mort !

L'éternité

Je peins comme d'autres écrivent leur autobiographie...
L'avenir choisira les pages qu'il préfère[1].

PABLO PICASSO

1. Citation tirée de *Vivre avec Picasso*, *op. cit.*

Ah ! le mythe de Faust ! Être immortel ! Prolonger la vie pour en savoir plus, pour perpétuer le bonheur... Pourquoi faudrait-il être soumis au temps, à l'éphémère ?

Picasso a vaincu l'éphémère. Il est entré tout vivant dans l'éternité.

Mon grand-père a vécu presque quatre-vingt-douze ans. Pablo est mort, Picasso est éternel. Il est hors du temps. Près de trois décennies après sa mort, nul ne doute que son nom et son œuvre survivront pendant des siècles et des siècles. Lui qui avait lutté contre le temps pour prolonger à l'extrême son art a fini par se fondre dans la mémoire collective, et, ainsi, se survivre.

Dans les toutes dernières années de sa vie, il confiait à son amie Hélène Parmelin[1] : « Il me semble que j'arrive à quelque chose (...) je n'ai fait seulement que commencer. » Il lui fallait gagner du temps, plus de temps, pour finir une toile, et une autre encore ! Son monde, c'était sa toile.

Il l'a rejointe. Il est aujourd'hui dans cette œuvre à laquelle sa célébrité confère l'immortalité – et qui le lui rend bien. Cette célébrité, il la doit avant tout à son travail, à une recherche permanente. Comme s'il avait été investi d'une mission : refuser l'ordre du monde, les ordonnancements statiques, l'arrangement ordinaire des choses.

Quel ordre ? Pour Picasso, il n'y a pas d'ordre. Il doit imposer son langage pour réécrire le monde. Certains verront dans cette quête un aspect mystique : l'impérieuse nécessité

1. *Voyage en Picasso, op. cit.*

de révéler une nouvelle réalité. Il y a du messie en lui. « Ce qu'il faudrait, c'est trouver le naturel (...) Que la peinture soit tellement intelligente qu'elle devienne la même chose que la vie[1]. »

L'audace de ce travail a fasciné ses contemporains, ceux qui ont suivi, et ceux qui suivront.

J'utilise le mot « travail » parce que Pablo Picasso ne parlait jamais de son art comme d'un divertissement ou d'une évasion. Pour lui, c'était un travail.

Lorsque mon grand-père décède et que s'ouvre sa succession, on découvre la partie immergée de ce travail. Une fois toutes ses maisons explorées, recensées, c'est un trésor qui fut révélé au monde entier : des milliers d'œuvres, de toutes époques, classées dans cet ordre supérieur que l'on appelle ordinairement le désordre. Ces « cavernes » racontaient au monde un génie.

La différence avec un quidam qui se prendrait à rêver de l'immortalité, c'est que Pablo Picasso n'a jamais songé à devenir célèbre. Certes, la légende prétend que, tout petit, il aurait été marqué par le retour à Málaga d'un ami de son père, du nom d'Antonio Muñoz, peintre de son état, qui rentrait de Rome. Pablo avait trois ans et demi quand Antonio revint d'Italie, le jour même de la visite à Málaga du roi Alphonse XII. La ville était décorée de drapeaux et la foule en liesse attendait le passage du roi. Antonio arriva au même moment qu'une procession de carrosses de la cour transportant des officiels. Pablo crut qu'on célébrait ainsi le retour du peintre, et fut convaincu qu'un peintre pouvait ainsi connaître la gloire !

Si non è vero... Non, mon grand-père ne cherchait pas la célébrité. Il avait avant tout besoin de s'accomplir. Un besoin irrépressible, qui lui fit accepter des conditions de vie misérables, ou pire, fastueuses. C'est une leçon pour moi, pour

1. *Ibid.*

nous : Nous ne sommes que ce que nous faisons. Agir, c'est devenir ce que l'on est.

Quand il renonce au destin que lui avait tracé son père, à Barcelone – devenir professeur de dessin et talentueux portraitiste –, il est loin de penser que le « marché de l'art », tel que nous le connaissons aujourd'hui, fera de lui une célébrité. Le marché de l'art n'existe pas, en cette fin de siècle – surtout en Espagne... Dans le monde de l'art ibérique de ces années 1880-1900, des académies et des patronages remettent aux artistes méritants des satisfecit honorifiques. Hors de l'institution, point de salut. Peu d'artistes osent s'écarter du système, et aucun ne songe réellement à faire fortune. Ils sont les obligés de quelques salons et de quelques mécènes.

Les impressionnistes sont précurseurs d'une nouvelle forme d'art, d'une nouvelle économie et, bien évidemment, d'une nouvelle forme de notoriété. Courbet, Manet et Renoir deviennent les nouvelles références. Le marchand Paul Durand-Ruel est leur mentor, avec son réseau de collectionneurs et de critiques. L'argent et la renommée arrivent ensemble. À la fin du siècle, les grandes galeries font la loi. Au XXe siècle, les artistes seront rois !

Picasso, ou plutôt Pablo Ruiz y Picasso, a senti que le monde changeait. Le passage du XIXe au XXe siècle a fort excité les esprits : il devait se passer quelque chose ! Et c'est en aventurier que Pablo part à Paris, la ville la plus prometteuse, et entame une vie d'artiste pauvre, mais riche d'un espoir encore flou.

Dans ce Paris de 1900, les expositions internationales et les foires attisent la curiosité du public aussi bien que celle des artistes. De grands courants se dessinent. Picasso veut nager plus vite.

Il est essentiel de se replonger dans l'esprit d'une époque pour pouvoir la comprendre. Vouloir juger un moment particulier du début du siècle dernier avec l'esprit d'aujourd'hui est une erreur qui conduit bien vite à une conclusion erronée sur les faits et les protagonistes. L'Europe d'avant la Première Guerre mondiale en est encore au siècle précédent, engoncée dans des traditions castratrices. La France est probablement la plus réformiste et la plus avancée. Pablo arrive d'une Espagne monarchiste, catholique, rigoriste. Il a été élevé dans un environnement familial marqué par le patriarcat. Il a vécu entouré de femmes, sa mère, ses tantes, ses sœurs, mais c'est son père qui prenait les décisions. La femme est alors célébrée mais soumise, et l'homme souverain de droit divin. Dans cet univers social bloqué, de véritables castes perdurent.

Mon grand-père connaît ses premiers succès à l'issue d'une démarche sans concessions qui forge sa réputation dans le milieu artistique. Mais il n'est jamais connu que d'un tout petit cercle d'initiés, de peintres et de marchands. Viennent ensuite les bouleversements d'un siècle marqué par les progrès technologiques – presse, radio, télévision. La société du spectacle est née. Jusqu'en 1945, Pablo peut se promener dans la rue et prendre un verre à la terrasse du *Café de Flore*, à Saint-Germain-des-Prés, sans être reconnu. Après la Libération, c'en est fini de cette insouciance : il est devenu Picasso.

Certes, bien des gens n'ignoraient ni son nom ni son œuvre, et jusqu'aux États-Unis, depuis le début des années trente. Mais qui connaissait son visage ? Comme ma grand-mère le répétait, elle n'avait jamais entendu parler du cubisme... en 1927 ! Elle était issue de cette petite bourgeoisie commerçante où l'art moderne n'est pas un sujet de conversation : « Les jeunes filles ne lisaient pas le journal. » Pablo ne risque pas d'avoir abusé d'une façon ou d'une autre de sa célébrité avant d'être déjà âgé (il avait soixante-quatre ans en 1945 !), et de posséder le plein contrôle de sa situation. Il ne connut pas la gloire planétaire d'une rock-star de vingt ans, telle que nous en vivons de multiples exemples éphémères de nos jours.

Cette maturité même a permis à mon grand-père de conjuguer personnalité et gloire médiatique soudaine. Il crée un

« précédent » : seules les stars de cinéma bénéficiaient d'un tel engouement, avec la complicité active des studios de production. Picasso n'a pas d'attaché de presse. Rien n'est programmé. Mais il sait, d'instinct, séduire les médias. Pour le paraphraser, il a « trouvé », là où d'autres artistes bien plus avertis l'ont « cherchée », matière à l'auto-promotion. Il a ouvert la voie aux grands spécialistes de l'exposition médiatique, Dali, Warhol, ou César et tant d'autres.

Quelle conscience avait-il de sa célébrité ? Et quand en a-t-il eu conscience ? J'ai raconté cette visite que lui firent nombre de soldats américains au moment de la libération de Paris. Il est alors avec ma grand-mère Marie-Thérèse et leur fille Maya, chez elles, boulevard Henri-IV, dans l'île Saint-Louis. Sitôt les barricades franchies et les francs-tireurs arrêtés ou tués, les GI's américains parcoururent les rues de Paris, liste de monuments en main – dont une visite à Picasso ! On rapporte que Marlon Brando, alors soldat, passa voir mon grand-père comme beaucoup d'autres, Ernest Hemingway, par exemple, qui, ne le trouvant pas à l'adresse de l'atelier de la rue des Grands-Augustins, lui laissa une boîte de grenades en souvenir !

Ma mère possède une photo formidable d'un casque de GI posé sur une chaise devant ce fameux portrait d'elle au tablier rouge [1] qu'elle possède toujours. Les soldats tenaient tous à posséder un souvenir de leur rencontre avec Picasso.

C'est donc à cette époque charnière que Pablo prend cette place unique parmi les célébrités mondiales dont les médias rapportent les faits et gestes régulièrement. Lui qui avait toujours su préserver ses mondes secrets, avec ses bonheurs et ses tristesses, ne peut plus désormais passer incognito...

La vie de Pablo comporte tous les ingrédients qui font les succès populaires : amour, enfants, gloire, richesse, originalité, et, à défaut de beauté au sens premier du terme, un charisme et une séduction évidents. À cela s'ajoute cette qualité surhumaine : le pouvoir de créer, d'inspirer, de troubler, de

1. Voir reproduction dans le premier cahier photos central.

déclencher des émotions et, concurremment, de transformer tout objet en or. Le prix d'une émotion. Il connaît d'ailleurs sa valeur.

Si Picasso a pu reconnaître son pouvoir « magique » (comme dans l'anecdote, que j'ai racontée plus haut, du billet de 500 francs « transformé » en billet de 1 000 pour Heinz Berggruen), il ne faut pas penser qu'il en ait abusé. Son travail, fût-il de quatre traits tracés en quelques secondes, ne doit pas s'analyser comme une source de revenus, mais comme une mission. Sinon, on n'aurait pas retrouvé à peu près la moitié de toute son œuvre chez lui ! Il devait s'accomplir, quitte à aller plus vite que le temps pour en dire encore et toujours plus, fût-ce en quelques secondes... Jusqu'à ce que le temps le rattrape...

Comme je l'ai précisé précédemment, Picasso refusait de parler de « périodes » ou d'évolution dans son travail. Tout s'intégrait dans une continuité, un langage. Il n'enfermait rien dans des catégories pré-établies. Au point de choquer : « Cubisme ? Connais pas ! Art nègre ? Connais pas... »

Tout aussi stupéfiant, le soin qu'il a toujours pris à mettre de côté certaines œuvres, tout au long de sa vie – qui constitueront le trésor de sa succession et, pour partie, celui du musée Picasso de Paris. Il n'a cédé les autres, avec une significative parcimonie, que pour en vivre, faire vivre et continuer à travailler. Et entretenir, savamment, sa célébrité, et sa popularité. Savoir et faire savoir.

Avant d'être célèbre, Pablo a d'abord acquis une notoriété, dans le monde de l'art, que l'on n'appelait pas encore un « marché ». Ce monde au sein duquel Picasso devint la valeur montante, puis la référence, puis le refuge. Il a autant fait ses marchands qu'il s'est fait lui-même. Il fut aussi apprécié que redouté par ses marchands originels, que ce soit Vollard, Kahnweiler, Rosenberg ou Wildenstein. Devenu maître absolu, il aura le pouvoir de faire la carrière, la réputation et la fortune de Berggruen ou de Beyeler, sans parler de leurs successeurs. La notoriété était devenue réputation.

Comment devenir célèbre ? D'abord, un nom familier, aisément retenu par les médias, bientôt par le public. Ensuite, créer des chocs. Enfin, peaufiner son image. Picasso est sympathique ! Il mène sa vie comme il l'entend. Il est un exemple. Il est l'alternative colorée à un monde de certitudes grises. Il est engagé politiquement, c'est un révolutionnaire – mais il ne brise rien, sinon les idées toutes faites et les conventions.

Qui pourrait imaginer autant d'énergie et d'espièglerie chez cet homme déjà mûr, que l'on découvre en famille sur les plages de l'après-guerre ? Mon grand-père, sans le savoir alors, était un grand « communicant ». Il était instinctif ; il savait comment jouer avec le photographe, lui donner ce qu'il attendait : du spectaculaire. Avec deux petits pains pour Robert Doisneau, un revolver et un chapeau de cow-boy pour André Villers, un parasol pour Robert Capa, ou un chapeau de torero et une cape auquel il ajoute un nez rouge pour Edward Quinn ! Et toujours ce petit pull de marin. Communiquer, nous enseigne-t-il, c'est faire de l'essentiel avec des accessoires.

Quelle magie de l'instant, quelle éternité !

Il n'aimait pas sa voix, il redoutait de faire une faute de français. Pierre Daix m'a confié ses inquiétudes : « À la fin de sa vie, quand j'étais avec lui et que les journalistes lui sautaient dessus, ma principale difficulté consistait à leur dire : "Ne lui présentez pas de micro, ça fera un drame !" Il ne voulait pas se laisser enregistrer. Un jour, Cathy, la fille de Jacqueline, avait un petit magnétophone portatif qui fonctionnait avec des courroies. C'était un des premiers portatifs qui existaient et ce magnétophone était en panne. J'ai donc voulu l'arranger et Pablo m'a dit : "Tu l'arranges si tu veux, mais je ne veux pas de ça ici !" »

Mon grand-père avait trop souffert de propos qu'on lui avait prêtés, de paroles qui avaient été mal comprises. « Il adorait, ajoute Daix, faire des blagues, de l'humour ou des choses comme ça. Mais c'était toujours colporté, amplifié, répercuté, etc. Cela faisait des histoires, et il détestait que ça fasse des histoires, aussi bien en matière politique que dans sa vie personnelle. Il y avait probablement le fait que c'était son accent, ce qui était vrai, et, devant un micro, il se sentait probablement en état d'infériorité. »

Il n'aimait pas sa voix, mais il arriva à faire du cinéma... sans paroles, ou presque ! Avec Paul Haesaerts, en 1950, où il peint sur une vitre transparente sans que vraiment personne ne comprenne la maîtrise de son trait. En 1953, pour un documentaire avec Luciano Emmer, Pablo s'active silencieusement, mais avec un œil malicieux tourné vers la caméra, et dessine sur la fameuse voûte du *Temple de la Paix* à Vallauris. Il compose surtout une sculpture faite d'objets disparates récupérés, formant les éléments d'un puzzle, dont il connaît la clé, sur le sol d'une des grandes salles de l'atelier du *Fournas* – que je connais bien pour y avoir joué étant adolescent avant que la propriété, héritée par ma mère, ne soit rénovée ! Puis, quand Henri-Georges Clouzot lui propose de tourner *Le Mystère Picasso* en 1953, pensant découvrir les secrets de l'artiste, Pablo s'empara en fait de la caméra pour ne rien vraiment dévoiler, et, si possible, épaissir la magie et le secret qui entourent son talent. De quoi fixer à jamais son génie. Le documentaire de Clouzot remporta le prix spécial du jury au Festival de Cannes en 1956, puis la médaille d'Or du meilleur documentaire à Venise en 1959. Je crois que si mon grand-père n'avait pas été si âgé, au moment où la télévision s'est réellement développée, dans les années soixante-dix, il aurait « trouvé » comment s'en servir... sans parler des réalités virtuelles d'aujourd'hui.

Ce talent de grand communicant consistait, à la limite, à ne pas communiquer. Vers la fin de sa vie, quand il se mit à compter les années comme autant d'années en moins, il refusa les visites. C'était lui qui décidait, mais c'était Jacqueline que l'on rendait responsable de cet isolement. Il gardait le prestige, elle subissait la rancœur. Et pourtant, tous mes interlocuteurs m'ont assuré qu'elle était innocente – à ceci près qu'elle exécutait trop parfaitement les ordres de son mari. Elle était le soldat d'un général qui tenait en permanence une conférence de crise. Elle avait décidé d'aller au-devant des incidents en les prévenant...

Jacqueline avait le défaut de ses qualités : elle n'était la mère d'aucun des quatre enfants de Pablo, elle n'avait été en concurrence avec aucune de ses compagnes. Elle n'avait de comptes à rendre à personne, sauf à son mari. Et, quelle que soit l'autorité qu'elle ait pu avoir sur lui, les décisions de Pablo étaient des ordres. Il voulait la paix, elle la lui garantissait. *No comment.*

Aurait-il connu la même gloire et la même postérité, s'il avait vécu en des temps plus médiatisés ? Je ne le crois pas. Par son mystère, et toutes les légendes, fausses ou vraies, qu'il entretint, souvent à son corps défendant, il était une star. À nouveau, je crois que cela était venu naturellement. Sans aucune politique de « marketing » : ni le mot ni la chose n'existaient de son temps.

Cependant, il ne pouvait négliger le fait que son œuvre bénéficiait tout de même de sa notoriété, et, plus, de sa popularité. Certes, c'étaient les professionnels de l'art, les collectionneurs, les galeristes qui l'avaient repéré, encensé, garanti, mais il avait rejoint naturellement le public. Tout comme il se déclarait homme du peuple avec le peuple, il était un homme public, proche du public. Avec ce soutien public, il échappait aux « professionnels de la profession », fait rare pour un artiste. Il échappait presque à la cote, puisque chaque nouvelle vente prenait l'allure d'un record.

Ma mère se souvient l'avoir entendu dire : « Qu'on en parle en bien ou qu'on en parle en mal, mais qu'on en parle ! » Encore faut-il bien comprendre qu'il ne parlait que de son travail. Et rien d'autre. Le reste, c'étaient des affaires de famille, y compris la politique.

De la célébrité au scandale, il n'y a qu'un pas et, sous couvert de nonchalance et de prospective, mon grand-père distillait à bon escient leur pâture aux amateurs de cancans. D'une part, cela l'amusait. D'autre part, il savait que cela entretenait le mythe. Par nécessité presque physiologique, il avait créé *Les Demoiselles d'Avignon*. Malgré les sarcasmes, y compris de ses amis, il avait persévéré dans ses prises de position artistiques, et il avait gagné. Il était l'inventeur de l'art moderne. Et son principal destructeur. Le vrai, le premier scandale, c'était de secouer les esprits.

Le temps compté le forçait à d'autres explorations scandaleuses et nécessaires. On connaît son aversion pour les révélations sur sa vie privée. Le scandale à ses dépens n'avait pas de place. Je crois qu'il y a là une limite encore une fois totalement unique chez Picasso, dans la mesure où la vie de l'homme et la vie de l'artiste ont toujours été inextricablement liées, indissociables. La séparation de l'homme et de l'artiste permet ordinairement d'admirer l'artiste et de dénigrer l'homme. « Picasso, créateur et destructeur » : c'est une fiction de biographe, qui ne fonctionne pas. Chez lui, pas de dissociation entre vie d'artiste et vie d'homme. Aurait-il pu créer les sublimes portraits d'Olga ou de Marie-Thérèse sans en éprouver dans sa chair la douceur et le calme ? Aurait-il pu les opposer, sans vivre la colère de l'épouse et le refuge de la muse ? La Côte d'Azur et Françoise ne représentaient-elles pas l'éclatante réalité de *La Joie de vivre* ? Aurait-il pu saisir l'enfance sans la joie d'être le père de Paulo, Maya, Claude ou Paloma ?

Il expérimenta, avec douleur, les atteintes au respect du droit à la vie privée. Né à une époque de secrets familiaux, sans presse à sensation, il pensait que tout se réglait en famille, dans la tribu, dont il appréciait la solidarité. D'ailleurs, il essayait de s'occuper de sa famille, l'« entretenant » certes au plan matériel, mais cherchant à donner, avec intelligence. Et avec discrétion. De là à parler de manipulation, de contrôle...

A contrario, pouvait-il interdire aux autres d'avoir leurs propres souvenirs de lui sans le citer, au regard de l'importance qu'il avait prise dans leurs vies et alors qu'ils avaient vécu les mêmes moments ? Tout dépend, à mon sens, de la pérennité des relations, fussent-elles uniquement matérielles.

Le livre de souvenirs de Fernande Olivier[1], sa compagne du *Bateau-Lavoir* au début du siècle, le mit en rage et il chercha, en vain, à le faire interdire. Quand on parcourt l'ouvrage, on comprend qu'il n'ait guère ému les lecteurs. En revanche, il apporte des détails intéressants sur une époque fondatrice pour Picasso. Curieusement, c'est Olga qui s'en émut le plus. Il faut dire que des extraits avaient été publiés, avant la sortie du livre, dans le quotidien *Le Soir*, ce qui avait déjà donné un caractère très public à des révélations somme toute banales : elles n'avaient même pas, à l'époque, l'intérêt historique que nous y trouvons aujourd'hui. Pablo et Olga étaient mariés depuis 1918 et, bien que les relations du couple se soient dégradées inéluctablement, surtout en cette année 1933, Olga avait mis un point d'honneur à préserver la réputation de son mariage dans la bonne société. Le récit de la vie de bohème de Pablo par Fernande n'était pas respectable, bien qu'il s'agît d'une époque révolue qu'elle n'avait d'ailleurs pas connue ou partagée avec Pablo ! Si Fernande avait côtoyé tous les artistes du début du siècle, c'était pour la joyeuse troupe de fêtards qu'ils formaient. Elle n'en comprenait pas véritablement les aspirations ou le talent. Des souvenirs finalement anodins, mais utiles.

Cependant, pour mon grand-père, c'était le principe qui était inacceptable. Même si Fernande était libre et ne vivait plus par lui depuis très longtemps...

La sortie du livre de Françoise Gilot, *Vivre avec Picasso*, engendra la même colère. En 1964, Françoise, sa compagne pendant dix ans (pour mémoire, une relation qui dura de 1943 à fin 1953) et la mère de Claude et de Paloma, raconta sa longue relation avec Pablo. Elle en avait, à mon sens, le droit : elle ne vivait plus avec lui, et avait refusé toute pension de sa part. Mon grand-père, déjà âgé de près de quatre-vingt-quatre ans, s'entêta à vouloir faire interdire ce livre, paru quelques mois plus tôt aux États-Unis, par les tribunaux

1. *Picasso et ses amis, op. cit.*

français. Harcelé par Olga trente ans plus tôt, il se sentait l'obligé de Jacqueline, cette fois.

Roland Dumas m'a affirmé qu'il lui avait déconseillé absolument toute action en justice. Cela n'aurait eu, à ses yeux, qu'un seul effet : donner une formidable publicité au livre. Il avait raison. Pablo, particulièrement motivé par son épouse, insista. Ils firent même rédiger un manifeste, signé par leurs amis, qui resta sans effet : « Rien ne sert d'exalter le peintre si on détruit l'homme... » Même le Parti communiste donna de la voix pour s'opposer au livre (par amitié pour Pablo, certains dénonçaient le livre, tout en reconnaissant ne pas l'avoir lu !).

Le 22 mars 1965, Pablo fut débouté de sa demande contre Françoise. Début avril, il perdit l'action contre l'éditeur. Il perdit également en appel.

Ce livre était réellement devenu, à mes yeux, comme un tabou, un interdit. Je ne l'avais pas lu – jusqu'à récemment –, et je pensais y découvrir quelques affreuses révélations. Je l'ai parcouru avec précaution, mais avec attention... concluant finalement qu'on avait fait beaucoup de bruit pour rien, et que Pablo, en sur-réagissant comme il l'a fait, a déclenché une polémique surdimensionnée. Il est vrai aussi que l'ouvrage est particulièrement documenté, ce qui rend toute contestation difficile... Peut-être mon sentiment de lecteur tient-il à ma génération, ou à notre époque. Mais je n'y ai vu que le récit d'un amour, avec ses hauts et ses bas, les moments tendres et les prises de bec. Dumas avait raison.

Un seul point a particulièrement retenu mon attention. En effet, le livre a été écrit à l'origine en anglais, avec la collaboration de Carlton Lake, journaliste et écrivain spécialisé en art. Il a paru d'abord aux États-Unis en 1964, puis en France en 1965. Un passage de l'édition française a constitué l'essentiel de la polémique, en ce qu'il a révélé un Picasso d'une violence extrême – seul et unique témoignage de la sorte parmi tous les écrits qui lui ont été consacrés : « Il [Pablo] prit la cigarette qu'il était en train de fumer et la planta sur ma joue droite [celle de Françoise]. Cela me fit horriblement mal, mais j'étais décidée à ne pas lui donner la satisfaction de me voir crier. Après un moment qui m'a semblé très long, il la retira : “Non, dit-il, ce n'est pas une bonne idée. Après tout, j'aurais peut-être encore envie de vous regarder.” »

Je suis resté stupéfait face à un acte si cruel ! Si stupéfait que je me suis reporté à la version américaine.

Que dit le texte original ? « He took the cigarette he was smoking and touched it to my right cheek and held it there. He must have expected me to pull away, but I was determinated not to give him the satisfaction. After what seemed a long time, he took it away. ‘No, he said, that's not a very good idea. After all, I may still want to look at you.’ »

La scène se passe à la fin de l'été 1946 à l'occasion d'une discussion passionnée sur l'opportunité pour Françoise de venir vivre à Paris chez Pablo, ce qu'elle refusait encore.

L'emploi du mot *touched* (qui n'est pas, grammaticalement, du bon anglais, ni d'ailleurs du bon américain) est très ambigu – et probablement a-t-il été choisi pour cette raison. Il peut tout aussi bien signifier « toucher » que « pointer », mais certainement pas « planter ». Il faut donc s'en remettre à ce qui suit pour comprendre. Or, « He must have expected me to pull away », signifie en français : « Il devait s'attendre à ce que je m'écarte », phrase qui a été remplacée par « Cela me fit horriblement mal », ce qui n'a rien à voir ! Cela devient « la » phrase choc qui donne tout son sens à l'intention, alors que le texte américain ignore tout sous-entendu.

Ainsi, Pablo « pointe » sa cigarette en direction de la joue de Françoise, il la maintient dans cette position (« [He] held it there »), puis se ravise (« I may still want to look at you », « J'aurais peut-être encore envie de vous regarder »), ce qui est tout autre chose que de la planter ! D'ailleurs, parmi ceux que j'ai rencontrés et qui ont connu cette période avec Françoise, personne ne se souvient d'avoir jamais vu la moindre cicatrice sur sa joue... Enthousiasme du traducteur, erreur de relecture ? Il était intéressant de soulever ce détail d'importance, qui a donné lieu à tant d'interprétations désastreuses sur le prétendu sadisme de mon grand-père...

Cependant, Françoise n'a jamais remis en cause le texte en français.

Le procès en diffamation eut lieu, et Pablo perdit. Selon les juges, les souvenirs de Pablo étaient aussi les souvenirs de Françoise, et si l'un souhaitait les taire, l'autre pouvait en parler librement. Elle s'en était d'ailleurs tenue à ce qui était de notoriété publique, fût-elle réduite à quelques initiés.

Le livre eut une audience inespérée à l'époque ! Pablo avait, malgré lui ou par sa faute, son scandale si redouté ! Malheureusement, leurs enfants Claude et Paloma en subirent les conséquences dans leurs relations avec leur père. Beaucoup de bruit pour rien ! Beaucoup de mal pour rien...

À la fin de sa vie, mon grand-père vivait difficilement sa célébrité. Depuis 1954, la guerre froide et la surmédiatisation de son engagement politique auprès des communistes, il donnait moins d'interviews. Il s'en tenait aux actes et à son métier : dessiner, peindre, offrir des œuvres en soutien.

Ce retrait coïncida avec l'aube de sa nouvelle vie avec Jacqueline. Le phénomène alla grandissant. À partir de 1965, il ne sortit quasiment plus : il était très âgé, et surtout, il était la proie des photographes, depuis le scandale du livre de Françoise. Toute photo volée de Picasso était une aubaine pour les rédacteurs en chef du monde entier. Le village de Mougins était désormais son adresse officielle. Devant la villa *Notre-Dame-de-Vie*, achetée quelques années plus tôt, traînaient souvent des badauds ou des journalistes... ou des visiteurs, parfois des amis, toujours éconduits. « Le maître est très âgé, très âgé... et il travaille... »

On constate, sur les photos des dernières années de sa vie, combien son aspect physique s'est dégradé. Il gardait toute sa tête, mais il avait maigri, et son visage s'était creusé de rides profondes, auxquelles s'ajoutait une grosse tache de vieillesse sur la joue gauche. On devine, sur de nombreux clichés de Lucien Clergue, que l'homme n'est plus le même, qu'il observe plus qu'il ne participe aux rencontres.

Quelques instants de nostalgie, en écoutant Manitas de

Plata, venu le voir en 1968. Puis le silence, à nouveau. Il était presque absent : s'ennuyait-il, pensait-il, observait-il l'enthousiasme et la jeunesse autour de lui – comme autant de rappels à l'ordre ?

Lorsque l'on pense à mon grand-père, d'une façon générale, je suppose que l'on se rappelle surtout cet homme joyeux sur la plage de Golfe-Juan, en maillot et chemisette, dans la force de l'âge, selon l'expression consacrée, vaillant père de Claude et Paloma. Ces magnifiques photos ensoleillées des années cinquante ont établi la légende de Picasso : Françoise et les enfants, les grands Paulo et Maya au restaurant *Tétou* à Golfe-Juan, *Le Mystère Picasso* de Clouzot, le Festival de Cannes avec Pablo et son chapeau melon, la cote déjà stratosphérique de son œuvre, et les années communistes, la célébrité internationale, et les photos historiques de Doisneau, Duncan, Villers, Quinn ou Clergue, puis Jacqueline et sa fille Cathy toujours sur la plage... Et toujours Pablo en plein soleil. Toujours si visible.

Si Pablo utilisait des lunettes de vue à la fin de sa vie, il ne porta jamais de lunettes de soleil ! Ses yeux s'étaient, depuis l'enfance, habitués à regarder le soleil en face. Son talent pour la couleur et leur éclat venait-il de là ? Il était en quelque sorte le rival du soleil.

Dix ans après cette période tumultueuse, la vie était redevenue plus calme. Pablo n'était plus aussi disponible parce que déjà, physiquement, il n'était plus aussi solide. L'importuner, c'était le fatiguer. L'ennuyer, c'était le tuer. Il avait tout organisé. Il avait donné ses ordres. Il suffisait d'appliquer ses consignes.

L'image que renvoyait Picasso était dangereuse malgré lui : sa célébrité et sa richesse constituaient une attraction fatale. S'approcher de lui était une façon d'en profiter à peu de frais ; mais ne pouvoir s'en détacher était la pire des solutions pour tuer sa propre ambition. À la fois douter de ses propres capacités, et lui reprocher d'y faire obstacle ! L'aimer et le haïr. Être le parent ou l'ami d'un homme célèbre, de surcroît riche, est un véritable défi pour les deux interlocuteurs. Si à cela s'ajoutent le pouvoir de la création, l'incompréhensible, l'intouchable... Pablo avait déjà donné, beaucoup, de son temps et de son argent. Il s'était montré disponible et solidaire. Toujours spontanément. Il avait l'apparence d'un dieu, qui peut tout créer, tout changer, mais c'était une illusion. La vie est le résultat d'ajustements, entre les choses et les êtres. Picasso était un accélérateur de particules.

Durant sa dernière décennie, son esprit se concentra désormais sur l'essentiel : son œuvre. Il était totalement détaché des contraintes matérielles, et ce qu'il demandait à ses interlocuteurs, c'était une stimulation supplémentaire. Ses amis des dernières années, comme Hélène Parmelin, son mari le peintre Édouard Pignon ou le journaliste Georges Tabaraud, Zette et Michel Leiris, ont entretenu le feu de la conversation polémique qui stimulait tant l'esprit de Pablo. La seule réserve que l'on peut faire, c'est qu'ils partageaient les mêmes opinions ou pouvaient feindre de le faire, ayant compris depuis longtemps que Pablo n'aimait pas les conversations stériles sur des sujets ennuyeux. L'ennui, c'était la mort. Avec eux, Pablo conduisait de véritables joutes intellectuelles.

Roland Dumas était le correspondant parisien, le rapporteur officiel des hommages auxquels Pablo ne participait plus, mais qui l'intéressait au plus haut point. Pour le représenter au plan familial, il y avait toujours Paulo, avec la belle Christine et leur fils Bernard. Pour l'intendance et la gestion des problèmes, Paulo était à Paris, Me Antébi à Cannes et Miguel, le fidèle secrétaire, à la maison. Et pour la régence, Jacqueline. Elle était le lien permanent, pour tout, pour tous. Pablo se protégeait, ne voulait voir personne. Il ne discutait plus qu'avec sa toile. À peine s'il parlait avec Jacqueline et quelques autres...

Août 1972. Pablito, le fils aîné de Paulo, souffrant de ne pouvoir approcher notre grand-père aussi facilement qu'il en rêve, sonne à l'improviste au portail, et se voit refuser l'accès. Il a une vingtaine d'années, Pablo bientôt quatre-vingt-dix. Il escalade la terrible clôture de fils barbelés et pénètre dans le jardin, déclenchant l'alarme et l'arrivée du gardien, M. Barra, du secrétaire, Mariano Miguel, et des chiens. C'est l'affolement. Dans la maison, Melle Studer, la gouvernante s'interroge... Personne n'a jamais vu ce jeune homme.

Pablito a beau montrer sa carte d'identité, il est reconduit *manu militari* à la porte. Miguel a des ordres de Jacqueline...

Pablo en fut informé. Ce qui le traumatisa le plus, ce fut que quelqu'un ait pu pénétrer dans la propriété. En outre, l'incident avait fait un petit scandale dans le voisinage... et il détestait le scandale. Dès lors, la villa deviendra inviolable – non que Pablito en fût le seul banni, mais parce que son initiative pouvait inspirer d'autres visiteurs moins bien intentionnés. La célébrité de Picasso, sa richesse présumée, faisaient de lui une proie désignée. Et facile...

Pablo et Jacqueline sermonnèrent Paulo, ce qui raidit encore les relations, déjà tendues, entre celui-ci et Pablito. Comme le raconta plus tard Marina : « Jacqueline rendit toujours mes parents [Émilienne et Paulo, divorcés depuis 1953] responsables, bien qu'ils ne fussent pas des parents responsables [1]. » Me Antébi rappelle de son côté que l'initiative irraisonnée de Pablito, qui avait fait du bruit dans le village, inquiéta sérieusement les autorités, qui craignirent quelque nouvel incident au jour redouté de la mort du peintre. Cette peur contribua à la « programmation » échelonnée de l'annonce de son décès, à la demande du procureur de la République de Grasse.

À quatre-vingt-dix ans, mon grand-père se retrouvait seul, illustre, isolé par son âge, prisonnier volontaire de son talent, qui lui réclamait toujours de s'accomplir encore... et encore.

1. *Bitter Legacy, Picasso's disputed millions*, *op. cit.*

Et prisonnier du temps qui passait trop vite...

Lorsqu'il s'éteint, c'est un raz-de-marée médiatique dans le monde entier. La presse unanime salue, de numéros spéciaux en publications hors série, le parcours extraordinaire de l'artiste, et lève le voile sur l'homme. Il est vrai que viennent à peine de commencer, réforme récente oblige, les procédures de reconnaissance de filiation de Maya, Claude et Paloma, qui coïncident dramatiquement avec la mort de leur père. Tout est public.

Le monde entier évoque la disparition du « peintre du XXe siècle » avec d'innombrables témoignages d'admiration. Même la télévision espagnole du général Franco annonce – brièvement – la mort du « génial peintre espagnol, Pablo Ruiz Picasso ». La *Pravda* se borne à reprendre, en page intérieure, la dépêche de dix-huit mots de l'agence Tass, faisant état de la mort du « peintre espagnol mondialement connu ». Seule la télévision soviétique précise qu'il fut communiste...

La porte s'ouvre aux rumeurs, même les plus sordides. Mais la légende de Pablo Picasso l'en a déjà préservé. Il est toujours un soleil.

Dans le monde d'aujourd'hui, où le fameux « quart d'heure » de célébrité médiatique prédit par Andy Warhol est devenu une réalité, dans cette civilisation de l'image où le paraître importe plus que le faire, un publicitaire dirait : « Picasso, il a bien réussi son coup. »

Sauf qu'un « coup » ne dure pas. Dans le cas de Picasso, c'est une œuvre.

Le nom

Voici quelques mois, une journaliste d'un grand quotidien m'a interrogé sur le nom Picasso. C'était à l'occasion de la réforme du nom de famille, se substituant désormais en France au nom patronymique, après le vote, en seconde lecture à l'Assemblée nationale, du texte corrigé au Sénat (sur la proposition de loi du député Gérard Gouzes). Désormais, un enfant pourra porter le nom de son père ou de sa mère, ou les deux, dans un ordre ou l'autre. La loi fixe les multiples procédures, y compris pour l'enfant né avant la loi. C'est une législation logique, bien dans l'esprit de l'égalité entre hommes et femmes. À vrai dire, la France faisait figure d'exception curieuse, puisque les autres pays européens ne se posaient plus, depuis longtemps, ce genre de problème : la liberté prévaut désormais partout pour le choix du nom de famille. C'est une avancée notable pour la psychologie de l'enfant, qui n'a plus le sentiment que l'identité de la mère est « balayée » avec son nom.

Depuis la réforme de 1972 sur la filiation, les enfants naturels reçoivent le nom du parent qui les reconnaît en premier, le père ou la mère (et ce, même si le père ou la mère était marié(e) lors de leur conception ou à leur naissance). Ironie de l'histoire, l'enfant naturel bénéficiait, de façon inattendue, du choix de ses parents, alors que l'enfant légitime ne pouvait, jusqu'à aujourd'hui, que porter le nom de son père. Le mot « adultérin » était supprimé. L'enfant n'était plus de « père inconnu » (ou de mère inconnue, cas plus rare).

Après 1972, il n'y eut plus d'interdit légal pour le père marié (ou la mère mariée) qui souhaitait déclarer un enfant né hors de son mariage. Au surplus, avec la réforme de 1972, si un père, marié ou non, ne reconnaît pas son enfant à la naissance, l'enfant peut toujours obtenir une reconnaissance de paternité ultérieure. Les tests d'ADN ont apporté un renfort considérable en cas de conflit sur ce point.

Depuis la loi du 21 décembre 2001, il en va de même pour l'égalité des droits des enfants, légitimes ou naturels, dans l'héritage. Un enfant naturel recevait auparavant la moitié de la part d'un enfant légitime. La Succession Picasso a été emblématique de cette distinction entre enfants légitimes et naturels. Par ailleurs, un enfant naturel recevait même la moitié de la part d'un enfant adopté, de façon plénière, par leur parent commun décédé ! Que de drames...

Il y avait donc matière à réforme. Les notaires ont soutenu cette réforme nécessaire, et plusieurs d'entre eux m'ont confirmé que, lors du règlement de nombreuses successions, des enfants légitimes avaient demandé à recevoir la même part que leurs demi-frères ou sœurs naturels, puisqu'ils étaient tous les mêmes enfants de leur père ou mère décédé(e) ! On a gommé enfin ce « demi » si exécrable. Dans la famille Picasso, devrais-je présenter mon demi-oncle Claude, ma demi-tante Paloma ou mon demi-cousin Bernard et sa demi-sœur Marina, ma demi-cousine ? ! Ne sont-elles que des demi-personnes ? Moi, je n'ai pas de demi-sentiments.

Mon grand-père avait pris la décision de porter le nom qui lui plairait. Par tradition espagnole, un enfant prend le nom composé d'une partie du nom de son père et d'une partie du nom de sa mère. En l'occurrence, les époux Don José Ruiz Blasco et Doña María Picasso López donnèrent naissance à Pablo Ruiz y Picasso, devenant Pablo Ruiz Picasso.

À noter que le double « s » de Picasso est une orthographe rare en Espagne.

La journaliste qui m'interviewait m'a demandé pourquoi mon grand-père avait choisi le seul nom de sa mère pour signer son œuvre. Était-ce parce que « Picasso » était bien plus original que « Ruiz », très répandu en Espagne ? C'est en effet probable, en grande partie : les gens, très vite, n'ont retenu que le seul nom de « Picasso ». Cela sonnait bien. C'était original. Mon grand-père trouvait que « Ruiz » n'était pas, phonétiquement parlant, très heureux, mais que « Picasso », avec son double « s », était, disait-il, « plus étrange, plus sonore ». Il avait précisé à Brassaï : « Avez-vous remarqué d'ailleurs le "s" redoublé dans le nom de Matisse, de Poussin, du Douanier Rousseau ? » Son ami Sabartés l'avait immédiatement appelé « Picasso », dès leur première rencontre en Espagne. Gertrude Stein n'avait-elle pas trouvé ce nom très accrocheur ? Braque ne s'adressait à son ami qu'en l'appelant Picasso – et non Pablo !

Malgré l'amour que Pablo portait à Doña María Picasso,

je ne pense pas que ce soit un problème œdipien qui l'ait amené à supprimer le nom de son père ! Sur ce dernier précisément, Pablo a toujours tenu le même discours empreint de respect, et a reproduit maintes fois son « apparence », dans de nombreuses toiles, dès qu'il avait à représenter un homme, un vrai. Il avait d'ailleurs écrit à sa mère pour s'assurer que son choix de porter son seul nom, Picasso, ne serait pas mal interprété par son père, et pour lui demander de bien vouloir rassurer son géniteur sur l'affection et le respect qu'il lui portait[1].

Au plan légal, il ne s'est jamais posé la moindre question. Il y avait la loi, et il y avait sa vie. Ses papiers officiels étaient établis au nom de Pablo Ruiz Picasso, mais ses œuvres, quand il les signait, ne portaient, dès le début de sa carrière, que le seul « Picasso ». Il signa « Pablo Picasso » sa carte de service pour accéder à l'Exposition universelle de Paris en 1937, où fut révélé *Guernica*. C'était son choix. Plus tard, Paloma se fera connaître partout comme Paloma Picasso ; de même ma cousine Marina Picasso.

Mon cas est atypique : pendant ma scolarité, je portais le seul nom de mon père, Widmaier (un nom originaire du Territoire-de-Belfort), mais, à partir de 1973, et de l'ouverture de la Succession, je fus repéré et étiqueté « petit-fils de Picasso » dans mon lycée. Cela me conféra une double identité que je conjuguais sans difficulté. La loi sur le nom d'usage du 23 décembre 1985 m'a permis d'officialiser ma double appartenance aux passés de mon père et de ma mère, en devenant Olivier Widmaier Ruiz Picasso. À l'usage, je suis parfois Widmaier, ou, le plus souvent, Picasso. Quant à ce malheureux nom de Ruiz, je le dis avec affection, il tend à disparaître... C'est l'usage des autres qui l'emporte. Dans notre famille, je sais combien mon oncle Claude ou mon cousin Bernard, par exemple, rappellent souvent le « Ruiz » de

1. L'acte de notoriété établi par le notaire cannois, Me Darmon, le 3 mai 1973, relève d'ailleurs, de façon officielle, les différentes identités de Pablo, tantôt Ruiz y Picasso, souvent Ruiz-Picasso, et plus fréquemment Picasso.

leur nom. Chacun trouve son propre ajustement, autre succès de cet esprit de liberté qu'a fait triompher Pablo.

Le cas le plus totalement atypique est celui d'Émilienne, la mère de Marina. Divorcée de Paulo depuis 1953, elle demanda, vingt-trois ans plus tard, en septembre 1976, à substituer le nom de Ruiz Picasso (nom de son ex-mari) à son nom de jeune fille, Lotte – ce patronyme retrouvé après le divorce, auquel elle souhaitait à nouveau renoncer ! Il existait malgré tout une autre Mme Paul Ruiz Picasso, par mariage : Christine, la veuve de Paulo... position difficilement conciliable.

Cependant, avant l'heure et l'évolution de la loi récente, beaucoup se sont étonnés de cette ascendance féminine dans notre famille. Pablo portait le nom de sa mère ; je porte aussi le nom de ma mère ; Gaël et Flore, les enfants de Marina, portent seulement le nom de leur mère... C'est une forme de liberté qui donne probablement à chacun un équilibre, même si ce n'est pas seulement le nom qui détermine l'individu.

Mais il y contribue. Il est sûr que le nom de Picasso, rendu célébrissime par Pablo, apporte une reconnaissance immédiate. Un « Picasso » n'est jamais anonyme. Il en est autrement pour ce qui est de la personnalité.

Face à la force d'un tel nom, vouloir en accepter les avantages, c'est aussi en assumer les charges. Et les respecter. Être l'héritier, au sens le plus large, de Pablo Picasso, c'est avoir des droits *et* des obligations. Je me sens investi d'un devoir de mémoire, et de vérité, quitte à m'élever contre les abus, les incohérences et les mensonges. Il faut être vigilant et ne pas dérailler...

Un nom peut être lourd à porter. Celui qui en a vécu la plus terrible expérience fut mon cousin Pablo Picasso, que l'on dut appeler très vite Pablito. Être Pablo Picasso après Pablo Picasso, c'était un hommage au grand-père, comme il est de tradition dans de nombreuses familles, mais aussi une charge écrasante à assumer. Le jeune homme, qui ne pouvait même pas vivre avec, ne supporta pas d'être obligé de lui survivre. Pour bien d'autres raisons.

Le nom ne fait pas tout, c'est un identifiant. Je suis le petit-fils de Pablo Picasso, je suis l'un des petits-enfants de Pablo Picasso. Je partage sans difficulté cette ascendance. C'est un fait génétique. Je pourrais m'appeler Tartempion et avoir la même légitimité à parler de mon grand-père. Le fait de définir mon identité par rapport à Pablo Picasso, comme je l'ai dit plus haut, me pousse à observer une grande rigueur face à la réalité historique. Je ne vais pas réécrire son histoire sous prétexte que j'aurais préféré un scénario plus agréable ou plus confortable.

Dans toutes les familles, il existe des secrets, des non-dits... Chez les Picasso, tout a été révélé. Publiquement. Ce n'est pas ordinaire. Il serait difficile aujourd'hui de passer sous silence certains détails qui expliquent tant de choses rendues publiques ! Ce ne serait pas honnête. Si j'avais la volonté de « transformer » certains événements, de m'inventer des souvenirs, je m'exposerais à passer pour un menteur, ou un idiot inculte – ou un malade. C'est la rançon de la gloire « picassienne ».

Un dernier mot sur ce sujet. En général, passé la période du deuil, la place de l'ascendant s'estompe pour disparaître. La transmission s'est effectuée. Dans le cas de Picasso, il perdure. Quels que soient les efforts et les mérites de chacun de nous, la présence de Pablo et son image continuent de marquer nos destins. Nous ne pouvons y échapper. L'éternité de l'artiste fait que le même dilemme se pose, à chaque génération nouvelle. Vivre avec Picasso, vivre par Picasso, vivre sans Picasso.

Maya est l'un des experts les plus compétents au monde de l'œuvre de Pablo. Si bien qu'il est difficile pour une maison de vente ou une galerie de se dispenser d'obtenir son avis, véritable garantie, s'il en est, de l'origine d'une œuvre. Elle vit cette activité comme une mission et se consacre d'ailleurs à des recherches considérables. Elle est la plus âgée, et elle dispose de souvenirs et d'archives personnelles complémentaires et irremplaçables. Elle est née en 1935 et a, de l'avis de tous, été celle qui a le plus vécu auprès de Pablo. Le privilège de l'âge... Elle accomplit son travail d'expert de manière totalement désintéressée, fidèle en cela à sa réputation « d'inachetable Maya », en dépit d'invraisemblables propositions financières qui lui ont été parfois faites pour infléchir son avis, voire pour lui extorquer son consentement sur quelque œuvre d'origine douteuse.

Mon oncle Claude accomplit avec rigueur sa fonction d'administrateur judiciaire de l'Indivision depuis sa désignation en 1989. Et pourtant, il n'y avait pas postulé ! C'est le juge qui l'a désigné. Jamais l'œuvre de Picasso, son nom et son image n'ont été aussi bien protégés, ni fait l'objet, simultanément, d'une promotion aussi active et équilibrée. Dans l'intérêt de tous, bien sûr, et, d'abord, dans l'intérêt de la mémoire de Picasso et de son œuvre. Au travers de la structure juridique de Picasso Administration, à Paris, et de ses vingt-deux représentants dans le monde, il coordonne les utilisations des reproductions des œuvres, mais aussi du nom et de l'image même de Pablo Picasso, l'artiste le plus « demandé » au monde.

J'ai déjà expliqué comment Picasso Administration réagit aux nombreuses utilisations frauduleuses, aux détournements de noms de domaines Internet (plus de six cents rien que dans les dénominations « .net » et « .org »), avec des règlements amiables ou en justice. Claude organise des réunions trimestrielles auxquelles les autres indivisaires, Maya, Paloma, Marina et Bernard, sont toujours conviés. Un rapport, de la taille d'un annuaire, est remis annuellement : on voit toute l'ampleur, la nécessité et la complexité de cette gestion. Il y a une quinzaine d'années, quelques feuillets auraient suffi !

Claude participe également activement au conseil d'administration du Centro cultural de la Reina Sofia à Madrid, et à de nombreuses conférences sur l'œuvre de son père.

Ma tante Paloma poursuit avec succès ses activités de créatrice de joaillerie, de parfums et de cosmétiques, de designer de lignes d'accessoires de mode et de décoration. Passions inaugurées voici plus de vingt ans. Elle vient d'annoncer la création d'une fondation, en Suisse, qui abritera sa collection d'œuvres.

Mon cousin, Bernard, héritier précoce, bien malgré lui, de son père Paulo, dirige aujourd'hui une maison d'édition d'art et gère avec dynamisme son héritage, dont une partie, en prêts et en dons, contribuera à la création en 2003 d'un musée Picasso à Málaga – fruit de la collaboration d'une Fondation Christine, Bernard et Paul Picasso, et d'une Fondation musée Picasso de la région (Junta) de Catalogne.

Apparemment, tous ont trouvé leur équilibre, et donné un sens à leur destin. Ils ont appris à conjuguer leur vie et Picasso.

Marina parle de sérénité. Elle vit en Suisse depuis une vingtaine d'années et, comme je l'ai indiqué, a publié deux livres.

À la fin du second, elle semble comprendre :

« À travers le prisme de mon père [Paulo], il [Pablo] était méprisant et avare. À travers celui de ma mère [Émilienne], il était pervers et insensible... Tout était de sa faute [1]... »

Dont acte. Il aurait mieux valu, à mon sens, commencer par là et éviter d'écrire, ou réécrire, le reste...

La marque

Il y a trente ans, dans le domaine artistique, on ne connaissait que le droit d'auteur, la protection des œuvres de l'esprit, que cela concerne un écrit, une chanson ou une œuvre graphique. La France, pionnière en la matière, avait apporté une très grande sécurité au droit d'auteur avec la loi du 11 mars 1957 et la réforme complémentaire de la loi du 3 juillet 1985, dite loi Lang. Des sociétés de droits d'auteur (comme la

1. *Grand-Père, op. cit.*

SACEM pour la musique ou pour les arts graphiques, l'ADAGP ou feu la SPADEM) ont pris en charge la représentation d'artistes pour la gestion de leurs droits d'auteur et la perception des rémunérations de ceux-ci.

Si l'on souhaite reproduire l'œuvre d'un artiste, il faut en demander l'autorisation préalable. Tout un système s'est mis en place, la plupart des artistes se faisant utilement représenter par ces sociétés de droits d'auteur, protégeant leurs droits, organisant l'exploitation de leurs œuvres par différents médias ou supports et leur réservant l'exercice de leur droit moral.

Dans le cas d'artistes emblématiques, un nouvel aspect inattendu de leur personnalité a pris une importance grandissante : leur nom. Plus particulièrement au cours des années quatre-vingt, le nom de Picasso est devenu une marque. Ce n'est au fond que l'extension naturelle, à des produits de consommation courante, de ce qu'était et demeure d'ailleurs la signature d'un artiste au bas d'un tableau, vrai ou faux : Rembrandt, Renoir, Van Gogh, Miró, Dali... ou Picasso.

Cela se vérifie, s'authentifie, se contrôle, s'autorise, se combat.

Au milieu des années quatre-vingt, la force du nom s'illustra en la personne d'un certain Kiki Picasso. Je m'en étais étonné auprès de ma mère, moins par le côté blagueur du pseudonyme que par la dérive qu'inaugurait le personnage. Kiki Picasso, de son vrai nom Christian Chapiron, était un tagueur avant l'heure, un graphiste en aérosols, qui surlignait en couleurs des photos imprimées. Son pseudonyme créa la confusion dans le microcosme parisien, et beaucoup pensèrent qu'il s'agissait d'un parent de Pablo.

Un sentiment d'indifférence amusée prévalut dans la famille. Kiki devint illustrateur de jingles et de génériques d'émissions de télévision. Il reproduisait en vidéo ce qu'il avait fait avec les photos, utilisant cette fois la technologie naissante de la palette graphique. Sa notoriété grandissait à l'aune de sa visibilité. Au point qu'un soir, au Palace (à l'époque, célèbre boîte de nuit parisienne), l'un des serveurs me prévint que mon cousin était là ! Je cherchai alors Bernard, mon seul cousin en âge de sortir, et reconnus Kiki... Je lui fis porter une bière, à sa santé, sans lui adresser la parole, sûr que la plaisanterie prendrait bientôt fin.

En effet, le sympathique artiste au pseudo malin commençait à s'incorporer à la généalogie de Pablo Picasso d'une façon inacceptable. Outre les parutions occasionnelles de ses travaux dans la presse, il venait d'éditer une biographie, truffée d'indications fantaisistes[1]. Il y reproduisait des œuvres où il avait graphité ou redessiné des photos publiées – dont un portrait du mariage de Paloma en 1978, ré-intitulé de façon ordurière (*La mongolienne de la famille se marie à l'église*) ; il y parlait de Jacqueline comme de *La Vieille Truie*, ou légendait encore une autre œuvre : « Pablo Picasso avait beau peindre comme la queue d'un âne, c'était quand même un bon grand-père ! »

Son œuvre, d'ailleurs plutôt talentueuse, était rattrapée par toutes les palettes graphiques du monde, et allait vers sa fin. Est-ce pour cela qu'il était passé de l'originalité à l'outrance ? Jouant sur une confusion inutile et dangereuse, il blaguait : « Quand son père [Pablo] allait boire, Kiki Picasso restait seul dans l'atelier. Il s'amusait à barbouiller les toiles de Pablo. Celui-ci ne s'en aperçut jamais, et bon nombre des toiles ainsi retouchées furent vendues à de riches collectionneurs. »

À bout de patience, et après en avoir longuement discuté dès 1985, Paloma, Claude et Bernard l'assignèrent en justice, en 1988, pour usurpation de nom et d'identité, et demandèrent qu'on lui interdise d'user du nom Picasso. Et 1 franc de dommages et intérêts.

Le tribunal fit droit à leur demande, le 31 mai 1989. Kiki perdit son pseudo. Son œuvre n'y survécut pas.

---

1. Kiki Picasso, *Les Chefs-d'œuvre de Kiki Picasso*, Éditions Le Dernier Terrain vague, 1981.

Comme je l'ai rappelé, « Picasso » est devenu, de force, une marque. C'est sous la contrainte des utilisations multiples et frauduleuses que notre famille a dû procéder au dépôt du nom et de la signature « Picasso ».

Claude Picasso, l'administrateur de l'Indivision, a constaté alors l'étendue du désastre, dans le monde entier ! Les spécialistes traditionnels en contrefaçon d'Extrême-Orient, mais aussi de nombreux pays européens et américains, effectuaient d'innombrables dépôts illégaux. À cela, s'ajoutaient également des dépôts de noms phonétiquement très proches de « Picasso », ou signifiant quelque chose dans la langue locale : *picazo* en japonais (« éclair » pour un appareil photo avec flash...), *picaro* pour un constructeur automobile...

Au total, le nombre de marques référencées « Picasso » – à l'identique – était de plus de sept cents en 1998. Il fallut donc intensifier les « oppositions » afin de récupérer le nom, en prévenir toute utilisation non désirée, et protéger, le cas échéant, le petit nombre des licenciés légaux. Mais j'ai déjà donné le détail de cette lutte...

Si la célébrité du nom de mon grand-père en a fait une véritable marque, l'arrivée de l'Internet l'a propulsé comme média. La marque fait vendre, le nom de domaine fait cliquer ! Ainsi, près d'un millier d'adresses de sites web comportent, seul ou de façon composée, le nom « Picasso » ! Certains de ces sites sont l'œuvre d'admirateurs authentiques de Picasso, qui veulent montrer telle ou telle œuvre intéressante scannée dans un livre, ou déclarer leur passion. Légalement, la reproduction est interdite, moralement il y a matière à indulgence, et je sais combien mon oncle Claude, au titre de ses fonctions, sait faire la différence entre les aficionados, les étudiants, les chercheurs et... les véritables escrocs ! D'autres petits malins ont raisonné plus simplement : près de cinquante mille sites dans le monde parlent de Pablo Picasso, et les moteurs de recherche en référencent des centaines. Quelle aubaine que d'y être référencé, afin de pouvoir récupérer le « clic » d'un internaute curieux et de drainer du flux !

C'est ainsi qu'une adresse « picasso-for-life » peut vous conduire directement sur la présentation commerciale d'un cabinet d'assurance-vie américain...

Outre ces « curiosités » éditoriales, Picasso Administration a dû et doit encore récupérer, une à une, les adresses Internet détournées. Elle est intervenue fermement pour disposer du légitime www.picasso.fr, nécessaire à l'accès à son propre site, tant pour l'information du public et des spécialistes, partout dans le monde, que pour ses relations avec ses représentants.

C'est cette croisade sans relâche qu'effectue Picasso Administration pour harmoniser prévention et répression, afin que l'œuvre de Pablo perdure sereinement.

Qui aurait pu prévoir que le jeune émigré espagnol laisserait son nom dans le XXe siècle de l'art, avant de devenir une marque, puis un média, dès le siècle suivant [1] ?

En raison du parcours personnel inégalable de mon grand-père, j'ai toujours relativisé la célébrité. Comment ne pas rester circonspect devant tant de célébrités éphémères, quand on a un grand-père qui s'inscrit toujours dans l'actualité, près de trente ans après sa mort ? Comment ne pas rester modeste, quand on bénéficie soi-même d'un intérêt médiatique par le seul fait d'être un de ses petits-enfants ? Comment se féliciter de la possession de ses œuvres quand il s'agit, avant tout, de l'héritage de son travail et de son amour de collectionneur ? J'ai une grande chance, mais les avantages donnés (et pas acquis) dont je bénéficie m'obligent à en être digne. On m'a donné un nom. À moi de me faire un prénom.

Et de me répéter sans cesse : on aurait demandé à mon grand-père s'il connaissait Picasso, il aurait répondu, j'en suis sûr : « Picasso, connais pas ! »

---

1. C'est cet impact exceptionnel que l'on retrouvera dans une comédie intitulée *Picasso at the Lapin agile*, qui sortira en 2003 : un voyage dans l'éternité réunissant Albert Einstein, Elvis Presley et Pablo Picasso, incarnés par des acteurs prestigieux, tels que Steve Martin et Kevin Klive ou encore Juliette Binoche. Quel tableau !

« Sacré diable [1] ! »

1. Interview de Marie-Thérèse Walter par Pierre Cabanne, *op. cit.*

Au moment où je referme, provisoirement, le roman qu'aura été la vie de mon grand-père, je me demande si la complexité de sa vie et de son œuvre n'est véritablement que le reflet de la complexité de son propre personnage. Fataliste, Pablo Picasso n'aurait-il vraiment été que le résultat des événements, des hasards de l'existence ? Spontané, n'aurait-il pas aussi poussé lui-même la roue du destin qui s'offrait à lui ? Il est un point que je n'ai pas abordé et qui pourtant couvre tous les thèmes et domine l'image de Picasso : la manipulation.

Que n'a-t-on accusé le séducteur d'avoir manipulé ses conquêtes ! L'artiste n'a-t-il pas aussi manipulé ses marchands ? Aurait-il en fin de compte manipulé le public ? Ce serait faire peu de cas de la réalité que je viens de revivre.

Se souvient-on qu'il était arrivé à Paris sans le sou, qu'il y a vécu des années dans ce qu'il est convenu d'appeler aujourd'hui la précarité ? Plusieurs années qui se répétèrent inlassablement avant que le ciel ne s'éclaircisse... Était-il l'amoureux enthousiaste de Fernande ou d'Éva parce qu'il était un peintre riche et célèbre ? Non. Il avait épousé Olga, pensait-il, pour la vie... Marie-Thérèse, ma grand-mère, ne savait même pas qui était Picasso ! Usait-il d'autres charmes, mis à part celui d'une séduction naturelle ? Cela fait beaucoup de questions, mais Pablo y a apporté beaucoup de réponses...

Lui faire le procès d'avoir manipulé ses amours est-il vraiment fondé ? La question mérite que l'on s'y attarde. Pablo semble avoir toujours pris le plus grand soin de ne blesser personne. Ce que d'aucuns ont jugé comme une habile manœuvre...

Dans les faits, il cacha toujours à Fernande l'existence d'une liaison passagère et si épisodique avec Madeleine. Mais c'était avant que la relation avec Fernande ne gagne l'officialisation d'une vie commune ! Le coup de foudre avec Éva ne connut de réalité qu'après la rupture avec Fernande elle-même. Rien de public ou de vraiment concret auparavant.

Le mariage avec Olga survécut artificiellement, en partie grâce à la présence de Marie-Thérèse. Pablo ne tira pas avantage d'avoir une nouvelle femme dans sa vie pour abandonner l'autre. Il voulait également protéger son fils Paulo. De surcroît, mon grand-père était piégé : le divorce n'existait pas en Espagne. La raison le ramenait toujours au foyer conjugal. C'est ce que voulait Olga, feignant d'ignorer le reste. Pendant presque huit ans ! Et davantage...

Puis, le cœur l'emporta sur la raison. L'amour était sincère. Dès que la République espagnole instaura le divorce, Pablo voulut se séparer d'Olga. Qu'importe le partage des biens. Mais elle s'y opposa : la raison en sortait vainqueur, d'autant plus que le divorce fut ensuite définitivement abrogé par Franco.

Pablo était à nouveau piégé. Mais il n'a jamais souhaité que se prolonge cette double vie...

Se voulait-il aussi collectionneur quand il avait fait entrer Dora dans sa vie ? Ou était-ce elle qui avait forcé la porte... ? De toute façon, il ne pouvait plus divorcer et la procédure s'éternisait : de gré ou de force, Olga demeurerait sienne sur le papier. Quant à Marie-Thérèse, elle venait d'accoucher. C'est ainsi.

Quel imbroglio pour un manipulateur !

Fallait-il alors que Pablo clarifie la situation avec Marie-Thérèse ? À leur rencontre en 1927, elle le savait marié, « pour toujours ». Il lui avait donné la preuve de sa demande officielle de divorce dès qu'il put la faire légalement. Elle ne lui avait pourtant rien demandé : « On était heureux comme ça », disait-elle. Elle se trouvait désormais prise dans le tourbillon de la vie, impuissante. La situation était inextricable. Mais, en 1935, Olga partit...

De plus, Marie-Thérèse avait changé de statut : elle était pour toujours la mère de leur fille Maya. Aux improbables liens sur le papier s'étaient substitués des liens de sang. Cependant, entre 1935 et 1941 (dates de la fin de la procédure de séparation d'avec Olga), beaucoup d'événements se sont succédé : l'apparition de Dora, la guerre d'Espagne, puis le conflit mondial. La relation avec Marie-Thérèse s'est émoussée. Leur fille Maya devint peu à peu la seule raison des visites de Pablo – un peu à l'image d'un couple divorcé.

Quant à Dora, elle était la plus au fait de cet enchevêtrement et elle connaissait clairement son sort : à elle de choisir !

Je pense qu'une image faussée s'est inexorablement installée. Alors que chaque femme succédait à une autre, une épouse perdurait.

La manipulation répond avant tout à un calcul, à la raison. Les faits démontrent que c'est le cœur, fût-il du seul artiste, qui dictait Picasso.

Il serait vain d'estimer que l'enchaînement des situations, presque rocambolesque, ait réellement déplu à mon grand-père. Il avait la force et les moyens de les assumer. Il a eu une affection réelle pour toutes celles qui ont croisé son destin. Elles ont nourri son œuvre. N'était-ce pas là d'ailleurs qu'elles y étaient le mieux représentées ? Olga pensive, Marie-Thérèse endormie, Dora en pleurs, Françoise téméraire, Jacqueline souveraine... Et toutes silencieuses. Et complémentaires...

Ce sont les faits qui avaient engendré ce résultat. Pas Pablo Picasso. Selon lui.

Même l'argent, nécessaire pour que perdure ce labyrinthe de sentiments confus, renforcés par la présence des enfants, ne constituait pas un problème.

Si l'inévitable infidélité de mon grand-père était d'abord due à la permanence fictive de son mariage jusqu'à la mort d'Olga en 1955, on n'en a pas moins cru à un Picasso collectionneur et menteur. La légende perdure. Dans un sens, on a toujours parlé de ces époques à l'imparfait, pas au présent, car à aucun moment Pablo n'a joué la carte du scandale sentimental.

Malheureusement, il ne pouvait plus échapper à son destin. Dans un sens, le fait qu'il continua à subvenir aux besoins de toutes ces femmes peut apparaître comme une forme de fidélité. Condamné à errer sans jamais pouvoir se fixer officiellement, il fut contraint à être fidèle à chacune d'elles sur le plan financier, à l'exception de Françoise qui préféra regagner son indépendance et gagner la fidélité d'un autre.

« L'amitié est le cadeau de l'amour », disait mon grand-père. Avec ses hauts et ses bas.

Pablo était un être intéressant à tout point de vue et il eut la chance que ses compagnes ne soient pas des femmes « intéressées ». Certainement toutes amoureuses, à un moment ou à un autre. Et fascinées. Qui ne l'aurait pas été ?

Jacqueline réussit néanmoins à mettre bon ordre dans leur ménage, rappelant quelquefois son époux à des attentions plus exclusives à son égard. Encore un heureux coup du sort...

Mais, au vu de tant d'amours intenses au cours d'un demi-siècle de vie sentimentale – Pablo fut tout de même père à près de soixante-huit ans –, on peut comprendre que l'image du manipulateur se soit durablement installée dans les esprits. Rien n'était programmé cependant. Il n'y eut pas de manipulation. Seulement des émotions. Parfois contraires, souvent complexes. Jamais convenues.

La seule qui ait véritablement analysé froidement la situation fut Françoise, dans son livre *Vivre avec Picasso*. Elle connaissait le scénario, les personnages, qui étaient vraiment trop nombreux pour qu'elle puisse espérer le plan final du baiser sur le mot fin. Pablo aurait joué faux. Elle quitta le plateau. Elle n'aimait pas ce cinéma-là. Elle croisa même Jacqueline, débutante prometteuse.

À force de se protéger, Françoise a fini par avancer à pas feutrés, donnant à son récit un ton presque formaliste au sujet de leur relation. Par pudeur. Renforçant ainsi l'idée que Pablo agissait en donneur de leçons. C'était de son âge. Mais l'impression est trompeuse, car Pablo fut réellement troublé par cette jeune femme qui sut aussi, de façon inattendue, le maîtriser. S'il voulait jouer, il fut surpris par l'adversaire. On ne sait plus de quel côté aurait pu se trouver la manipulation. Quant à la volonté d'avoir un, puis deux enfants, elle apparaît comme un remède et surtout comme l'heureuse victoire du cœur sur la raison.

Jacqueline, elle, avait le privilège de la différence d'âge en sa faveur. Elle arriva au moment où de nombreux personnages sortaient de scène. Quels que fussent son amour et sa dévotion « réputée » pour Pablo, le mot « manipulation » ne peut s'appliquer à leur relation. Ils conjuguaient ensemble.

Pourquoi, dans ce cas, parler de la volonté de contrôler les êtres chez mon grand-père ? En ce qui concerne les femmes, le marché était clair. Ce n'était pas un marché de dupes. Il les voulait. Une à une, puis fatalement toutes ensemble. Sur les toiles. Il en avait besoin. Il le leur disait. Il le leur dessinait. Il y avait du charme à tout cela. De l'affection. On appelle aussi cela du romantisme !

En revanche, il est clair que Pablo a été un homme jaloux et possessif, sans jamais l'avouer. Par ailleurs, s'il était *le* compagnon de ses conquêtes, il resta aussi l'homme de leur vie ! Ce qui ne pouvait que flatter sa fierté... Seule Françoise le mit en « danger », ce qui dut exacerber sa colère d'homme pouvant être remplacé... Le trait n'en fut que conforté.

Je comprends ce caractère latin, que je partage uniquement sur le plan des relations sentimentales. Être un peu jaloux, n'est-ce pas une démonstration d'affection appréciée par l'autre ?

Dans ses relations avec les marchands, l'audace qui fut la sienne de vouloir contrôler le sort de son travail me paraît légitime. Aujourd'hui, on appellerait cela du management avisé. Mon grand-père travaillait littéralement avec ses « tripes », acculé à l'existence la plus redoutable pour donner aux autres. Cet abandon de soi méritait une considération. Et un prix. Et si l'argent en était la mesure, il fit en sorte qu'il y ait bonne mesure ! Si on lui reconnaît d'avoir probablement initié le marché de l'art moderne et d'en avoir fait l'heureuse fortune, c'est qu'il a su tirer les leçons de ses expériences personnelles et les faire partager. Beaucoup s'en souviennent. D'autres désormais le sauront.

Quant à la pingrerie, le sujet me paraît clos !

Pablo aurait-il pu échapper à son destin ? Ou en a-t-il été le maître ? Cette question finale me dépasse. Son caractère fataliste donne à penser qu'il laissait les choses se faire. Il suivait son instinct. Il a probablement causé de la tristesse à certains en ne prenant pas l'initiative d'une explication. Mais il pensait qu'une explication leur aurait fait du mal. Il a péché par omission. On peut lui accorder des circonstances atténuantes.

Sa vie serait ainsi la forme la plus aboutie et la plus extraordinaire qui ait existé d'un tel enchaînement d'événements. Elle représenterait le nirvana du hasard. Mon grand-père a lui-même fait de nombreuses déclarations en ce sens, jusqu'à ne prendre aucune décision quant au devenir d'une œuvre qu'il avait pourtant méthodiquement conservée... D'une certaine manière, à force de chercher pour trouver quelque chose qu'il ignorait, il a compris qu'il fallait mieux s'en remettre à la rencontre inattendue. Et heureuse. Le fameux « je trouve ! ». Ce fatalisme, ne peut-on alors l'appeler simplement espoir ?

Je me dis finalement que Pablo fut certes l'homme de quelques femmes et le père de ses quatre enfants – qui l'ont toutes et tous inspiré –, mais il demeure notre grand-père à tous tant il fait partie de l'heureuse mémoire collective !

Écrire sur Picasso. Le sujet paraît sans fin. Régulièrement, depuis des décennies, des détails supplémentaires, des anecdotes, des révélations, avec leurs lots de supputations et autres mensonges, viennent grossir le flot. J'en viens à rêver de pouvoir partager quelques instants avec mon grand-père, pour comprendre l'inexplicable. Lui parler au présent. Saisir un geste, un mot, pour me rassurer, même si Picasso reste une énigme. Repartir heureux de n'avoir rien compris. Mais rêver. C'est là l'essentiel.

Mon grand-père nous fait passer dans un univers parallèle, comme tant d'autres artistes d'ailleurs. Il nous offre sa vision du monde par les choses matérielles qu'il explore et les sentiments impalpables, qui prennent tout à coup forme dans ses œuvres. Qu'importe que le reste nous paraisse si difficile à comprendre, à accepter. Picasso nous révèle à nous-mêmes. Nous instille l'essence de nous-mêmes. Bon, mauvais. Émotions. Vie.

Pablo est mort ¡ Viva Picasso !

Comme l'a dit ma grand-mère Marie-Thérèse, Pablo était un « sacré diable » mais il était aussi « merveilleusement terrible [1] » !

Merveilleusement terrible...

1. *Ibid.*

Annexes

Points de repère

1881	Naissance de Pablo, le 25 octobre, fils de José Ruiz Blasco et María Picasso López, à Málaga (Andalousie).
1884	Naissance de sa sœur Lola.
1887	Naissance de sa sœur Conchita (qui meurt de diphtérie en 1895).
1891	Déménagement familial pour La Corogne (Galice).
1896	Installation définitive de la famille à Barcelone. Entrée de Pablo à l'Académie des beaux-arts, La Lonja, après avoir réussi le concours. Il habite seul dans la Calle de la Plata.
1897	Installation de Pablo à Madrid, seul. Il suit les cours à l'Académie royale de San Fernando sans grande assiduité. Retour à Barcelone.
1898	À la suite d'une scarlatine, convalescence à Horta de Ebro chez son ami Manuel Pallarés pendant plusieurs mois. Retour à Barcelone.
1899	Rencontre avec Jaime Sabartés.

1900 Installation avec son ami Carles Casagemas, dans un grand atelier à Barcelone.
Première exposition au café *El Quatre Gats*.
Départ pour Paris, en octobre, avec Casagemas et Pallarés, pour l'Exposition universelle.
Première rencontre avec Germaine.
Rencontre avec l'intermédiaire catalan, Manyac, qui lui présente le marchand Ambroise Vollard et la galeriste Berthe Weill, qui lui achète trois tableaux.
Retour à Barcelone à Noël, puis départ pour Madrid, où il participe à la revue *Arte Joven*, tandis que Casagemas repart pour Paris.

1901 Exposition à la galerie Vollard.
Rencontre avec Max Jacob, critique, poète et écrivain.
Suicide de Casagemas à Paris.
Retour de Pablo à Paris. Début de la « période bleue ».
Retour à Barcelone.

1902 Retour à Paris avec le peintre Sebastia Junyer-Vidal, dans des conditions matérielles particulièrement difficiles.

1903 Retour à Barcelone.

1904 Installation définitive à Montmartre, dans un atelier du *Bateau-Lavoir*, au 13 rue Ravignan.
Rencontre avec Fernande Olivier

1905 Participation au milieu artistique parisien : il côtoie Guillaume Apollinaire, André Salmon, Juan Gris, Marie Laurencin, Léo Stein.
Soirées au cabaret *Le Lapin agile* et dans les restaurants de Montmartre.
Voyage en Hollande pendant l'été.

1906 Bref séjour avec Fernande, dans sa famille à Barcelone.
Voyage à Gosol en compagnie de Fernande.
Présentation à Matisse par Gertrude Stein.

Début de la représentation du désir dans son œuvre.
Découverte de la sculpture et de l'art tribal.
Portrait de Gertrude Stein et premières études pour *Les Demoiselles d'Avignon.*

1907 *Les Demoiselles d'Avignon.*
Rencontre avec Daniel-Henry Kahnweiler.
Rétrospective Cézanne au Salon d'automne.

1908-1909 Travail sur les formes géométriques et découverte des œuvres réalisées par Braque au cours de l'été à L'Estaque.
Le critique d'art, Louis Vauxcelles, parle de « cubes ».
Adoption de la petite Raymonde, âgée de treize ans environ. L'enfant est ramenée par Fernande à l'orphelinat de la rue Caulaincourt au bout de quelques jours.

1910 Installation au 11 boulevard de Clichy.
Voyage avec Fernande à Cadaquès en Espagne.
Retour à Paris en septembre.

1912 Rupture avec Fernande.
Rencontre avec Éva Gouel (de son vrai nom, Marcelle Humbert).
Installation à Montparnasse, rue Schoelcher.

1913 Nouveau voyage à Céret avec Éva.
Mort de Don José Ruiz Blasco, le père de Pablo. Les funérailles ont lieu à Barcelone.

1914 Été à Avignon avec Éva et ses amis.
Déclaration de guerre entre la France et l'Allemagne.
Pablo, espagnol donc neutre, reste à Paris.

1915 Baptême de Max Jacob. Pablo est son parrain.
Rencontre avec Jean Cocteau.
Rencontre avec Eugenia Errazuriz. Initiation à la vie mondaine.
Mort d'Éva d'un cancer, en décembre.

1916	Déménagement, en octobre, à Montrouge.
1917	Bref séjour dans sa famille à Barcelone, en janvier. Participation au décor et aux costumes du ballet de Jean Cocteau, *Parade.* Voyage à Rome avec Cocteau pour rejoindre Serge de Diaghilev et ses Ballets russes, ainsi qu'Igor Stravinsky. Rencontre avec Olga Khokhlova, l'une des danseuses de la troupe. Visite de Naples et Pompéi. Retour à Paris fin avril. Levée de rideau au Châtelet, le 18 mai, sur *Parade*, qui fait scandale. Départ, en mai, pour Madrid puis Barcelone, avec les Ballets russes. Présentation d'Olga à sa mère, Doña María. Retour à Paris et installation, en novembre, avec Olga à Montrouge.
1918	Période « néoclassique ». Mariage, le 12 juillet, avec Olga. Les témoins sont Guillaume Apollinaire, Jean Cocteau et Max Jacob. Voyage de noces à Biarritz, chez Eugenia Errazuriz, qui lui présente le marchand Paul Rosenberg. Mort d'Apollinaire, le 9 novembre. Emménagement, fin novembre, au 23 rue La Boétie à Paris, sur deux niveaux : un atelier se trouve au-dessus de l'appartement cossu.
1919	Séjour à Londres avec Olga pendant trois mois pour travailler *Le Tricorne* de Diaghilev. Vacances à Saint-Raphaël avec Olga pendant le mois d'août. Exposition chez Paul Rosenberg.
1921	Naissance de Paul, dit Paulo, le 4 février. Première monographie. Installation en juillet de Pablo, Olga et leur fils Paulo à Fontainebleau.

1923 Circuit mondain au Cap-d'Antibes avec Olga et Paulo et sur la Côte d'Azur. Olga est représentée « pensive ». Rencontre avec Sara Murphy.

1924 Relations amicales avec les surréalistes, qui publient un hommage à Picasso dans *Paris-Journal.*
Séjour en famille à Juan-les-Pins, en juin.
Achat d'une voiture et embauche d'un chauffeur.

1925 Départ à Monte-Carlo avec Olga et Paulo, au printemps, pendant la saison des Ballets russes.
Installation à Juan-les-Pins pendant l'été.
Participation à la première exposition surréaliste en novembre.

1926 Exposition à la galerie Paul Rosenberg pendant les mois de juin et juillet.
Rencontre avec Christian Zervos.
Voyage à Juan-les-Pins et à Antibes pendant l'été, puis à Barcelone, en octobre, avec Olga et Paulo.

1927 Rencontre avec Marie-Thérèse Walter, le 8 janvier, à Paris.

1928 Vacances d'été à Dinard avec Olga et Paulo. Présence secrète de Marie-Thérèse.
Reprise de la sculpture, avec le sculpteur Julio González.

1929 Séjour à Dinard en famille. Proximité secrète de Marie-Thérèse.
Rencontre avec Dalí.

1930 Achat du château de Boisgeloup dans l'Eure au mois de juin.
Séjour d'été à Juan-les-Pins avec Olga et Paulo, ainsi qu'avec Marie-Thérèse.
Installation, en automne, de Marie-Thérèse au 40 rue La Boétie.

1931 Séjours à Boisgeloup avec Marie-Thérèse.

1932 Été en famille à Boisgeloup.
Départ d'Olga et de Paulo pour les vacances à Juan-les-Pins, en août.
Exposition rétrospective à la galerie Georges Petit, avec la révélation des portraits sans titre de Marie-Thérèse.
Parution, en octobre, du premier volume du catalogue raisonné de Christian Zervos, consacré à la période 1895-1906.
Vote de la loi sur le divorce en Espagne (devenue République).

1933 Publication du livre de Fernande Olivier, *Picasso et ses amis*, que Pablo, poussé par Olga, tente en vain d'empêcher.
Rencontre avec l'avocat Me Henri Robert pour envisager le divorce.

1934 Voyage à Madrid, Tolède et Saragosse avec Olga et Paulo, pendant l'été.
Séjour à Barcelone avec Marie-Thérèse.
Annonce de la grossesse de Marie-Thérèse, le 25 décembre.

1935 Demande de divorce.
Audience de non-conciliation au printemps.
Jugement de non-conciliation, le 29 juin.
Départ d'Olga, avec Paulo, du 23 rue La Boétie et installation à l'hôtel *California*, rue de Berri.
Naissance de Maya, le 5 septembre.
Début de l'amitié avec Paul Éluard.

1936 Départ, en mars, pour Juan-les-Pins avec Marie-Thérèse et leur fille Maya.
Réalisation du rideau de scène de *14 juillet* de Romain Rolland.
Juillet, début de la guerre civile en Espagne.
Départ, en août, pour Mougins pour rejoindre Paul et Nusch Éluard.

	Nouvelle rencontre avec Dora Maar, que lui avait présentée Éluard au printemps dernier à Paris, à Saint-Tropez. Découverte de Vallauris, village historique des potiers. Abandon, à l'automne, de Boisgeloup, devenue résidence officielle d'Olga – qui n'y va jamais. Installation au Tremblay-sur-Mauldre avec Marie-Thérèse et Maya, dans la maison avec atelier prêtée par Vollard.
1937	Installation en janvier dans un nouvel atelier au 7 rue des Grands-Augustins, à Paris. En février et mars, séjours réguliers au Tremblay-sur-Mauldre. Réalisation de séries de portraits de Marie-Thérèse. En avril, demande du gouvernement républicain espagnol, qui souhaite la réalisation d'une peinture murale pour le pavillon espagnol de l'Exposition universelle de Paris au mois de juillet. Bombardement, à partir du 26 avril, de la ville basque de Guernica. Réalisation de la fresque *Guernica*, du 1er mai au 4 juin. Inauguration, le 12 juillet, du pavillon espagnol à l'Exposition universelle. Demande d'enquête dans la procédure de divorce d'avec Olga.
1938	Séjour avec Dora Maar à Mougins pendant l'été. Retour à Paris fin septembre.
1939	En janvier, mort de Doña María, la mère de Pablo, à Barcelone. Entrée des franquistes à Barcelone. Grande rétrospective, qui comprend *Guernica*, d'abord au Museum of Modern Art à New York puis dans dix autres villes des États-Unis, à l'initiative d'Alfred Barr. Mort d'Ambroise Vollard en juillet. Abrogation du divorce en Espagne. Demande de séparation de corps judiciaire d'avec Olga.

Déclaration de guerre entre la France et l'Allemagne nazie au mois de septembre.
Départ pour Royan, pour rejoindre Marie-Thérèse et Maya. Dora l'accompagne en secret.

1940 Jugement de séparation de corps d'avec Olga, qui fait appel, en février.
Signature de l'armistice. Gouvernement de Vichy.
Allers-retours entre Paris et Royan.
Départ définitif, à l'automne, de l'appartement de la rue La Boétie – qu'il conserve cependant – pour la durée de la guerre et installation dans l'atelier et le petit appartement de la rue des Grands-Augustins.

1941 *Le Désir attrapé par la queue*, pièce de théâtre publiée chez Gallimard.
Retour de Marie-Thérèse et Maya à Paris et installation au boulevard Henri-IV.
Arrêt de la cour d'appel qui confirme la séparation d'avec Olga.

1943 Rencontre avec Françoise Gilot en mai.
Rejet du pourvoi d'Olga.

1944 Libération de Paris.
Adhésion au Parti communiste.
Participation au Salon d'automne.

1945 Premières lithographies avec Fernand Mourlot.

1946 Voyage avec Françoise sur la Côte d'Azur et en Provence, en mars.
Installation avec Françoise, en avril.
Travail au musée d'Antibes, prêté par Jules Dor de La Souchère.
Nouvelle rétrospective au MoMA de New York.
Annonce de la grossesse de Françoise.

1947 Naissance de Claude, le 15 mai.
Installation à Golfe-Juan avec Françoise et leur fils, en juin.

Début d'une intense activité de céramiste chez Suzanne et Georges Ramié à Vallauris.
Séjour d'hiver sur la Côte d'Azur.

1948 Emménagement à la villa *La Galloise*, à Vallauris.
Création de la *Colombe de la Paix* pour l'affiche du Congrès des intellectuels pour la Paix, en avril à Paris, salle Pleyel.
Voyage à Wroclaw (Pologne), en août, avec Éluard pour le Congrès des intellectuels pour la Paix.
Visite à Cracovie et à Auschwitz.
Retour à Vallauris en septembre.
Annonce de la deuxième grossesse de Françoise en octobre.

1949 Naissance de Paloma, le 19 avril.
Acquisition des ateliers du *Fournas*, à Vallauris.

1950 Deuxième conférence pour la Paix en Angleterre, en octobre.
Reçoit le prix Lénine de la Paix, en novembre.

1951 Départ de l'appartement de la rue La Boétie à Paris, et achat de deux appartements rue Gay-Lussac.

1952 Réalisation de la fresque *La Guerre et la Paix* dans une chapelle désaffectée du XIVe siècle, située à proximité de la place du Marché à Vallauris.

1953 Exposition *Le Cubisme 1907-1914* au musée national d'Art moderne de Paris – *Les Demoiselles d'Avignon* y figurent.
Mort de Staline et affaire du portrait – scandale du Parti communiste au sujet d'un portrait de Staline demandé à Pablo et publié dans *Les Lettres françaises*.
Départ de Françoise avec leurs enfants pour Paris. Ils s'installent rue Gay-Lussac.

1954 Rétrospective à Rome et à Milan (Italie).
Rencontre Jacqueline Roque à la galerie Madoura, en juin.

1955	Mort d'Olga. Désignation de Pablo comme subrogé-tuteur de Claude et Paloma. Rétrospective à Paris au musée des Arts décoratifs. Achat de la villa *La Californie* à Cannes. Installation avec Jacqueline et Maya, puis Claude et Paloma pour les vacances scolaires. Tournage du film d'Henri-Georges Clouzot, *Le Mystère Picasso*, pendant les mois de juillet et août.
1958	Achat du château de Vauvenargues (Provence).
1959	Demande effectuée par Pablo auprès du garde des Sceaux pour donner son nom à ses enfants Maya, Claude et Paloma, avec l'accord de Paul.
1961	Mariage avec Jacqueline à Vallauris, le 2 mars. Achat du mas *Notre-Dame-de-Vie*, à Mougins. Célébration de son 80ᵉ anniversaire à Vallauris.
1962	Reçoit son second prix Lénine de la Paix.
1963	Ouverture du musée Picasso de Barcelone (donation Sabartés). Collaboration avec les frères Crommelynck, qui installent leur atelier de taille-douce à Mougins.
1964	Publication du livre de Brassaï, *Conversations avec Picasso*. Publication aux États-Unis du livre, *Life with Picasso*, de Françoise Gilot.
1965	Publication en France du livre de Françoise Gilot, *Vivre avec Picasso*. Les procédures judiciaires pour l'interdire ont échoué. Rétrospectives au Canada et au Japon.
1966	Célébration de son 85ᵉ anniversaire. Rétrospectives au Grand Palais et au Petit Palais, avec la présentation de nombreuses sculptures inédites, en novembre.

1967	Expulsion de l'atelier et de l'appartement de la rue des Grands-Augustins (loi sur les logements inoccupés). Refus de la Légion d'honneur.
1968	Mort de Sabartés.
1970	Donation des œuvres de jeunesse au musée Picasso de Barcelone. Exposition des dernières œuvres au palais des Papes à Avignon. Le *Bateau-Lavoir* est détruit par un incendie.
1971	Réforme de la filiation en janvier, puis promulgation en août. Célébration de son 90e anniversaire. Exposition de huit toiles dans la Grande Galerie du musée du Louvre à Paris. Demande judiciaire de reconnaissance de filiation de Maya, en décembre.
1973	Demande judiciaire de reconnaissance de filiation de Claude et Paloma, en février. Décès de Pablo le 8 avril à *Notre-Dame-de-Vie* à Mougins. Enterrement au château de Vauvenargues. Exposition au palais des Papes à Avignon, en mai. Donation Picasso à l'État de la collection personnelle des œuvres d'autres artistes : Matisse, Rousseau, Balthus... Ouverture de la Succession.
1974	Décisions de justice définitives reconnaissant officiellement Maya, Claude et Paloma, enfants naturels de Pablo Picasso. Nomination d'un administrateur judiciaire, Me Pierre Zécri, et d'un expert, Me Maurice Rheims. Début de l'inventaire.
1975	Mort de Paulo (juin) qui laisse trois héritiers : sa veuve Christine et leur fils Bernard (né en 1959), et sa fille aînée Marina (née en 1950). Ouverture de la Succession de Paulo.

1976	Signature des accords de successions (en mars, puis en décembre pour les « choix préférentiels »).
1977	Fin de l'inventaire et déclaration des successions de Pablo et de Paulo. Suicide de Marie-Thérèse, en octobre.
1978	Dépôt officiel de la proposition de Dation (en règlement des droits de succession, cumulé pour les successions de Pablo et de Paulo).
1979	Remise officielle des œuvres de la Dation (exposée en partie au Grand Palais à l'automne). Début des opérations de partage entre les héritiers.
1985	Ouverture du musée Picasso à Paris.
1986	Suicide de Jacqueline.

Bibliographie

Ouvrages consultés

ASSOULINE PIERRE, *L'Homme de l'art : Daniel-Henry Kahnweiler, 1884-1979,* Paris, Balland, 1988.

AVRIL NICOLE, *Moi, Dora Maar,* Paris, Plon, 2001.

BALDASSARI ANNE, *Le Miroir noir, Picasso sources photographiques 1900-1928,* Paris, RMN, 1997.

BALDASSARI ANNE, *Picasso photographe,* Paris, RMN, 1995.

BARTHES ROLAND, *Mythologies*, Paris, Le Seuil, 1957.

BERGGRUEN HEINZ, *J'étais mon meilleur client, Souvenirs d'un marchand d'art,* trad. de l'allemand *Hauptweg und Nebenwege* par Laurent Mulhleisen, Paris, L'Arche, 1997.

BERNADAC MARIE-LAURE et ANDROULA MICHAEL, *Picasso, Propos sur l'art,* Paris, Gallimard, 1998.

BERNADAC MARIE-LAURE et DU BOUCHET PAULE, *Picasso, le sage et le fou,* Paris, Gallimard, coll. « Découvertes », 1986.

BERNADAC MARIE-LAURE et PIOT CHRISTINE, *Picasso, écrits : Picasso et la Pratique de l'écriture,* Paris, Gallimard-RMN, 1989.

BERNADAC MARIE-LAURE, MARCEILLAC LAURENCE, RICHET MICHÈLE et SECKEL HÉLÈNE, *Musée Picasso, Catalogue sommaire des collections,* Paris, ministère de la Culture-RMN, 1985.

BERNADAC MARIE-LAURE, MONOD-FONTAINE ISABELLE et SYLVESTER DAVID, *Le Dernier Picasso,* 17 février-16 mai 1988, Paris, centre Georges-Pompidou, 2000.

BRASSAÏ, *Conversations avec Picasso,* Paris, Gallimard, 1964.

CABANNE PIERRE, *Le Siècle de Picasso*, Paris, Denoël, 1975, rééd. Gallimard, coll.« Folio », 4 vol., 1992.

COOPER DOUGLAS, *Picasso-Théâtre,* Paris, Le Cercle d'Art, 1967.

COOPER DOUGLAS, *The Cubist Epoch,* Oxford, Phaidon, 1971.

DAIX PIERRE et BOUDAILLE GEORGES, *Catalogue raisonné des périodes bleue et rose, 1900-1906*, Neuchâtel, Ides et Calendes, 1966, révisé en 1989.

DAIX PIERRE et ROSSELET JOAN, *Catalogue raisonné du cubisme de Picasso, 1907-1916*, Neuchâtel, Ides et Calendes, 1979.

DAIX PIERRE, « Picasso et l'art nègre », dans *Art nègre et civilisation de l'universel*, Dakar-Abidjan, Les Nouvelles Éditions africaines, 1975.

DAIX PIERRE, *Dictionnaire Picasso,* Paris, Robert Laffont, coll. « Bouquins », 1995.

DAIX PIERRE, *La Vie de peintre de Pablo Picasso,* Paris, Le Seuil, 1977.

DAIX PIERRE, *Picasso créateur,* Paris, Le Seuil, 1987.

DAIX PIERRE, *Picasso Life and Art,* New York, Harper and Row, 1993.

DAIX PIERRE, *Picasso, la Provence et Jacqueline,* Arles, Actes Sud, 1991.

DAIX PIERRE, *Picasso,* Paris, Somogy, 1964.

DAIX PIERRE, *Tout mon temps, Mémoires,* Paris, Fayard, 2001.

DE LA SOUCHÈRE DOR JULES, *Picasso à Antibes,* Paris, Fernand Hazan, 1960.

DUMAS ROLAND, *Le Fil et la Pelote, Mémoires,* Paris, Plon, 1996.

DUNCAN DOUGLAS, *Les Picasso de Picasso,* Lausanne, Édita, 1961.

DUNCAN DOUGLAS, *Picasso et Jacqueline,* Genève, Albert Skira, 1988.

ÉLUARD PAUL, *À Pablo Picasso,* Genève, Trois Collines, 1944.

FITZGERALD MICHAEL C., *Making Modernism, Picasso and the creation of the market for the twentieth century*, Berkeley-Los Angeles-London, University of California Press, 1995.

FRY EDWARD, *Le Cubisme,* Genève, Éditions de la Connaissance, 1966.

GAUTIER PIERRE-YVES, *Propriété littéraire et artistique,* Paris, PUF, coll. « Droit Fondamental/Droit Civil », 1991.

GIDEL HENRY, *Picasso,* Paris, Flammarion, 2002.

GILOT FRANÇOISE et LAKE CARLTON, *Life with Picasso,* New York, Virago Press, 2001. Première édition aux États-Unis établie par Mc Graw-Hill Inc. en 1964.

GILOT FRANÇOISE et LAKE CARLTON, *Vivre avec Picasso,* Paris, Calmann-Lévy, 1965.

GOMBRICH Ernst H., *Histoire de l'art*, Oxford, Phaidon, 2001.

GOMBRICH ERNST H., *Réflexions sur l'histoire de l'art*, Nîmes, Jacqueline Chambon, 1992.

H. BARR ALFRED JR., *Picasso : Forty Years of his Art*, New York, Museum of Modern Art, 1939.

H. BARR ALFRED JR., *Matisse, His Art and His Public*, New York, Museum of Modern Art, 1951.

H. BARR ALFRED JR., *Picasso, Fifty Years of his Art,* New York, Museum of Modern Art, 1946.

JACOB MAX, *Souvenirs sur Picasso contés par Max Jacob*, Paris, Les Cahiers d'Art, 1927.

JOUFFROY JEAN-PIERRE et ÉDOUARD RUIZ, *Picasso, de l'image à la lettre*, Paris, Messidor, 1981.

KAHNWEILER DANIEL-HENRY, *Entretiens avec Francis Crémieux, Mes galeries et mes peintres,* Paris, Gallimard, 1961.

L'Art dans la pub, Musée de la publicité, Paris, Union centrale des arts décoratifs, 2000.

LAPORTE GENEVIÈVE, *Si tard le soir, le soleil brille,* Paris, Plon, 1973. Édition revue et augmentée, *Un amour secret de Picasso,* Monaco, Le Rocher, 1989.

LÉAL BRIGITTE, *Picasso et les enfants,* Paris, Flammarion, 1996.

Les Picasso de Dora Maar, catalogue de la vente aux enchères des 27 et 28 octobre 1998, organisée par l'étude Pisa et Me Mathias, succession de Mme Markovitch (dite Dora Maar), à la Maison de la Chimie, Paris.

LEYMARIE JEAN, *Picasso, Métamorphoses et unité,* Genève, Albert Skira, 1971.

MALRAUX ANDRÉ, *La Tête d'obsidienne,* Paris, Gallimard, 1974.

MC CULLY MARILYN, « Picasso und Casagemas. Eine Frage von Leben und Tod », dans *Der junge Picasso*, Berne, Kunstmuseum, 1984.

MC CULLY MARILYN, *A Picasso Anthology*, Londres, Art Council of Great Britain, 1981.

MC CULLY MARILYN, *Els Quatre Gats : Art in Barcelona around 1900*, Princeton, The Art Gallery, 1978.

MCKNIGHT GERALD, *Bitter Legacy, Picasso's disputed millions,* Londres, Bantam Press, 1987.

MOURLOT FERNAND, *Picasso lithographe,* Monaco, Sauret, 1970.

NASH STEVEN A. et ROSENBLUM ROBERT (dir.), *Picasso and the War Years 1937-1945,* Londres, Thames and Hudson, 1999. Et, dans cet ouvrage, les articles suivants :

NASH STEVEN A., « Picasso, War and Art » ;

NASH STEVEN, « Chronology » ;

ROSENBLUM ROBERT, « Picasso's disasters of War : The Art of Blasphemy » ;

R. UTLEY GERTJE, « From Guernica to The charnel House : The Political Radicalization of the Artist » ;

FITZGERALD MICHAEL C., « Reports from the Home Fronts, some skirmishes over Picasso's reputation ».

O'BRIAN PATRICK, *Pablo Ruiz Picasso,* trad. de l'anglais par Henri Morisset en 1976, Paris, Gallimard, 1979.

OLIVIER FERNANDE, *Picasso et ses amis,* Paris, Stock, 1933, rééd. Pygmalion, 2001.

OLIVIER FERNANDE, *Souvenirs intimes,* édité par Paris, Gilbert Krill, Calmann-Lévy, 1988.

PALAUI FABRE JOSEP, *Academic and Anti-academic (1895-1900),* New York, catalogue de l'exposition à la galerie Yoshii, 1996.

PALAUI FABRE JOSEP, *Picasso vivo (1881-1907)*, Barcelone, Polígrafa, 1980, trad. anglaise, *Life and Work of the Early Years 1881-1907,* Oxford, Phaidon, 1981.

PARMELIN HÉLÈNE, *Picasso dit...,* Paris, Gonthier, 1966.

PARMELIN HÉLÈNE, *Picasso sur la place,* Paris, Julliard, 1959.

PARMELIN HÉLÈNE, *Voyage en Picasso,* Paris, Christian Bourgois, 1994.

PENROSE ROLAND (texte) et QUINN EDWARD (photos), *Picasso à l'œuvre*, Zürich, Manesse-Verlag, 1965.

PENROSE ROLAND, *Picasso, his Life and Work,* Londres, Gollancz, 1958.

PENROSE ROLAND, *Picasso,* Paris, Flammarion, 1982.

Picasso and Braque : a Symposium, organisé par William Rubin, présidé par Kirk Varnedoe, édité par Lynn Zelevansky, New York, Museum of Modern Art, 1993.

GOSSELIN GÉRARD et JOUFFROY JEAN-PIERRE (dir.), *Picasso et la presse, Un peintre dans l'histoire, L'Humanité*/Cercle d'Art, 2000. Et, dans cet ouvrage, les articles suivants :

BACHOLLET RAYMOND, « Picasso à ses débuts » ;

DAIX PIERRE, « L'art dans la presse » ;
GOSSELIN GÉRARD, « Picasso, la politique et la presse » ;
JOUFFROY JEAN-PIERRE, « Un fondateur de la deuxième renaissance » ;
TABARAUD GEORGES, « Picasso et *Le Patriote* ».

Picasso et le portrait, exposition au Grand Palais, Paris, Flammarion-RMN, 1996. Et, dans cet ouvrage, les articles suivants :
BRIGITTE LÉAL, « *Per Dora Maar tan rebufon*/Les portraits de Dora Maar » ;
FITZGERALD MICHAEL C., « L'art, la politique et la famille durant les années d'après-guerre avec Françoise Gilot », « Le néo-classicisme et les portraits d'Olga Khokhlova » ;
RUBIN WILLIAM, « Réflexions sur Picasso et le portrait ».

PICASSO MARINA et VALLENTIN LOUIS, *Grand-Père,* Paris, Denoël, 2001.

PICASSO MARINA, *Les Enfants du bout du monde,* Paris, Ramsay, 1995.

Picasso, documents iconographiques, préface et notes de Jaime Sabartés, Genève, Pierre Cailler éditeur, 1954.

Picasso, œuvres des musées de Leningrad et de Moscou, introduction de Vercors, suivie d'un entretien entre Daniel-Henry Kahnweiler et Hélène Parmelin, Paris, Le Cercle d'Art, 1955.

RAMIÉ GEORGES, *Céramique de Picasso,* Paris, Le Cercle d'Art, 1974.

RICHARDSON JOHN, *Picasso, aquarelles et gouaches,* Bâle, Phœbus, 1984.

RICHARDSON JOHN, *Vie de Picasso*, vol. I, *1881-1906*, Paris, Le Chêne, 1992.

RUBIN WILLIAM, « La Genèse des *Demoiselles d'Avignon* », dans *Les Demoiselles d'Avignon,* 2 vol., Paris, RMN, 1988.

RUBIN WILLIAM, *Picasso in Primitivism in Twentieth-Century Art,* New York, Museum of Modern Art, 1984.

RUBIN WILLIAM, *Catalogue de l'exposition : Pablo Picasso, A Retrospective,* New York, Museum of Modern Art, 1980.

RUBIN WILLIAM, *Picasso in the Collection of the Museum of Modern Art,* New York, Museum of Modern Art, 1972.

SALVAYRE LYDIE, *Et que les vers mangent le bœuf mort*, Paris, Verticales, 2002.

SECKEL HÉLÈNE, *Max Jacob et Picasso*, RMN, 1994.

SPIES WERNER et CHRISTINE PIOT, *Picasso, Das Plastische Werk,* Stuttgart, Gerd Hatje Verlag, 1984.

SPIES WERNER et DUPUIS-LABBÉ, *Picasso sculpteur,* Paris, centre Georges-Pompidou, 2000.

SPIES WERNER, *Welt der Kinder, Picasso et les enfants*, introduction de Maya Picasso, Stuttgart, Prestel, 1995.

STASSINOPOULOS-HUFFINGTON ARIANNA, *Picasso, créateur et destructeur,* Paris, Stock, 1989, trad. de l'américain *Picasso, creator and destroyer* par Jean Rosenthal, New York, Simon and Schuster, 1988.

TABARAUD GEORGES, *Mes années Picasso,* Paris, Plon, 2002.

VALLENTIN ANTONINA, *Picasso,* Paris, Albin Michel, 1957.

WEILL BERTHE, *Pan ! Dans l'œil, Ou trente ans dans les coulisses de la peinture contemporaine 1900-1930,* Paris, Librairie Lipschutz, 1933.

WIDMAIER PICASSO DIANA, « La rencontre de Picasso et Marie-Thérèse. Réflexions sur un revirement historiographique », dans *Picasso et les femmes,* Chemnitz, catalogue de l'exposition du Kunstsammlung, 2002.

ZERVOS CHRISTIAN, *Catalogue général illustré de l'œuvre de Picasso,* 33 vol., Paris, Cahiers d'Art, 1932-1975.

ZERVOS CHRISTIAN, *Dessins de Picasso, 1892-1948,* Paris, Cahiers d'Art, 1949.

Articles de presse consultés

ALSOP JOSEPH, « The Art of Collecting Art », dans *The New York Review of Books*, 2 décembre 1982.

BEAR BRIGITTE, « Seven Years of Printmakings : the Theatre and its Limits », dans *Late Picasso,* Londres, Tate Gallery, 1988.

RICHARDSON JOHN, « Picasso's Apocalyptic Whorehouse », dans *The New York Review of Books,* 1987.

TERIADE EFSTRATIOS, « En causant avec Picasso », dans *L'Intransigeant*, 1932.

ZERVOS CHRISTIAN, *Cahiers d'Art, n° 7-10,* Paris, Cahiers d'Art, 1935.

Interview de Georges Sadoul dans *Regards*, n° 187, 29 juillet 1937.

PABLO PICASSO, « Lettre sur l'Art », dans *Ogoniok*, Moscou, n° 20,

16 mai 1926, trad. du russe par C. Motchoulskky, dans *Formes*, nº 2, février 1930.
« Picasso at Auschwitz », dans *Art News,* septembre 1993.

Radio, multimédia et vidéo

Interview de Marie-Thérèse Walter par Pierre Cabanne, dans *Présence des Arts* sur France-Inter, 13 avril 1974.
Picasso, un homme, une œuvre, une légende, CD-Rom, co-production Welcome-Grolier Interactive, Olivier Widmaier Picasso, producteur délégué, Anne-Sophie Tournier, producteur exécutif, Claude Picasso, conseiller éditorial, 1996.
Treize journées dans la vie de Pablo Picasso, film de Pierre Daix, Pierre-Philippe et Pierre-André Boutang, réalisé par Pierre-Philippe, DVD, édité par Arte Vidéo-RMN, 2000.

Remerciements

Je tiens à remercier l'ensemble de mes interlocuteurs qui ont su faire revivre mon grand-père le temps de nos entretiens. Ils m'ont apporté de précieuses informations, et certains d'entre eux ont utilement éclairé le récit de son héritage, qui est avant tout l'expression de son œuvre.

Me Armand Antébi
Heinz Berggruen
Ernst Beyeler
Pierre Daix
Me Roland Dumas
Luc Fournol
Me Paul Hini
Jean Leymarie
Me Paul Lombard
Adrien Maeght
Alberto Miguel Montanés
Lucette Pellegrino
Alain Ramié
Me Maurice Rheims
Mstislav Rostropovitch
Francis Roux
Gérard Sassier
Inès Sassier (†)
Werner Spies

André Villers

et tout particulièrement ma mère, Maya, qui a su ajouter la sincérité de son cœur à la précision de sa connaissance

Me Pierre Zécri.

Ainsi que, par leur intervention :

Theres Abbt, Scalo, Zürich
Claudia Andrieu
Doris Ammann
Anne Baldassari
Jean-Paul Claverie, LVMH
Anne Davy
Odile d'Harcourt, RMN
Anne-Marie Levaux
Isabelle Maeght
Yoyo Maeght
Kamel Mennour
Marie-France Pestel-Debord
Christine Pinault
Diana Widmaier-Picasso, ma sœur

sans oublier le service des Archives du Conseil général des Alpes-Maritimes,

et le musée Picasso de Paris,

ainsi que tous les auteurs, historiens et biographes reconnus, dont les écrits essentiels m'ont permis de compléter les souvenirs de famille, les archives et les recherches documentaires.

CRÉDITS PHOTOGRAPHIQUES

Couverture

Marie-Thérèse à la couronne de fleurs, 6 février 1937.
(Huile sur toile 61 x 46 cm, coll. particulière, Duncan 106 P), (c) Succession Picasso, 2002.
(photo de gauche) Pablo Picasso et ses enfants Paloma, Maya, Claude et Paulo, (c) Edward Quinn Archive, Scalo Publishers, Zürich-Berlin-New York.
(photo de droite) Portrait de Pablo Picasso (détail), (c) André Villers, 1955.

Quatrième de couverture

Olivier Widmaier Picasso pose devant *Trois figures sous un arbre*, vers 1907-1908.
(Huile sur toile, musée Picasso, Paris), (c) Succession Picasso, 2002.

Hors-textes

Page I : (haut) Coll. particulière, (c) Succession Picasso, 2002 ; (bas) (c) photo RMN.
Page II : (haut) photo RMN, (c) Succession Picasso, 2002 ; (bas) (c) photo RMN.
Page III : (haut) photo J. G. Berizzi/RMN, (c) Succession Picasso, 2002 ; (bas) (c) Man Ray Trust/ADAGP, Paris 2002.
Page IV : (haut) Coll. particulière, (c) Succession Picasso 2002 ; (en bas à gauche) (c) Coll. Maya Picasso ; (en bas à droite) (c) Coll. Maya Picasso.
Page V : (en haut à gauche) (c) Coll. Maya Picasso ; (en haut à droite) photo de Marie-Thérèse Walter, (c) Coll. Maya Picasso ; (en bas) Coll. particulière, (c) Succession Picasso, 2002.
Page VI : (en haut à droite) photo de Marie-Thérèse Walter, (c) Coll. Maya Picasso ; (à gauche) (c) Coll. Maya Picasso ; (en bas à droite) (c) Coll. Maya Picasso.
Page VII : (en haut) (c) Coll. Maya Picasso ; (en bas) (c) Coll. Maya Picasso.
Page VIII : photo J. G. Berizzi/RMN, (c) Succession Picasso, 2002.
Page IX : (en haut) Private collection, Courtesy Thomas Ammann Fine Art, Zürich, (c) Succession Picasso, 2002 ; (en bas) (c) Edward Quinn Archive, Scalo Publishers Zürich-Berlin-New York.
Page X : (en haut) (c) Succession Picasso, 2002 ; (au milieu et en bas) (c) Edward Quinn Archive, Scalo Publishers Zürich-Berlin-New York.
Page XI : (en haut) Coll. particulière, Bridgeman Library, (c) Succession Picasso, 2002 ; (au milieu à gauche et à droite, en bas à gauche) (c) Coll. Maya Picasso.
Page XII : (en haut) (c) Coll. Maya Picasso ; (au milieu) (c) Edward Quinn Archive, Scalo Publishers Zürich-Berlin-New York ; (en bas) (c) René Burri/ Magnum photos.
Page XIII : (en haut) (c) Man Ray Trust/ADAGP, Paris 2002 ; (au milieu à gauche) photo de Maillat, D.R. (c) Coll. Maya Picasso ; (au milieu à droite) (c) Coll. Maya Picasso ; (en bas à gauche) (c) Coll. Maya Picasso.
Page XIV : (en haut) photo J. G. Berizzi/RMN, (c) Succession Picasso, 2002 ; (en bas) (c) Coll. Gérard Sassier.
Page XV : (de bas en haut) (c) Coll. Gérard Sassier ; (c) Coll. Gérard Sassier ; (c) Coll. Maya Picasso ; (c) James Andanson/Corbis-Sygma.
Page XVI : (en haut) Coll. Pierre Zécri, (c) Éric Beaudoin/D.R. ; (au milieu) (c) Corbis/Sygma ; (en bas) (c) Steve Lyon.

Légendes de la page XVI

Les membres des Successions Pablo et Paul Picasso (en haut)
De gauche à droite (debout) : Me Rheims, Me Magnan, Me Rivoire, *Claude**, M. Geraudie (clerc de Me Lefebvre), Me Zécri, Me Lefebvre, Me Hini, Me Bredin, Me Verdeil, Me Caire.
De gauche à droite (assis) : *Paloma*, Me Leplat, *Marina*, Me Ferrebœuf, Me Weil-Curiel,

* Les noms des héritiers sont en italique.

Me Dumas, Me Darmon, *Maya*, Me Lombard, Olivier (fils de Maya), *Bernard*, *Christine*, Me Bacqué de Sariac.

Inauguration de la rétrospective « Picasso et le portrait » (au milieu)
De gauche à droite : Gaël (fils aîné de Marina), Bernard (fils cadet de Paulo), Olivier (fils de Maya) et Alice Evans, Paloma et son mari Éric Thévenet, Marina (fille de Paulo) et ses trois enfants Florian, May et Dimitri, Philippe Douste-Blazy (ministre de la Culture) et Jacques Chirac, Sydney (épouse de Claude), Maya, Claude, Hélène et Bernard Arnault (président du groupe LVMH, mécène de l'exposition), Christine (veuve de Paulo et mère de Bernard).
Étaient absents ce jour-là : Richard et Diana (enfants de Maya), Jasmin (fils de Claude et Sydney) et Flore (fille de Marina).

Impression réalisée sur CAMERON par

BRODARD & TAUPIN

GROUPE CPI

La Flèche

pour le compte des Éditions Ramsay
en septembre 2002

Imprimé en France
Dépôt légal : septembre 2002
N° d'impression : 14992
ISBN : 2-84114-537-9